suhrkamp taschenbuch
wissenschaft 429

Otto F. Kernberg ist Medical Director of The New York Hospital-Cornell Medical Center, Westchester Division, und Professor of Psychiatry at the Cornell University Medical College. Außerdem ist er Lehranalytiker am Columbia University Psychoanalytic Center for Training and Research.

Otto F. Kernberg gibt in diesem Buch zunächst eine umfassende systematische Übersicht über die symptomatologischen, ich-strukturellen und dynamisch-genetischen Merkmale der Borderline-Persönlichkeitsstörungen. Die folgenden Kapitel gehen auf typische Übertragungs-Gegenübertragungs-Konstellationen bei Borderline-Patienten ein; es wird eine besondere modifizierte Form analytischer Psychotherapie als Behandlungsmethode der Wahl für die Mehrzahl der Borderline-Störungen vorgestellt; typische Behandlungsprobleme und deren Bewältigung werden im einzelnen besprochen; eine ausführliche Erörterung prognostischer und differentialdiagnostischer Fragen schließen sich an. Dem bei Borderline-Patienten so häufigen inneren Leeregefühl ist ein eigenes Kapitel gewidmet.

Im zweiten Teil des Buches entwickelt Kernberg ein eigenes Konzept narzißtischer Persönlichkeitsstörungen, wobei er im Gegensatz zu Heinz Kohuts Konzept den Narzißmus dieser Patienten als eine pathologische Abwehrorganisation auffaßt, die tiefliegende archaische Trieb- und Beziehungskonflikte, insbesondere oral- und analsadistischer Art verdeckt. Die abschließenden Kapitel behandeln praktisch-klinische Probleme bei narzißtischen Persönlichkeitsstörungen und versuchen eine Klärung der Unterschiede zwischen normalem und pathologischem Narzißmus.

Das Buch verbindet Praxisnähe mit stringenter theoretischer Konzeptualisierung und dürfte in beiden Hinsichten die bisher beste und eingehendste Darstellung dieser Formen psychischer Störungen sein, die es gibt; an psychoanalytischen Ausbildungsinstituten wird es seit Erscheinen der amerikanischen Ausgabe bereits als Standardwerk benutzt.

Otto F. Kernberg
Borderline-Störungen und pathologischer Narzißmus

Übersetzt von Hermann Schultz

Suhrkamp

Titel der Originalausgabe:
Borderline Conditions and Pathological Narcissism
© Jason Aronson, Inc., New York 1975

suhrkamp taschenbuch wissenschaft 429
Erste Auflage 1983
© Suhrkamp Verlag Frankfurt am Main 1978
Suhrkamp Taschenbuch Verlag
Alle Rechte vorbehalten, insbesondere das
des öffentlichen Vortrags, der Übertragung
durch Rundfunk und Fernsehen
sowie der Übersetzung, auch einzelner Teile
Satz und Druck: Georg Wagner, Nördlingen
Printed in Germany
Umschlag nach Entwürfen von
Willy Fleckhaus und Rolf Staudt

1 2 3 4 5 6 – 88 87 86 85 84 83

Inhalt

tung von »Sinnlosigkeit« in der therapeutischen Interaktion.
d) Paranoides Kontrollieren und Verschweigen. e) Frühzeitiges
Auftreten von schwerem Agieren. f) Mißbrauch von Vorinformationen über Psychotherapie und von »psychotherapeutischem Jargon«. g) Zur vorherrschenden Qualität von Trennungsreaktionen. h) Die Beziehung zwischen Psychotherapeut
und Krankenhauspersonal

logischem Narzißmus. c) Äußerungsformen des pathologischen Narzißmus in der analytischen Situation. d) Zur Genese des pathologischen Narzißmus. e) Formen der Idealisierung und die Beziehung der narzißtischen Idealisierung zum Größen-Selbst. f) Strukturelle Merkmale und Ursprünge des Größen-Selbst

Für Paulina, Martin, Karen und Adine

Zur Einführung

Otto Kernbergs Beiträge zur Psychoanalyse und zum Studium menschlichen Verhaltens überhaupt erweisen seine Befähigung als eigenständiger und origineller Forscher, Kliniker und Theoretiker und seine Begabung, dabei unterschiedliche Ansätze zu einer Synthese zu bringen und einen optimalen integrierenden Bezugsrahmen für das Verständnis von Patienten zu entwickeln, die unsere Fähigkeiten vielfach hart auf die Probe stellen. Seine Publikationen über so verschiedene Themen wie z. B. den Rorschach-Test, unterschiedliche neurotische Syndrome, die Theorie der Objektbeziehungen, über Gegenübertragung, die Kleinianische Schule, Charakterstörungen, die Fähigkeit zu lieben, das Borderline-Syndrom, Verlaufs- und Ergebnisforschung in Psychotherapie und Psychoanalyse, über die Struktur und Behandlung narzißtischer Persönlichkeiten und über die stationäre Behandlung schizophrener Patienten haben ihm verdientermaßen einen internationalen Ruf als Psychoanalytiker von bemerkenswerter Einsicht und weitgespannten Fähigkeiten verschafft. Durch seine Arbeiten hat er Psychotherapeuten und Psychoanalytikern entscheidende Einsichten über einige ihrer rätselhaftesten und am wenigsten verstandenen Patienten vermittelt und sie mit wichtigen Behandlungstechniken für diese Fälle ausgerüstet. Dieses Buch stellt nun seine weithin berühmt gewordene Arbeit mit Borderline-Patienten und narzißtischen Persönlichkeiten vor und zählt zweifellos zu seinen glänzendsten Beiträgen. Otto Kernberg nimmt einen hohen Rang unter jenen Psychoanalytikern ein, die erwiesen haben, daß uns die klassische Psychoanalyse in ihren Anwendungen immer noch das sinnvollste und tiefreichendste Verständnis für das gesamte Spektrum psychopathologischer Syndrome erschließt, auch und gerade was einige unserer schwerst gestörten und schwierigsten Patienten anbelangt.

Robert Langs

Danksagung

In den vorliegenden Band habe ich einige Studien mit aufgenommen, die in Verbindung mit meiner Arbeit am Psychotherapie-Forschungsprojekt der Menninger-Stiftung entstanden sind. Ich verdanke Robert Wallerstein, dem damaligen Leiter dieses Projekts und Forschungsdirektor der Menninger-Stiftung, die erste Anregung und fortwährende Ermutigung, mein spezielles Forschungsvorhaben über Borderline-Störungen im Rahmen des Gesamtprojekts weiter voranzutreiben. Während der gesamten Zeit, in der die Projektleitung in seinen Händen lag, und auch weiterhin – nachdem ich dann selbst nach dem Fortgang Wallersteins aus Topeka zum Leiter dieses Forschungsprojekts ernannt worden war – hatte ich den Vorzug, von seiten der gesamten Projektgruppe ständige Unterstützung und konstruktive Kritik zu erfahren. Einigen Mitarbeitern aus dieser Gruppe schulde ich besonderen Dank: Gertrude Ticho, Ernst Ticho, Ann Appelbaum, Stephen Appelbaum, Leonard Horwitz, Esther Burstein und Lolafaye Coyne, die die in diesem Buch versammelten Arbeiten gelesen und unter verschiedensten Aspekten im Detail mit mir diskutiert haben. Die Überlegungen von Ernst Ticho über die Beziehungen und Unterschiede zwischen Psychoanalyse und Psychotherapie haben mein behandlungstechnisches Konzept bei Borderline-Patienten in starkem Maße beeinflußt.

Weitere Freunde und Kollegen sind zu nennen, die mir Anregungen und Hilfe zukommen ließen, unter ihnen besonders der inzwischen verstorbene Herman van der Waals, ehemals Direktor des Topeka Institute for Psychoanalysis und des C. F. Menninger Memorial Hospital, dessen Sichtweise mir entscheidend dabei geholfen hat, meine eigene Auffassung über narzißtische Persönlichkeiten und deren Behandlung zu entwickeln, sowie Jerome D. Frank, Professor emeritus der Psychiatrie an der Medizinischen Fakultät der Johns Hopkins University und Leiter der Psychotherapie-Forschungsgruppe an der Henry-Phipps-Klinik, der mich in die komplexen Theorieansätze und Verfahrensweisen der Psychotherapie-Forschung eingeführt hat.

Mrs. Virgina Eicholtz, die leitende Herausgeberin des *Bulletin of the Menninger Clinic*, half mir mit unermüdlicher Geduld, aber auch mit der nötigen Festigkeit und Überzeugungskraft, aus meinem Englisch wirkliches Englisch zu machen.

Meine Frau Paulina Kernberg war meine scharfsichtigste und kreativste Kritikerin. Ohne ihre beständig fragende und doch auch ermutigende Haltung gegenüber meiner Arbeit hätte ich diese nicht leisten können.

Zum Schluß möchte ich noch Mrs. Mary Patton, der Chefsekretärin des Menninger Foundation Research Project, die während meiner Zeit als Direktor des C. F. Menninger Memorial Hospital auch meine Sekretärin war, und Mrs. Jean Thomas, der Senior-Sekretärin des General Clinical Service am New York State Psychiatric Institute, für ihr Engagement, ihre Genauigkeit und ihre außerordentliche Tüchtigkeit bei der Vorbereitung dieses Buches zur Veröffentlichung meinen tiefen Dank sagen.

Vorwort

In diesem Buch wird eine systematische Analyse der Borderline-Störungen ausgeführt: ihrer Psychopathologie, Diagnose, Prognose und Therapie. Der Band ist das Ergebnis meiner bereits über dreizehn Jahre anhaltenden Bemühungen, eine Konzeption dieser breiten und in vieler Hinsicht noch rätselhaften Kategorie psychischer Störungen im Lichte der zeitgenössischen Ich-Psychologie und der psychoanalytischen Objektbeziehungs-Theorie zu entwickeln.

Eine Untergruppe von Borderline-Patienten, nämlich die narzißtischen Persönlichkeiten, gab hierbei besonders schwierige Probleme auf. Diese Patienten ähneln offensichtlich den üblichen Borderline-Patienten, aber zugleich unterscheiden sie sich in mancher Hinsicht von diesen; in bezug auf ihre Abwehrorganisation gleichen sie den Borderline-Störungen, andererseits verfügen aber viele von ihnen über ein wesentlich besseres psychosoziales Funktionsniveau. Im Bemühen um eine Klärung dieser und weiterer klinischer Probleme bei narzißtischen Persönlichkeiten bin ich zu einer neuen eigenen Konzeption der Diagnose und Behandlung dieser Patienten gelangt, die im II. Teil des Buches dargestellt wird.

Die Erörterung der vorliegenden Literatur über Borderline-Störungen ist über verschiedene Kapitel des I. Teils verstreut: Das 1. Kapitel schließt die frühere Literatur (bis 1967) zur Diagnose von Borderline-Störungen mit ein; im 3. Kapitel wird die Literatur über Behandlungsfragen aus demselben Zeitraum besprochen, und das 5. Kapitel enthält eine Diskussion der neueren Literatur (von 1968 bis 1972) über Diagnose und Behandlung dieser Krankheitsbilder. Da meine späteren Arbeiten teilweise durch neuere Publikationen anderer Autoren über Borderline-Störungen beeinflußt wurden oder auch als Reaktion darauf entstanden sind, hielt ich es für gerechtfertigt, diese Unterteilung beizubehalten.

O. K.

Erster Teil
Borderline-Persönlichkeitsstörungen

1. Kapitel
Das Syndrom

In diesem Kapitel werde ich versuchen, eine systematische Beschreibung der sogenannten »Borderline«-Persönlichkeitsstörungen* unter symptomatologischen, strukturellen und genetisch-dynamischen Aspekten zu geben. In der Fachliteratur wird diese Form von Psychopathologie unter verschiedenen Bezeichnungen abgehandelt: »Borderline-Zustände« [borderline states]** (Knight 1953 a), »präschizophrene« Persönlichkeitsstruktur (Rapaport, Gill, Schafer 1945/1946), »psychotischer Charakter« (Frosch 1964), »Borderline-Persönlichkeit« (Rangell 1955, Robbins 1956). Bei manchen Autoren bleibt es unklar, ob mit Begriffen wie »ambulatorische Schizophrenie« (Zilboorg 1941) oder »pseudoneurotische Schizophrenie« (Hoch und Polatin 1949) eigentlich Borderline-Persönlichkeitsstörungen gemeint sind oder ob es dabei eher um tiefer regredierte, d. h. psychotische Patienten geht, deren Symptomatik teilweise ähnlich ist. In psychoanalytischen Studien über sogenannte »Als-ob«-Persönlichkeiten (H. Deutsch 1934), schizoide Persönlichkeitsstrukturen (Fairbairn 1940) und Patienten mit schweren Ich-Deformierungen [ego distortions] (Gitelson 1958) scheint es sich ebenfalls um Patienten zu handeln, die der Borderline-Gruppe zumindest nahestehen.

Es gibt jedenfalls eine gewichtige Gruppe psychischer Störungsformen, die insgesamt durch eine relativ spezifische und auffallend stabile pathologische Ichstruktur gekennzeichnet sind. Die Ich-Pathologie dieser Patienten unterscheidet sich sowohl von derjenigen bei Neurosen und leichteren Charakterstörungen als auch andererseits von den Ichstörungen bei Psychosen; sie sind daher in einem Grenzbereich [borderline area] zwischen Neurose und Psychose anzusiedeln. Der Ausdruck *»Borderline-Persönlichkeitsstruktur«* [border-

---

* [Anm. d. Übers.: Der Terminus »Borderline« hat sich mittlerweile in der deutschsprachigen Literatur und im klinischen Jargon dermaßen eingebürgert, daß er hier durchweg in seiner englischen Form belassen und nicht durch Ausdrücke wie »Grenzzustand«, »Grenzfall« o. ä. übersetzt wird.]

** [Anmerkungen und Ergänzungen des Übersetzers sowie gelegentlich beigefügte englische Fachtermini aus dem Originaltext erscheinen durchweg in eckigen Klammern.]

line personality organization]* erscheint mir präziser als andere Bezeichnungen, wie z. B. »Borderline-Zustände«, weil es sich hier nicht nur um fluktuierende Übergangszustände zwischen Neurose und Psychose handelt, sondern wirklich um Patienten mit einer spezifischen und stabilen pathologischen Persönlichkeitsstruktur (Kernberg 1966).

Die manifeste Symptomatik ähnelt oft derjenigen bei Neurosen und Charakterstörungen; bei oberflächlicher Untersuchung kann daher die besondere Charakterstruktur dieser Patienten leicht unerkannt bleiben, was wiederum eine schlechte Behandlungsprognose zur Folge hat. Denn bei Borderline-Persönlichkeitsstrukturen sind besondere Behandlungsformen angezeigt, die nur auf der Grundlage einer exakten Diagnostik festgelegt werden können.

Unter schwerem Streß oder auch unter dem Einfluß von Alkohol oder Drogen können bei Patienten mit Borderline-Persönlichkeitsstruktur gelegentlich vorübergehende psychotische Episoden auftreten, die aber bei planvollem therapeutischem Vorgehen meist binnen kurzer Zeit wieder abklingen. Bei Anwendung der klassischen psychoanalytischen Methode kommt es leicht zu Störungen der Realitätsprüfung bis hin zum Auftreten von Wahnideen, die jedoch auf die Übertragung beschränkt bleiben. Es entwickelt sich überhaupt bei diesen Patienten eher eine Übertragungspsychose als eine Übertragungsneurose (Wallerstein 1967). Abgesehen von solchen besonderen Umständen – schwerer Streß, Regression unter Alkohol- oder Drogeneinfluß, Übertragungspsychose – bleibt aber bei Borderline-Patienten die Fähigkeit zur Realitätsprüfung im allgemeinen erhalten (Frosch 1964). Im klinischen Interview erscheint die formale Organisation der Denkprozesse ungestört. Bei der psychologischen Testuntersuchung, besonders bei Anwendung unstrukturierter projektiver Testverfahren, zeigt sich indessen häufig eine Tendenz zu primärprozeßhaften Funktionsweisen (Rapaport, Gill und Schafer 1945/46). Die Unterscheidung zwischen Borderline-Strukturen und psychoti-

---

* [Anm. d. Übers.: Der Ausdruck »borderline personality organization« wird hier durchweg mit »Borderline-Persönlichkeitsstruktur« übersetzt, wobei zu beachten ist, daß »Struktur« hier in einem allgemeinen Sinne (etwa: das Persönlichkeitsgefüge, der Persönlichkeitsaufbau) verwendet wird, nicht im spezifisch psychoanalytischen Sinne, wie er weiter unten im Abschnitt über die »strukturelle Analyse« der Borderline-Persönlichkeitsstrukturen vom Autor genauer definiert wird.]

schen Zuständen läßt sich im allgemeinen durchführen (Frosch 1964); schwieriger ist dagegen in der Regel die Abgrenzung zwischen Borderline-Strukturen und Neurosen. Ich werde deshalb im folgenden besonders die komplexen Unterschiede zwischen der Borderline-Persönlichkeitsstruktur und den Neurosen zu klären versuchen.

1. Literaturübersicht

Für den vorliegenden Versuch einer Analyse der Borderline-Persönlichkeitsstruktur unter deskriptiven, strukturellen und genetisch-dynamischen Aspekten, unter besonderer Berücksichtigung der charakteristischen Störung der Objektbeziehungen, wurden auch die Arbeiten vieler Autoren mit z. T. sehr unterschiedlichen theoretischen Auffassungen und therapeutischer Orientierung mit herangezogen. In der älteren Literatur finden sich vor allem klinische Beschreibungen von Patienten, die wir heutzutage als »Borderline«-Fälle ansehen würden, so z. B. in den Fallschilderungen von Zilboorg (1941), Hoch und Polatin (1949) oder auch aus testpsychologischer Sicht von Rapaport, Gill und Schafer (1945/46). Zilboorg (1957) hat seine Darstellung später noch erweitert, und Hoch und Cattell (1959) haben den diagnostischen Begriff der »pseudoneurotischen Schizophrenie« weiter ausgearbeitet. Weitere Aspekte der Symptomatik von Borderline-Fällen wurden von Bychowski (1953) untersucht, der auch schon wesentliche Strukturmerkmale dieser Patienten beschrieben hat, so unter anderem die Persistenz voneinander dissoziierter primitiver Ichzustände und die Spaltung der Elternimagines in »gute« und »böse« Objekte. Übrigens ist bemerkenswert, daß sowohl Zilboorg als auch Hoch, die beide grundlegende Beiträge zur deskriptiven Analyse der Borderline-Psychopathologie geliefert haben, diese Patienten durchwegs für Schizophrene hielten. Sie scheinen nicht bemerkt zu haben, daß sie es hier mit einer anderen Form von Störung zu tun hatten.

Bis in die neuere Zeit wurde in der Literatur auch immer wieder viel Verwirrung dadurch gestiftet, daß der Terminus »Borderline« in ganz unterschiedlichem Sinne verwendet wurde, nämlich einerseits für akute psychotische Episoden bei Patienten mit ansonsten neurotischer Symptomatik, die relativ rasch bis in eine manifeste psychotische Reaktion hinein regredieren können, und andererseits für chronische Patienten, die sich relativ stabil auf einem Funktionsniveau im Grenzbereich zwischen Neurose und Psychose halten (Rangell 1955, Robbins 1956, Waelder 1958). Der Ausdruck »Borderline« sollte jedoch nach meiner Auffassung nur auf solche Patienten angewendet werden, bei denen eine chronische Charakterorganisation besteht, die ihrer Art nach weder typisch neurotisch noch typisch psychotisch genannt werden kann und die gekennzeichnet ist durch

1. bestimmte typische Symptomenkomplexe,
2. eine typische Konstellation von Abwehrmechanismen des Ichs,
3. typische Störungen im Bereich der verinnerlichten Objektbeziehungen und schließlich
4. charakteristische genetisch-dynamische Besonderheiten.

Frosch (1964) hat zur differentialdiagnostischen Abgrenzung der Borderline-Persönlichkeitsstruktur von den Psychosen Wesentliches beigetragen. Er hebt vor allem hervor, daß bei Borderline-Patienten zwar die Beziehung zur Realität und das Realitätsgefühl verändert sein können, die Fähigkeit zur Realitätsprüfung jedoch im Gegensatz zu psychotischen Patienten erhalten bleibt.

Die Literatur über die strukturellen Aspekte der Borderline-Persönlichkeitsstruktur läßt sich zwei Themenkreisen zuordnen: Zum einen findet man Ausführungen über die unspezifischen Anzeichen von Ichschwäche bei diesen Patienten und über ihre Neigung zur Regression auf primitive kognitive Strukturen im Sinne primärprozeßhafter Denkformen; eine zweite Gruppe von Arbeiten behandelt demgegenüber die spezifischen Abwehrvorgänge, die bei Borderline-Persönlichkeitsstrukturen typischerweise zu beobachten sind. Die zuerst genannten Arbeiten stehen großenteils unter dem Einfluß von Rapaport, Gill und Schafer (1945/46), die entdeckt haben, daß es eine Gruppe sogenannter »präschizophrener« Patienten gibt, die in der psychologischen Testuntersuchung überwiegend primärprozeßhafte Denkformen zeigen, was als Hinweis auf eine ausgeprägte Ichschwäche im Vergleich zu typischen neurotischen Patienten interpretiert wird. Knight (1953 a, 1953 b) gab als erster eine zusammenfassende Übersicht über die allgemeinen deskriptiven Merkmale von Borderline-Patienten und die therapeutischen Konsequenzen aus ihrer Ichschwäche. Er machte besonders auf ihre tiefe Regression in der Übertragung aufmerksam und betonte die Notwendigkeit, das psychotherapeutische Vorgehen bei solchen Patienten entsprechend zu modifizieren.

Unter den Arbeiten der zweiten Kategorie, in denen es mehr um ein Verständnis der speziellen Abwehrvorgänge geht, die einen wesentlichen Anteil der strukturellen Organisation solcher Patienten ausmachen, finden sich u. a. wichtige Beiträge von Autoren einer ganz anderen theoretischen Orientierung; besonders zu nennen sind hier die Untersuchungen von Fairbairn (1940, 1944) und von Melanie Klein (1946) über Spaltungsprozesse und deren zentrale Bedeutung bei schizoiden Patienten. Die ersten Hinweise auf den Mechanismus der Spaltung finden sich bereits bei Freud (1927, 1938), aber später hat Fairbairn den Begriff weiter gefaßt, indem er unter »Spaltung« mehr einen aktiven Abwehrmechanismus versteht und nicht nur einen gewissen Mangel an Integration des Ichs. In weiteren Beiträgen von Rosenfeld (1963, 1964) und Segal (1964) wird die Spaltung als zentraler Abwehrvorgang des Ichs auf regressiven Stufen aufgefaßt und in ihren Beziehungen zu anderen verwandten Mechanismen näher beschrieben. Ich selbst habe in einer früheren Arbeit (Kernberg 1966) eine etwas andere und sicherlich enger umschriebene Definition des Terminus »Spaltung« vorgeschlagen, als sie bei den Autoren der Kleinianischen Schule gebräuchlich ist.

Auch Edith Jacobson (1954, 1957, 1964) hat wesentliche Beiträge zur Analyse der speziellen Abwehrformen bei Borderline-Patienten geleistet. Anna Freud (1936) hatte bereits früher auf das Bedürfnis nach einer chronologischen Aufstellung der Abwehrvorgänge des Ichs hingewiesen, die von den Besonderheiten der ganz frühen Stadien der Ichentwicklung noch vor der Abgrenzung von Ich und Es bis hin zu den Merkmalen des reiferen Ichs reichen müßte. Karl Menninger (Menninger, Mayman und Pruyser 1963) hat mit seinen Mitarbeitern eine »unitäre« Konzeption des psychischen Krankheitsgeschehens zu entwickeln versucht, wonach die verschiedenen psychopathologischen Zustandsbilder jeweils spezifischen Rangstufen oder Funktionsebenen der Abwehrorganisation zuzuordnen wären. Das Werk Menningers hat mich in meinem Bemühen um ein besseres Verständnis der besonderen »archaischen« Schichten der Abwehrorganisation bei Patienten mit Borderline-Persönlichkeitsstruktur sehr stimuliert.

Die wichtigsten Beiträge zum Verständnis der Borderline-Persönlichkeitsstruktur und zur Behandlung solcher Patienten stammen aus Untersuchungen der Pathologie ihrer verinnerlichten Objektbeziehungen. Der Artikel von Helene Deutsch (1934) über »Als ob«-Persönlichkeiten ist als erster und grundlegender Beitrag dieser Art zu

nennen. Unabhängig von ihr und später erschienen die Arbeiten von
W. R. D. Fairbairn (1944, 1951) und von Melanie Klein (1946).
Eine Reihe bedeutender Untersuchungen zur Pathologie der verinnerlichten Objektbeziehungen ist aus der ichpsychologischen Schule hervorgegangen. Die in diesen Arbeiten beschriebenen Phänomene sind
zum Teil ganz ähnliche, wie sie die von Fairbairn und Melanie Klein
beeinflußten Autoren, nur eben in ihrer eigenen Terminologie, beschrieben haben. Beispiele für diese Richtung sind u. a. Edith Jacobsons Buch über *Das Selbst und die Welt der Objekte* (Jacobson 1964),
Greensons (1954, 1958) wichtige Erkenntnisse und Erik H. Eriksons
(1956) Untersuchungen über die Identitätsdiffusion. E. Jacobson hat
nicht nur die Klärung der Pathologie verinnerlichter Objektbeziehungen vorangetrieben, sondern auch unser Verständnis der Beziehungen zwischen dieser besonderen Pathologie der Objektbeziehungen und den Schicksalen der Ich- und Überich-Entwicklung bei
Borderline-Patienten wesentlich bereichert. Greensons gründliche
Analyse der Pathologie verinnerlichter Objektbeziehungen und ihrer
pathologischen Auswirkungen auf die manifesten mitmenschlichen
Beziehungen von Borderline-Patienten ist ein guter Beleg dafür, daß
psychoanalytisches Verstehen das geeignetste Instrument nicht nur
zum Verständnis der genetischen und dynamischen Aspekte, sondern
auch zur deskriptiven Klärung des chaotischen Verhaltens solcher
Patienten sein kann. Khan (1960) hat ebenfalls die strukturellen
Aspekte sowohl in bezug auf die speziellen Abwehrvorgänge als auch in
der speziellen Pathologie der Objektbeziehungen bei Borderline-Patienten hervorgehoben.
Viele der oben angeführten Autoren gehen auch auf die genetisch-
dynamischen Aspekte der Borderline-Persönlichkeitsstruktur ein und
unterstreichen übereinstimmend die zentrale Rolle prägenitaler, insbesondere oraler Konflikte und die ungewöhnliche Intensität prägenitaler Aggression bei diesen Patienten. Daneben wird auch die
besondere Verschränkung von prägenitalen mit genitalen Triebabkömmlingen hervorgehoben; Einzelheiten hierzu finden sich vor
allem in den Darstellungen von Melanie Klein (1945) und Paula
Heimann (1955 b).
Da die therapeutischen Aspekte der Borderline-Persönlichkeitsstruktur in diesem Kapitel noch zurückgestellt worden sind, soll auch die
Literatur über Behandlungsfragen hier noch nicht eingehender diskutiert werden. Wegen ihrer Implikationen für die Diagnostik möchte

ich jedoch zwei dieser Arbeiten schon an dieser Stelle erwähnen: Wallerstein (1967) beschreibt psychotische Übertragungsreaktionen bei Patienten, die von der Gesamtdiagnose her keine Psychotiker sind, und Main (1957) schildert die Auswirkungen der Abwehrmanöver solcher Patienten auf ihre unmittelbare Umwelt in der Klinik. Die diagnostische Verwertung der speziellen Gegenübertragungsreaktionen, wie sie von Borderline-Patienten beim Therapeuten ausgelöst werden, wird im 2. Kapitel besprochen. Zwei in Zusammenfassungen veröffentlichte Podiumsdiskussionen über Borderline-Störungen (Rangell 1955, Robbins 1956) haben manches zum Verständnis dieser Zustandsbilder beigetragen. Viele bis heute unbeantwortet gebliebene Fragen zur Borderline-Persönlichkeitsstruktur wurden bereits in einem Artikel von Gitelson (1958) und im Bericht über die Podiumsdiskussion (Waelder 1958), in deren Rahmen Gitelson sein Referat gehalten hatte, aufgeworfen; besonders Rosenfelds Voten im Verlaufe dieser Diskussion sind sehr treffend. Die Besonderheiten von Borderline-Zuständen in der Kindheit wurden von Ekstein und J. Wallerstein (1956) sowie von E. Geleerd (1958) zusammenfassend dargestellt.

Als nächstes werde ich nun versuchen, die Borderline-Persönlichkeitsstruktur vom deskriptiven, strukturellen und genetisch-dynamischen Gesichtspunkt her näher zu analysieren.

2. Deskriptive Analyse – die diagnostischen »Verdachtsmomente«

Patienten mit einer Borderline-Persönlichkeitsstruktur kommen häufig mit dem Angebot einer auf den ersten Blick als »typisch neurotisch« imponierenden Symptomatik. Die scheinbar neurotischen Symptome und die Charakterstörung solcher Patienten weisen aber einige Besonderheiten auf, die als Hinweise auf eine zugrundeliegende Borderline-Persönlichkeitsstruktur dienen können. Dabei handelt es sich vor allem um besondere Kombinationen verschiedener neurotischer Symptome, die oft nur durch sehr sorgfältige diagnostische Untersuchungen zu eruieren sind. An sich pathognomonische Einzelsymptome gibt es hier nicht, aber der Nachweis von zwei oder erst recht drei der im folgenden angeführten Symptome ist jedenfalls als gewichtiger Hinweis auf eine möglicherweise zugrundeliegende

Borderline-Persönlichkeitsstruktur zu werten. Die endgültige Diagnose hängt in jedem Falle nicht von der deskriptiven Symptomatik ab, sondern vom Nachweis der charakteristischen Ichstörung. Die folgende Darstellung von Symptomkategorien erhebt keinen Anspruch auf Vollständigkeit.

a) Angst

Die Patienten leiden oft unter einer chronischen, diffusen, frei flottierenden Angst. Dieses Symptom wird vor allem dann diagnostisch bedeutsam, wenn es im Zusammenhang mit zahlreichen weiteren Symptomen oder pathologischen Charakterzügen auftritt, denn dann läßt sich der Schluß ziehen, daß das Ausmaß der Angst die Bindungskapazität der anderen Symptome und Charakterzüge übersteigt. Eine Ausnahme stellen chronische Angstzustände dar, bei denen die Angst sekundär zu einem Konversionssymptom mit spezieller Bedeutung geworden ist; aber ob dies der Fall ist oder nicht, läßt sich im Einzelfall wahrscheinlich nur durch eine gründliche analytische Exploration entscheiden. Es kommt auch vor, daß Patienten im Verlaufe einer intensiven Psychotherapie die Angst selber als Widerstand benutzen; eine solche Form von Angst ist natürlich ebenfalls nicht mit der hier gemeinten Angst gleichzusetzen.

b) Polysymptomatische Neurosen

Daß ein Patient verschiedenartige neurotische Symptome bietet, kommt häufiger vor; hier aber soll nur von solchen Patienten die Rede sein, die zwei oder mehrere der folgenden Symptome aufweisen:

1. Polyphobien, besonders wenn die phobischen Ängste zu schweren Einschränkungen im Alltagsleben führen; hierunter fallen unter anderem Phobien mit Bezug auf den eigenen Körper bzw. die körperliche Erscheinung (Errötungsfurcht, Angst vor dem Reden in der Öffentlichkeit, die Furcht, von anderen angeblickt zu werden) im Gegensatz zu solchen Phobien, die sich nicht auf den eigenen Körper beziehen, sondern auf äußere Objekte (so z. B. die typischen Tierphobien, die Angst vor Unwettern, die Höhenangst usf.); weiterhin auch

Phobien mit Übergangsmerkmalen zur Zwangsneurose hin (Beschmutzungsängste, Furcht vor Ansteckung). Multiple Phobien sind jedenfalls, besonders wenn sie mit schweren sozialen Einschränkungen und paranoiden Tendenzen verbunden sind, als Verdachtsmomente für das Vorliegen einer Borderline-Persönlichkeitsstruktur zu werten.

2. Zwangssymptome, die allmählich (sekundär) ich-synton geworden sind und damit die Qualität »überwertiger« Ideen und Handlungen angenommen haben; die Realitätsprüfung ist hier zwar noch erhalten, der Patient möchte seine absurden Gedanken oder Handlungen gern loswerden, aber zugleich versucht er sie auch rationalisierend zu rechtfertigen. Ich denke da beispielsweise an einen Patienten mit Waschzwang und rituellen Vorkehrungen gegen Beschmutzung, der über ein ausgeklügeltes System pseudorationaler Argumente in bezug auf die Notwendigkeit der Hygiene, die Krankheitsgefahren durch Schmutz etc. verfügte. Auch Patienten mit Zwangsgedanken paranoider oder hypochondrischer Art sind hier mit anzuführen.

3. Multiple, besonders ausgestaltete oder bizarre Konversionssymptome, vor allem wenn sie chronifiziert sind; aber auch monosymptomatische schwere, seit Jahren bestehende Konversions»neurosen«; schließlich auch besonders ausgestaltete Konversionssymptome, die schon an Körperhalluzinationen grenzen oder die komplexe Empfindungen oder bizarre Bewegungsabläufe einschließen.

4. Dissoziative Reaktionen, insbesondere hysterische Dämmerzustände und Fuguezustände sowie Amnesien in Verbindung mit Bewußtseinsstörungen.

5. Hypochondrie. Dieses eher seltene und umstrittene Syndrom gehört wahrscheinlich eher zu den Charakterstörungen als zu den Symptomneurosen. Es soll aber trotzdem an dieser Stelle mit angeführt werden, weil eine übermäßige Besorgnis um die eigene Gesundheit und eine chronische Furcht vor Krankheiten – zumal wenn sich dies äußert in Form von chronischen körperlichen Beschwerden, rituellen Maßnahmen zur Gesunderhaltung und Rückzug von sozialen Kontakten, um sich ganz der eigenen Gesundheit bzw. dem eigenen Leiden zu widmen – recht häufig bei Borderline-Persönlichkeitsstrukturen vorkommen. Etwas anderes und hiervon zu unterscheiden sind Patienten mit schweren Angstzuständen, bei denen leichte hypochondrische Züge sekundär, als Folge der Angst, auftreten können.

6. Paranoide und hypochondrische Züge bei ansonsten symptomneu-

rotischen Zustandsbildern. Diese recht typische Kombination legt häufig den Verdacht auf das Vorliegen einer Borderline-Persönlichkeitsstruktur nahe. Natürlich gibt es viele Patienten mit schweren Angstzuständen, die sekundär infolge ihrer Angst leichte paranoide und, wie schon erwähnt, auch hypochondrische Züge entwickeln; sie sind hier nicht gemeint, sondern hier geht es nur um Patienten mit eindeutigen und relativ starken paranoiden oder hypochondrischen Zügen, die nicht als sekundäre Folge starker Angst aufzufassen sind. Ich möchte noch einmal betonen, daß der Nachweis irgendeines einzelnen Symptoms aus einer der angeführten Kategorien für sich allein noch nicht genügt, um den Verdacht auf Borderline-Persönlichkeitsstruktur zu begründen. Erst wenn zwei oder mehrere dieser Symptomkategorien gegeben sind, muß erwogen werden, ob im betreffenden Falle eine pathologische Persönlichkeitsstruktur vom Borderline-Typ zugrundeliegt.

c) *Polymorph-perverse Tendenzen im Sexualverhalten*

Unter dieser Rubrik geht es um Patienten mit einer manifesten sexuellen Deviation, in der sich verschiedenartige perverse Tendenzen kombinieren. So war beispielsweise das Sexualverhalten eines männlichen Borderline-Patienten durch homosexuelle und heterosexuelle Promiskuität mit sadistischen Einschlägen gekennzeichnet; ein anderer Patient war ebenfalls homosexuell und exhibierte vor Frauen; bei einer Patientin bestand Homosexualität neben pervers-masochistischen heterosexuellen Neigungen. Dagegen gehören Patienten, deren Sexualleben auf einer stabilen sexuellen Deviation gegründet ist, zumal wenn sie auch noch über konstante Objektbeziehungen verfügen, nicht in diese Kategorie. Andererseits sehen wir gelegentlich Patienten, deren manifestes Sexualverhalten völlig gehemmt erscheint, wohingegen ihre bewußten Phantasien, besonders die Oniephantasien, polymorph-perverse Züge aufweisen, die notwendige Bedingungen für ihre sexuelle Befriedigung sind; auch hierin ist ein Verdachtsmoment in Richtung Borderline-Persönlichkeitsstruktur zu sehen. Je chaotischer und vielgestaltiger die perversen Phantasien und Handlungen und je labiler die mit solchen Interaktionen verbundenen Objektbeziehungen sind, desto eher ist eine Borderline-Persönlichkeitsstruktur zu erwägen. Bizarre Perversionsformen, besonders wenn sie mit primitiven Aggressionsäußerungen oder auch mit einer Ersetzung genitaler durch urethrale und anale Triebziele (Urinieren, Defäzieren) einhergehen, erwecken ebenfalls den Verdacht auf das Vorliegen einer Borderline-Persönlichkeitsstruktur.

d) Die »klassischen« präpsychotischen Persönlichkeitsstrukturen

1. Die paranoide Persönlichkeit (hier stehen paranoide Züge derart im Vordergrund, daß sie allein schon für die deskriptive Diagnose entscheidend sind);
2. die schizoide Persönlichkeit;
3. die hypomanische (hyperthyme) Persönlichkeit und die sogenannte zyklothyme Persönlichkeitsstruktur mit starken hypomanischen Zügen.

Ich möchte betonen, daß chronisch-depressive Patienten mit ausgeprägten masochistischen Charakterzügen oder auch die von Laughlin (1956) beschriebene »depressive Persönlichkeit« *nicht* zu dieser Kategorie der präpsychotischen Persönlichkeitsstrukturen zu rechnen sind, obschon die Depression als Syndrom gelegentlich Merkmale aufweist, die im Grenzbereich [borderline] zwischen neurotischer und psychotischer Depression liegen. Ich komme aber auf diese Kategorie von Patienten an späterer Stelle anläßlich der Besprechung masochistischer Charakterzüge noch einmal zurück.

e) Impulsneurosen und Suchten

Zu dieser Rubrik zählen bestimmte Formen von schweren Charakterstörungen, bei denen es chronisch immer wieder zu Impulsdurchbrüchen mit Befriedigung von Triebbedürfnissen kommt, und zwar mit der Besonderheit, daß diese Art von Triebbefriedigung außerhalb der »triebhaften« Episoden ich-dyston, während dieser Episoden aber ich-synton und sogar hochgradig lustvoll erlebt wird. Der Alkoholismus und andere Suchten, aber auch bestimmte Formen psychogener Fettsucht und Kleptomanie sind hierfür typische Beispiele. Überschneidungen mit der Gruppe der Perversionen ergeben sich bei bestimmten Formen sexueller Abweichungen, wo das perverse Symptom nur episodisch ausagiert wird, wohingegen der perverse Impuls außerhalb solcher Episoden ich-dyston ist, ja sogar oft heftig abgelehnt wird. Fließende Übergänge bestehen auch zur Gruppe der »agierenden« [»acting-out«] Persönlichkeitsstörungen (die weiter unten noch besprochen werden sollen), die sich nur quantitativ von den hier behandelten Störungen unterscheiden: Während die Impulsneurosen vorwiegend um *eine* bestimmte Triebhandlung zentriert sind, die zeitweilig ich-synton wird und die unmittelbar auf Triebbefriedigung zielt, findet man bei den »agierenden« Charakterstörungen eher eine global sehr mangelhafte Triebkontrolle mit ziemlich chaotischen Kombinationen von Triebimpuls und Triebabwehr in verschiedenen Bereichen, dagegen weniger diese eindeutige Ich-Syntonizität und die ungebrochene Direktheit in der Befriedigung eines bestimmten Triebimpulses.

f) Charakterstörungen von »niederem Strukturniveau«
[»lower level«]

Hier sind schwere Charakterstörungen vom Typ des chaotischen, triebhaften Charakters gemeint, im Gegensatz etwa zu den klassischen »reaktiven« (auf Reaktionsbildungen beruhenden) Charaktertypen und den ebenfalls weniger gestörten »gehemmten« (durch Vermeidungshaltungen gekennzeichneten) Charaktertypen. Ich werde hierauf im Zusammenhang mit der strukturellen Analyse der Borderline-Persönlichkeitsstruktur noch näher eingehen und bei der Gelegenheit dann auch auf meinen schon früher (Kernberg 1966) geäußerten Vorschlag zur Klassifizierung von Charakterstörungen zurückkommen, wonach man diese in einer kontinuierlichen Reihe ordnen kann, und zwar vom »höheren« bis zum »niederen« Strukturniveau [»higher level« vs. »lower level« character disorders], je nachdem, ob Verdrängungs- oder aber Spaltungsmechanismen in der Abwehrstruktur überwiegen. Vom klinischen Standpunkt sind beispielsweise die typischen hysterischen Persönlichkeiten meistens keine Borderline-Strukturen; dasselbe gilt für die Mehrzahl der Zwangscharaktere und für die »depressive Persönlichkeit« (Laughlin 1956) sowie auch für relativ gut integrierte masochistische Charaktertypen. Im Gegensatz dazu liegt vielen *infantilen Persönlichkeiten* und den meisten *narzißtischen Persönlichkeiten*, zu denen auch die sogenannten *»Als ob«-Persönlichkeiten* gehören, eine Borderline-Persönlichkeitsstruktur zugrunde. Ich habe auch bei allen diagnostisch eindeutigen *antisozialen Persönlichkeiten,* die ich untersucht habe, regelmäßig eine typische Borderline-Persönlichkeitsstruktur feststellen können.

Als nächstes gebe ich nun eine kurze Übersicht über die Differentialdiagnose der hysterischen, der infantilen und der narzißtischen Persönlichkeiten, die aus meiner Sicht eine kontinuierliche Reihe bilden. Denn die hysterische Persönlichkeit ist eine typische Charakterneurose »von höherem Strukturniveau«; bei der infantilen Persönlichkeit handelt es sich um eine Charakterstörung von »mittlerem Niveau«, die teilweise schon in den eigentlichen Borderline-Bereich hineinreicht, und die narzißtische Persönlichkeit ist eine typische Charakterstörung von »niederem Strukturniveau«, obwohl sie teilweise auch noch dem mittleren Bereich dieses Kontinuums angehört.

1. Hysterische Persönlichkeit und infantile Persönlichkeit

Die wichtigsten Charakterzüge hysterischer Persönlichkeiten lassen sich unter folgenden Stichworten zusammenfassen: (a) emotionale Labilität, (b) »übermäßiges Engagement«, (c) die Kombination von Abhängigkeit mit exhibitionistischen Zügen, (d) Pseudo-Hypersexualität und Sexualhemmung, (e) selektives Rivalisieren mit Männern und Frauen, schließlich (f) masochistische Züge. Ich möchte diese Punkte hier gar nicht in allen Einzelheiten abhandeln, sondern nur diejenigen Aspekte hervorheben, die für die differentialdiagnostische Abgrenzung von der infantilen Persönlichkeit (Easser und Lesser 1965), mit der die hysterische Persönlichkeit manchmal verwechselt wird, von Bedeutung sind.

(a) *Emotionale Labilität.* Die hysterische Persönlichkeit benutzt Pseudo-Hyperemotionalität als Abwehr zur Unterstützung der Verdrängung, wie man es besonders ausgeprägt bei der Berührung von Konfliktthemen (vor allem wenn Sexualität ins Spiel kommt) und als typischen Übertragungswiderstand beobachtet. Dabei erscheinen diese Patienten aber gleichzeitig in den nichtkonflikthaften Bereichen durchaus emotional stabil und adäquat. Eine hysterische Frau, die in ihrer Ehe oder in der Übertragung von einer Krise in die andere fällt, kann trotzdem im Berufsleben bemerkenswert stabil und angepaßt wirken. Im Gegensatz dazu ist die emotionale Labilität infantiler Persönlichkeiten eine globale und diffuse. In ihrem Leben gibt es, wenn überhaupt, nur wenige konfliktfreie Bereiche; sie sind sozial insgesamt schlechter angepaßt als hysterische Persönlichkeiten. Während letztere nur in ganz bestimmten Bereichen und nur auf der Höhe eines Konflikts gelegentlich die Kontrolle über ihre Triebimpulse verlieren, ist die mangelhafte Impulskontrolle bei infantilen Persönlichkeiten viel generalisierter.

(b) Das *»übermäßige Engagement«* der Hysteriker in Beziehunge zu anderen Menschen mag bei oberflächlicher Betrachtung ganz adäquat erscheinen; bei Frauen wird es von naiven Beobachtern meis als typisch weiblicher Charme empfunden. Kindische Anklammerungstendenzen und ein Bedürfnis nach ständiger Nähe des Partner zeigen Hysteriker nur ganz bestimmten Personen gegenüber, besonders in heterosexuellen Beziehungen, wo ein solches Verhalten als regressive Abwehr gegen genitale Ängste zu verstehen ist. Die »Extravertiertheit« hysterischer Persönlichkeiten, ihre Fähigkeit zu rascher aber oberflächlicher intuitiver Einfühlung in andere, schließlich ihr Überidentifizierung mit den gefühlshaften Seiten der Phantasie, de Kunst oder Literatur, entwickeln sich durchaus im Rahmen eines soli den Sekundärprozeßdenkens und einer realistischen Einschätzung de aktuellen Wirklichkeit. Bei der infantilen Persönlichkeit dagegen ha die kindlich anmutende Überidentifizierung einen eher verzweifelte und inadäquaten Charakter; die Motive und das Innenleben andere Menschen werden oft grob verkannt, auch wenn bei oberflächliche Betrachtung eine gute Anpassung besteht. In längerwährenden Beziehungen zeigen infantile Persönlichkeiten eine regressive, kindisch anmutende, oral-aggressive Ansprüchlichkeit, wie sie für hysterisch Patienten eigentlich nicht typisch ist.

(c) *Abhängigkeit von anderen und Exhibitionismus.* Das Bedürfnis geliebt und bewundert zu werden, immer im Mittelpunkt zu stehen hat bei der hysterischen Persönlichkeit eher eine sexuelle Tönung, insofern hierbei orale Abhängigkeitsbedürfnisse mit unmittelbar geni talen exhibitionistischen Tendenzen verbunden sind. Bei infantilen Charakter dagegen ist dieses Bedürfnis, sich interessant zu mache und immer die Aufmerksamkeit auf sich zu lenken, weniger sexuali siert und hat eher eine hilflose, vorwiegend oral geprägte, unangemessen ansprüchliche Qualität, und auch der Exhibitionismus diese Patienten wirkt »kälter«, was als Ausdruck primitiverer narzißti scher Tendenzen zu werten ist.

(d) *Pseudo-Hypersexualität und Sexualhemmung.* Ein vordergründig sexuell provozierendes Verhalten bei dahinter liegender sexuelle Hemmung, wie sie z. B. in einer Frigidität zum Ausdruck kommt diese Kombination ist typisch für die hysterische Persönlichkeitsstruktur. Bei der infantilen Persönlichkeit erscheinen solche sexuell provozierenden Verhaltensweisen in gröberer, direkterer und sozial unangemessenerer Form und vermitteln einem eher den Eindruck einer oral orientierten exhibitionistischen und anspruchlichen Haltung als den einer echt sexualisierten Annäherung an Personen anderen Geschlechts. Sexuelle Promiskuität kommt bei hysterischen Frauen viel seltener vor als bei infantilen Frauen. In den sexuellen Beziehungen hysterischer Persönlichkeiten fallen ödipale Züge auf (so z. B. die chronische Tendenz, sich in wesentlich ältere oder unerreichbare Männer zu verlieben), und es besteht durchaus die Fähigkeit zu einer stabilen Beziehung mit dem Sexualpartner, solange dabei nur bestimmte neurotische Voraussetzungen erfüllt sind. Bei infantilen Persönlichkeiten hingegen hat die sexuelle Promiskuität eher einen »haltlosen« Charakter, und die Objektbeziehungen sind äußerst labil. Ein weiterer Gegensatz besteht darin, daß bei der hysterischen Persönlichkeit im allgemeinen eine diffuse Verdrängung sexueller Phantasien überwiegt, wohingegen bei infantilen Persönlichkeiten bewußte sexuelle Phantasien mit primitiveren Zügen und polymorph-perversen Inhalten vorkommen können.

(e) *Rivalisieren mit Männern und Frauen.* Bei hysterischen Persönlichkeiten besteht gewöhnlich ein größerer Unterschied in der Art des Rivalisierens mit Personen gleichen Geschlechts und mit solchen des anderen Geschlechts. Wenn hysterische Frauen zur Konkurrenz mit Männern neigen (um ihre sexuellen Unterlegenheitsgefühle zu verleugnen), so haben sie diesbezüglich meist auch stabile Charakterhaltungen entwickelt, und was ihre Konkurrenz mit anderen Frauen anbetrifft, so überwiegt dabei meist ödipale Rivalität über andere Motive. Im Gegensatz dazu lassen sich bei infantilen Persönlichkeiten typische Verhaltensweisen einerseits Männern und andererseits Frauen gegenüber viel schwerer voneinander abgrenzen; chronische Konkurrenzhaltungen kommen hier überhaupt seltener vor, statt dessen beobachtet man oft einen raschen Wechsel zwischen heftigen positiven und negativen Gefühlen, beispielsweise ein Schwanken zwischen einer Haltung von Unterwerfung und kindischer Nachahmung und andererseits einer trotzig-schmollenden Haltung, die aber auch nicht lange durchgehalten wird.

(f) *Masochismus.* Auf diesen Aspekt werde ich anläßlich der Besprechung der depressiv-masochistischen Charakterstruktur noch ausführlicher eingehen. Kurz gesagt: Der von mir so genannte Masochismus »von höherem Strukturniveau« [»high level« masochism], wie er sich in bestimmten Charakterzügen darstellt, die psychodynamisch mit einem strengen und strafenden Über-Ich zusammenhängen, ist ein häufiger Bestandteil hysterischer Persönlichkeitsstrukturen. Im Gegensatz hierzu überwiegen bei der infantilen Persönlichkeit masochistische Charakterzüge von »mittlerem oder niederem Strukturniveau« [»middle range« or »low level« masochistic character traits], bei denen viel weniger Schuldgefühle bestehen und masochistische mit sadistischen Tendenzen durchmischt sind.

Fassen wir zusammen: Bei der hysterischen Persönlichkeit ergeben sich Anhaltspunkte für ein besser integriertes Ich und Über-Ich, ein wesentlich breiteres Spektrum konfliktfreier Ichfunktionen und Ichstrukturen und ein Überwiegen ödipaler gegenüber oralen Konflikten, obwohl letztere auch vorhanden sind. In bezug auf die sexuellen Probleme hysterischer Persönlichkeiten geht es weit mehr um genitale als um prägenitale Konflikte (Easser und Lesser 1965). Im Gegensatz dazu überwiegt bei der infantilen Persönlichkeit eine prägenitale und zwar besonders eine orale Problematik. Die Fähigkeit zu stabilen Objektbeziehungen ist längst nicht in gleichem Maße vorhanden wie bei den Hysterikern; die Verdrängungsschranke ist zusammengebrochen, so daß primitive polymorph-sexuelle Phantasien auftauchen. Infantile Persönlichkeiten zeigen eine kindlich anmutende »Abhängigkeit« von anderen Menschen, die aber im Gegensatz zur hysterischen Form der Abhängigkeit hier mehr oral-fordernd und aggressiver erscheint. Im Grunde sind Patienten mit infantiler Persönlichkeitsstruktur zu einer echten Abhängigkeit von anderen Menschen [dependency im Sinne von Vertrauen und sich auf andere verlassen] gar nicht in der Lage, was wiederum mit der schweren Störung ihrer verinnerlichten Objektbeziehungen zusammenhängt.

2. Die narzißtische Persönlichkeit

Es wurde bereits gesagt, daß hysterische Persönlichkeiten im typischen Fall keine Borderline-Struktur aufweisen, wohingegen viele infantile Persönlichkeiten zu den Borderline-Persönlichkeitsstrukturen zählen, und eben dies gilt nun auch für die Mehrzahl der narzißtischen Persönlichkeiten. Diese letzte Gruppe möchte ich nun kurz etwas ausführlicher darstellen und behaupten, daß bei den meisten dieser Patienten eine Borderline-Persönlichkeitsstruktur besteht, vorausgesetzt daß die Bezeichnung »narzißtische Persönlichkeit« ausschließlich auf jene Patienten angewendet wird, die die im folgenden geschilderte Konstellation von Charakterzügen aufweisen.

Der Begriff »narzißtisch«, als deskriptiver Terminus verstanden, ist gewiß häufig mißbraucht und überstrapaziert worden. Und dennoch gibt es eine bestimmte Gruppe von Patienten, deren zentrale Problematik eine Störung des Selbstwertgefühls in Verbindung mit bestimmten Störungen der Objektbeziehungen zu sein scheint und bei denen man fast von einer »Reinkultur« eines pathologisch entwickelten Narzißmus sprechen könnte (van der Waals 1965). Auf solche Patienten möchte ich den Begriff »narzißtische Persönlichkeiten« beschränken. Sie erscheinen einem oberflächlichen Betrachter als gar nicht so tief regrediert; viele von ihnen »funktionieren« sozial recht erfolgreich, und sie verfügen in der Regel über eine wesentlich bessere Kontrolle über ihre Triebimpulse als die infantile Persönlichkeit.

Narzißtische Persönlichkeiten fallen auf durch ein ungewöhnliches Maß an Selbstbezogenheit im Umgang mit anderen Menschen, durch ihr starkes Bedürfnis, von anderen geliebt und bewundert zu werden, und durch den eigenartigen (wenn auch nur scheinbaren) Widerspruch zwischen einem aufgeblähten Selbstkonzept und gleichzeitig einem maßlosen Bedürfnis nach Bestätigung durch andere. Ihr Gefühlsleben ist seicht; sie empfinden wenig Empathie für die Gefühle anderer und haben – mit Ausnahme von Selbstbestätigungen durch andere Menschen oder eigene Größenphantasien – im Grunde sehr wenig Freude am Leben; sie werden rastlos und leiden unter Langeweile, sobald die äußere Fassade ihren Glanz verliert und momentan keine neuen Quellen der Selbstbestätigung mehr zur Verfügung stehen. Man beobachtet bei ihnen auch einen starken Neid auf andere und die Neigung, solche Menschen, von denen narzißtische Zufuhren zu erwarten sind, stark zu idealisieren, wohingegen andere, von denen nichts (oder nichts mehr) zu erwarten ist – häufig ihre früheren Idole – entwertet und mit Verachtung gestraft werden. Die mitmenschlichen Beziehungen solcher Patienten haben im allgemeinen einen eindeutig ausbeuterischen und mitunter sogar parasitären Charakter; narzißtische Persönlichkeiten nehmen gewissermaßen für sich das Recht in Anspruch, über andere Menschen ohne jegliche Schuldgefühle zu verfügen, sie zu beherrschen und auszubeuten; hinter einer oft recht charmanten und gewinnenden Fassade spürt man etwas Kaltes, Unerbittliches. Häufig werden solche Patienten als »sehr abhängig« angesehen, weil sie in so starkem Maße auf Bewunderung und Bestätigung durch andere angewiesen sind; im Grunde sind sie aber völlig außerstande, eine echte Abhängigkeit zu entwickeln, d. h. sich auf einen anderen Menschen wirklich zu verlassen und zu vertrauen, weil sie zutiefst mißtrauisch sind und andere verachten.

In der analytischen Untersuchung erweist sich die arrogante, grandiose und herrschsüchtige Attitüde sehr häufig als Abwehr gegen paranoide Tendenzen, die mit der Projektion oraler Wut zusammenhängen, welche überhaupt bei dieser psychopathologischen Konstellation eine zentrale Rolle spielt. Oberflächlich besehen fällt das scheinbar völlige Fehlen von Objektbeziehungen auf; eine tieferreichende Analyse ergibt jedoch ein ganz anderes Bild: In den scheinbar beziehungslosen Interaktionen dieser Patienten spiegeln sich sehr intensive primitive verinnerlichte Objektbeziehungen bedrohlicher Art und gleichzeitig das Unvermögen wider, sich auf gute verinnerlichte Objekte zu verlassen (Rosenfeld 1964). Die antisoziale Persönlichkeit ist ebenfalls als eine Variante der narzißtischen Persönlichkeiten anzusehen, insofern hier dieselbe allgemeine Konstellation von Charakterzügen besteht, nur kommt hier außerdem noch eine schwere Über-ich-Störung hinzu.

Angesichts unseres Versuchs einer Gruppierung der Charakterstörungen nach dem jeweiligen Ausmaß, in dem Verdachtsmomente für eine Borderline-Persönlichkeitsstruktur vorliegen, erheben sich zwei Fragen, nämlich erstens: Lassen sich alle diese Charakterkonstellationen überhaupt auf der deskriptiven Ebene eindeutig differentialdiagnostisch voneinander abgrenzen? Und zum zweiten: Birgt unser Versuch, die Charakterstörungen in einer kontinuierlichen Reihe zu ordnen, nicht die Gefahr eines allzu starren Schematismus? In der Tat besteht innerhalb eines jeden Charaktertypus eine ziemlich große Variabilität; so gibt es beispielsweise relativ »typische« Hysterien, die dennoch Borderline-Züge aufweisen. Was die erste der beiden Fragen anbelangt, so würde ich sie bejahen und behaupten, daß eine deskriptive Differentialdiagnostik der Charakterstörungen – natürlich mit den üblichen Einschränkungen, die für eine rein deskriptive Diagnose in der klinischen Psychiatrie allgemein gelten – immerhin doch möglich ist; die nähere Begründung dieser These würde leider den Rahmen dieser Arbeit sprengen. Ich würde aber auch die zweite Frage bejahen, und zwar in Anbetracht der Tatsache, daß ein Patient, der eine der beschriebenen Charakterkonstellationen aufweist, damit noch keineswegs eindeutig auf einem bestimmten Punkt unserer Reihe eingestuft werden kann. So gibt es beispielsweise Patienten mit einem typischen narzißtischen Charakter, die überhaupt keine Borderline-Merkmale aufweisen. Trotzdem bin ich allmählich zu der Überzeugung gekommen, daß – wenn die deskriptive Diagnose gut fundiert ist und alle Besonderheiten des betreffenden Falles, die über die deskriptive Diagnose hinauszugehen scheinen, sorgfältig notiert werden – es doch möglich sein muß, den betreffenden Patienten wenigstens vorläufig nach dem Schweregrad seiner Charakterstörung einzustufen. Die Einstufung im unteren Bereich, entsprechend dem »niederen Strukturniveau« [»lower level«], impliziert zugleich den Verdacht auf eine Borderline-Persönlichkeitsstörung.

3. Depressiv-masochistische Charakterstrukturen

(a) *Die depressive Persönlichkeit.* Die depressiv-masochistische Charakterstruktur ist eine sehr komplexe Form der Charakterstörung, aber gerade deswegen ist sie auch zur Illustration des schon erwähnten Kontinuums von Charakterstörungen gut geeignet. Die »depressive Persönlichkeit«, wie Laughlin (1956) sie beschrieben hat, wäre in dieser Hinsicht ein gutes Beispiel für eine Charakterstruktur »von höherem Niveau«, die vor allem durch Reaktionsbildungen gekennzeichnet ist. In der Genese dieser Struktur überwiegt zwar die prägenitale Störung, aber strukturell steht diese Form von Charakterpathologie dem hysterischen und dem Zwangscharakter nahe. Es gibt auch noch eine etwas andere Form von masochistischen Charakterzügen, die ebenfalls dem »höheren Niveau« unseres Kontinuums zuzuordnen sind: Ich meine die masochistischen Züge, wie man sie häufig bei hysterischen Persönlichkeiten beobachtet und die psychodynamisch als Ausagieren unbewußter Schuldgefühle wegen genitaler Triebwünsche zu verstehen sind (so etwa bei einer hysterischen Patientin mit strengem Über-Ich, das hauptsächlich die verinnerlichte ödipale verbietende Mutter repräsentiert).

(b) *Der sadomasochistische Charakter.* Es gibt nun auch masochistische Persönlichkeitsstrukturen von weniger hohem Niveau, die wahrscheinlich irgendwo im »mittleren Bereich« unserer kontinuierlichen Reihe einzuordnen sind; ein typisches Beispiel hierfür ist der sogenannte »sadomasochistische« Charakter. Zu dieser Kategorie dürfte wohl auch ein Gutteil der sogenannten »help-rejecting complainers« (Frank et al. 1952) [Patienten, die immer wieder ihre Beschwerden vorbringen, sich aber doch nicht helfen lassen] zu rechnen sein. Manche infantilen Persönlichkeiten weisen ebenfalls solche Züge auf. Masochistische und sadistische Charakterzüge sind hierbei regelmäßig in irgendeiner Form miteinander verquickt, der typische Perfektionismus der Depressiven fehlt, und die sadistischen Triebabkömmlinge manifestieren sich unmittelbarer in impulsiven Charakterzügen. Im Gegensatz zur oben beschriebenen Patientengruppe mit depressiven Persönlichkeitsstörungen von »höherem Niveau« kommen unter den hier beschriebenen Charaktertypen mitunter auch Borderline-Patienten vor.

(c) *Primitive Selbstdestruktivität.* Es gibt schließlich auch noch ein »niederes Niveau« von masochistischen Charakterstörungen, wo man eine ziemlich primitive Sexualisierung masochistischer Bedürfnisse und eventuell auch pervers-masochistische Tendenzen beobachtet und wo Aggression unterschiedslos sowohl gegen die Außenwelt wie gegen den eigenen Körper ausagiert wird. Zu dieser Gruppe gehören unter anderem Patienten mit ausgeprägten selbstdestruktiven Zügen (die auch kein gut integriertes Über-Ich haben und auffallend wenig in der Lage sind, Schuldgefühle zu empfinden). Als typisches Beispiel hierfür sind Patienten anzuführen, die im Sinne einer unspezifischen Entlastung von Angst- und Spannungsgefühlen sich selbst Schnittwunden oder sonstige Verletzungen zufügen oder die in einer Stimmung von großer Wut, aber ohne eigentliche Depression, impulsive Suizidversuche unternehmen. Psychodynamisch gesehen überwiegen bei diesen Patienten präödipale Konflikte, unter deren Einfluß es zu ziemlich primitiven Mischungen und Entmischungen aggressiver und sexueller Triebimpulse kommt. Die Mehrzahl dieser Patienten – wenn nicht überhaupt alle – weisen eine Borderline-Persönlichkeitsstruktur auf.

Beim Vergleich der drei Stufen von Charakterstörungen mit depressiv-masochistischen Zügen fällt auf, daß die Patienten »auf höherem Strukturniveau« manifest depressiver sind als diejenigen »auf niederem Niveau«. Dies wiederum wirft die Frage auf, inwieweit die Depression als Symptom (im Sinne von Depressivität) für die Differentialdiagnose der Borderline-Persönlichkeitsstruktur richtungweisend sein könnte.

(d) *Depression als Symptom.* Zunächst einmal muß das Symptom »Depression« von depressiv-masochistischen Charakterzügen unterschieden werden. Zweitens ist die Qualität der Depression von Bedeutung, denn je mehr die depressive Verstimmung mit echten Schuldgefühlen, Selbstvorwürfen und Sorgen um die eigene Person einhergeht, desto eher wird man das als Anzeichen für einen gewissen Grad von Überich-Integration werten können. Andererseits gibt es Depressionen, die mehr die Qualität von ohnmächtiger Wut oder von Hilflosigkeit/Hoffnungslosigkeit infolge des Zusammenbruchs eines idealisierten Selbstkonzepts haben und wo man nicht so leicht von der Depression auf ein integriertes Über-Ich schließen könnte. Das ist für unsere Diskussion von Belang, denn je besser das Über-Ich integriert ist, desto höher ist das Niveau der Charakterstörung zu veranschlagen. Drittens ist auch von Bedeutung, wie stark ausgeprägt (quantitativ) die Depression ist und in welchem Ausmaß sie mit einer globalen Ichfunktionsstörung einhergeht. Schwere Depressionen von fast psychotischem Ausmaß, zumal wenn sie mit Anzeichen einer Desorganisierung des Ichs in Form sogenannter »depressiver Depersonalisationserscheinungen« und mit einem massiven Rückzug aus den emotionalen Beziehungen zur äußeren Realität verbunden sind, können vorläufig ebenfalls als Verdachtsmomente für die Diagnose einer Borderline-Persönlichkeitsstruktur gelten. In solchen Fällen vermag das Ich trotz intakter Funktionsfähigkeit des Über-Ichs (oder vielleicht gerade deswegen) dem Druck des übermäßig strengen, ja sadistischen Über-Ichs nicht standzuhalten. Die Berücksichtigung dieser drei Kriterien (Qualität der Depression, Schweregrad der Depression, Strukturniveau der depressiv-masochistischen Charakterorganisation) beim Vorliegen einer manifesten Depression führt uns zu dem Schluß, daß das Symptom »Depression« nicht ohne weiteres als Indikator für eine Borderline-Persönlichkeitsstruktur anzusehen ist. Eine schwere Depression kann ebenso wie auch das völlige Fehlen depressiver Symptome als Anzeichen für eine Charakterstörung von »niederem Strukturniveau« zu werten sein. Ausschlaggebend ist jeweils sowohl die Qualität als auch die Quantität der Depression.

Ich bin auf das Problem der depressiv-masochistischen Charakterzüge und der Depression als Symptom etwas ausführlicher eingegangen, weil ich hervorheben wollte, daß mein Vorschlag einer kontinuierlichen Reihe von Charakterstörungen vom »höheren« bis zum »niederen Strukturniveau« [»high level« bis »low level« character disorders] keineswegs als eine rein äußerliche Neugruppierung diagnostischer Einheiten gemeint ist, sondern daß die Einstufung eines gegebenen Einzelfalles in diesem Kontinuum sowohl von speziellen

deskriptiven Kriterien als auch von psychodynamischen und strukturellen Einschätzungen im Sinne der klinischen Urteilsbildung abhängt.

Um das bisher Gesagte noch einmal zusammenzufassen: Die Feststellung der angeführten deskriptiven psychopathologischen Elemente
gestattet bereits (sofern sie nur eindeutig genug ausgeprägt sind) die
Formulierung der vorläufigen Verdachtsdiagnose Borderline-Persönlichkeitsstruktur. Die endgültige Diagnose kann jedoch erst auf der
Grundlage einer strukturellen Analyse gestellt werden, auf die nun
im nächsten Abschnitt näher eingegangen werden soll.

3. Strukturelle Analyse

In der psychoanalytischen Literatur wird der Ausdruck »strukturelle
Analyse« oder »Strukturanalyse« in verschiedenen Bedeutungen
verwendet. Man versteht darunter erstens eine Analyse psychischer
Vorgänge im Hinblick auf die drei großen psychischen Strukturen
Ich, Es und Über-Ich. Dies ist auch die Weise, wie Freud ursprünglich
den Terminus angewendet hat, indem er den »strukturellen« vom
»topischen« oder »topographischen« Gesichtspunkt abgrenzte. Zum
zweiten bezieht sich der Ausdruck »strukturelle Analyse« in einem
weiteren Sinne auf die von Hartmann, Kris und Loewenstein (1946)
und besonders von Rapaport und Gill (1959) erarbeitete Auffassung
des Ichs als einer psychischen Instanz, die sich zusammensetzt aus (a)
»Strukturen«, d. h. Konfigurationen mit langsamer Veränderungsra-
te, die für die Kanalisierung psychischer Prozesse verantwortlich
sind; (b) diesen psychischen Prozessen bzw. »Funktionen« selbst und
schließlich (c) den sogenannten »Schwellen«. Im klinischen Sprachgebrauch findet man diese zweite Verwendungsweise des Begriffs
»strukturell« unter anderem in der Beschreibung kognitiver Strukturen (hierzu gehört insbesondere die Unterscheidung zwischen Pri-
märprozeß- und Sekundärprozeßdenken) und Abwehrstrukturen
(d. h. Konstellationen von Abwehrmechanismen und Abwehraspekten
des Charakters). Es gibt aber noch eine dritte Bedeutung des Terminus »strukturelle Analyse«, die erst in neuerer Zeit in Gebrauch gekommen ist, nämlich im Sinne einer Analyse der Strukturabkömmlinge verinnerlichter Objektbeziehungen (Fairbairn 1951, Kernberg
1966). Die erste und zweite Bedeutung der »strukturellen Analyse«

40

hängen natürlich eng zusammen und lassen sich auf eine zusammen-
ziehen, wenn man mit Hartmann Es, Ich und Über-Ich als die durch
ihre jeweiligen Funktionen definierten drei Makrostrukturen des psychischen Apparats ansieht, innerhalb deren sich wiederum auf Grund
ihrer speziellen Funktionen Substrukturen abgrenzen lassen, die ihrerseits neue Funktionen regeln. In dem folgenden Versuch einer
Analyse der Borderline-Persönlichkeitsstruktur beginne ich zunächst
mit einer Strukturanalyse des Ichs als einer Makrostruktur, die ihrerseits verschiedene Substrukturen mit ihren Funktionen integriert,
und gehe anschließend auf die spezifischen Strukturabkömmlinge verinnerlichter Objektbeziehungen ein, die für diese Form von Psychopathologie besonders relevant sind.

a) Unspezifische Anzeichen von Ichschwäche

Der Begriff »Ichschwäche« ist oft überdehnt und mißbraucht worden,
so daß manche Kliniker dahin gelangt sind, ihn überhaupt nicht mehr
zu verwenden. Ich meine aber, daß es sich hier um ein brauchbares
Konzept handelt, vorausgesetzt daß man die verschiedenen Aspekte
der Ichschwäche im einzelnen näher kennzeichnet und differenziert.
Es gibt einerseits »spezifische« Aspekte der Ichschwäche, nämlich das
für Borderline-Strukturen so charakteristische Überwiegen primitiver
Abwehrmechanismen. Und andererseits gibt es »unspezifische« Aspekte der Ichschwäche; darunter verstehe ich folgende drei Merkmale
(vgl. Wallerstein und Robbins 1956): 1. eine *mangelhafte Angsttoleranz*, 2. eine *mangelhafte Impulskontrolle* und 3. *mangelhaft entwik-
kelte Sublimierungen*. Die mehr oder weniger mangelhafte Differenzierung zwischen Selbst- und Objektrepräsentanzen und die damit
verbundene Auflösung der Ichgrenzen könnte man wohl ebenfalls zu
den »unspezifischen« Aspekten der Ichschwäche bei Borderline-Persönlichkeitsstrukturen zählen, aber weil diese Phänomene so eng mit
der Pathologie der verinnerlichten Objektbeziehungen zusammenhängen, werde ich erst weiter unten darauf eingehen. Die Rigidität einer
Charakterformation wird manchmal fälschlich als Anzeichen von Ichstärke angesehen, aber weder übermäßige Rigidität noch übermäßige
Variabilität des Charakters sind an sich schon Ausdruck von Ichstärke
oder Ichschwäche, vielmehr sind beide als spezifische Organisations-
weisen einer Charakterstörung anzusehen.

Eine *mangelhafte Angsttoleranz* läßt sich daran ermessen, inwieweit jede Steigerung von Angst über das gewohnte Maß hinaus zu weiterer Symptombildung, alloplastischen Verhaltensweisen oder tieferer Ich-Regression führt. Ich möchte betonen, daß es hier nicht auf das Ausmaß der Angst an sich ankommt, sondern darauf, wie das Ich auf jede zusätzliche Angstbelastung reagiert. An Patienten mit chronischer schwerer Angst läßt sich diese Variable manchmal nur schwer abschätzen. Ein völliges Fehlen manifester Angst ist für sich genommen noch kein Indikator für den Grad an Angsttoleranz. Vom praktischen Gesichtspunkt her läßt sich diese Variable vielleicht nur in langfristigen diagnostischen Beobachtungen über mehrere Wochen hin durch einen kompetenten Untersucher einigermaßen sicher einschätzen.

Charakterstörungen vom Typ des sogenannten »triebhaften Charakters« sind ein typisches Beispiel für eine *mangelhafte Impulskontrolle*. Man muß hier jedoch unterscheiden zwischen einer unspezifischen, globalen Form und andererseits einem ganz umschriebenen und hochspezifischen »Mangel an Impulskontrolle«, wie er im Rahmen bestimmter charakterlicher Abwehrformationen vorkommt. Ich habe diesbezüglich schon einmal in einer früheren Arbeit (Kernberg 1966) ausgeführt, daß das, was hier vordergründig bloß als mangelhafte Impulskontrolle auf Grund einer globalen Ichschwäche erscheint, in Wirklichkeit Ausdruck hochspezifischer Abwehrvorgänge sein kann und mit dem Auftauchen eines dissoziierten Identifikationssystems im Bewußtsein zusammenhängt. In solchen Fällen zeigt sich das Spezifische dieser Form von »mangelhafter Impulskontrolle« typischerweise an der Ichsyntonizität des betreffenden Triebimpulses im Moment des impulsiven Verhaltens, an der stereotypen Wiederkehr solcher episodischen Impulsdurchbrüche, am fehlenden emotionalen Kontakt zwischen dem impulsiven Persönlichkeitsanteil und dem sonstigen Selbsterleben des Patienten und schließlich an der blanden Verleugnung, mit der solche dissoziierten »Durchbrüche« nachher abgewehrt werden. Etwas ganz anderes ist die unspezifische, globale Form mangelhafter Impulskontrolle, wie man sie typischerweise bei infantilen Persönlichkeiten findet. Sie erscheint hier in Form einer unberechenbaren, sprunghaften Impulsivität als unspezifische Reaktion auf jeden stärkeren Anstieg von Angst oder Triebspannungen gleich welcher Art. Die Impulsivität ist hier nicht so sehr als Ausdruck der Aktivierung eines bestimmten dissoziierten Identifikationssystems zu verstehen, sondern vielmehr als ein Versuch der Zerstreuung und Abfuhr intrapsychischer Spannungen jeglicher Art.

Die *mangelhafte Ausbildung von Sublimierungen* ist wiederum schwer zu beurteilen, denn man muß hierzu unter anderem konstitutionell bedingte Fähigkeiten wie z. B. das Intelligenzniveau und besondere Fertigkeiten abschätzen und Begabungen gegen tatsächliche Leistungen abwägen. Auch die soziale Umwelt des Patienten ist mit in Rechnung zu stellen. In einer sehr anregenden und fördernden, bildungsorientierten Umwelt werden die mangelnde Kreativität und die Freudlosigkeit des Borderline-Patienten leicht durch eine oberflächliche Anpassung an diese optimalen Umweltbedingungen verschleiert. Dagegen erscheinen Patienten, die ihr Leben lang einer äußerst dürftigen und kargen sozialen Umwelt ausgesetzt waren, eindrucksmäßig oft als stumpf, freudlos und unschöpferisch, brauchen aber deshalb nicht unbedingt auch auf einer tieferen Ebene die gravierenderen Zeichen einer fehlenden Sublimierungsfähigkeit aufzuweisen. Kreative Genußfähigkeit und kreative Leistungsfähigkeit sind die beiden wichtigsten Aspekte der Sublimierungsfähigkeit; sie sind auch vielleicht die besten Indikatoren dafür, in welchem Ausmaß der Patient über eine konfliktfreie Ichsphäre verfügt, und daher ist umgekehrt ihr Fehlen ein wichtiger Indikator für eine Ichschwäche.

b) Primärprozeßhafte Denkformen

Rapaports (1957) Darstellung der verschiedenen Ebenen kognitiver Strukturen je nach dem Ausmaß, in welchem Sekundärprozeß- oder Primärprozeßdenken überwiegt, ist in diesem Zusammenhang besonders relevant. In der Tat dürfte das Auftauchen primärprozeßhafter Denkformen noch immer dasjenige Symptom der Borderline-Persönlichkeitsstruktur sein, auf das in der klinischen Diagnostik der größte Wert gelegt wird. Die Ausführungen von Rapaport, Gill und Schafer (1945/46) über die strukturelle Differenzierung zwischen Neurotikern, »Präschizophrenen« und Psychotikern (wobei die »Präschizophrenen« im großen Ganzen mit den Borderline-Persönlichkeitsstrukturen zusammenfallen) stehen großenteils im Zusammenhang mit ihrer Analyse kognitiver Strukturen, und das gleiche gilt auch für ihre Verwendung einer Batterie von projektiven Tests zur Feststellung des Ausmaßes, in welchem sekundärprozeßhafte oder primärprozeß-

hafte Denkformen überwiegen. Bei Patienten mit Borderline-Persönlichkeitsstruktur findet man in der üblichen klinisch-psychiatrischen
Untersuchung nur selten Anhaltspunkte für formale Denkstörungen.
In projektiven Tests und besonders in den Antworten auf unstrukturierte Reizangebote tauchen jedoch vereinzelt primärprozeßhafte
Denkabläufe auf, und zwar in Form primitiver Phantasien, einer
verminderten Fähigkeit zur adäquaten Berücksichtigung der formalen Gegebenheiten des Testmaterials und vor allem in der Verwendung formal auffälliger Formulierungen.

Es ist fraglich, ob ein derartiges Abgleiten des Funktionsniveaus in
Richtung Primärprozeßdenken nur als »unspezifischer« Ausdruck
einer formalen Ich-Regression anzusehen ist, wie man früher ge-
glaubt hat (Knight 1953 a), oder ob diese Regression zum Primärprozeßdenken nicht vielmehr das Ergebnis des Zusammenwirkens
verschiedener Aspekte der Borderline-Persönlichkeitsstruktur darstellt, nämlich (a) einer Reaktivierung pathologischer früh verinnerlichter Objektbeziehungen, die mit primitiven Triebabkömmlingen
pathologischer Art verbunden sind; (b) einer Reaktivierung früher
Abwehrvorgänge, vor allem generalisierter Dissoziations- oder Spaltungsmechanismen, durch welche die Integration kognitiver Prozesse
beeinträchtigt wird; (c) einer partiellen Wiederverschmelzung primitiver Selbst- und Objektrepräsentanzen, verbunden mit einer Labili-
sierung der Ichgrenzen, und (d) einer Ich-Regression auf primitive
kognitive Strukturen infolge unspezifischer Gleichgewichtsverschie-
bungen zwischen Besetzungen und Gegenbesetzungen. Aber was immer nun im einzelnen ihre Ursachen sein mögen, so ist doch jedenfalls
diese Regression zu primärprozeßhaften Denkformen immer noch
das wichtigste strukturelle Kriterium für eine Borderline-Persönlichkeitsstruktur. Und weil dieses Merkmal hauptsächlich durch die Anwendung projektiver Tests nachzuweisen ist, werden solche verfeiner-
ten Testverfahren zu einem unerläßlichen Hilfsmittel in der Diagnostik der Borderline-Persönlichkeitsstruktur.

c) Spezifische Abwehrmechanismen auf dem Niveau
der Borderline-Persönlichkeitsstruktur

Eines der wesentlichen Ziele der Ichentwicklung und -integration besteht in der Synthese früherer und späterer Introjektionen und Iden-

tifizierungen* zu einer stabilen Ich-Identität. Denn die unter dem Einfluß libidinöser Triebabkömmlinge errichteten Introjektionen werden anfangs separat von den unter dem Einfluß aggressiver Triebabkömmlinge errichteten Identifizierungen aufgebaut (man spricht auch von »guten« und »bösen« inneren Objekten bzw. von »positiven« und »negativen« Introjektionen). Diese Aufteilung verinnerlichter Objektbeziehungen in »gute« und »böse« ergibt sich zunächst einfach aufgrund der noch mangelhaften Integrationsleistung des frühkindlichen Ichs. Später jedoch wird aus dieser ursprünglichen Integrationsschwäche ein vom inzwischen stärker gewordenen Ich aktiv benutzter Abwehrvorgang, mit dessen Hilfe die Generalisierung von Angst vermieden und der auf der Basis positiver (d. h. unter dem Einfluß libidinöser Triebabkömmlinge entstandener) Introjektionen und Identifizierungen aufgebaute Ichkern geschützt werden soll. *Eine solche Form der Abwehr durch Teilung des Ichs – wobei ein Zustand, der ursprünglich schlicht Ausdruck mangelhafter Integration war, nun aktiv zu bestimmten Zwecken herbeigeführt wird – entspricht im wesentlichen dem Mechanismus der Spaltung.* Normalerweise wird dieser Mechanismus nur im Frühstadium der Ichentwicklung während des ersten Lebensjahres verwendet und bald durch Abwehrmechanismen von höherem Niveau ersetzt, und zwar in erster Linie durch die Verdrängung neben anderen ihr nahestehenden Mechanismen wie Reaktionsbildung, Isolierung und Ungeschehenmachen, denen allen gemeinsam ist, daß sie das Ich vor intrapsychischen Konflikten schützen, indem sie bestimmte Triebabkömmlinge und/oder deren Vorstellungsrepräsentanzen vom Bewußtsein fernhalten. Unter bestimmten pathologischen Bedingungen bleibt jedoch der Mechanismus der Spaltung (nebst anderen ihm nahestehenden Mechanismen, die später noch besprochen werden) erhalten. Er dient ebenfalls dem Schutz des Ichs vor Konflikten, aber auf andere Weise, nämlich durch Dissoziation, durch ein aktives Auseinanderhalten von miteinander im Konflikt stehenden – nämlich einerseits libidinös determinierten und andererseits aggressiv determinierten – Introjektionen und Identifizierungen, ohne daß dadurch deren Zugang zum Bewußtsein

* [Anm. d. Übers.: Der Autor (vgl. Kernberg 1966) benutzt »Introjektion« und »Identifizierung« sowohl für den betreffenden *Vorgang* der Verinnerlichung und Strukturbildung als auch für dessen *Ergebnis*. In der psychoanalytischen Literatur werden ansonsten gelegentlich Vorgang und Ergebnis terminologisch voneinander unterschieden: Identifizierung vs. Identifikation, Introjektion vs. Introjekt.]

betroffen würde. Vielmehr ist der betreffende Triebabkömmling in diesem Falle sowohl als Emotion wie auch als Vorstellung und als Handlungsintention voll bewußtseinsfähig, erscheint aber völlig abgetrennt von anderen Segmenten bewußten Erlebens. Unter solchen pathologischen Umständen kann man beobachten, wie völlig gegensätzliche Ichzustände abwechselnd aktiviert werden, und solange diese konträren Ichzustände durch den Spaltungsmechanismus voneinander getrennt gehalten werden können, tritt auch keine Angst auf. Eine solche innere Situation führt natürlich zu einer enormen Beeinträchtigung der Integrationsvorgänge, die normalerweise zum Aufbau einer stabilen Ich-Identität beitragen; sie ist die Grundlage für das Syndrom der Identitätsdiffusion (Erikson 1956).

Zur Verinnerlichung von Objektbeziehungen hat das frühkindliche Ich in rascher Folge zwei wesentliche Entwicklungsschritte zu vollziehen: erstens die *Differenzierung zwischen Selbst- und Objektimagines als Bestandteilen früher Introjektionen und Identifizierungen* und zweitens die *Integration der unter dem Einfluß libidinöser Triebabkömmlinge aufgebauten Selbst- und Objektimagines mit den entsprechenden unter dem Einfluß aggressiver Triebabkömmlinge aufgebauten Selbst- und Objektimagines*. Der erste dieser beiden Entwicklungsschritte hängt unter anderem von der Reifung der [kognitiven] »Apparate primärer Autonomie« ab, die überhaupt eine Vorbedingung für das Einsetzen von Introjektions- und Identifizierungsprozessen darstellt. Denn mit Hilfe der Wahrnehmung und der Speicherung und Integration von Gedächtnisspuren werden die jeweiligen Ursprünge von Reizen und Unterscheidungsmerkmale von Wahrnehmungen allmählich ausgesondert und auf diese Weise Selbst- und Objektimagines voneinander differenziert. Auch die Befriedigung und die (maßvolle) Frustration von Triebbedürfnissen fördern die Differenzierung von Selbst- und Objektimagines, denn libidinöse Befriedigung lenkt Aufmerksamkeitsbesetzungen auf die Interaktion zwischen Selbst und Objekten und fördert die Differenzierung in diesem Bereich, während Frustration die schmerzliche Abwesenheit der befriedigenden Objekte zu Bewußtsein bringt und auf diese Weise ebenfalls zur Differenzierung zwischen Selbst und Nicht-Selbst beiträgt. Ein Übermaß an Befriedigung von Triebbedürfnissen kann die Selbst-Objekt-Differenzierung verzögern. Aufgrund klinischer Erfahrungen müssen wir jedoch vor allem die übermäßige Frustration früher (besonders oraler) Triebbedürfnisse wohl als Hauptursache für eine mangelhafte Selbst-Objekt-Differenzierung ansehen, denn *übermäßige Frustration verstärkt die (an sich normale) Tendenz zur regressiven Wiederverschmelzung von Selbst- und Objektimagines* mit den dazugehörigen Phantasien der Vereinigung von Selbst und Objekt, um einen Zustand absoluter Befriedigung aufrechtzuerhalten oder wiederzuerlangen (Jacobson 1964). Der zweite Entwicklungsschritt besteht, wie schon gesagt, darin, *daß die unter dem Einfluß libidinöser Triebabkömmlinge aufgebauten Selbst- und Objektmagines mit den entsprechenden unter dem Einfluß aggressiver Triebabkömmlinge aufgebauten Selbst- und Objektimagines integriert werden* müssen. Es müssen also idealisierte »total gute« mit »total bösen« Objektimagines integriert werden, und dasselbe gilt auch für die guten und bösen Selbstimagines. In diesem Prozeß der Synthese werden Teilbilder des Selbst und der Objekte zu »ganzen« Selbst- und Objektrepräsentanzen integriert; die Selbst- und Objektrepräsentanzen werden zugleich weiter voneinander differenziert und gewinnen realistischere Züge.

Diese beiden Entwicklungsschritte sind nun im Falle der Psychose weitgehend gescheitert; sie sind aber auch bei den Borderline-Persönlichkeitsstrukturen in gewissem Umfange mißlungen. Was die Psychosen anbetrifft, so besteht hier ein schwerer Defekt hinsichtlich der Selbst-Objekt-Differenzierung, so daß es leicht zu einer regressiven Wiederverschmelzung von Selbst- und Objektimagines in Form primitiver Vereinigungsphantasien kommt, verbunden mit einer *Auflösung der Ichgrenzen in bezug auf die Differenzierung zwischen Selbst und Nicht-Selbst.* Solch eine regressive Wiederverschmelzung von Selbst- und Objektimagines mag verschiedene Gründe haben: (a) eine mangelhafte Ausreifung der »Apparate primärer Autonomie«; (b) ein konstitutionell bedingter Mangel an Angsttoleranz (so daß bereits geringfügige Frustrationen unerträglich sind und sogleich regressive Wiederverschmelzungsvorgänge auslösen); (c) real erfahrene übermäßige Frustrationen und (d) eine frustrationsbedingte übermäßige Aggressivität (oder auch eine konstitutionell bedingte übermäßige Stärke der Aggressionstriebe). Der *Circulus vitiosus von Projektion der Aggression und anschließender Reintrojektion aggressiv aufgeladener Objekt- und Selbstimagines* spielt aller Wahrscheinlichkeit nach in der Entwicklung sowohl der Psychosen als auch der Borderline-Persönlichkeitsstruktur eine erhebliche Rolle. *Bei den Psychosen führt dieser Circulus vitiosus hauptsächlich zur regressiven Wiederver-*

schmelzung von Selbst- und Objektimagines; bei der *Borderline-Persönlichkeitsstruktur* steht nicht so sehr die Wiederverschmelzung von Selbst- und Objektmagines, sondern eine *Verstärkung und pathologische Fixierung von Spaltungsvorgängen* im Vordergrund.

Es ist möglich, daß die hier für die Entwicklung der Psychosen angeführten pathogenen Faktoren in gewissem Umfang auch bei Borderline-Persönlichkeitsstrukturen mit in Betracht kommen, aber bei den Borderline-Patienten spielt die regressive Wiederverschmelzung von Selbst- und Objektimagines bzw. die mangelhafte Entwicklung und Ausdifferenzierung von Selbst- und Objektimagines jedenfalls nie so eine zentrale Rolle wie bei den Psychotikern. Der entscheidende Entwicklungsdefekt liegt hier vielmehr in der Unfähigkeit zur Synthese positiver und negativer Introjektionen und Identifizierungen, das heißt, die libidinös bestimmten und die aggressiv bestimmten Selbst- und Objektimagines können nicht miteinander vermittelt und integriert werden. Konstitutionelle Entwicklungsdefekte der Apparate primärer Autonomie sind wahrscheinlich im Falle der Borderline-Persönlichkeitsstruktur von relativ geringer Bedeutung. Die wichtigsten pathogenen Faktoren sind hier wohl eher in einer konstitutionell bedingten mangelhaften Angsttoleranz – wodurch die Synthese positiver und negativer Introjektionen beeinträchtig wird – und vor allem in einer übermäßigen Stärke aggressiver Triebanteile zu sehen. Wie schon erwähnt, kann dieses Übermaß an Aggression entweder mit einer konstitutionell bedingten übermäßigen Stärke der Aggressionstriebe zusammenhängen oder aus schweren frühen Frustrationen stammen; *extrem schwere aggressive und autoaggressive Tendenzen in Verbindung mit frühen Selbst- und Objektimagines verweisen jedenfalls regelmäßig auf eine Borderline-Persönlichkeitsstruktur.*

Sind Selbst- und Objektimagines relativ gut voneinander abgegrenzt, so daß es auch kaum zur regressiven Wiederverschmelzung dieser Imagines kommen kann, dann entwickelt sich auch die Differenzierung der Ichgrenzen relativ ungestört; infolgedessen bleiben beim Borderline-Patienten typischerweise die Ichgrenzen und die damit verbundene Fähigkeit zur Realitätsprüfung weitgehend intakt. Dagegen ergeben sich aus der *mangelnden Synthese zwischen gegensätzlichen Selbst- und Objektimagines* mannigfache pathologische Folgen. Vor allem bleiben Spaltungsprozesse als zentraler Abwehrmechanismus erhalten, um eine diffuse Ausbreitung von Angst im Ich zu verhindern und die positiven Introjektionen und Identifizierungen zu schützen. Dieses Bedürfnis, die guten Selbst- und Objektimagines und die guten äußeren Objekte angesichts der Gegenwart »total böser« Selbst- und Objektimagines zu schützen und zu bewahren, mobilisiert neben Spaltungsprozessen noch eine ganze Reihe weiterer Abwehrvorgänge. Diese bilden zusammen mit der Spaltung als dem zentralen Mechanismus das Tableau der typischen Abwehrmechanismen, die für die Borderline-Persönlichkeitsstruktur kennzeichnend sind. Im folgenden sollen nun diese Abwehrmechanismen der Reihe nach eingehender beschrieben und zugleich gegen ihre reiferen, weniger pathologischen Entsprechungen abgegrenzt werden, d. h. gegen solche Abwehrmechanismen, wie wir sie in Verbindung mit der Verdrängung als zentralem Mechanismus bei Patienten mit neurotischen (jedenfalls nicht Borderline-) Charakterstörungen sehen.

1. Spaltung. Hier handelt es sich um einen zentralen Abwehrmechanismus der Borderline-Persönlichkeitsstruktur, der auch allen im folgenden noch beschriebenen Mechanismen zugrunde liegt. Ich möchte noch einmal betonen, daß ich den Ausdruck »Spaltung« in einem sehr umschriebenen Sinne verwende, nämlich als Bezeichnung für das aktive Auseinanderhalten konträrer Introjektionen und Identifizierungen. Diese enge Fassung des Begriffs »Spaltung« ist von der weitergefaßten Bedeutung, die dieser Terminus bei manchen anderen Autoren hat, zu unterscheiden. Ich habe bereits in einer früheren Arbeit (Kernberg 1966) die Vermutung geäußert, daß die Integration bzw. Synthese konträrer Introjektionen und Identifizierungen möglicherweise die wichtigste Quelle für die Neutralisierung von Aggression darstellt (und zwar insofern als hierbei libidinöse und aggressive Triebabkömmlinge miteinander legiert und im Rahmen dieser Integration neu organisiert werden) und daß deshalb eine wichtige Konsequenz der pathologischen Umstände, unter denen Spaltungsprozesse dominieren, darin besteht, daß diese Neutralisierung nicht in ausreichendem Maße erfolgt und damit eine wichtige Energiequelle für die Ichentwicklung ausfällt. Spaltungsprozesse sind also eine Hauptursache der Ichschwäche, und da die Spaltung auch weniger Gegenbesetzungsenergie erfordert als die Verdrängung, greift ein schwaches Ich besonders leicht auf Spaltungsmechanismen zurück, so daß wiederum ein Circulus vitiosus entsteht, über den sich Ichschwäche und Spaltung wechselseitig verstärken. Klinisch manifestiert sich eine Spaltung unter anderem in der Weise, daß – etwa bei bestimmten Charakterstörungen – gegensätzliche Seiten eines Konflikts abwechselnd die Szene beherrschen, wobei der Patient in bezug auf die jeweilige andere Seite eine blande Verleugnung zeigt und über die Widersprüchlichkeit seines Verhaltens und Erlebens überhaupt nicht betroffen zu sein scheint. Eine weitere direkte Manifestation von Spaltungsvorgängen besteht in einer »mangelhaften Impulskontrolle« *selektiver* Art, die also nur in bestimmten Bereichen besteht und gekennzeichnet ist durch episodische Durchbrüche primitiver und zu dem betreffenden Zeitpunkt völlig ichsyntoner Impulse (bei Impulsneurosen und Suchten spielen Spaltungsprozesse eine zentrale Rolle). Das vielleicht bekannteste Spaltungsphänomen ist die Aufteilung äußerer Objekte in »total gute« und »total böse« [bzw. »total schlechte«], wobei ein Objekt ganz abrupt und total seinen Charakter von einem Extrem zum anderen verändern kann, indem sämtliche Gefühle und Vorstellungen über die betreffende Person von einem Moment auf den anderen völlig ins Gegenteil umschlagen. In gleicher Weise können auch ständige extreme Schwankungen zwischen konträren Selbstkonzepten ein Ausdruck von Spaltungsprozessen sein. Die Spaltung kommt nicht als isolierter Abwehrmechanismus vor, sondern ist regelmäßig mit anderen Abwehrmechanismen kombiniert. Das gleiche gilt übrigens auch von der Verdrängung, die ebenfalls zumeist in Verbindung mit anderen Mechanismen »von höherem Niveau« in Erscheinung tritt. Spaltungsvorgänge erscheinen gewöhnlich in Kombination mit einem oder mehreren der folgenden Mechanismen:

2. *Primitive Idealisierung*. Hierunter verstehe ich die Neigung, (bestimmte) äußere Objekte zu »total guten« zu machen, damit sie einen gegen die bösen Objekte beschützen und damit sie nicht von der eigenen oder der auf andere Objekte projizierten Aggression in Frage gestellt, entwertet oder gar zerstört werden können. Die primitive Idealisierung bringt unrealistische, »nur gute« und übermächtige Objektimagines hervor, wodurch die Entwicklung des Ich-Ideals und des Über-Ichs in negativem Sinne beeinflußt wird. Ich benutze den Ausdruck »primitive Idealisierung« in Abhebung von reiferen Formen der Idealisierung, wie man sie beispielsweise bei depressiven Patienten findet, die ihre Objekte aus Schuldgefühlen wegen ihrer Aggression ihnen gegenüber idealisieren. In einer früheren Arbeit (Kernberg 1966) habe ich für die unreifere Form den Ausdruck »prädepressive Idealisierung« vorgeschlagen, würde aber heutzutage die Bezeichnung »primitive Idealisierung« vorziehen. Eine solche primi-

tive Idealisierung impliziert weder bewußte oder unbewußte Aggression gegen das idealisierte Objekt noch auch Schuldgefühle wegen solcher Aggression und Besorgnis um das Objekt. Es handelt sich hier also nicht um eine Reaktionsbildung, sondern um die unmittelbare Manifestation einer primitiven Phantasiestruktur, in der es gar nicht um eine wirkliche Hochschätzung der idealisierten Person geht, sondern ausschließlich um deren Eignung als Beschützer gegen eine Welt voller gefährlicher Objekte. Eine weitere Funktion solcher Idealobjekte besteht darin, daß man sich mit der ihnen zugesprochenen Allmacht identifizieren und so an der Größe des idealisierten Objekts teilhaben kann, was wiederum einen Schutz gegen Aggression bietet und gleichzeitig auch narzißtische Bedürfnisse befriedigt. Wo die Idealisierung vorwiegend solchen Zwecken dient, erkennt man leicht die damit verbundenen Allmachtsphantasien – auch ein typischer Borderline-Abwehrmechanismus, der weiter unten noch besprochen werden soll. Die primitive Idealisierung ist als Vorläufer reiferer Formen von Idealisierung anzusehen.

3. Frühformen der Projektion, insbesondere die projektive Identifizierung. Starke projektive Tendenzen sind ein häufiger Befund bei Patienten mit Borderline-Persönlichkeitsstruktur, wobei aber nicht nur die quantitative Ausprägung sondern auch die besondere Qualität dieser Projektion charakteristisch ist. Der Hauptzweck der Projektion besteht hier in der Externalisierung der »total bösen«, aggressiven [oder auch der »total schlechten«, entwerteten] Selbst- und Objektimagines, und als wichtigste Folge dieses Vorgangs entstehen gefährliche vergeltungssüchtige Objekte, gegen die der Patient wiederum sich zur Wehr setzen muß. Die Projektion der Aggression gelingt also nur sehr unvollkommen. Zwar sind die Ichgrenzen dieser Patienten so weit entwickelt, daß in den meisten Lebensbereichen ein ausreichendes Differenzierungsvermögen zwischen Selbst und Objekten gewährleistet ist, aber die besondere Intensität der Projektionsneigung führt im Verein mit der charakteristischen Ichschwäche dieser Patienten leicht zu einer umschriebenen Schwächung der Ichgrenzen im Bereich der Projektion von Aggression. So kommt es, daß der Patient sich mit dem Objekt, auf das er seine Aggression projiziert hat, gleichzeitig noch identifiziert fühlt und daß diese weiter fortbestehende »empathische« Beziehung zu dem mittlerweile bedrohlich gewordenen Objekt die Angst vor der eigenen projizierten Aggression weiterhin aufrechterhält und noch verstärkt. Der Patient muß daher dieses als bedrohlich erlebte Objekt unter Kontrolle halten, um zu verhindern, daß es ihn unter dem Einfluß (projizierter) aggressiver Impulse angreift; er muß das Objekt beherrschen und eher selber angreifen, bevor er (wie er fürchtet) vom Objekt überwältigt und zerstört wird. Zusammenfassend ist die projektive Identifizierung also durch folgende Besonderheiten gekennzeichnet: zum einen die mangelhafte Selbst-Objekt-Differenzierung in diesem einen Bereich; sodann die Besonderheit, daß der Impuls sowie auch die Angst vor diesem Impuls bei dieser Form von Projektion weiterhin im Erleben präsent bleiben; schließlich die daraus resultierende Notwendigkeit, das äußere Objekt ständig unter Kontrolle zu halten (Kernberg 1966, Rosenfeld 1963). Spätere Formen der Projektion auf höherem Niveau der Ichentwicklung lassen diese Merkmale nicht mehr erkennen. Bei der Hysterie zum Beispiel wird die Projektion sexueller Impulse einfach nur zur Unterstützung der Verdrängung eingesetzt; wenn eine hysterische Frau die Männer wegen deren sexuellen Interessen verachtet oder fürchtet, so ist sie sich dabei ihrer eigenen sexuellen Triebwünsche überhaupt nicht bewußt, es kommt deshalb auch nicht zu der oben beschriebenen angstvollen »Einfühlung« (»Empathie«) in den »Feind«. Die projektive Verzerrung der Objektimagines im aggressiven Sinne wirkt sich in der Folge auch auf die Überich-Entwicklung pathologisch aus.

4. *Verleugnung.* Für den Gebrauch von Verleugnungsmechanismen findet man bei Patienten mit Borderline-Persönlichkeitsstruktur in der Regel zahlreiche Anhaltspunkte, und zwar handelt es sich dabei hauptsächlich um primitive Formen von Verleugnung, die von »höheren«, reiferen Formen dieses Abwehrmechanismus zu unterscheiden sind. Sehr typisch ist z. B. die »wechselseitige Verleugnung« zweier emotional gegensätzlicher und verselbständigter Bewußtseinsbereiche (die Verleugnung dient hier gewissermaßen nur zur Unterstützung eines Spaltungsvorganges). Der Patient ist sich zwar im klaren darüber, daß seine momentanen Wahrnehmungen, Gedanken und Gefühle in bezug auf sich selbst oder andere Personen völlig im Gegensatz zu dem stehen, was er zu anderen Zeiten wahrnahm, dachte, fühlte; aber dieses Wissen hat für ihn keinerlei emotionale Relevanz, es vermag nichts an seinen derzeitigen Gefühlen zu ändern. Zu einem späteren Zeitpunkt kehrt er womöglich wieder zu seinem vorigen Ichzustand zurück und verleugnet dann den jetzigen, wobei wiederum das Wissen darum intakt bleibt, der Patient aber überhaupt nicht

in der Lage ist, diese beiden Ichzustände emotional miteinander in Verbindung zu bringen. Eine Verleugnung kann sich bei den Patienten, um die es hier geht, auch noch in anderer Weise manifestieren, nämlich indem der Patient einen bestimmten Sektor seines inneren subjektiven Erlebens oder der wahrgenommenen Außenwelt einfach ignoriert, nicht wahrhaben will. Unter dem Druck einer Konfrontation wird er zwar zugeben, daß er rein verstandesmäßig um den verleugneten Bereich »weiß«, aber er kann wiederum dieses Wissen gar nicht mit seinem sonstigen emotionalen Erleben integrieren. Ich möchte diesen Punkt besonders hervorheben: Was der Patient in einem Moment verleugnet, ist etwas, worum er zugleich in anderen Bereichen seines Bewußtseins durchaus weiß, d. h. es werden *Emotionen* verleugnet, die er schon einmal erlebt hat (woran er sich auch erinnern kann), und es wird die emotionale Relevanz einer bestimmten Realsituation verleugnet, die dem Patienten aber immer bewußt war oder jedenfalls leicht wieder bewußt gemacht werden kann. Alles dies sind Merkmale, in denen sich die primitive von der »höheren«, reiferen Form der Verleugnung unterscheidet, wie sie beispielsweise als ein Bestandteil des Mechanismus der Verneinung (Freud 1925) vorkommt. Bei der Verneinung präsentiert sich ein psychischer Inhalt gewissermaßen »mit negativem Vorzeichen«; der Patient sagt beispielsweise, er wisse zwar, was sein Therapeut oder er selbst oder eine andere Person von einer bestimmten Angelegenheit halten *könnten* – aber dann verwirft er diese »Denkmöglichkeit« sogleich wieder als reine Spekulation. In diesem Falle ist die emotionale Bedeutung des Verleugneten dem Patienten noch nie bewußt geworden und bleibt auch verdrängt. Die Verneinung ist insofern eine »höhere« Form der Verleugnung in Kombination mit Verdrängung und steht daher der Isolierung sehr nahe. Es gibt noch eine Zwischenform der Verleugnung, die ebenfalls bei Borderline-Patienten sehr häufig vorkommt, nämlich die Verleugnung bestimmter Emotionen mit Hilfe anderer entgegengesetzter und im Moment dominierender Emotionen; ich denke hier besonders an die manische Verleugnung einer Depression. Der Ausdruck »Verleugnung einer Depression« bezeichnet ja an sich nur das Moment der Verleugnung eines bestimmten Gefühls; es muß aber betont werden, daß die manische und die depressive Disposition natürlich jeweils mit der Aktivierung spezifischer pathogener Objektbeziehungen verbunden sind. Bei dieser Verleugnungsform wird also ein extrem entgegengesetzter Affekt dazu benutzt, die Abwehrposition des Ichs gegen einen bedrohlichen Anteil des Selbsterlebens zu stärken. Da manische Verleugnung und Depression klinisch so eng miteinander verbunden sind, ist anzunehmen, daß die Dissoziation innerhalb des Ichs hierbei nicht mehr ganz so »grob« und pathologisch ist wie bei der primitiveren Form der Verleugnung »auf niederem Niveau«. Die Verleugnung umfaßt also ein breites Spektrum von Abwehrvorgängen unterschiedlichen Funktionsniveaus, wobei wahrscheinlich »auf höherem Niveau« Beziehungen zur Isolierung und anderen reiferen Formen der Affektabwehr (Distanzierung, Verleugnung in der Phantasie, Verleugnung in Wort und Handlung), »auf niederem Niveau« dagegen Beziehungen zur Spaltung bestehen.

5. *Allmacht (Omnipotenz) und Entwertung.* Diese beiden Mechanismen stehen ebenfalls in engem Zusammenhang mit der Spaltung; sie sind außerdem direkte Manifestationen der Benutzung primitiver Introjektionen und Identifizierungen zu Abwehrzwecken. Patienten mit diesen beiden Abwehrhaltungen schwanken oft zwischen zwei scheinbar gegensätzlichen Einstellungen: Zeitweilig dominiert das Bedürfnis, eine anspruchliche und anklammernde Beziehung zu einem idealisierten, »magisch« überhöhten Objekt herzustellen, während zu anderen Zeiten die Phantasien und das Verhalten dieser Patienten selbst von einem tiefen Gefühl eigener magischer Omnipotenz durchdrungen sind. Beiden Phasen liegt eine Identifizierung mit einem »total guten« Objekt zugrunde, das zum Schutz gegen böse »verfolgende« Objekte idealisiert und mit Allmacht ausgestattet wird. Es handelt sich hier nicht um eine echte »Abhängigkeit« im Sinne wirklicher Liebe und Rücksichtnahme gegenüber dem Idealobjekt. Denn im Grunde behandelt der Patient diese idealisierte Person ziemlich rücksichtslos und possessiv, quasi wie ein Anhängsel seiner selbst. Insofern lassen sich selbst in den Phasen scheinbarer Unterwerfung unter das idealisierte äußere Objekt die verborgenen Allmachtsphantasien des Patienten nachweisen, die seinem Verhalten zugrunde liegen. Das Bedürfnis, diese idealisierten Objekte zu *beherrschen* und zu benutzen, um mit ihrer Hilfe die Umwelt zu manipulieren und auszubeuten und »potentielle Feinde auszuschalten«, verbindet sich mit einem maßlosen Stolz über den »Besitz« dieser idealen Objekte, die dem Patienten so völlig ergeben sind. Hinter Gefühlen von Unsicherheit, Minderwertigkeit und Selbstkritik, wie sie bei Borderline-Patienten häufig vorkommen, stößt man oft auf verborgene Größen-

und Allmachtsphantasien, beispielsweise in der Form, daß der Patient unbewußt an der Überzeugung festhält, er habe einen rechtmäßigen Anspruch darauf, daß andere seine Bedürfnisse befriedigen und ihm ergeben sind, einen Anspruch auf besondere Privilegien und bevorzugte Behandlung. – Die *Entwertung* äußerer Objekte ist zum Teil eine Begleiterscheinung der Allmachtsphantasien; sobald ein äußeres Objekt keine weitere Bedürfnisbefriedigung oder Schutz mehr zu bieten vermag, kann es fallengelassen oder abgeschoben werden, zumal die Fähigkeit, dieses Objekt wirklich zu lieben, ja von Anfang an nicht vorhanden war. Es gibt aber noch andere Gründe für diese Tendenz zur Entwertung der Objekte. So muß z. B. das Objekt auch aus Rache zerstört werden, wenn es die Bedürfnisse (vor allem die orale Gier) des Patienten frustriert hat. Die Entwertung der Objekte kann auch im Dienste der Abwehr stehen, indem sie verhindern soll, daß diese Objekte zu gefürchteten und gehaßten »Verfolgern« werden. Alle diese Motive wirken meistens zusammen, denn die Entwertung ist vor allem eine Abwehr gegen das Bedürfnis nach anderen Menschen und gegen die Angst vor ihnen. Die Entwertung bedeutsamer Primärobjekte aus der Vergangenheit des Patienten wirkt sich außerordentlich schädlich auf die verinnerlichten Objektbeziehungen aus, und zwar insbesondere auf diejenigen Strukturen, die bei der Bildung und Integration des Über-Ichs eine Rolle spielen.

d) Zur Pathologie der verinnerlichten Objektbeziehungen

Es wurde bereits erwähnt, daß bei Borderline-Patienten durch den Mechanismus der Spaltung gegensätzliche Ichzustände voneinander getrennt gehalten werden, die an frühe pathologische Objektbeziehungen gebunden sind. Ich möchte diese Feststellung jetzt etwas weiter ausführen. Das Fortbestehen solcher frühen, zwar verinnerlichten, aber gleichsam »unverdaut gebliebenen« Objektbeziehungen in dissoziierten Ichzuständen ist ja an sich schon etwas Pathologisches, denn darin zeigt sich der störende Einfluß von Spaltungsvorgängen auf jene synthetisierenden Prozesse, die normalerweise zu einer allmählichen Depersonifizierung, Abstraktion und Integration der verinnerlichten Objektbeziehungen führen. Jeder dieser dissoziierten Ichanteile enthält eine bestimmte Objektimago in Verbindung mit einer entsprechenden Selbstimago und einer bestimmten Affektdisposition, wie sie zu der Zeit herrschte, als der betreffende Verinnerlichungsvorgang stattfand. Im Falle der Borderline-Persönlichkeitsstruktur hat ja – im Gegensatz zu den Psychosen – eine ausreichende Differenzierung zwischen Selbst- und Objektimagines stattgefunden, so daß später eine relativ gute Abgrenzung der Selbst- und Objektrepräsentanzen und damit auch eine entsprechende Integrität der Ichgrenzen in den meisten Lebensbereichen gewährleistet ist. Die Ichgrenzen sind lediglich in denjenigen Bereichen labil, wo eine projektive Identifizierung oder eine Verschmelzung mit idealisierten Objekten besteht, wie man es vor allem in der Entwicklung der Übertragung bei solchen Patienten beobachten kann. Dies ist offenbar auch ein wesentlicher Grund dafür, daß diese Patienten eher eine Übertragungspsychose als eine Übertragungsneurose ausbilden.

Wir wollen uns nun eingehender mit der spezifischen Störung der verinnerlichten Objektbeziehungen bei der Borderline-Persönlichkeit befassen, die in einer Unfähigkeit zur Synthese der »guten« und der »bösen«/»schlechten,*‹ Introjektionen und Identifizierungen besteht. Als wichtigster ätiologischer Faktor wurde bereits ein Übermaß an primärer Aggression oder auch an sekundärer, frustrationsbedingter Aggression genannt; weitere pathogene Faktoren sind vermutlich auch bestimmte Entwicklungsdefekte der primären Ich-Apparate und eine mangelhafte Angsttoleranz. Das Fortbestehen aufgespaltener, einerseits »total guter« und andererseits »total böser/schlechter« Introjektionen bringt wiederum mannigfache pathologische Konsequenzen mit sich. Erstens wird durch die mangelhafte Legierung libidinöser mit aggressiven Triebabkömmlingen die normalerweise stattfindende Modulierung und Differenzierung der Affektdispositionen des Ichs erheblich beeinträchtigt, so daß eine dauernde Neigung zu primitiven Affektausbrüchen bestehen bleibt. Weiterhin kann auch die besondere Affektdisposition, die etwas mit der Ichfähigkeit, Depression, Anteilnahme und Schuldgefühle zu empfinden, zu tun hat, gar nicht erlangt werden, solange positive und negative Introjektionen noch nicht zusammengekommen sind. Denn die Befähigung des Ichs zur depressiven Reaktionsweise scheint im wesentlichen auf

* [Anm. d. Übers.: »bad« (self or object images) muß hier gelegentlich nicht als »böse« – wie meist in der psychoanalytischen Literatur, besonders in Kleinianischen Arbeiten –, sondern als »schlecht« übersetzt werden, vor allem wenn es um die entwerteten Selbst- und Objektanteile geht, die jedoch auf dieser Erlebnisebene immer auch leicht zu »bösen«, bedrohlichen Anteilen werden.]

Spannungen zwischen gegensätzlichen Selbstimagines zu beruhen, die aber überhaupt erst dann entstehen können, wenn gute und böse/schlechte Selbstimagines integriert worden sind, so daß die eigene Aggression eingestanden werden kann, und wenn auch die Objekte nicht mehr als entweder »total gute« oder »total schlechte/böse« Objekte gesehen werden, sondern eine Mischung von Liebe und Aggression gegenüber integrierten, »ganzen« Objekten erlebt werden kann, woraus erst die Motivation für Schuldgefühle und Anteilnahme gegenüber dem Objekt entspringt (M. Klein 1934 und 1940, Winnicott 1955). Borderline-Patienten mangelt es oft an der Fähigkeit zu echten Schuldgefühlen und tieferer Anteilnahme gegenüber anderen Menschen. Depressive Reaktionen treten bei ihnen in primitiveren Formen auf und haben eher den Charakter einer ohnmächtigen Wut oder der Kapitulation vor übermächtigen äußeren Gegebenheiten als den der Trauer um ein verlorenes gutes Objekt oder des Bedauerns über die eigene Aggression gegen sich selbst und andere.

Das Fortbestehen »total guter« und »total böser« Objektimagines, die nicht zur Integration gebracht werden können, bedeutet auch ein schwerwiegendes Hindernis für die Überich-Integration. Primitive Überich-Vorläufer sadistischer Art, die sich aus verinnerlichten bösen Objektimagines im Zusammenhang mit prägenitalen Konflikten gebildet haben, sind derart übermächtig und unerträglich, daß sie wieder auf äußere Objekte projiziert werden müssen, die dadurch ihrerseits zu bösen Objekten werden. Aber auch die überidealisierten Objektimagines und die »total guten« Selbstimagines können nur phantastische Ideale von Macht, Größe und Vollkommenheit hervorbringen, nicht aber die realistischeren Ansprüche und Ziele, die normalerweise aus einer gelungenen Überich-Integration hervorgehen – mit anderen Worten: auch die Zusammensetzung des Ich-Ideals behindert hier die Überich-Integration. Und schließlich bleiben auch die realistischen Forderungen der Eltern gänzlich unvereinbar sowohl mit den Idealselbst- und Idealobjekt-Imagines als auch mit den bedrohlichen, verbietenden, sadistischen Überich-Vorläufern, weil sowohl der sadistische als auch der überidealisierte Aspekt dieser Überich-Vorläufer die Wahrnehmung der Elternimagines in der einen oder anderen Richtung verzerren und damit die Überich-Integration verhindern.

Infolge dieser gestörten Überich-Integration werden nun die fordernden und die verbietenden Aspekte der vorhandenen Überich-

Anteile ständig projiziert. Der normalerweise Ich-integrierend wirkende Überichdruck fällt also aus; ebenso fehlt die Fähigkeit des Ichs, Schuldgefühle zu erleben. Die schon erwähnte Tendenz zur Entwertung der Objekte behindert ebenfalls die Überich-Integration und besonders die normalerweise sehr wichtige Verinnerlichung realistischer Forderungen der Elternimagines; durch die Entwertung der bedeutsamen Elternimagines wird somit die Verinnerlichung eines überaus wichtigen Beitrags zur Überichbildung verhindert (Jacobson 1953, 1954).

Fassen wir zusammen: Im Ich der Borderline-Patienten bleiben primitive unrealistische Selbstimagines erhalten, die inhaltlich zum Teil in völligem Widerspruch zueinander stehen, so daß ein integriertes Selbstkonzept sich nicht entwickeln kann; die Objektimagines können ebensowenig integriert werden, wodurch wiederum eine realistischere Einschätzung der äußeren Objekte sehr in Frage gestellt ist. Infolge der ständigen Projektion »total böser« Selbst- und Objektimagines sehen sich diese Patienten einer Welt voller gefährlicher, ja bedrohlicher Objekte gegenüber, gegen die wiederum »total gute« Selbstimagines als Abwehr eingesetzt und grandiose Idealselbst-Imagines aufgebaut werden. Es besteht zwar eine ausreichende Differenzierung zwischen Selbst und Objekten (und damit auch eine ausreichende Stabilität der Ichgrenzen), um die praktische Anpassung an die unmittelbaren Erfordernisse der Realität zu gewährleisten, aber eine tiefere Verinnerlichung von Realitätsforderungen, insbesondere solchen der sozialen Realität, kann nicht zustande kommen, weil durch die fehlende Integration der Selbst- und Objektimagines auch die Überich-Integration behindert ist. Soweit sich Überichstrukturen überhaupt entwickeln, stehen sie einerseits unter der Herrschaft sadistischer, mit prägenital-aggressiven Triebabkömmlingen verbundener [Überich-]Vorläufer und andererseits unter dem Einfluß weiterer, durch primitive Verschmelzung von Idealselbst- und Idealobjekt-Imagines entstandener [Ichideal-]Vorläufer, die eher dazu geeignet sind, Allmachtsphantasien und größenwahnsinnige Ansprüche an das Selbst zu verstärken, als daß sie die Funktion eines flexibel orientierenden Ich-Ideals erfüllen könnten. Überhaupt bleiben die Überichfunktionen dieser Patienten weitgehend personifiziert, sie entwickeln sich nicht zu einer abstrahierten Überichstruktur und werden leicht wieder auf die Außenwelt zurückprojiziert (Hartmann und Loewenstein 1962, Jacobson 1964).

Alle diese Besonderheiten der verinnerlichten Objektbeziehungen spiegeln sich nun auch in typischen Charakterzügen der Patienten mit Borderline-Persönlichkeitsstruktur wider. Diese Menschen sind zu einer realistischen Einschätzung anderer und Einfühlung in andere kaum imstande; sie erleben ihre Mitmenschen als fremde Wesen, mit denen sie nur solange einigermaßen »realistisch« umgehen können, als keine emotionale Beziehung zustande kommt. Sobald sich aber eine Situation ergibt, aus der normalerweise eine tiefere zwischenmenschliche Beziehung entstehen könnte, zeigt sich die Unfähigkeit dieser Patienten zu wirklicher Einfühlung und echtem Mitgefühl, ihre unrealistisch verzerrte Wahrnehmung anderer Personen und die dem Selbstschutz dienende Flachheit ihrer emotionalen Beziehungen. Diese emotionale Flachheit hat übrigens verschiedene Gründe. Zum einen handelt es sich dabei um eine Folge der mangelhaften Fusion libidinöser und aggressiver Triebabkömmlinge und der dadurch bedingten Starrheit, Primitivität und geringen Variationsbreite der vorhandenen Affektdispositionen. Weiterhin steht diese Flachheit der gefühlshaften Reaktionen auch in unmittelbarem Zusammenhang mit der Unfähigkeit dieser Patienten, Schuldgefühle und echte Anteilnahme zu empfinden und dadurch ein tieferes Interesse und Sensibilität für andere Menschen zu entwickeln (Winnicott 1955). Hinzu kommt, daß sie überhaupt jedes weitergehende Engagement nach Möglichkeit vermeiden, weil es primitive Abwehrvorgänge, insbesondere projektive Identifizierungen, zu mobilisieren droht und damit die Furcht des Patienten vor möglichen Angriffen des Objekts verstärkt, je mehr dieses an Bedeutung für ihn gewinnt. Zugleich bewahrt ihn seine emotionale Flachheit auch vor einer primitiven Idealisierung des Objekts und dem damit verbundenen Bedürfnis nach Unterwerfung und Verschmelzung mit solchen idealisierten Objekten, und sie erspart ihm die Wut über Versagungen seiner prägenitalen, vor allem seiner oral-ansprüchlichen Bedürfnisse, die gerade in Beziehungen zu idealisierten Objekten verstärkt auftreten (Rosenfeld 1964). Aufgrund seiner mangelhaften Überichentwicklung und seiner – zum Teil gerade deswegen – so mangelhaften Ich-Integration und Reifung von Gefühlen, Werten, Zielen und Interessen bleibt dem Borderline-Patienten ein wirkliches Verständnis für die höheren, reiferen und differenzierteren Persönlichkeitsaspekte anderer Menschen großenteils verwehrt.

Ein weiterer Wesenszug dieser Patienten betrifft die insgesamt stark mit Aggression durchsetzten prägenitalen und genitalen Triebziele, die in ihrem Verhalten mehr oder weniger subtil oder auch in primitiverer, direkterer Form zum Ausdruck kommen. Unverhüllte ausbeuterische Tendenzen, eine maßlose Ansprüchlichkeit und die rücksichtslose und taktlose Manipulation anderer Menschen sind nur einige der Züge, die sich leicht feststellen lassen. Die schon erwähnte Tendenz zur Entwertung der Objekte gehört ebenfalls dazu. Das Bedürfnis, andere zu manipulieren, steht natürlich auch im Dienste der Abwehr: Die Umwelt muß beherrscht und unter Kontrolle gehalten werden, um primitivere, paranoide Ängste, die mit der Projektion aggressiver Selbst- und Objektimagines zusammenhängen, gar nicht erst aufkommen zu lassen. Wenn aber dieses Bemühen scheitert, die Objekte zu beherrschen, zu manipulieren, zu entwerten und die eigenen Bedürfnisse direkt durch Ausbeutung anderer zu befriedigen, dann neigen diese Patienten häufig dazu, sich zurückzuziehen und in der Phantasie neue Beziehungen zu anderen Menschen zu schaffen, in denen sie alle diese Bedürfnisse ungehemmt ausleben können. Etwas von diesem defensiven Rückzug mit dem Versuch einer Entschädigung in der Phantasie ist regelmäßig auch bei solchen Borderline-Patienten vorhanden, die nach außen hin in ihren sozialen Beziehungen als recht »umgänglich« erscheinen.

Vordergründig fühlen diese Patienten sich in bezug auf ihre Fähigkeiten und im Umgang mit anderen oft ganz unsicher und unterlegen. Solche Unterlegenheits- und Unsicherheitsgefühle können zum Teil Ausdruck einer mehr oder weniger realistischen Einschätzung ihrer Beziehungen zu den Mitmenschen, zur Arbeit und zum Leben überhaupt sein und gründen tatsächlich oft in realistischen Wahrnehmungen eigener Mängel und Fehler. Und dennoch erweist sich häufig bei näherer Betrachtung, daß solche Unterlegenheitsgefühle auch Ausdruck von Abwehrhaltungen sind. Es ist nämlich frappant, wie oft man hinter einer Fassade von Unsicherheit und Minderwertigkeitsgefühlen auf Allmachtsphantasien und auf eine Art von blindem Optimismus stößt, der in der Identifizierung des Patienten mit primitiven »total guten« Selbst- und Objektimagines gründet. In diesen Zusammenhang gehört auch die tiefe Überzeugung vieler Borderline-Patienten, sie hätten ein »Recht« auf Befriedigung und damit auch ein »Recht« darauf, andere auszunutzen, – kurz, was man klassisch als den »Narzißmus« dieser Patienten bezeichnet hat. In ihrem Narzißmus drückt sich nicht nur eine Abwendung von äußeren Objekten, sondern vor allem eine Reaktivierung primitiver Objektbeziehungen aus, in denen wieder eine Verschmelzung idealisierter Selbst- und Objektimagines eintritt, die zur Abwehr gegen »böse/schlechte« Selbst- und Objektimagines und gegen die »bösen/schlechten« äußeren Objekte dienen soll. Minderwertigkeitsgefühle stellen also häufig nur eine sekundäre Fassade dar, hinter der sich solche narzißtischen Charakterzüge verbergen.

Das schon beschriebene Nebeneinanderbestehen widersprüchlicher Introjektionen und Identifizierungen ist auch für die »Als ob«-Qualität bei diesen Patienten verantwortlich. Denn die Identifizierungen sind hier zwar widersprüchlich und voneinander dissoziiert, aber die mehr äußerlichen Manifestationen dieser Identifizierungen bleiben quasi nebeneinander als Reste von Verhaltensdispositionen im Ich erhalten. Daher sind manche Borderline-Patienten imstande, bei entsprechender Gelegenheit solche Teilidentifizierungen wieder »in Szene zu setzen«, wann immer es im Sinne ihrer oberflächlichen Realitätsanpassung als opportun erscheint. Auf diese Weise bekommt ihre Anpassungsfähigkeit einen unechten, chamäleonhaften Zug: Was sie zu sein *vorgeben*, ist in Wirklichkeit nur die leere Hülle dessen, was sie zu anderen Zeiten auf eine viel unmittelbarere Weise sein *müssen*. Dies ist auch für die Patienten selbst sehr verwirrend. *Es handelt sich hier um den gleichen Sachverhalt, wie ihn Erikson (1956) unter dem Begriff der Identitätsdiffusion beschrieben hat, nämlich um das Fehlen eines integrierten Selbstkonzepts und eines stabilen und integrierten Konzepts ganzer Objekte, die in Beziehung zum Selbst stehen. Insofern ist die Identitätsdiffusion ein typisches Syndrom der Borderline-Persönlichkeitsstruktur,* das bei weniger schweren Charakterstörungen und bei neurotischen Patienten nicht vorkommt und das eine unmittelbare Folge der aktiven Spaltung jener Introjektionen und Identifizierungen darstellt, die normalerweise durch synthetische Prozesse zu einer stabilen Ich-Identität integriert werden.

Versuchen wir jetzt noch einmal die Unterschiede zwischen psychotischen, Borderline- und neurotischen Patienten zusammenzufassen, so sind in aller Kürze folgende Punkte hervorzuheben: Psychotische Patienten weisen schwere Mängel in ihrer Ichentwicklung auf, vor allem sind ihre Selbst- und Objektimagines weitgehend undifferenziert und im Zusammenhang damit auch ihre Ichgrenzen nur sehr mangelhaft entwickelt (Hartmann 1953, Jacobson 1964). Borderline-Patienten verfügen über ein besser integriertes Ich als die Psychotiker, insofern bei ihnen die Differenzierung der Selbst- und Objektimagines weitgehend gelungen ist und damit auch stabile Ichgrenzen entwickelt wurden – allerdings mit Ausnahme des Bereichs engerer zwischenmenschlicher Beziehungen; sie zeigen außerdem das typische Syndrom der Identitätsdiffusion (Erikson 1956, Kernberg 1966). Neurotische Patienten haben ein starkes Ich, es besteht bei ihnen eine vollständige Trennung zwischen Selbst- und Objektrepräsentanzen mit entsprechender Stabilität der Ichgrenzen; das Syndrom der Identitätsdiffusion kommt hier nicht vor. Neurotiker haben eine stabile Ich-Identität aufgebaut, und im Zusammenhang damit ist es auch zu einer ausreichenden Integration, Depersonifizierung und Individualisierung der durch Objektbeziehungen determinierten Ichstrukturen gekommen; sie verfügen auch über ein integriertes Über-Ich, innerhalb dessen die prägenital geprägten Vorläufer mit den späteren realistischeren Internalisierungen von Elternimagines integriert werden konnten. Dieses Über-Ich mag beim Neurotiker mitunter extrem streng oder sadistisch sein; es ist aber jedenfalls genügend integriert, um die Ichentwicklung im Ganzen gesehen zu fördern und ein zumindest teilweise erfolgreiches und relativ konfliktfreies Leben zu ermöglichen.

4. Genetisch-dynamische Analyse

Im Anschluß an unsere strukturelle Analyse wenden wir uns nun einer Untersuchung der typischen Triebinhalte der Konflikte in verinnerlichten Objektbeziehungen bei Patienten mit Borderline-Persönlichkeitsstruktur zu. Prägenitale Aggression, insbesondere orale Aggression spielt hier eine ganz zentrale Rolle. Die psychodynamischen Aspekte der Borderline-Persönlichkeitsstruktur sind vor allem von Melanie Klein und ihren Mitarbeitern aufgeklärt worden (Heimann 1955 b, M. Klein 1946, Segal 1964). Ihre Beschreibung des engen Zusammenhangs zwischen prägenitalen, insbesondere oralen Konflikten einerseits und frühen ödipalen Konflikten andererseits, wie sie unter dem Einfluß übermäßig starker prägenitaler Aggression zustande kommen, ist hauptsächlich für die Borderline-Persönlichkeitsstruktur relevant.

Leider gibt es jedoch bei Melanie Klein einige Grundannahmen, auf denen sie in ziemlich dogmatischer Weise immer wieder bestanden hat, die aber meines Erachtens zu Recht von den meisten anderen Autoren, die auf diesem Gebiet arbeiten, sehr in Frage gestellt worden sind – man hat ihr unter anderem die fehlende Berücksichtigung struktureller Faktoren in ihren Schriften, die Vernachlässigung der epigenetischen Entwicklung, schließlich auch ihre recht eigenwillige Sprache vorgeworfen – wodurch sie es den meisten Leuten auch schwer gemacht hat, ihre Beobachtungen anzuerkennen. Um Mißverständnissen gleich vorzubeugen, möchte ich nun zunächst aus Melanie Kleins Analyse der Probleme, die uns hier beschäftigen, diejenigen Punkte herausgreifen, in denen meine Position stark von der ihrigen abweicht: (a) Ihre Annahme, daß ödipale Konflikte bereits im ersten Lebensjahr ziemlich vollständig entwickelt seien. Ich meine hierzu, daß dies gerade ein besonderes Kennzeichen der Borderline-Persönlichkeitsstruktur im Gegensatz zu weniger schweren Störungen ist, daß hier eine spezifische Verschränkung prägenitaler und genitaler Konflikte zustande kommt und eine *vorzeitige* Entwicklung ödipaler Konflikte vom zweiten oder dritten Lebensjahr an einsetzt. (b) Melanie Klein nimmt an, es gebe ein unbewußtes Wissen um die Genitalorgane beider Geschlechter, das sie wiederum mit einer extrem frühen ödipalen Entwicklung in Zusammenhang bringt; ich finde diese Hypothesen unannehmbar. (c) Die gesamte Konzeptualisierung verinnerlichter Objekte in Melanie Kleins theoretischen Formulierungen berücksichtigt überhaupt nicht die strukturellen Entwicklungen innerhalb des Ichs, was schon Fairbairn zu Recht kritisiert hat; und ihre Mißachtung gegenüber den Erkenntnissen der modernen Ich-Psychologie wirkt sich doch als eine gravierende Schwäche in ihren theoretischen Formulierungen aus. (d) Auch in Melanie Kleins theoretischer Fassung des Überich-Begriffs kommt wieder die Vernachlässigung struktureller Konzepte zum Ausdruck. Ich stimme zwar mit ihr darin überein, daß sich Überichfunktionen viel früher entwickeln, als man nach der klassischen Auffassung angenommen hat, aber ihre mangelnde Berücksichtigung der verschiedenen Ebenen und Formen verinnerlichter Objektbeziehungen läuft meines Erachtens auf eine gravierende übermäßige Vereinfachung dieser komplexen Sachverhalte hinaus.

In der Vorgeschichte von Patienten mit Borderline-Persönlichkeitsstruktur findet man oft eine Häufung schwerer Frustrationen und Hinweise auf intensive (primäre oder sekundäre) Aggression während der ersten Lebensjahre. Ein Übermaß an prägenitaler, vor allem oraler Aggression wird vorwiegend projektiv verarbeitet und bedingt auf diese Weise eine paranoide Verzerrung der frühen Elternimagines, besonders der Mutter. Durch die Projektion überwiegend oralsadistischer, aber auch anal-sadistischer Impulse wird die Mutter immer als potentiell gefährlich erlebt; der gleichzeitig bestehende Haß auf die Mutter weitet sich bald auch auf den Vater aus, so daß dann später beide vom Kind als bedrohliches »vereinigtes Elternpaar« erlebt werden. Eine derartige »Kontaminierung« des Vaterbildes durch ursprünglich nur auf die Mutter projizierte Aggression bei ungenügender Differenzierung zwischen Mutter und Vater (da eine realitätsgerechte Differenzierung zwischen verschiedenen Objekten unter dem Einfluß exzessiver Spaltungsprozesse nur sehr mangelhaft gelingen kann) führt bei Kindern beiderlei Geschlechts häufig zur Verinnerlichung einer als überaus gefährlich erlebten »vereinigten Vater-Mutter-Imago«, was wiederum zur Folge hat, daß später alle sexuellen Beziehungen als bedrohlich und aggressiv durchsetzt erlebt werden.

Gleichzeitig setzt aus dem Bemühen heraus, von oraler Wut und oralen Ängsten loszukommen, eine vorzeitige Entwicklung genitaler Triebstrebungen ein, die aber oft auch nicht zum angestrebten Ziele führt, weil die übermäßig starke prägenitale Aggression auch die genitalen Triebstrebungen durchsetzt, so daß vielfältige pathologische Entwicklungen sich ergeben, die nun beim Jungen und beim Mädchen unterschiedlich verlaufen.

Beim Jungen ist die vorzeitige Entwicklung genitaler Strebungen zur Verleugnung oraler Abhängigkeitsbedürfnisse meist zum Scheitern verurteilt, weil dabei die ödipalen Ängste und Verbote gegen sexuelle Wünsche gegenüber der Mutter eine massive Verstärkung durch prägenitale Ängste vor der Mutter erfahren, die sich typischerweise im Bild einer gefährlichen, kastrierenden Mutter niederschlagen. Dazu kommt, daß die Projektion prägenitaler Aggression die ödipalen Ängste vor dem Vater und besonders die Kastrationsangst verstärkt, wodurch wieder umgekehrt prägenitale Aggression und Angst weiter verstärkt werden. Unter solchen Umständen wird der positive Ödipuskomplex erheblich behindert. Eine häufigere Lösung ist dagegen die Verstärkung des negativen Ödipuskomplexes, besonders in der Form, die Paula Heimann (1955 b) als »feminine Position« beim Jungen beschrieben hat, nämlich als ein Bemühen, durch sexuelle Unterwerfung unter den Vater von ihm letztlich doch noch die oralen Befriedigungen zu erlangen, die von der bedrohlichen und frustrierenden Mutter versagt worden waren. Eine solche Konstellation findet man unter anderem typischerweise bei der vorwiegend oral orientierten Form männlicher Homosexualität. Es sollte aber betont werden, daß hierbei auf einem bestimmten Niveau sowohl der Vater als auch die Mutter als bedrohlich empfunden werden; Heterosexualität erscheint daher als etwas überaus Gefährliches, dafür dient Homosexualität als Ersatz oder Umweg zur Befriedigung oraler Bedürfnisse. Die Gefahr, daß orale Frustration und Aggression wieder auftauchen, bleibt aber in homosexuellen Beziehungen ständig gegenwärtig. – Ein anderer möglicher Lösungsversuch besteht in der Befriedigung oral-aggressiver Bedürfnisse in heterosexuellen Beziehungen, was auf tieferer Ebene als ein Versuch anzusehen ist, der Mutter sexuell zu »rauben«, was sie oral versagte. Diese Konstellation kommt häufig bei narzißtischen promiskuösen Männern vor, die sich in pseudogenitalen Beziehungen zu Frauen unbewußt an der oral frustrierenden Mutter rächen wollen. – Weitere Auswege aus den Gefahren, die sich aus einer vorzeitigen Verschränkung prägenitaler mit genitalen Triebzielen ergeben, sind verschiedene Ausgestaltungen einzelner Partialtriebe aus der Gesamtheit der infantilen polymorphperversen Tendenzen, besonders derjenigen, in denen Aggression ausgelebt werden kann.

Beim Mädchen löst eine orale Störung der beschriebenen Art ebenfalls oft eine vorzeitige Entwicklung positiv-ödipaler Triebstrebungen aus. Genitale auf den Vater gerichtete Strebungen werden auch hier zur Ersatzbefriedigung oraler Abhängigkeitsbedürfnisse benutzt, die von der bedrohlich erlebten Mutter frustriert worden waren. Problematischer wird dieser Lösungsversuch dann, wenn die Vaterimago mit prägenitaler, von der Mutter abgelenkter und auf den Vater projizierter Aggression durchsetzt wird; er ist aber auch schon deshalb problematisch, weil orale Wut und oraler Neid den Penisneid bei Frauen enorm verstärken. Die Verleugnung der Aggression durch heterosexuelle Liebe gelingt meistens doch nicht, weil in solchen Beziehungen leicht ein pathologisch starker Penisneid aufkommt und weil zudem die ödipal-verbietende Mutterimago durch die gefährliche prägenitale Mutterimago überlagert und verstärkt wird. Ein häufig gewählter Ausweg ist die Flucht in die Promiskuität als ein Versuch, den Penisneid und die Abhängigkeit von Männern zu verleugnen, aber auch als Ausdruck besonders starker unbewußter Schuldgefühle wegen ödipaler Wünsche. Ein weiterer Lösungsversuch besteht in einer allgemeinen Verstärkung masochistischer Tendenzen zur Entlastung von Überich-Forderungen, die sowohl von prägenitalen wie von genitalen Mutterimagines ausgehen, mit deren Verinnerlichung auch die auf sie projizierte Aggression reintrojiziert wurde. Eine weitere Konstellation, nämlich der generelle Verzicht auf Heterosexualität und die Suche nach Befriedigung oraler Bedürfnisse durch eine idealisierte Mutterimago unter völliger Abspaltung der gefährlichen, bedrohlichen Mutterimago, ist eine wichtige Quelle der weiblichen Homosexualität, die ja bei Patientinnen mit Borderline-Persönlichkeitsstruktur recht häufig vorkommt. Der Wunsch nach einer homosexuellen Beziehung impliziert hier nicht nur den Verzicht auf Männer und damit eine Unterwerfung unter die ödipale Mutter, sondern es geht dabei auch um die Erlangung oraler und überhaupt prägenitaler Befriedigungen durch idealisierte »Partial«-Mutterfiguren; solche Beziehungen sind wegen der oral-aggressiven Bedürfnisse und Ängste, die hier ständig mit im Spiel sind, sehr leicht zum Scheitern verurteilt. Auch sadomasochistisch-homosexuelle Bindungen können sich auf einer solchen Grundlage entwickeln. Andere polymorphsexuelle Tendenzen können ebenfalls dominierend werden und entwickeln sich dann in ähnlicher Weise, wie es weiter oben schon für Jungen beschrieben wurde.

Zusammenfassend wollen wir festhalten, *daß eine übermäßige Ausprägung prägenitaler und vor allem oraler Aggression bei beiden Geschlechtern eine vorzeitige Entwicklung ödipaler Triebstrebungen auslösen kann, so daß eine pathologische Verschränkung prägenitaler und genitaler Triebziele unter dem dominierenden Einfluß aggressiver Bedürfnisse entsteht.* Als Ergebnisse einer solchen Entwicklung fassen wir unter anderem eine Reihe pathologischer Kompromißbildungen auf, die für die typischen polymorph-perversen Fixierungen bei Patienten mit Borderline-Persönlichkeitsstruktur verantwortlich sind. Die »Pansexualität« mancher Borderline-Patienten, die bei oberflächlicher Betrachtung zunächst wie ein chaotisches Wuchern primitiver Triebe und Ängste anmutet, stellt in Wirklichkeit eine Kombination mehrerer solcher pathologischen Lösungen dar. Sie alle sind letztlich erfolglose Versuche, mit der Aggressivierung genitaler Strebungen und überhaupt mit der allgemeinen Durchsetzung sämtlicher Triebbedürfnisse mit Aggression fertigzuwerden. Psychologische Testuntersuchungen bei Borderline-Patienten zeigen eine mangelnde Dominanz heterosexueller genitaler Strebungen über polymorph perverse Partialtriebe. Die scheinbar chaotische Mischung präödipaler und ödipaler Triebstrebungen ist ein Ausdruck der oben erwähnten pathologischen Triebverschränkung. Aus psychologischen Testbefunden wird oft der Schluß gezogen, diese Patienten wiesen einen »Mangel an sexueller Identität« auf, aber der Begriff ist hier wahrscheinlich fehl am Platze. Denn es trifft zwar zu, daß bei Borderline-Patienten eine Identitätsdiffusion besteht, dabei handelt es sich aber nicht einfach um eine mangelhafte Differenzierung einer bestimmten sexuellen Orientierung, sondern um eine frühere und komplexere Störung. Der »Mangel an sexueller Identität« beruht hier also nicht einfach auf einer mangelhaften sexuellen Selbstdefinition, sondern vielmehr auf einer Kombination verschiedener starker Fixierungen, die alle zur Bewältigung der gleichen Kernkonflikte dienen.

Wir sind damit am Schluß unserer Bemühungen angekommen, die psychoanalytische Metapsychologie auf die klinischen Probleme der Borderline-Persönlichkeitsstruktur anzuwenden.

5. Zusammenfassung

Die sogenannten Borderline-Persönlichkeitsstörungen werden hier unter deskriptiven, strukturellen und genetisch-dynamischen Gesichtspunkten untersucht. Folgende Besonderheiten wurden als gemeinsame Merkmale hervorgehoben: (a) bestimmte Symptomkonstellationen, wie z. B. diffuse Angst, besondere Formen von polysymptomatischen Neurosen sowie »präpsychotische« und sonstige Charakterstörungen »von niederem Strukturniveau«; (b) bestimmte Abwehrkonstellationen des Ichs, nämlich einerseits eine Kombination verschiedener unspezifischer Anzeichen von Ichschwäche und eine Tendenz zu primärprozeßhaften Denkformen, zum anderen eine Reihe spezifischer primitiver Abwehrmechanismen (Spaltung, primitive Idealisierung, Frühformen der Projektion, Verleugnung, Allmachtsphantasien); (c) eine besondere Störung der verinnerlichten Objektbeziehungen und schließlich (d) charakteristische Triebschicksale, nämlich eine besondere pathologische Verschränkung prägenitaler und genitaler Triebziele unter dem dominierenden Einfluß aggressiver Bedürfnisse. Diese verschiedenen Aspekte der Borderline-Persönlichkeitsstruktur wurden sowohl im einzelnen als auch in ihren wechselseitigen Zusammenhängen kurz erörtert.

2. Kapitel
Gegenübertragung

1. DER BEGRIFF DER GEGENÜBERTRAGUNG

Hinsichtlich des Begriffs der Gegenübertragung lassen sich zwei gegensätzliche Auffassungen feststellen. Wir wollen die erste Auffassung die »klassische« nennen und ihr Konzept von Gegenübertragung definieren als die unbewußte Reaktion des Psychoanalytikers auf die Übertragung des Patienten. Diese Auffassung hält sich eng an die von Freud (1910) eingeführte Verwendung des Terminus sowie auch an seine Empfehlung, der Analytiker müsse seine Gegenübertragung überwinden (Freud 1912). Aus dieser Perspektive wird der Ursprung der Gegenübertragung hauptsächlich in neurotischen Konflikten des Analytikers gesehen.

Die zweite Auffassung wollen wir als »ganzheitliche« [»totalistic approach«] bezeichnen; aus dieser Sicht stellt sich die Gegenübertragung dar als die gesamte emotionale Reaktion des Psychoanalytikers auf den Patienten in der Behandlungssituation. Die Vertreter dieser Auffassung glauben, daß die bewußten und unbewußten Reaktionen des Analytikers auf den Patienten in der Behandlungssituation sich sowohl auf die Realität des Patienten wie auf seine Übertragung und sowohl auf die realitätsgerechten Bedürfnisse des Analytikers wie auch auf seine neurotischen Bedürfnisse beziehen. Der zweite Ansatz impliziert weiterhin, daß diese verschiedenen Anteile der emotionalen Reaktionen des Analytikers eng miteinander verbunden sind und daß die Gegenübertragung zwar gewiß letzten Endes aufgelöst werden muß, aber auch von großem Nutzen sein kann, um mit ihrer Hilfe ein besseres Verständnis vom Patienten zu erlangen. Kurzum, dieser zweite Ansatz geht von einer weiter gefaßten Definition der Gegenübertragung aus und befürwortet eine aktivere technische Nutzung der Gegenübertragung. Manche radikalen Vertreter dieser Richtung diskutieren sogar unter bestimmten Umständen die Auswirkungen ihrer Gegenübertragung mit dem Patienten und sehen darin einen Teil ihrer analytischen Arbeit.

Annie Reich (1951, 1960 a), Glover (1955 a), Fliess (1953) und in gewissem Ausmaß auch Gitelson (1952) sind die Hauptvertreter der

»klassischen« Auffassung. Zu den wichtigsten Exponenten der »ganzheitlichen« Auffassung zählen Cohen (1952), Fromm-Reichmann (1950), Heimann (1950), Racker (1957), Weigert (1952), Winnicott (1949, 1960) und bis zu einem gewissen Grade auch Thompson (1952). M. Littles (1951, 1960 a) Definition des Gegenübertragungs-Begriffs steht der »klassischen« Auffassung näher, aber in bezug auf ihre praktische Verwendung der Gegenübertragung läßt sie sich eher dem »radikalen Flügel« der »ganzheitlichen« Auffassung zuordnen. Sie ist am entschiedensten dafür eingetreten, die Gegenübertragung als Material zu benutzen, das auch dem Patienten mitgeteilt werden kann. Menninger (1958) und Orr (1954) vertreten eine mittlere Position.

Die Vertreter der »klassischen« Richtung haben am »ganzheitlichen« Ansatz vor allem kritisiert, daß durch die Ausweitung des Gegenübertragungs-Begriffs auf sämtliche emotionalen Phänomene im Therapeuten nur Verwirrung gestiftet und damit dem Terminus »Gegenübertragung« jegliche spezifische Bedeutung genommen wurde. Diese Kritiker meinen auch, daß mit einer derartigen Erweiterung des Gegenübertragungs-Begriffs die Bedeutung der emotionalen Reaktionen des Analytikers überbewertet würde, und dies womöglich zum Schaden der Position strikter Neutralität, die der Analytiker idealiter doch wahren sollte. Eine weitere Gefahr sehen die Anhänger der »klassischen« Auffassung darin, daß die Person des Analytikers allzu stark ins Spiel gebracht wird, wenn seine emotionalen Reaktionen derart in den Vordergrund gestellt werden. Andererseits hat A. Reich (1960 a) darauf hingewiesen, daß die Vertreter der »ganzheitlichen« Auffassung der »klassischen« Position allzu leicht Unrecht tun, wenn sie behaupten, die von dorther geforderte Neutralität sei gleichbedeutend mit kühler Distanziertheit und mangelnder Menschlichkeit des Analytikers. Denn schon Freud hatte (in einem Brief an Pfister vom 22. 10. 27, vgl. Freud 1963, S. 120 f.) eindeutig klargestellt, daß die geforderte »analytische Passivität« nicht auf einen Verlust an Spontaneität und natürlicher Wärme hinauslaufen dürfe und daß »eine gewisse verdrossene Indifferenz« mancher Analytiker geeignet sei, beim Patienten Widerstände zu wecken.

Umgekehrt kritisieren die Analytiker der »ganzheitlichen« Richtung an der »klassischen« Position vor allem folgende Punkte: (a) Die enggefaßte Definition der Gegenübertragung sei geeignet, deren wirkliche Bedeutung zu verdunkeln, indem sie impliziert, daß

Gegenübertragung im Grunde etwas »Falsches« oder »Schädliches« sei. Auf diese Weise – so lautet das Argument weiter – werde eine phobische Vermeidungshaltung des Analytikers gegenüber seinen Gefühlsreaktionen gefördert, die seinem Verständnis für das Geschehen in der analytischen Situation hinderlich sei. (b) Die wechselseitige Durchdringung von Einflüssen aus der Übertragung des Patienten und seiner Realität einerseits und aus der früheren und jetzigen Realität des Therapeuten andererseits enthalte eine Fülle wichtiger Informationen über die averbale Kommunikation zwischen Patient und Analytiker, die nur zu leicht verloren gehe, wenn man die emotionalen Reaktionen des Analytikers zu eliminieren versuche, statt sie und ihre Quellen ins Zentrum der Aufmerksamkeit zu stellen. Stellt sich der Analytiker dagegen auf den Standpunkt, daß seine emotionalen Reaktionen ein bedeutsames technisches Instrument sind, mit dessen Hilfe er den Patienten besser verstehen und ihm helfen kann, so fühlt er sich auch freier, seine in der Übertragungssituation auftauchenden positiven und negativen Gefühle offen wahrzunehmen, braucht solche Reaktionen nicht mehr zu unterdrücken, sondern kann sie für seine analytische Arbeit nutzen. (c) Eine wichtige Gruppe von Patienten – nämlich solche mit schwerer Charakterpathologie und mit Störungen auf Borderline- oder gar auf psychotischem Niveau, soweit sie immer noch von einer analytisch orientierter Psychotherapie zu profitieren vermögen – ruft durch den intensiven, rasch einsetzenden und abrupt wechselnden Charakter ihrer Übertragung häufig beim Therapeuten sehr intensive Gegenübertragungsreaktionen hervor, die manchmal die wichtigsten Anhaltspunkte enthalten, an denen das Verständnis dafür, was in den chaotischen Äußerungen des Patienten im Moment die zentrale Mitteilung ist, sich orientieren kann (Kernberg 1960).

Ich möchte nun einige Positionen der »ganzheitlichen« Richtung noch ein Stück weiter ausbauen. Nicht nur die Übertragung des Patienten sondern auch seine Realität (sowohl in der analytischen Situation als auch in seinem Leben außerhalb der Analyse) kann beim Analytiker starke Gefühlsreaktionen auslösen, die als völlig adäquat gelten können. So weist Winnicott (1949) darauf hin, daß es so etwas wie ein »objektive Gegenübertragung« gibt, nämlich die natürlichen Gefühlsreaktionen des Analytikers auf ziemlich extreme Verhaltensäußerungen des Patienten ihm gegenüber. Weiterhin gibt es, wie Frieda Fromm-Reichmann (1950) erwähnt, bestimmte Aspekte de

Reaktion des Therapeuten auf den Patienten, die durch die Berufs-
rolle des Therapeuten bedingt sind, denn dieser arbeitet ja nicht in
einem Vakuum, sondern repräsentiert einen bestimmten professionellen Standard, Status und Gruppenzugehörigkeit. Dies sind Realitätsaspekte des Therapeuten, die in seine Arbeit mit jedem Patienten mit
eingehen.
Racker (1953) erörtert die von ihm so genannte »indirekte Gegenübertragung«, das heißt, die emotionalen Reaktionen des Therapeuten gegenüber Drittpersonen, die in irgendeiner Weise in das Behand-
lungsprogramm mit einbezogen sind. Tower (1956) hat untersucht,
inwieweit das therapeutische Handeln des Analytikers durch den
Einfluß seines Lehranalytikers geprägt ist.
Gitelson (1952) rechnet ebenfalls alle diese Realitätsaspekte zur Gegenübertragung, unterscheidet sie aber dem Typus nach von dem, was
er als »Übertragungsreaktionen des Analytikers« bezeichnet. Hierunter versteht er die »totale« Reaktion des Analytikers auf die Person des Patienten, die besonders zu Anfang der Behandlung auftritt
und es mitunter diesem Analytiker unmöglich macht, seine analytische Arbeit mit diesem Patienten fortzusetzen. Gegenübertragungsreaktionen, meint Gitelson, sind demgegenüber von anderer Art,
nämlich eher »partiell«, fluktuierend und veränderlich in Abhängigkeit vom jeweiligen Material, das der Patient anbietet. M. B. Cohen
(1952) hat aber aufgezeigt, daß die erwähnten »totalen« Reaktionen
des Analytikers auf die Person des Patienten während des ganzen
Verlaufs der Analyse mit hineinspielen, also keineswegs auf die In-
tialphase beschränkt bleiben und dementsprechend auch gar nicht eindeutig von Gegenübertragungsreaktionen im Sinne Gitelsons ab-
grenzbar sind. Die Kritik von Paula Heimann (1960) geht in eine
ähnliche Richtung. Thompson (1952) hat hervorgehoben, daß die
Grenze zwischen normalen Reaktionen des Analytikers auf seinen
Patienten und Reaktionen, die in eigenen Problemen des Analytikers
gründen, manchmal schwer auszumachen ist.
Ein ganzheitliches Konzept von Gegenübertragung wird auch einer
Auffassung der analytischen Situation gerecht, die diese als Interaktionsprozeß ansieht, in welchem die Vergangenheit und die Gegenwart beider Partner und die Reaktionen beider auf ihre Vergangenheit und ihre Gegenwart zu einer einzigen emotionalen Konstellation
zusammenfließen, die beide umfaßt. Sullivan (1953 a, 1953 b) hat
diese Konzeption vom interpersonalen Interaktionsprozeß zu einem

Grundpfeiler seiner Theorien gemacht, und auch Menninger (1958) bezieht sich darauf besonders im Hinblick auf die Gegenübertragung.

Die meisten in der Literatur zu findenden Beispiele für Gegenübertragungsphänomene beziehen sich auf gewöhnlich bewußte Gefühlsreaktionen des Analytikers, wobei die unbewußten Anteile sich im Sinne vorübergehender »blinder Flecken« beim Therapeuten auswirken, die er dann überwindet, indem er seine emotionale Reaktion sich bewußt macht. Nun könnte man natürlich behaupten, nur der anfängliche unbewußte »blinde Fleck« sei Ausdruck der Gegenübertragung, aber damit würde man doch nicht der Tatsache gerecht, daß das eigentliche Problem für den Therapeuten oft gar nicht so sehr darin liegt, irgendwelche Gefühle bei sich zu entdecken, die ihm bis dahin entgangen wären, sondern vielmehr die Frage anbelangt, wie er mit den sehr intensiven Gefühlen umgehen soll, die er bei der Arbeit mit dem Patienten erlebt und die sich auf die Behandlung auswirken. Menninger (1958) stellt fest, daß »die Äußerungen der Gegenübertragung bewußt sein können, auch wenn die intrapsychischen Bedingungen, aus denen sie hervorgegangen sind, unbewußt sein mögen.« Dieser Gedanke ist insofern für die Handhabung der Gegenübertragung von Bedeutung, weil er die Möglichkeit impliziert, daß der Analytiker die Funktion seiner Gegenübertragungsreaktionen in der jeweiligen konkreten analytischen Interaktion versteht, auch wenn ihm dabei der Anteil, der seiner eigenen Vorgeschichte entstammt, verborgen bleiben mag. Obschon also der Analytiker nicht immer die Quellen einer bestimmten Gegenübertragungsposition in seiner eigenen Vergangenheit zu erkennen vermag, kann er dennoch der Intensität und der Bedeutung seiner emotionalen Reaktion gewahr werden und in etwa abschätzen, inwieweit diese Gefühlsreaktion durch die Realität des Patienten und durch die des Analytikers bedingt ist, so daß derjenige Anteil, der der eigenen Vorgeschichte des Analytikers zugehört, einigermaßen abgegrenzt werden kann.

Annie Reich (1951, 1960 a) unterscheidet zwischen »permanenter« Gegenübertragung und »akuten« Gegenübertragungsreaktionen, wobei sie die erstere als Auswirkung von Charakterstörungen des Analytikers, letztere dagegen als durch die verschiedenen Übertragungsangebote des Patienten bedingt ansieht. Der Umgang mit permanenten Gegenübertragungshaltungen ist nach ihrer Meinung

schwieriger und erfordert im Grunde ein Stück zusätzlicher Eigen-
analyse des Analytikers. Aber selbst solche Gegenübertragungsreaktionen, in denen sich vorwiegend die ungelösten Charakterprobleme
des Therapeuten widerspiegeln, hängen immer noch aufs engste mit
der analytischen Interaktion mit dem Patienten zusammen. Denn
durch den Mechanismus der empathischen Regression kann es geschehen, daß bestimmte Konflikte des Patienten beim Analytiker ähnliche
Konflikte aus seiner eigenen Vergangenheit wieder aufleben lassen
oder bereits überwundene frühere charakterliche Abwehrhaltungen
des Analytikers reaktivieren. Auch wenn starke negative Gegenübertragungsreaktionen, aus welcher Ursache auch immer, über längere
Zeit hin bestehen bleiben, kommt es vor, daß der Analytiker in seiner
Interaktion mit diesem bestimmten Patienten wieder in neurotische
Verhaltensmuster verfällt, die er im Umgang mit seinen anderen Patienten und im Privatleben längst aufgegeben hat. Der Analytiker
kehrt sozusagen in seiner Beziehung zu diesem einen Patienten seine
schlechteste Seite heraus. Geht man von einem enggefaßten Begriff
von Gegenübertragung aus, so ist man nur allzu leicht geneigt, solche
Reaktionen pauschal der eigenen Charakterproblematik des Analytikers anzulasten, und berücksichtigt dabei zu wenig die spezifische Art
und Weise, wie der Patient solche Reaktionen beim Analytiker auslöst.

Man könnte ein ganzes Spektrum von Gegenübertragungsreaktionen
beschreiben, das von den Gegenübertragungsformen bei Symptomneurosen am einen Ende bis hin zur Gegenübertragung bei Psychotikern als anderem Extrem reicht. Im Verlaufe dieser Reihe ändert sich
das jeweilige Verhältnis von Realitäts- und Übertragungsanteilen
vom Patienten und vom Therapeuten her in charakteristischer Weise.
In dem Maße nämlich, wie wir uns vom »neurotischen Pol« des Spektrums entfernen und dem »psychotischen Pol« nähern, gewinnt die
Übertragung des Patienten unter den verschiedenen Beiträgen zur
Gegenübertragung des Therapeuten immer mehr die Oberhand, während diejenigen Gegenübertragungsanteile, die aus der Vergangenheit
des Therapeuten herrühren, in gleichem Maße an Bedeutung verlieren. Im Umgang mit Borderline-Fällen und schwer regredierten Patienten erlebt der Therapeut – anders als bei Patienten mit Symptomneurosen oder leichteren Charakterstörungen – oft schon in
frühen Stadien der Behandlung heftige Gefühlsreaktionen, die mehr
mit der überstürzten, intensiven, chaotischen Übertragung des Pa-

tienten und mit der allgemeinen Fähigkeit des Therapeuten, psychischen Streß und Angst auszuhalten, zu tun haben als mit irgendeinem speziellen Problem aus seiner eigenen Vorgeschichte. Mit anderen Worten: wenn wir verschiedene Therapeuten – angenommen sie seien alle psychisch einigermaßen stabil und angepaßt – im Umgang mit ein und demselben schwer regredierten und desorganisierten Patienten miteinander vergleichen könnten, so würden ihre Gegenübertragungsreaktionen vermutlich weitgehend ähnlich ausfallen und insofern wesentlich mehr von den Problemen dieses Patienten widerspiegeln als von irgendeinem speziellen Problem aus der eigenen Vorgeschichte des betreffenden Analytikers. M. Little (1951) meint, je desintegrierter ein Patient sei, desto notwendiger brauche er einen Analytiker, der seinerseits gut integriert ist; zumal bei psychotischen Patienten sei unter Umständen die entscheidende Arbeit allein mit der Gegenübertragung zu leisten, und zwar hauptsächlich auf der Grundlage einer Identifizierung mit dem Es des Patienten. Die Beobachtungen von Will (1959) weisen in die gleiche Richtung.

Die Gegenübertragung wird damit zu einem wichtigen diagnostischen Instrument, das dem Therapeuten über den Grad der Regression des Patienten, über dessen vorherrschende Gefühlseinstellung zum Therapeuten und die jeweiligen Veränderungen dieser Einstellung Aufschluß gibt. Je frühzeitiger und heftiger die emotionale Reaktion des Therapeuten auf den Patienten ausfällt, je mehr sie die Wahrung seiner Neutralität bedroht und je fluktuierender, sprunghafter, chaotischer sie wird, desto eher wird der Therapeut annehmen können, daß er es mit einem schwer regredierten Patienten zu tun hat. Am anderen Ende unseres Spektrums steht die Arbeit mit Patienten, die unter Symptomneurosen oder nicht allzu schweren Chakraterstörungen leiden; hier kommen derart intensive Gefühlsreaktionen des Therapeuten nur vorübergehend und kurzfristig vor, und das auch im allgemeinen erst nachdem sie sich schon über geraume Zeit hin allmählich »aufgebaut« haben (also in der Regel nicht schon während der Initialphase); sie sind auch längst nicht so bedrohlich für die Stabilität und Neutralität des Analytikers.

2. Regression und Identifizierung
in der Gegenübertragung

Fliess (1942) zufolge gründet die Haltung des Analytikers auf Empathie, die ihrerseits auf einer »zeitweiligen Probeidentifizierung« mit dem Patienten beruht. Nach Spitz (1956) ist dieser Vorgang der Probeidentifizierung als eine Form von Regression im Dienste des Ichs anzusehen. In einem späteren Artikel schildert Fliess (1953), was mit dieser zeitweiligen Probeidentifizierung in solchen Fällen geschieht, wo es zu einer stärker ausgeprägten Regression in der Gegenübertragung kommt. Eine solche Regression löst beim Analytiker ein Phänomen aus, das Fliess als »Gegenidentifizierung« [»counter-identification«] bezeichnet, nämlich eine übermäßig starke und [nicht nur zeitweilige, sondern] dauerhaftere Identifizierung mit dem Patienten, die gewissermaßen ein im Analytiker entstandenes Duplikat einer entsprechenden konstituierenden Identifizierung des Patienten darstellt. Eine derartige Gegenidentifizierung, meint Fliess, muß die analytische Arbeit ständig und schwerwiegend behindern. Annie Reich (1960 a) hat Fliess' Konzept noch etwas erweitert und die Auffassung vertreten, daß Gegenübertragung gar nichts anderes sei als eben dieses Scheitern der zeitweiligen Probeidentifizierung durch das Entstehen einer »Gegenidentifizierung«. Unter solchen Umständen kommt es, wie sie beschreibt, zu einer unmittelbaren Erwiderung von Impulsen entsprechend dem Talionsprinzip, indem der Analytiker jetzt die Tendenz zeigt, Liebe mit Liebe und Haß mit Haß zu vergelten oder sich in eine Identifizierung mit dem Patienten zu verstricken, die ihm narzißtische Befriedigung gewährt.

Was Fliess hier als konstituierende Identifizierung des Therapeuten und als Duplikat einer entsprechenden konstituierenden Identifizierung des Patienten beschreibt, könnte man aus der Perspektive von Erikson (1950, 1956) vielleicht als eine sehr frühe Ich-Identität bezeichnen, nämlich als Niederschlag von Identifizierungen, bei denen sehr frühe Objektbeziehungen im Spiel sind. Die Gefahr der Verstrickung in solch einer »konstituierenden Identifizierung« rührt daher, daß es sich hierbei um eine verdrängte oder abgespaltene frühe Identität handelt, die mit sehr schmerzlichen traumatischen Beziehungserfahrungen verbunden ist, die das Ich zu der Zeit, als diese frühen Identifizierungen erfolgten, nicht zu integrieren vermochte. Diese vom Rest der Persönlichkeit dissoziierte frühe Ich-Identität enthält auch Abkömmlinge prägenitaler aggressiver Impulse, das heißt, die betreffenden Identifizierungen sind von äußerst feindseligem Charakter, weil sie auf frühen Interaktionen beruhen, in denen heftige aggressive Triebimpulse geweckt und dann projiziert und wieder introjiziert wurden. Zugleich enthält diese frühe Ich-Identität auch gewisse archaische Abwehrformen des Ichs, unter denen besonders der Mechanismus der projektiven Identifizierung hervorzuheben ist, wie er von Melanie Klein (1946, 1955), Paula Heimann (1955 a) und Herbert Rosenfeld (1949, 1952) beschrieben wurde.

Wie schon im 1. Kapitel ausgeführt, betrachte ich die projektive Identifizierung als eine frühe Form der Projektion. Von den strukturellen Aspekten des Ichs her gesehen unterscheidet sich die projektive Identifizierung von der Projektion insofern, als der auf ein äußeres Objekt projizierte Impuls hier nicht vom Ich distanziert und als ichfremd erlebt wird, und zwar deshalb nicht, weil der Bezug des Selbst zu diesem projizierten Impuls erhalten bleibt, indem das Selbst »empathisch« mit dem Objekt in Verbindung bleibt. Aus der Angst, die die Projektion des Impulses auf ein äußeres Objekt bedingte, wird jetzt eine Furcht vor diesem Objekt, daher das Bedürfnis, dieses Objekt zu beherrschen und unter Kontrolle zu halten, damit es nicht unter dem Einfluß des [projizierten aggressiven] Impulses das Selbst angreift. Als Folge oder auch parallel zu der projektiven Identifizierung kommt es zu einem Verschwimmen der Grenzen zwischen Selbst und Objekt (mit anderen Worten: zu einem Verlust der Ichgrenzen), da der projizierte Impuls immer noch teilweise als dem Ich zugehörig erlebt wird und somit Selbst und Objekt in diesem Bereich ziemlich chaotisch zusammenfließen.

Wenn sehr frühe konflikthafte Objektbeziehungen in der Übertragung wiederaufleben, wie es bei schwereren Charakterstörungen und überhaupt bei stärker desorganisierten Patienten häufig geschieht, wird der Therapeut notwendigerweise in eine empathische Regression hineingezogen, wenn er den emotionalen Kontakt zum Patienten nicht verlieren will. Von einem bestimmten Punkt dieses regressiven Prozesses an werden unter Umständen auch beim Therapeuten eigene frühe Identifizierungen wiederbelebt und mit ihnen auch der Mechanismus der projektiven Identifizierung. Damit sieht sich der Therapeut in dem Moment mit mehreren Gefahren von innen her konfrontiert: Erstens drohen alte Ängste wiederaufzutauchen in Verbindung mit frühen Impulsen besonders aggressiver Art, die sich jetzt gegen den Patienten richten; die zweite Gefahr ist eine gewisse Auflösung der Ichgrenzen in der Interaktion mit diesem bestimmten Patienten, und zum dritten besteht jetzt eine starke Versuchung, den Patienten dominieren zu wollen, da dieser nun mit einem bedrohlich erlebten Objekt aus der eigenen Vorgeschichte des Analytikers identifiziert wird.

Fliess und A. Reich haben auf die Gefahren solcher Entwicklungen in der Gegenübertragung hingewiesen. Dennoch kann die emotionale Erfahrung des Analytikers in solch einer Situation auch von Nutzen sein, indem sie ihm Hinweise auf die Art der Angst, die den Patienten in dem Moment beherrscht, und die damit zusammenhängenden Phantasien vermittelt, denn dieser Prozeß beim Analytiker ist ja durch die erwähnte »Duplikatur« eines analogen Prozesses beim Patienten zustandegekommen. Sofern der Therapeut imstande ist, die Wahrnehmung seiner eigenen aggressiven Impulse auszuhalten, ohne sich dadurch allzu sehr bedroht zu fühlen, kann er auf dieser Basis auch dem Patienten sehr wirksam helfen und ein Stück emotionaler Sicherheit vermitteln.

Zum Glück gibt es beim Analytiker eine Reihe wirksamer Kompensationsmechanismen. Bestimmte Ichanteile bleiben bei ihm intakt, auch wenn andere Ichanteile unter Umständen so weitgehend in die empathische Regression hineingeraten, daß es über die Aktivierung einer »konstituierenden Identifizierung« im Analytiker zur projektiven Identifizierung mit dem Patienten kommt. Was beim Analytiker auf einer reiferen Ebene funktionsfähig bleibt, ist der Hauptteil seines Ichs, der unter anderem seine reife Ich-Identität mit den dazugehörigen adaptiven und kognitiven Struturen umfaßt. Die projektive Identifizierung bewirkt beim Analytiker eine umschriebene Auflösung der Ichgrenzen im Bereich seiner Interaktion mit diesem bestimmten Patienten; kompensatorisch werden also gerade diejenigen reiferen Ichfunktionen besonders belastet, die normalerweise die Ichgrenzen stabilisieren.

Bei der Arbeit mit schwer regredierten Patienten kann es durchaus geschehen, daß der Therapeut gelegentlich seine »analytische Objektivität« während der Behandlungsstunde verliert, aber am Schluß der Sitzung oder ein paar Stunden später hat er in der Regel sein Gleichgewicht wieder gefunden. Während dieser Zeit läuft im Therapeuten ein Prozeß des Durcharbeitens ab, indem die zur reiferen Ich-Identität gehörigen stabilen adaptiven und kognitiven Strukturen gewissermaßen unterstützend jenem anderen Ichanteil zu Hilfe kommen, in welchem primitive Identifizierungen, Abwehrmechanismen und Impulse aktiviert und die Ichgrenzen labilisiert worden sind. Mißlingt dieser Prozeß, so findet sich der Analytiker immer weniger in der Lage, sich aus der Gegenübertragungshaltung, die dieser bestimmte Patient in ihm induziert, jedesmal wieder freizumachen. Er sieht sich plötzlich über Tage, Wochen oder Monate immer tiefer in eine permanente emotionale Fehlhaltung in bezug auf diesen einen Patienten verstrickt. Solche »fixierten« Gegenübertragungshaltungen lassen sich an bestimmten Symptomen erkennen, die über das hinausgehen, was in der Literatur (Cohen 1952, Glover 1955 a, Little 1960 a, Menninger 1958, Winnicott 1960) als allgemeine Anzeichen einer Gegenübertragungsreaktion beschrieben wird: Der Therapeut stellt zum Beispiel fest, daß er in bezug auf den betreffenden Patienten mißtrauisch wird und eventuell sogar paranoide Phantasien entwickelt, daß dieser Patient ihn ganz unvermittelt plötzlich angreifen könnte, und sich ausmalt, in welcher Weise dies geschehen würde; oder er beobachtet, daß seine inneren Reaktionen auf diesen Patienten sich ausweiten, so daß nun auch andere Personen in seine Gefühlsreaktion mit einbezogen werden, die irgend etwas mit seiner Beziehung zu diesem Patienten zu tun haben; im Extrem kann sich beim Analytiker sogar eine Art von »mikroparanoider Reaktion« entwickeln. Was hier geschieht, ist folgendes: Der Prozeß des Durcharbeitens im Ich des Analytikers ist gescheitert, und zwar hauptsächlich deshalb, weil der Patient es fertiggebracht hat, die stabilere und reifere Ich-Identität des Analytikers innerhalb der therapeutischen Beziehung zu zerstören, so daß nun der Analytiker die emotionale Position des Patienten »dupliziert« und diesen Prozeß nicht mehr vom Ich her unter Kontrolle zu halten vermag.

Zu beachten ist, daß der Analytiker eine Regression im Dienste des Ichs durchmachen muß, um den Kontakt mit dem Patienten nicht abreißen zu lassen und nicht etwa weil der Patient ihn durch sein Verhalten in die regressive Position hineinzwingt. Gerade durch seine Toleranz und Neutralität gegenüber dem Patienten, die ja ein Ausdruck dieses Bemühens sind, emotional mit ihm in Fühlung zu bleiben, setzt sich der Analytiker womöglich noch mehr der Gefahr aus, daß er den inadäquaten, vor allem aggressiven Verhaltensweisen von Borderline-Patienten relativ schutzlos gegenübersteht. Tatsächlich werden manche Analytiker, die sich besonders für die Arbeit mit schwer regredierten Patienten interessieren, unfreiwillig zu passiven Opfern ihrer Patienten, weil sie einen so großen Teil ihres Bemühens auf die Auseinandersetzung mit den eigenen Gefühlsreaktionen verwenden müssen, die der Patient in ihnen auslöst.

Die Ich-Identität hängt grundsätzlich von der Kontinuität und Bestätigung des Selbstkonzepts ab, und das gilt auch für die Identität des Analytikers in seiner Beziehung zum Patienten. Im besonderen Falle der Interaktion des Analytikers mit einem Patienten, der ihm bedrohlich wird, sei es durch sein Verhalten oder indem er eine erhebliche Gegenübertragungs-Regression induziert, findet gerade diese Bestätigung nicht statt. Statt dessen wird die Identität des Analytikers ständig untergraben, bis schließlich diejenigen Kräfte – eben die Strukturen seiner reiferen Ich-Identität – mittels deren er sonst die Regression im Dienste des Ichs zu kompensieren vermag, nicht mehr verfügbar sind. Auf die Praxis angewendet, wird mit diesen Überlegungen unterstrichen, daß bei der analytischen Arbeit mit schwer regredierten Patienten eine gewisse äußere Strukturierung wichtig ist, das heißt: es muß hier in bezug auf das, was der Patient tun kann und tun darf, bestimmte Grenzen geben, die der Analytiker dann aber auch eindeutig und unbeirrbar vertreten muß, und sei es unter Umständen durch einen direkten Hinweis an den Patienten, daß ein bestimmtes Verhalten in der Behandlungssituation nicht gestattet ist, oder sogar durch den stärker strukturierenden Effekt einer stationären Krankenhausaufnahme oder sonstige zusätzliche Behandlungsmaßnahmen.

Racker (1957) hat die Benutzung der Gegenübertragungsreaktionen des Analytikers als Informationsquelle über innere Gefühlskonstellationen des Patienten noch ein Stück weiter entwickelt, indem er zwei Typen von Identifizierungen im Rahmen von Gegenübertragungsreaktionen unterscheidet, nämlich die »konkordante« und die »komplementäre« Identifizierung. Unter einer »konkordanten Identifizierung« versteht Racker eine Identifizierung des Analytikers mit dem jeweils entsprechenden Teil des psychischen Apparats des Patienten, also des Ichs mit dem Ich, des Über-Ichs mit dem Über-Ich. In so einer konkordanten Identifizierung erlebt der Analytiker bei sich selbst das gleiche Gefühl, wie es der Patient im selben Moment empfindet; man könnte also nach Racker auch die Empathie als direkten Ausdruck einer konkordanten Identifizierung auffassen.

Der Ausdruck »komplementäre Identifizierung« (den Helene Deutsch geprägt hat) bezieht sich auf eine Identifizierung des Analytikers mit den Übertragungsobjekten des Patienten. In dieser Position erlebt also der Analytiker die vom Patienten seinem Übertragungsobjekt zugeschriebenen Gefühle, während der Patient selbst Gefühle wiedererlebt, wie er sie früher in der Beziehung zu dieser bestimmten Elternimago empfunden hat. So kommt es zum Beispiel vor, daß der Analytiker sich mit einer Überichfunktion in Zusammenhang mit einem strengen verbietenden Vaterbild identifiziert und von daher bei sich die Neigung spürt, den Patienten zu kritisieren und in irgendeiner Weise beherrschen zu wollen, während zugleich der Patient die Angst, die Unterwerfungshaltung oder auch das rebellische Aufbegehren wiedererlebt, das die Beziehung zu seinem Vater kennzeichnete. Nach Racker wechselt der Analytiker ständig zwischen diesen beiden Arten von Gegenübertragungs-Identifizierungen hin und her.

Nun ist aber genau auf der Regressionsebene, auf der beim Analytiker projektive Identifizierungen einsetzen, auch die komplementäre Identifizierung am stärksten entwickelt. Und wenn der Analytiker, wie ich es beschrieben habe, in dieser Situation mit dem Andrängen primitiver Impulse bei sich selbst zu kämpfen hat und im Bemühen, diese Impulse zu beherrschen, die Neigung verspürt, auch den Patienten beherrschen zu wollen, dann wiederholt er damit auch eine frühere Beziehung des Patienten zu einer bedeutsamen Elternfigur. So entsteht also eine überaus bedeutunsvolle und spezifische Situation, die sich – vorausgesetzt, daß sie richtig verstanden und durchgearbeitet wird – als ein Eckstein der analytischen Arbeit mit solchen Patienten erweisen kann. Unter diesen Umständen kann es dem Analytiker sogar gelingen, über die korrektive Erfahrung in der analytischen Situation fundamentale Strukturveränderungen im Ich des Patienten in die Wege zu leiten. Umgekehrt besteht aber auch die größte Gefahr für die analytische Situation in so einem Moment darin, daß die frühe traumatische Kindheitserfahrung des Patienten sich in der Analyse zu wiederholen droht. Denn wenn der Analytiker in dieser Situation die Fähigkeit verliert, sich aus seiner Gegenübertragungsbindung immer wieder freizumachen, stellt er genau den Circulus vitiosus der traumatischen Interaktion des Patienten mit der negativen Elternimago wieder her.

Daß die neurotische Charakterstruktur des Analytikers, die er im großen ganzen eigentlich schon überwunden hatte, im Umgang mit bestimmten Patienten erneut in starkem Maße reaktiviert werden kann, wurde [als Gegenübertragungs-Komplikation] bereits erwähnt. Diese Wiederkehr der Neurose des Analytikers geschieht häufig in einer eigenartigen Form, nämlich so, daß die spezielle Pathologie des Analytikers in der therapeutischen Beziehung zum Patienten derart umgemodelt wird, daß sie dessen Persönlichkeitsstruktur ähnelt oder sie so treffend ergänzt, daß Patient und Therapeut schließlich in ihrer Pathologie genau »zusammenzupassen« scheinen. Eine solche chronische Gegenübertragungsbindung wirkt sich naturgemäß auf beide Partner der analytischen Beziehung sehr schädlich aus. Denn der Analytiker greift unter diesen Umständen auf seine neurotische Charakterabwehr zurück, weil sie noch den sichersten Schutz gegen ziemlich primitive Ängste zu bieten scheint, die in seiner Gegenübertragung aufzukommen drohen; die eigenartig komplementäre Charakterformation, die er dem Patienten gegenüber ausbildet, ist das Ergebnis der Wechselwirkung projektiver Identifizierungen von beiden Seiten her.

Bei Borderline-Patienten und Psychotikern, ja im Grunde bei allen Patienten in Phasen tiefer Regression während der analytischen Behandlung, hat man immer wieder beobachten können, daß Konflikte im Zusammenhang mit prägenitaler Aggression eine zentrale Rolle spielen (Fromm-Reichmann 1952 und 1958, M. Klein 1946, Lidz und Lidz 1952, Little 1960 a, Rosenfeld 1955, Winnicott 1960). In der gesamten Literatur stößt man darauf, daß die gravierendsten Störungen der Gegenübertragung und Schwierigkeiten ihrer Handhabung eben solche Beispiele betreffen, wo Patienten diese Art von schwerer archaischer Aggression zeigen und der Therapeut an seiner eigenen emotionalen Reaktion spürt, daß er es zum Beispiel mit einem jener typischen Patienten zu tun hat, die immer wieder nach der Hand, die sie füttern will, beißen müssen. Wie immer man zu der Kontroverse stehen mag, ob es einen Todestrieb gibt oder ob Aggression eher als sekundäre Folge von Frustrationen aufzufassen ist, so gibt es doch jedenfalls genügend Anhaltspunkte dafür, daß im psychischen Apparat eine starke Prädisposition zur Wendung von Aggression gegen das Selbst besteht. In den Anstrengungen dieser Patienten, jede Hilfe, die der Analytiker ihnen bieten könnte, zu zerstören, ist Aggression mit Autoaggression vermischt, und auch in der emotionalen Reaktion des Analytikers auf diese Situation finden wir stets beide Elemente. Ganz schlicht gesagt: Die Erfahrung, Gutes zu geben und dafür nur Böses wiederzubekommen – und nicht imstande zu sein, daran mit den üblichen Mitteln der Realitätsbewältigung auch nur das geringste zu ändern, ist für den Analytiker schon ein recht dramatisches Stück Arbeit. Es geht hier um eine ähnliche Grunderfahrung wie wenn der Aufbau des »Urvertrauens« im Sinne Eriksons nicht gelingt oder die von Melanie Klein beschriebene »Sicherung des guten inneren Objekts« scheitert. Es ist als müßte der Analytiker in bezug auf diesen Patienten sein Vertrauen auf die Kräfte, die Aggression neutralisieren könnten, aufgeben; dadurch aber wird sein Masochismus verstärkt. Money-Kyrle (1956) hat gezeigt, wie die Aggression von Patienten in die Überichfunktionen des Analytikers eingeht und bei diesem paranoide Ängste oder depressive Schuldgefühle auslöst.

In der Behandlung von Patienten mit Borderline-Persönlichkeitsstrukturen muß jeder engagierte Therapeut, wie erfahren er auch sein mag, darauf gefaßt sein, daß er Phasen von fast masochistischer Unterwerfung unter bestimmte Formen von Aggression dieser Patienten, von unverhältnismäßigen Zweifeln an seinen Fähigkeiten und übertriebener Furcht vor Kritik seitens Dritter erleben wird. Während solcher Phasen geschieht es leicht, daß der Analytiker sich mit der Aggression des Patienten, mit dessen paranoiden Projektionen und Schuldgefühlen identifiziert. Sekundäre Abwehrvorgänge gegen diese emotionale Position, insbesondere die Charakterabwehr des Analytikers, können diese Grundsituation mitunter verschleiern.

Die Wiederkehr der früheren neurotischen Charakterstruktur des Analytikers in dieser eigenartig komplementären Verschränkung mit der Charakterstörung des Patienten ist aber nur *eine* mögliche Form einer solchen chronischen Gegenübertragungs-Fixierung. Eine andere häufige sekundäre Abwehrhaltung ist der narzißtische Rückzug, also die innere Distanzierung des Analytikers vom Patienten – mit der Konsequenz, daß damit auch die Empathie verloren geht und die Fortsetzung einer wirklichen analytischen Arbeit mit diesem Patienten weitgehend in Frage gestellt ist. So gibt es Behandlungen, die vom emotionalen Geschehen her gesehen schon lange als abgebrochen gelten können, bevor man sich endlich entschließt, sie erfolglos zu beenden.

Eine weitere, vielleicht noch pathologischere Abwehrform in der Gegenübertragung ist der narzißtische Rückzug des Analytikers von der Realität, indem er eine ganz unrealistische Gewißheit entwickelt, diesem Patienten auf jeden Fall helfen zu können (man könnte sagen, hier taucht eine archaische Omnipotenzphantasie wieder auf). Dies führt leicht dazu, daß der Therapeut sich mit seinem Patienten quasi auf einer einsamen Insel einrichtet, ihn darin unterstützt, seine Aggression von ihm, dem Analytiker, weg- und auf andere äußere Objekte abzulenken, zum Teil aber auch diese Aggression in masochistischer Unterwerfung auf sich nimmt – eine Haltung, die oft als therapeutische Hingabe, als »totaler Einsatz« für den Patienten rationalisiert wird und mit einem gewissen Maß an narzißtischer Befriedigung verbunden ist. Nach einer gewissen Zeit pflegt diese Abwehrhaltung aber dann zusammenzubrechen, häufig sogar ziemlich abrupt, worauf die alten Symptome des Patienten wieder auftauchen und gleichzeitig oft auch die Behandlung zu Ende geht. Diese Art von »Heilsbringer«-Haltung ist etwas völlig anderes als eine echte Sorge um den Patienten, die in ihrer reifen Form stets auch die Realität mit einschließen muß.

Der narzißtische Rückzug vom Patienten in Form passiver Gleichgültigkeit oder innerer Distanzierung des Therapeuten und der narzißtische Rückzug von der äußeren Realität in einer Art komplementärer Kollusion mit dem Patienten sind beides Gefahrenmomente, mit denen besonders diejenigen Analytiker zu rechnen haben, deren eigener Narzißmus in der Lehranalyse nicht ausreichend durchgearbeitet wurde. Denn solche Analytiker fallen besonders leicht auf ihre narzißtische Charakterabwehr zurück, und zwar nicht nur, weil in der Abwehr ohnehin auf frühere Charaktermodalitäten zurückgegriffen wird, sondern auch weil gerade diese charakterlichen Abwehrformen so häufig gegen prägenitale Konflikte im Zusammenhang mit früher Aggression aufgebaut worden sind. Unter solchen Umständen wird die Gegenübertragungs-Regression besonders bedrohlich.

4. Die Bedeutung der Sorge als Grundwesenszug des Analytikers

Ein bedeutsames Moment im Kräftespiel der Neutralisierung und Bewältigung der Auswirkungen von Aggression und Autoaggression in der Gegenübertragung ist die Fähigkeit des Analytikers, Sorge* zu empfinden. »Sorge« umfaßt in diesem Zusammenhang vor allem ein klares Wissen um den Ernst der destruktiven und selbstdestruktiven Impulse des Patienten, um die Möglichkeit des Auftretens solcher Impulse auch beim Analytiker und die notwendige Begrenztheit aller seiner therapeutischen Bemühungen. »Sorge« impliziert auch den echten Wunsch und das Bedürfnis, dem Patienten trotz seiner vorübergehenden »Schlechtigkeit« zu helfen. Etwas abstrakter kann man es so formulieren: »Sorge« bedeutet das Ernstnehmen der Destruktivität und Selbstdestruktivität des Menschen allgemein und die Hoffnung – nicht Gewißheit –, daß der Kampf gegen solche Neigungen in einzelnen Fällen erfolgreich ausgehen kann. Menninger (1959) hat die Bedeutung der Hoffnung als einer Grundstrebung des Menschen untersucht und sie als Ausdruck des Lebenstriebes entgegen den Kräften der Destruktivität und Selbstdestruktivität beschrieben. Money-Kyrle (1956) zufolge entspringt die Sorge des Analytikers um das Wohlergehen seiner Patienten aus Wiedergutmachungstrieben gegen frühe destruktive Tendenzen des Analytikers sowie aus seinen Identifizierungen mit den Eltern. Frank (1959) betont in einem etwas anderen Zusammenhang das Vertrauen des Therapeuten zu sich selbst und seiner Behandlungstechnik als wichtige Voraussetzung für einen therapeutischen Erfolg. Man könnte den Begriff der Sorge auch negativ umschreiben: Sorge um den Patienten bedeutet nicht ein Aufgeben der analytischen Position, also der Neutralität des Analytikers, und ebensowenig ein Aufgeben der Realität.

Von Psychoanalytikern verschiedener Richtungen werden unterschiedliche genetische und dynamische Grundbedingungen für die Fähigkeit zur Sorge und Anteilnahme angeführt. Winnicott (1963) nimmt an, daß die Sorge um andere Menschen aus abgewandelten und ermäßigten Schuldgefühlen stammt. Ermöglicht werde diese Entwicklung beim Kinde durch eine gelungene Verarbeitung vielfacher Zyklen von Aggression, Schuldgefühl und Wiedergutmachung. Was immer der Ursprung dieser Fähigkeit des Analytikers zur Sorge und

* [Anm. d. Übers.: Der englische Ausdruck »concern« ist im Deutschen nur schwer mit einem Wort wiederzugeben und mußte je nach dem Kontext unterschiedlich übersetzt werden. »Concern« bedeutet in einem allgemeinen Sinne so viel wie »Anteilnahme«, »Mitgefühl«, aber in diesem Kapitel kommt eine tiefere Bedeutungsdimension hinzu, die besser mit Begriffen wie »Sorge«, »Besorgtheit«, »Betroffenheit« wiederzugeben ist.]

Anteilnahme sein mag – mir geht es hier um ihre konkreten Auswirkungen im Kontext der Behandlungssituation mit einem bestimmten Patienten. Die Sorge des Analytikers äußert sich, konkret gesprochen, unter anderem in beständiger Selbstkritik, in seiner Weigerung, unmögliche Situationen in passiver Weise zu akzeptieren, und in einer unablässigen Suche nach neuen Bewältigungsmöglichkeiten in länger anhaltenden Krisen. Sie impliziert darüber hinaus ein aktives Engagement des Therapeuten – im Gegensatz zu narzißtischer Zurückgezogenheit – und das Bewußtsein, immer wieder auch den Rat und die Hilfe der Kollegen brauchen zu können. Dieser zuletzt angeführte Punkt ist wichtig: Die Bereitschaft, einen Behandlungsfall mit einem Supervisor oder einem Kollegen zu besprechen, ist – im Gegensatz zur Geheimnistuerei um die eigene Arbeit – ein guter Indikator für die Fähigkeit zur rechten Sorge um den Patienten.

Es gibt nun auch berufsbedingte Belastungen des Analytikers, die seine Fähigkeit, seine eigenen Grenzen zu akzeptieren, und seine Anstrengungen, sie zu überwinden, beeinträchtigen können. So müssen sich zum Beispiel analytische Ausbildungskandidaten mit der Versuchung auseinandersetzen, ihre Patienten für eigene narzißtische Ziele zu mißbrauchen, etwa wenn von den betreffenden Behandlungen ihre Graduierung zum Analytiker abhängt; unter solchen Umständen kann als Gegenübertragungsreaktion des Kandidaten die Tendenz auftauchen, einen »guten« Patienten um jeden Preis halten und einen »schlechten« Patienten eher loswerden zu wollen, die wesentlich durch Wünsche und Ängste in bezug auf die Erfüllung der Ausbildungsanforderungen bedingt ist. Therese Benedek (1954) hat weitere Gegenübertragungskomplikationen beschrieben, wie sie beim Lehranalytiker im Verpflichtungsrahmen einer psychoanalytischen Gesellschaft auftreten können. Ist die analytische Therapie nur ein Teil eines umfassenderen Behandlungsplanes, so ergeben sich auch daraus für den Analytiker bestimmte Zwänge, die seine Gegenübertragung beeinflussen und – vermeintlich oder wirklich – seine innere Freiheit im Umgang mit schwierigen Behandlungssituationen beeinträchtigen können. Savage (1961) erwähnt diesen Punkt im Zusammenhang mit der psychoanalytisch orientierten Therapie schizophrener Patienten im Rahmen einer stationären Behandlung. Main (1957) hat eine sehr aufschlußreiche Untersuchung durchgeführt, bei der unter anderem die Gegenübertragungsreaktionen eines stationären Behandlungsteams erforscht wurden.

Es ginge jedoch zu weit, wollte man alle Schwierigkeiten oder Krisen im Verlaufe einer analytischen Behandlung samt und sonders auf Gegenübertragungsverwicklungen zurückführen. Mangelnde Erfahrung des Therapeuten oder auch ein Defizit an technischem oder theoretischem Wissen müssen von Gegenübertragungsreaktionen unterschieden werden – was nicht immer leicht ist, da diese beiden Faktoren sich wechselseitig beeinflussen.

Mit der Einsicht des Analytikers in die Bedeutung seiner Gegenübertragungsreaktionen ist für den Patienten zunächst noch gar nichts getan. Was dem Patienten hilft, ist etwas anderes, nämlich daß der Analytiker diese Gegenübertragungsinformationen nun auch in seinen Übertragungsdeutungen verwertet, daß er darüber hinaus alles Nötige veranlaßt, um sich und seinen Patienten vor der Entwicklung von Behandlungssituationen zu bewahren, die womöglich realistisch gesehen wirklich nicht mehr zu retten sind, und schließlich, daß der Analytiker dem Patienten vermittels der Beziehung, die zwischen ihnen besteht, einen lebendigen Beweis liefert für seine Bereitschaft und seine Fähigkeit, den Patienten in seine Vergangenheit hinein zubegleiten, ohne dabei die Gegenwart aus dem Blick zu verlieren.

5. Zusammenfassung

In diesem Kapitel wurden gegensätzliche Ansichten zur Gegenübertragung und deren klinischer Verwendung dargestellt und dabei die Auffassung vertreten, daß die Gegenübertragung sehr hilfreich sein kann, um die Tiefe der Regression eines Patienten abzuschätzen und um, besonders bei Borderline-Patienten, die aktuellen Übertragungskonstellationen zu klären.

Patienten mit einer Neigung zu tiefer Regression in der Analyse oder in einer aufdeckenden Psychotherapie begünstigen auch beim Therapeuten schwere Gegenübertragungs-Komplikationen, insbesondere sogenannte »Gegenidentifizierungen«.

Solche Gegenübertragungs-Komplikationen vom Typ der »Gegenidentifizierung« hängen vermutlich mit der teilweisen Wiederbelebung früher Ich-Identifizierungen und früher Abwehrmechanismen beim Analytiker zusammen. Sie können ihm zwar wichtige Aufschlüsse über die aktuelle analytische Situation vermitteln, bedeuten aber zugleich auch eine ernstzunehmende Gefahr für die Analyse, insofern sie die Entwicklung einer »chronischen Gegenübertragungs-Fixierung« anbahnen können.

Folgende Phänomene wurden als Anzeichen einer chronischen Gegenübertragungs-Fixierung näher beschrieben: das Wiederauftauchen bereits überwundener neurotischer Charakterzüge des Analytikers im Umgang mit einem bestimmten Patienten; ein »emotionaler Beziehungsabbruch« in der Analyse; ein unrealistischer »totaler Einsatz« für den Patienten und schließlich die Entwicklung »mikro-paranoider« Einstellungen dem Patienten gegenüber. Solche Gegenübertragungs-Komplikationen kommen vor allem bei der Behandlung von Patienten mit starken Regressionstendenzen vor, insbesondere bei solchen mit einer Borderline-Persönlichkeitsstruktur.

Am Schluß bin ich noch auf die Bedeutung der »Sorge« als Grundwesenszug des Analytikers, der ihm einen gewissen Schutz gegen solche Gegenübertragungs-Komplikationen bieten kann, eingegangen und habe einige Merkmale, Voraussetzungen und realitätsbedingte Grenzen dieser Fähigkeit zur Sorge erörtert.

3. Kapitel
Allgemeine Behandlungsprinzipien

1. Einführung

In diesem Kapitel soll nun die Diskussion der Borderline-Persönlichkeitsstruktur fortgesetzt werden. Ich habe bereits in einer früheren Arbeit (Kernberg 1966) die These vertreten, daß es zwei Ebenen der Ich-Organisation gibt, die sich nach dem Grad der jeweils erreichten Synthese von »Identifikationssystemen« voneinander unterscheiden. Der Ausdruck »Identifikationssysteme« umfaßt Introjektionen, Identifizierungen und die Ich-Identität im Sinne einer fortschreitenden Stufenfolge im Prozeß der Verinnerlichung von Objektbeziehungen. Die erste Organisation von Identifikationssystemen findet auf einem basalen Ichfunktionsniveau statt, wo die Abwehrorganisation des Ichs noch mit primitiven Dissoziations- oder »Spaltungs«vorgängen als wichtigstem Mechanismus operiert. Erst später wird dann ein zweites, fortgeschritteneres Niveau der Abwehrorganisation des Ichs erreicht, wo an die Stelle der Spaltung nun die Verdrängung als zentraler Abwehrmechanismus tritt. Unter »Spaltung« verstehen wir hier in einem enggefaßten Sinne einen aktiven Abwehrvorgang, durch den Identifikationssysteme gegensätzlicher Qualität voneinander getrennt gehalten werden.

Ich habe auch schon dargelegt, daß Patienten mit sogenannten »Borderline«-Persönlichkeitsstörungen eine pathologische Fixierung auf dem niederen Niveau der Ich-Organisation aufweisen, wo Spaltungsprozesse und andere der Spaltung nahestehende Abwehrmechanismen vorherrschen. Das Fortbestehen dieser Ich-Organisation von niederem Strukturniveau beeinträchtigt wiederum die normale Entwicklung und Integration der Identifikationssysteme und damit auch die normale Entwicklung des Ichs und des Über-Ichs.

Im 1. Kapitel wurde der Terminus »Borderline-Persönlichkeitsstruktur« [»borderline personality organization«, vgl. Anm. d. Übers. S. 20 Fn.] für diese Form von Persönlichkeitsstörungen vorgeschlagen, der gegenüber sonstigen Bezeichnungen wie »Borderline-Zustände« und dergleichen schon deshalb vorzuziehen ist, weil diese Patienten nach allem, was wir wissen, eine ziemlich spezifische und recht stabile pathologische Persönlichkeitsstruktur aufweisen und es sich also nicht nur um flüchtige Übergangszustände im Grenzbereich zwischen Neurose und Psychose handelt. Die klinischen Syndrome, die auf solch eine Borderline-Persönlichkeitsstruktur hindeuten, weisen erfahrungsgemäß eine Reihe von gemeinsamen Merkmalen auf:

1. typische Symptomkonstellationen,
2. typische Konstellationen von Abwehrmechanismen des Ichs,
3. eine typische Pathologie der verinnerlichten Objektbeziehungen,
4. charakteristische Triebschicksale.

Unter schwerem Streß oder auch unter Alkohol- oder Drogeneinfluß können bei diesen Patienten gelegentlich vorübergehende psychotische Episoden auftreten, die aber bei planvollem therapeutischem Vorgehen meist innerhalb kurzer Zeit wieder abklingen. Bei Anwendung der klassischen psychoanalytischen Methode kommt es leicht zu Störungen der Realitätsprüfung bis hin zum Auftreten von Wahnideen, die jedoch auf die Übertragung beschränkt bleiben; überhaupt entwickelt sich bei diesen Patienten eher eine Übertragungspsychose als eine Übertragungsneurose.

Im 1. Kapitel ging es mir vor allem um eine Analyse der Strukturmerkmale der Borderline-Persönlichkeitsstruktur. Der Ausdruck »Strukturanalyse« oder »strukturelle Analyse« bezieht sich in diesem Zusammenhang auf zweierlei: zum einen auf die Ichstärke bzw. Ichschwäche und die charakteristischen Abwehrmechanismen dieser Patienten, zweitens auf die Pathologie ihrer verinnerlichten Objektbeziehungen. In bezug auf den ersten Punkt gibt es bei der Borderline-Persönlichkeitsstruktur »unspezifische« Anzeichen von Ichschwäche, und zwar vor allem eine mangelhafte Angsttoleranz, eine mangelhafte Impulskontrolle sowie mangelhaft entwickelte Sublimierungen. Daneben gibt es auch »spezifische« Aspekte der Ichschwäche, das heißt: bestimmte Abwehrvorgänge führen bei diesen Patienten zu einer Beeinträchtigung der Ichfunktionen, die sich klinisch ebenfalls als Ichschwäche äußert. Aus diesem letzteren Gesichtspunkt ergibt sich die praktisch wichtige Folgerung, daß eine therapeutische Aufhebung dieser besonderen Abwehrformen nicht etwa die Ichschwäche noch verschlimmert, sondern tatsächlich das Ich stärken kann. Spaltung, primitive Idealisierung, frühe Formen der Projektion (vor allem die projektive Identifizierung), Verleugnung und Allmachtsphantasien bilden charakteristische Abwehrkonstellationen bei Patienten mit einer Borderline-Persönlichkeitsstruktur.

Was den zweiten Punkt unserer Strukturanalyse dieser Patienten, nämlich die Pathologie ihrer verinnerlichten Objektbeziehungen anbelangt, so verweise ich auf das 1. Kapitel, wo ich den Ursprung dieser Störung und ihre Folgen für die Ich- und Überichentwicklung nachzuzeichnen versucht habe und in diesem Zusammenhang besonders das Syndrom der Identitätsdiffusion hervorgehoben habe.

Bezüglich der Triebentwicklung habe ich die These vertreten, daß man bei Borderline-Patienten ein Übermaß an prägenitaler und vor allem oraler Aggression findet, wodurch eine vorzeitige Entwicklung ödipaler Strebungen ausgelöst werden kann, so daß es infolgedessen zu einer eigentümlichen pathologischen Verschränkung prägenitaler und genitaler Triebziele unter dem Primat aggressiver Bedürfnisse kommt. Diese Konstellation von Triebkonflikten ist auch für die eigentümlichen Übertragungskonstellationen dieser Patienten verantwortlich, auf die ich noch näher eingehen werde.

In diesem Kapitel möchte ich nun die Schwierigkeiten bei der Behandlung von Borderline-Patienten eingehender untersuchen und einige allgemeine Thesen zur psychotherapeutischen Strategie bei solchen Fällen aufstellen. Ich beginne mit einer kurzen Übersicht über meine Hauptthesen.

Viele Patienten mit einer Borderline-Persönlichkeitsstruktur vertragen die Regression innerhalb einer psychoanalytischen Behandlung [nach der klassischen Standardmethode] nicht gut, und zwar nicht nur wegen ihrer Ichschwäche und ihrer Neigung zur Ausbildung einer Übertragungspsychose, sondern auch – und das ist der wichtigste Grund – weil sie durch Agieren ihrer Triebkonflikte in der Übertragung pathologische Bedürfnisse befriedigen und damit jeden weiteren Fortschritt des analytischen Prozesses blockieren. Was vordergründig als wiederholtes »Durcharbeiten« von Konflikten erscheint, ist dann in Wirklichkeit eine recht stabile pathologische Kompromißbildung, deren Kernstück das Ausagieren der Übertragung in der therapeutischen Beziehung ist.

Andererseits ist aber auch der Versuch einer stützenden Psychotherapie bei solchen Patienten häufig zum Scheitern verurteilt. Die stützende Psychotherapie zielt ja darauf ab, die Abwehrorganisation des Patienten zu stärken, das Auftauchen primitiver Übertragungsparadigmen nach Möglichkeit zu verhindern und dagegen ein Arbeitsbündnis aufzubauen, das dem Patienten dazu verhelfen soll, angepaßtere Techniken der Lebensbewältigung zu entwickeln. Durch ein

solches Vorgehen wird einer Regression in der Übertragung vorge-
beugt, eine Übertragungspsychose entwickelt sich gar nicht erst, und
ein Stagnieren der Therapie durch Übertragungsagieren, wie oben beschrieben, wird vermieden. Dennoch sind stützende Psychotherapien
bei Borderline-Patienten so oft erfolglos, weil die typischen Abwehrmechanismen, die bei diesen Patienten vorherrschen, die Entwicklung
eines sogenannten »Arbeitsbündnisses« (Sterba 1934, Zetzel 1966)
stören oder gar verhindern. Durch die negativen Übertragungsanteile, besonders die in solchen Fällen äußerst hartnäckigen latenten
negativen Übertragungsdispositionen, werden die pathologischen
Abwehrvorgänge dieser Patienten eher noch weiter gefördert. Im
Endeffekt führt ein solches Vorgehen oft zur Abspaltung der negativen Übertragung mit wildem Agieren außerhalb der Therapie, während in den Behandlungsstunden eine ausgesprochen flache Emotionalität herrscht. Die über lange Strecken anhaltende »Leere« der therapeutischen Interaktion dürfte ebenfalls eine Folge des stützenden
Therapieansatzes sein; sie birgt in sich natürlich auch die Tendenz zur
völligen Stagnation der Therapie. In solchen Fällen entwickelt sich
zwar kein turbulentes stereotypes Agieren der Übertragung in den
Behandlungsstunden, dafür tritt aber eine Situation ein, in welcher
der Therapeut ständig Hilfe und Unterstützung anbietet, die der Patient aber überhaupt nicht zu integrieren vermag.

Für die meisten Patienten mit einer Borderline-Persönlichkeitsstruktur dürfte am ehesten eine besondere Form von modifizierter Psychoanalyse oder analytischer Psychotherapie angezeigt sein. Diese Psychotherapieform unterscheidet sich sowohl von der klassischen psychoanalytischen Standardmethode als auch von den gängigeren Formen aufdeckender oder stützender psychoanalytisch orientierter Psychotherapie. Im Sinne Eisslers (1953) wäre unser psychotherapeuti-
sches Verfahren dadurch gekennzeichnet, daß mehrere »technische
Parameter« in die psychoanalytische Situation eingeführt werden,
wobei aber nicht erwartet wird, daß man sie noch innerhalb der Behandlung wieder vollständig aufheben könnte. Die Bezeichnung
»technische Modifikation« ist vielleicht noch treffender als »technischer Parameter«, sofern es sich darum handelt, daß diese Modifikation an einem Behandlungssetting vorgenommen wird, das eher einer
analytischen Psychotherapie als einer klassischen Psychoanalyse entspricht (J. Frosch, pers. Mitteilung).

Die wichtigsten Besonderheiten unseres modifizierten psychoanalytischen Verfahrens lassen sich stichwortartig wie folgt zusammenfassen:

1. Konsequentes Herausarbeiten der manifesten und latenten negativen Übertragung, wobei aber keine vollständigen genetischen Rekonstruktionen auf dieser Grundlage anzustreben sind;

2. Konfrontation und deutende Bearbeitung der pathologischen Abwehrformen, die bei Borderline-Patienten typischerweise auftauchen, sobald sie in die negative Übertragung eintreten;

3. entschiedene Strukturierung der therapeutischen Situation mit so aktiven Maßnahmen, wie es erforderlich ist, um ein Ausagieren der Übertragung in der Therapie zu verhindern (zum Beispiel indem man die Behandlung nur unter bestimmten, vorher festgelegten Bedingungen durchführt und besonders in bezug auf das erlaubte Ausmaß an nicht-verbaler Aggression in den Behandlungsstunden strikte Grenzen festsetzt);

4. Nutzung von Einrichtungen, die einen äußerlich strukturierenden Rahmen bieten, also beispielsweise stationäre Krankenhausaufnahme, Tagesklinik, Heimunterbringung etc., falls außerhalb der Behandlung dermaßen agiert wird, daß eine chronisch stabile Situation pathologischer Triebbefriedigung zu entstehen droht;

5. selektive Fokussierung der therapeutischen Arbeit auf diejenigen Bereiche in der Übertragung und im Leben des Patienten, in denen besonders deutlich pathologische Abwehrformen zum Ausdruck kommen, die das Ich schwächen und die Realitätsprüfung beeinträchtigen;

6. Nutzung der positiven Übertragungsanteile für die Aufrechterhaltung des Arbeitsbündnisses, weshalb auch der Patient mit Abwehrformen, die die positive Übertragung schützen, nur sehr schonend konfrontiert werden sollte;

7. Förderung adäquaterer Ausdrucksformen in realen Beziehungen für die sexuellen Konflikte des Patienten, die auf Grund der pathologischen Kontamination genitaler Bedürfnisse mit prägenitaler Aggression seine Anpassung behindern, mit dem Ziel, das Potential zu einer reiferen genitalen Entwicklung von seiner Verquickung mit prägenitaler Aggression zu befreien.

2. Literaturübersicht

Eine allgemeine Übersicht der Literatur über Borderline-Störungen wurde bereits im 1. Kapitel gegeben. In bezug auf die Behandlung von Borderline-Patienten vermitteln die Arbeiten von Knight (1953 a, 1953 b) und Stone (1954) wohl den umfassendsten Überblick. Die Hauptfrage, die in der Literatur immer wieder auftaucht, ist die, ob man diese Patienten in Analyse nehmen kann oder ob sie eher irgendeine Form von Psychotherapie brauchen. Eng damit verknüpft ist die Frage der Abgrenzung, was überhaupt Psychoanalyse ist und was nicht. So tritt zum Beispiel Frieda Fromm-Reichmann (1950), die übrigens wesentliche Beiträge zur Behandlung von Borderline-Patienten und Psychotikern geleistet hat, für ein rein psychoanalytisches Vorgehen auch bei diesen Patienten ein, geht dabei aber von einem derart weitgefaßten Begriff von Psychoanalyse aus, daß vieles darunter eingeschlossen wird, was zahlreiche andere Autoren entschieden als analytisch orientierte Psychotherapie bezeichnen würden.

Gill (1951, 1954) hat die klassische Psychoanalyse von den psychoanalytisch orientierten Psychotherapien abzugrenzen versucht, indem er feststellt, daß Psychoanalyse im strengen Sinne das konsequente Festhalten an einer Position der Neutralität des Analytikers impliziert (wobei Neutralität, wie er ganz zu Recht hervorhebt, keineswegs gleichbedeutend ist mit mechanischer Rigidität des Verhaltens und Unterdrückung jeglicher spontanen Regungen). Zu einer Psychoanalyse gehört nach seiner Auffassung auch notwendigerweise die Entfaltung einer vollständigen regressiven Übertragungsneurose und die Auflösung dieser Übertragung ausschließlich mit den Mitteln der Deutungstechnik. Im Gegensatz dazu, meint Gill, hält man sich bei einer analytisch orientierten Psychotherapie weniger streng an die Neutralität; es geht hier zwar ebenfalls um das Erkennen von Übertragungsphänomenen und Übertragungswiderständen, aber diese Phänomene werden nur in mehr oder weniger beschränktem Maße gedeutet, ohne daß man die Entwicklung einer voll ausgeprägten Übertragungsneurose zuließe, und auch die Auflösung der Übertragung geschieht hier im allgemeinen nicht allein mittels Deutungen.

Diese Abgrenzung ist durchaus brauchbar; problematisch erscheint mir nur die Auffassung Gills (1954), die regressive Übertragungsneurose in einer Psychoanalyse werde vom Analytiker »aktiv hervorgebracht«. Wie schon Ida MacAlpine (1950) behauptet auch Gill

(1954), »die analytische Situation [sei] speziell darauf angelegt, eine regressive Übertragungsneurose zu erzwingen [enforce]«. Ich halte es jedoch für richtiger zu sagen: Die analytische Situation [erzwingt nicht, aber] läßt zu [permits], daß die regressive Strömung, die mit dem Wiederauftauchen der verdrängten pathogenen Kindheitskonflikte entsteht, sich entwickeln kann. Wenn Ida MacAlpine die analytische Situation als ein regressives, infantiles Setting beschreibt, so vernachlässigt sie in bedenklicher Weise die Tatsache, daß es in dieser Situation doch auch progressive Elemente gibt, beispielsweise den Respekt des Analytikers für sämtliche Äußerungen des Patienten und für dessen Selbständigkeit oder auch das Vertrauen des Analytikers in die Fähigkeit seines Patienten, zu reifen und eigene Lösungen zu entwickeln (G. Ticho, persönl. Mitteilung).

Kehren wir nun zum Hauptpunkt zurück, so ist jedenfalls Gills Definition sehr hilfreich für die Abgrenzung der Psychoanalyse im engeren Sinne von den verschiedenen Formen psychoanalytisch orientierter oder allgemein aufdeckender Psychotherapie. Eissler (1963) hat zur weiteren Klärung dieses Problems beigetragen, indem er die sogenannten »Parameter der [analytischen] Technik« erörterte, nämlich Modifikationen des analytischen Settings, wie sie gewöhnlich bei Patienten mit schweren Ichdeformierungen [ego distortions] erforderlich sind. Nach seinem Vorschlag sind solche Behandlungen immer noch als Psychoanalyse zu bezeichnen, sofern gewährleistet ist, daß Parameter nur dann eingeführt werden, wenn sie unerläßlich sind, und jede Ausweitung solcher Maßnahmen über das erforderliche Minimum hinaus vermieden wird, und wenn man ferner Parameter auch nur in solchen Fällen benutzt, wo den Umständen nach zu erwarten ist, daß sie noch vor Abschluß der Analyse mittels Deutungen aufgehoben werden können bzw. sich auf diese Weise von selbst erübrigen. Damit ist also, wie auch Gill (1954) schon hervorgehoben hat, die Möglichkeit gegeben, eine Psychotherapie in eine Analyse umzuwandeln. Weitere Ansätze zu einer Klärung der Unterschiede zwischen Psychoanalyse und psychoanalytisch orientierten Therapieformen findet man in den Arbeiten von Stone (1951), Bibring (1954) sowie Wallerstein und Robbins (1956).

Legt man die von Gill vorgeschlagene Abgrenzung zwischen Psychoanalyse und Psychotherapie zugrunde, so lassen sich die Autoren, die über Probleme der Behandlung von Borderline-Patienten publiziert haben, in einer kontinuierlichen Reihe anordnen, wobei am einen

Ende der Reihe diejenigen stehen, die für diese Patienten eine Analyse empfehlen, während das andere Extrem von denen vertreten wird, die statt einer Analyse eher eine Psychotherapie, und zwar vorzugsweise eine stützende Form von Psychotherapie, für die Behandlungsmethode der Wahl halten. Irgendwo in der Mitte zwischen diesen beiden Extremen sind jene Autoren einzuordnen, nach deren Ansicht manche Borderline-Patienten doch analysierbar sind, während andere eine Form von aufdeckender Psychotherapie brauchen. Und schließlich gibt es noch Therapeuten, die zwischen Psychoanalyse und Psychotherapie gar nicht scharf unterscheiden.

Die ersten ausführlicheren Stellungnahmen in der Literatur zu therapeutischen Problemen bei Borderline-Patienten laufen überwiegend darauf hinaus, daß anstelle einer klassischen Psychoanalyse eine modifizierte Psychotherapie eher stützender Art empfohlen wird. So empfiehlt Stern (1938, 1945) eine konfliktbearbeitende Psychotherapie mit dem Hauptakzent auf der kontinuierlichen Bearbeitung der aktuellen Übertragung und nicht so sehr der Kindheitsvorgeschichte, wobei der Analytiker besonders bemüht bleiben soll, die kindlich-anklammernde Abhängigkeit dieser Patienten allmählich abzubauen. Stern glaubt, daß diese Borderline-Patienten eine neue realistische Beziehung brauchen, die ein Gegengewicht zu den traumatisierenden Beziehungen ihrer Kindheit bildet; sie seien überhaupt nur ganz allmählich imstande, eine Übertragungsneurose von der Art, wie sie üblicherweise bei Analyse-Patienten sich entwickelt, auszubilden. Er folgert daraus, daß eine Analyse bei Borderline-Patienten allenfalls in einem späteren Stadium der Behandlung in Frage kommt. Melitta Schmideberg (1947) empfiehlt ein Vorgehen, das wahrscheinlich am ehesten als expressive Psychotherapie zu bezeichnen wäre; nach ihrer Auffassung sind diese Patienten nicht mittels einer klassischen Analyse behandelbar. Die wichtigen Beiträge von Knight (1953 a, 1953 b) zur psychotherapeutischen Strategie bei Borderline-Fällen gehen insgesamt ganz entschieden in Richtung einer rein stützenden Psychotherapie und bezeichnen damit das eine Extrem unserer oben erwähnten Reihe von Behandlungsindikationen. Knight betont, daß es darauf ankomme, das Ich dieser Patienten zu stärken und ihre neurotischen Abwehrformen zu respektieren; »tiefe« Deutungen hält er dagegen für gefährlich wegen ihres regressionsfördernden Effekts und weil es diese Patienten auf Grund ihrer Ichschwäche ohnehin schon schwer genug haben, ihre psychischen Funktionen auf dem Sekundärprozeß-Niveau zu halten. Er betont auch die Wichtigkeit strukturierender Maßnahmen, und zwar sowohl innerhalb des psychotherapeutischen Settings als auch im Hinblick auf die eventuelle Notwendigkeit einer stationären Aufnahme – ganzzeitig oder in einer Tagesklinik – als Teilmaßnahme im Rahmen eines umfassenden Behandlungsplans für solche Patienten.

Ungefähr im mittleren Bereich unserer Reihe ordnen sich die Therapievorschläge von Stone (1954) und Eissler (1953) ein. Nach Stone brauchen Borderline-Patienten oft eine »vorbereitende« Psychotherapie, aber es gibt immerhin nach seiner Auffassung zumindest einige Borderline-Fälle, die man – entweder gleich von Anfang an oder nach einer solchen Vorphase, die dem Aufbau eines therapeutischen Arbeitsbündnisses dient – unter den Bedingungen einer klassischen Analyse behandeln kann. Stone stimmt allerdings auch mit Eissler darin überein, daß eine Analyse bei solchen Patienten in fortgeschritteneren Behandlungsstadien nur dann in Frage kommt, wenn die bis dahin durchgeführte Psychotherapie nicht bereits die Übertragung so weitgehend verzerrt hat, daß die eingeführten technischen Parameter nicht mehr allein mittels Deutungen wieder aufgehoben werden können. Nach Eissler kann es sich gelegentlich als notwendig erweisen, für die zweite Behandlungsphase den Analytiker zu wechseln. Glover (1955 b) scheint ebenfalls die Auffassung zu teilen, daß zumindest einige dieser Fälle für eine Psychoanalyse »mäßig geeignet« seien.

Am anderen Ende unseres Kontinuums sind eine Reihe von Analytikern einzuordnen, die alle mehr oder weniger stark unter dem Einfluß der sogenannten englischen psychoanalytischen Schule [British school of psychoanalysis] stehen (Bion 1957, Heimann 1955 a, Little 1951, Rosenfeld 1958, Segal 1964, Winnicott 1949 und 1960). Diese Analytiker sind davon überzeugt, daß sich das klassische psychoanalytische Behandlungsverfahren auch bei Borderline-Patienten – wenn nicht bei allen, so doch bei vielen von ihnen – anwenden läßt. Manche Arbeiten von Analytikern dieser Richtung haben entscheidend zu einem besseren Verständnis der Abwehrstruktur und der besonderen Widerstandsformen, wie man sie bei Borderline-Patienten findet, beigetragen. Ich selbst kann zwar der generellen Behauptung, die meisten Borderline-Patienten seien doch analysierbar, keineswegs zustimmen; dennoch meine ich, daß sich auf der Grundlage der Entdeckungen dieser Analytiker Modifikationen psychoanalytisch orientierter Psychotherapieverfahren entwickeln lassen, die speziell den Übertragungskomplikationen bei Borderline-Patienten Rechnung tragen; ich denke hierbei vor allem an die Arbeiten von M. Little (1958, 1960 a, 1960 b), Paula Heimann (1955 a), Winnicott (1949), Rosenfeld (1964) und Hanna Segal (1964).

Meine eigenen Behandlungsvorschläge, wie sie im vorliegenden Kapitel dargestellt werden, wären etwa dem mittleren Bereich unserer kontinuierlichen Reihe von Indikationen zuzuordnen. Denn nach meiner Ansicht ist für die meisten Patienten mit einer Borderline-Persönlichkeitsstruktur keine klassische Psychoanalyse, sondern ein modifiziertes psychoanalytisches Behandlungsverfahren, genauer: eine besondere Variante von aufdeckender psychoanalytischer Psychotherapie angezeigt. Zu den Besonderheiten dieser Form von aufdeckender Psychotherapie gehört unter anderem eine konsequente Deutungsarbeit an den Abwehrformen, in denen sich die negative Übertragung äußert und die mehr oder weniger unmittelbar zur Aufrechterhaltung der Ichschwäche solcher Patienten beitragen. Es gibt aber auch nach meiner Auffassung manche Borderline-Patienten, bei denen eindeutig eine Psychoanalyse indiziert ist; ich werde später noch versuchen, Kriterien zur diagnostischen Erkennung dieser Patientengruppe anzugeben.

3. Hauptmerkmale der Übertragung und Gegenübertragung

Unter den Behandlungsproblemen, auf die man bei der Arbeit mit Borderline-Patienten stößt, ist zuerst eine wichtige Besonderheit zu nennen, nämlich die Entwicklung einer Übertragungspsychose. Die Kennzeichen dieser Übertragungsregression sind von verschiedenen Autoren beschrieben worden; eine besonders übersichtliche Zusammenfassung über dieses Thema findet man in einer Arbeit von Wallerstein (1967).

Das vielleicht auffälligste Merkmal der Übertragungsäußerungen von Borderline-Patienten besteht darin, daß es hier in der Übertragung sehr rasch zu einer vehementen Aktivierung sehr früher konflikthafter Objektbeziehungen kommt, die verschiedenen voneinander dissoziierten Ichzuständen zugehören. Jeder einzelne dieser Ichzustände entspricht gewissermaßen einem voll ausgebildeten Übertragungsparadigma, also einer hoch entwickelten regressiven Über-

97

tragungskonstellation, in der eine spezifische verinnerlichte Objekt
beziehung in der aktuellen Beziehung zum Therapeuten wiederbeleb
wird. Diese überstürzte Übertragungsentwicklung steht in auffallen
dem Gegensatz zur viel gemächlicheren Aktivierung verinnerlichte
Objektbeziehungen, wie man sie typischerweise bei neurotischen Pa
tienten im Zuge der Regression beobachtet. Die klinische Erfahrung
zeigt aber noch ein Weiteres, nämlich daß im Über-Ich dieser Patien
ten depersonifizierte und abstrahierte Strukturen höherer Entwick
lungsstufen weitgehend fehlen und auch im Ich-Bereich viele auto
nome Strukturen, vor allem neutralisierte sekundär-autonom
Charakterstrukturen, unentwickelt geblieben sind. In der vorzeitige
Aktivierung solcher regressiven Ichzustände kommt also zum Aus
druck, daß bei diesen Patienten primitive, hochgradig konflikthaft
verinnerlichte Objektbeziehungen pathologischerweise quasi in »un
verdauter« Form fortbestehen.

Was nun die typischen Konflikte anbelangt, die im Zusammenhan
mit der Wiederbelebung solcher frühen verinnerlichten Objektbezie
hungen auftauchen, so sind sie gekennzeichnet durch eine eigenartig
pathologische Verschränkung prägenitaler und genitaler Triebziel
unter dem Primat prägenitaler Aggression. Man beobachtet ei
Übermaß an prägenitaler und vor allem oraler Aggression, die über
wiegend projektiv verarbeitet wird und damit zu einer paranoide
Verzerrung der frühen Elternimagines, insbesondere der Mutter
imago, führt. Ob es sich hierbei um eine Folge schwerer früher Ver
sagungen bzw. tatsächlicher Aggression von seiten der Mutter ode
eher um den Ausdruck einer konstitutionell bedingten übermäßige
Stärke aggressiver Triebanteile handelt oder ob wir darin eher ein
mangelhaft entwickelte Fähigkeit zur Neutralisierung von Aggres
sion oder auch eine wiederum konstitutionell bedingte mangelhaft
Angsttoleranz erkennen wollen, ist vom klinischen Aspekt her gese
hen gar nicht so wichtig wie das Resultat – eben die paranoide Ver
zerrung der frühen Elternimagines. Infolge der Projektion vorwie
gend oral-sadistischer, auch anal-sadistischer Triebimpulse wird di
Mutter als potentiell bedrohlich erlebt, und der ursprünglich de
Mutter geltende Haß weitet sich später auf beide Eltern aus, wen
sie vom Kind als »vereinigtes Paar« wahrgenommen werden. Den
durch die Kontamination der Vaterimago mit primär auf die Mutte
projizierter Aggression bei noch mangelhafter Differenzierung zwi
schen Mutter und Vater entsteht leicht so eine bedrohliche Vater

Mutter-Imago, in der sich Züge von beiden Elternimagines vermischen, wodurch wiederum später alle sexuellen Beziehungen potentiell als gefährlich und von Aggression durchsetzt erlebt werden. Gleichzeitig gibt es aber auch eine andere Entwicklungsrichtung, nämlich den Versuch einer »Flucht« vor oraler Wut und Ängsten in genitale Sexualität; aber diese Fluchtbewegung scheitert oft daran, daß die genitalen Triebstrebungen allzu stark mit prägenitaler Aggression durchsetzt sind (Heimann 1955 b).

Die Übertragungsphänomene bei Patienten mit einer Borderline-Persönlichkeitsstruktur erscheinen vielleicht auf den ersten Blick als völlig chaotisch. Nach und nach tauchen jedoch stereotyp immer wieder bestimmte Beziehungsmuster auf, in denen primitive Selbst- und Objektrepräsentanzen mit Konflikten der oben erwähnten Art zum Ausdruck kommen, und diese konstellieren sich nun in der Behandlungssituation überwiegend als negative Übertragungsparadigma. Die für Borderline-Patienten charakteristischen Abwehrmechanismen – Spaltung, projektive Identifizierung, Verleugnung, primitive Idealisierung, Allmachtsphantasien – werden zum Verhikel der Übertragungswiderstände. Die schon erwähnte Tatsache, daß die Verwendung solcher Abwehrmechanismen ihrerseits das Ich schwächt (vgl. Kernberg 1966, auch Kap. 1 dieses Buches), ist meines Erachtens ausschlaggebend für die schon bald einsetzende schwere Regression, die die überstürzte Übertragungsentwicklung noch zusätzlich kompliziert.

Was ist nun unter der sogenannten »Ichschwäche« von Borderline-Patienten zu verstehen? Ein verbreitetes Konzept von Ichschwäche besagt, daß es sich dabei um eine gewisse Brüchigkeit der Verdrängungsschranke des Ichs handele, die dem Ansturm von Es-Impulsen nicht standzuhalten vermag, so daß diese relativ ungehindert »durchbrechen« und das Ich »überfluten« können; mir erscheint dieses Konzept aus mehreren Gründen als unzureichend. Betrachtet man mit Hartmann und Mitarbeitern (1946) sowie Rapaport (1957) das Ich als eine umfassende Struktur, innerhalb deren einzelne Substrukturen spezielle Funktionen determinieren und ihrerseits auch von diesen Funktionen determiniert werden, so impliziert ein solches Ich-Konzept in überzeugender Weise, daß »Ichschwäche« nicht einfach als Fehlen oder Schwäche solcher Strukturen verstanden werden kann, sondern vielmehr als eine Ersetzung von Ich-Strukturen höheren durch solche niederen Niveaus begriffen werden muß. So erkennen wir einen Aspekt der Ichschwäche bei Patienten mit einer Borderline-Persönlichkeitsstruktur an dem »niederen Niveau« der Abwehrorganisation des Ichs, in welcher Spaltungs- und andere ähnliche Mechanismen vorherrschen, im Gegensatz etwa zur Abwehrorganisation des Ichs bei den Neurosen, die auf dem »höheren« Mechanismus der Verdrängung und anderen ihr nahestehenden Abwehrmechanismen aufgebaut ist (Kernberg 1966). Darüber hinaus ist bei diesen Patienten die normalerweise vollzogene Integration jener Strukturen, die aus verinnerlichten Objektbeziehungen hervorgehen (dies betrifft unter anderem ein integriertes Selbstkonzept, realitätsgerechte Objektrepräsentanzen, die Integration von Idealselbst- und Idealobjekt-Repräsentanzen zum Ich-Ideal, die Integration von Überich-Vorläufern mit realistischeren Introjektionen von Elternimagines zum Über-Ich etc.), ebenfalls mißlungen, was sich wiederum hinderlich auf die Identitätsbildung und Individuation sowie auf die Neutralisierung und Abstraktion der Ich- und Überichfunktionen auswirkt. Dies alles läuft auf eine Einschränkung des konfliktfreien Ichfunktionsbereichs hinaus, die klinisch am Vorliegen sogenannter »unspezifischer« Anzeichen von Ichschwäche – insbesondere einer mangelhaften Angsttoleranz, mangelhafter Impulskontrolle und mangelhaft ausgebildeten Sublimierungen – zu erkennen ist.

Hinzu kommt ein weiterer, für die psychotherapeutische Arbeit mit Borderline-Patienten höchst bedeutsamer Aspekt dieser »unspezifischen« Ichschwäche, nämlich die Tatsache, daß Menschen mit solch einer pathologischen Ichstruktur praktisch kaum in der Lage sind, eine probeweise Dissoziation ihres Ichs in einen erlebenden und einen beobachtenden Anteil [die sogenannte »therapeutische Ichspaltung«, Sterba 1934] vorzunehmen und – was damit zusammenhängt – ein therapeutisches Arbeitsbündnis aufzubauen. Die Psychodynamik der Borderline-Persönlichkeitsstruktur ist eben viel komplizierter, als Metaphern wie die von der »Überflutung« des Ichs infolge seiner »zu schwachen Abwehrschranken« vermuten lassen, denn hinter diesen »Schwächen« verbergen sich äußerst starke, rigide, primitive pathologische Ichstrukturen.

Kehren wir noch einmal zum Problem der Übertragungsregression bei diesen Patienten zurück. Sobald erst der therapeutische Prozeß in Gang gekommen ist, erkennt man als den ausschlaggebenden dekompensations-begünstigenden Faktor gerade das gesteigerte Bemühen der Patienten, sich vor dem Auftauchen bedrohlicher primitiver, vor allem negativer Übertragungsreaktionen durch den verstärkten Einsatz gerade solcher Abwehrmechanismen zu schützen, die doch in erster Linie zur Ichschwäche überhaupt erst beigetragen haben. Einer der »Hauptverantwortlichen« in dieser Hinsicht ist wahrscheinlich der Mechanismus der projektiven Identifizierung, wie Melanie Klein (1946) und andere (Heimann 1955 a, Money-Kyrle 1956, Rosenfeld 1963, Segal 1964) sie beschrieben haben. Es handelt sich hierbei um eine primitive Form von Projektion, die hauptsächlich zur Externalisierung aggressiv geladener Selbst- und Objektimagines eingesetzt wird; das Selbst bleibt dabei mit dem realen Objekt, auf das die Projektion erfolgte, in »empathischer« Verbindung und versucht dieses infolge der Projektion so bedrohlich gewordene Objekt unter Kontrolle zu halten (vgl. Kap. 1 und 2).

In der Übertragung manifestiert sich diese Situation typischerweise in Form eines intensiven Mißtrauens gegen den Therapeuten und einer starken Angst vor ihm, weil er vom Patienten als Angreifer erlebt wird, während der Patient selbst diese projizierte intensive Aggression zugleich empathisch mitfühlt und den Therapeuten in sadistischer, unterdrückender Weise unter Kontrolle zu halten versucht. Manchmal ist der Patient sich seiner eigenen Feindseligkeit zumindest teilweise bewußt und meint aber, er wehre sich damit lediglich gegen die Aggression des Therapeuten und sei daher ganz zu Recht wütend und aggressiv. Die Situation ist so, als hinge für den Patienten sein Leben davon ab, ob es ihm gelingt, den Therapeuten in Schach zu halten. Die Aggressivität des Patienten provoziert natürlich auch beim Therapeuten sehr leicht gegenaggressive Gefühle und Einstellungen. Man könnte sagen, der Patient zwinge seinen aggressiven Selbstanteil dem Therapeuten auf, und dessen Gegenübertragung sei als Auftauchen dieses Patientenanteils im Therapeuten zu verstehen (Money-Kyrle 1956, Racker 1957).

Dabei ist zu betonen, daß das, was hier in recht ineffizienter und selbstschädigender Weise projiziert wird, ja nicht bloß »Aggression als solche« ist, sondern vielmehr eine spezifische Selbstrepräsentanz oder Objektrepräsentanz in Verbindung mit diesem aggressiven Triebabkömmling, wobei primitive Selbst- und Objektrepräsentanzen wiederum als Grundelemente in sogenannten primitiven Objektbeziehungen (Kernberg 1966) miteinander verklammert sind. Als besonders charakteristisch für Borderline-Patienten erscheint nun das rasche Oszillieren zwischen Phasen, in denen eine Selbstrepräsentanz projiziert wird, während der Patient selbst mit der dazugehörigen Objektrepräsentanz identifiziert bleibt, und anderen Phasen, wo der Patient gerade die Objektrepräsentanz projiziert und sich selbst mit der dazugehörigen Selbstrepräsentanz identifiziert. Dies kann zum Beispiel so aussehen, daß in einem Moment eine archaische sadistische Mutterimago auf den Therapeuten projiziert wird, während der Patient sich wie ein erschrecktes, bedrohtes, verängstigtes kleines Kind fühlt; wenige Augenblicke später erlebt der Patient sich selbst in der Rolle der strengen, verbietenden, überkritischen (und überaus sadistischen) archaischen Mutter, der gegenüber der Therapeut wie ein schuldiges, abwehrendes, verängstigtes oder auch trotziges kleines Kind erscheint. Solch eine Situation ist zugleich ein Beispiel für die sogenannte »komplementäre Identifizierung« (Racker 1957, vgl. auch Kap. 2).

Das Gefährliche solcher Übertragungsentwicklungen besteht darin, daß infolge der enormen Aggressivität des Patienten eine Übertragungs-Gegenübertragungs-Situation entstehen kann, die in ihrer Realität auf eine tatsächliche Neuauflage der ursprünglich projizierten Interaktion zwischen verinnerlichten Selbst- und Objektimagines hinauszulaufen droht. Auf diese Weise kann ein Circulus vitiosus zustandekommen, indem der Patient ständig seine Aggression auf den Therapeuten projiziert und dann das unter dem Einfluß der projizierten aggressiven Triebanteile entstandene Zerrbild vom Therapeuten reintrojiziert, so daß die pathologische frühe Objektbeziehung perpetuiert wird. Paula Heimann (1955 a) hat im Zusammenhang mit ihrer Erörterung paranoider Abwehrformen solch einen Circulus vitiosus von projektiver Identifizierung und Reintrojektion eines entstellten Bildes vom Therapeuten an Fallbeispielen demonstriert. Strachey (1934) betrachtet ganz allgemein den Vorgang der – normalen oder pathologischen – Introjektion des Analytikers als wesentlichen Anteil der Wirkung von Deutungen überhaupt, besonders im Hinblick auf die Modifizierung des Über-Ichs. Dies wiederum bringt uns auf das Problem, welche Bedeutung sogenannten »mutativen Deutungen« für den Aufbau und die Aufrechterhaltung des therapeutischen Arbeitsbündnisses zukommt.

Im Zusammenhang mit der Ichschwäche von Borderline-Patienten wurde bereits erwähnt, daß bei ihnen so etwas wie ein beobachtender Ichanteil [im Sinne der Selbstreflektion des eigenen Erlebens] weitgehend fehlt. Wir können jetzt ergänzen, daß hierzu natürlich auch das projektiv entstellte Bild vom Therapeuten wesentlich beiträgt, das der Patient sich unter dem Einfluß der negativen Übertragung aufgebaut hat. Mit solch einem Therapeuten ein Arbeitsbündnis einzugehen, käme ja einer Unterwerfung unter den bedrohlichen und mächtigen Feind gleich. Auf diese Weise wird die Fähigkeit zur Aktivierung einer beobachtenden Icheinstellung noch weiter eingeschränkt.

Im Psychotherapie-Forschungsprojekt der Menninger-Stiftung konnten wir in Psychotherapien von Borderline-Patienten wiederholt feststellen, daß man sich als Therapeut große Nachteile einhandelt, wenn man die latente negative Übertragung ganz herauszuhalten und eine therapeutische Beziehung zum Patienten unter Verleugnung dieser negativen Übertragung aufzubauen versucht. Denn unter solchen Voraussetzungen entsteht häufig eine therapeutische [Pseudo-]Beziehung, die durch emotionale Flachheit und eine Scheinunterwerfung des Patienten unter die Forderungen des Therapeuten – oder was er dafür hält – gekennzeichnet ist. Nach einer Behandlungsphase, in der der Therapeut schon glaubte, sein Patient sei jetzt dabei, »eine Identifizierung mit ihm aufzubauen« und bestimmte »Werthaltungen des Therapeuten zu introjizieren« – während der Patient in Wirklichkeit emotional distanziert geblieben war –, kam es dann plötzlich zu schwerem Agieren oder gar zum Abbruch der Behandlung. Aus solchen Erfahrungen ergibt sich die Konsequenz, daß die systematische Bearbeitung und Auflösung der manifesten und latenten negativen Übertragung eine wesentliche, ja unerläßliche Voraussetzung ist, um die Basis für den beobachtenden Ichanteil zu verbreitern und das therapeutische Arbeitsbündnis zu festigen.

Durch eine allmähliche Erweiterung des konfliktfreien Ichbereichs im Verein mit der Stärkung des beobachtenden Ichanteils werden im Verlaufe der Therapie allmählich günstigere Voraussetzungen geschaffen, um den Circulus vitiosus von Projektion und Reintrojektion sadistischer Selbst- und Objektrepräsentanzen in der Übertragung zu durchbrechen. Strachey (1934) hat bei der Erörterung »mutativer Deutungen« zwei Wirkungsphasen solcher Deutungen unterschieden: Die erste Phase besteht in einer qualitativen Modifikation des Über-Ichs beim Patienten; die zweite zeigt sich darin, daß der Patient nun seine Triebimpulse freier äußern kann, was wiederum dem Analytiker ermöglicht, dem Patienten die Diskrepanz zwischen seiner subjektiven Sicht, aus der heraus er den Analytiker mit Zügen eines archaischen Phantasieobjekts ausstattet, und der objektiven Realität des Analytikers als äußerem Objekt aufzuzeigen. Strachey meint also, daß der Patient sich erst einmal gestatten muß, seine Aggression offener zu äußern, indem seine Überich-Zwänge sich lockern; erst dann kann er auch die Übertriebenheit und Unangemessenheit seiner Aggression gegen das äußere Objekt einsehen und deren Ursprung erkennen, wodurch sich allmählich das Bedürfnis verringert, diese Aggression immer wieder auf den Analytiker zu projizieren. Ich möchte hier noch etwas hinzufügen, nämlich daß es sowohl in der Phase der Überich-Modifizierung als auch in der Phase der Differenzierung zwischen dem Phantasieobjekt des Patienten und dem Analytiker als anderem realem Objekt darauf ankommt, daß ein beobachtender Ichanteil vorhanden ist. Die Stärkung dieses beobachtenden Ichanteils und die Deutungsarbeit an den projektiv-introjektiven Zyklen fördern sich also wechselseitig.

Über die Diskussion der projektiven Identifizierung kamen wir darauf zu sprechen, wie die Intensität der Projektion und Reintrojektion aggressiver Triebanteile in der Übertragung die beobachtenden Ichfunktionen beeinträchtigt und diese Störung wiederum die Übertragungsregression begünstigt. Projektive Identifizierungsvorgänge fördern aber auch durch eine andere, noch wichtigere Besonderheit die Übertragungsregression, nämlich durch den raschen oszillierenden Wechsel zwischen der Projektion von Selbst- und von Objektrepräsentanzen, der die Stabilität der Ichgrenzen des Patienten in der Interaktion mit dem Therapeuten unterminiert.

Ich bin an anderer Stelle (Kernberg 1966, auch in Kap. 1 dieses Buches) bereits auf die Differenzierung zwischen Selbst- und Objektrepräsentanzen als Anteilen früher Introjektionen und Identifikationen eingegangen und habe in diesem Zusammenhang auch die strukturierende Funktion dieser Differenzierung von Ichgrenzen hervorgehoben. Bei Psychotikern hat die Differenzierung zwischen Selbst- und Objektrepräsentanzen nicht in ausreichendem Maße stattgefunden, so daß hier Ichgrenzen weitgehend fehlen. Bei Patienten mit einer Borderline-Persönlichkeitsstruktur hingegen ist diese Differenzierung weit genug fortgeschritten; die Ichgrenzen sind daher stabiler. Borderline-Patienten sind also in der Lage, zwischen ihrem Selbst und äußeren Objekten sowie zwischen subjektivem Erleben und objektiver Wahrnehmung klar zu unterscheiden, und auch die

Realitätsprüfung ist bei ihnen weitgehend erhalten. Gerade diese Fähigkeit geht aber im Zuge der Übertragungsregression verloren.

Denn die rasch alternierende Projektion von Selbst- und Objektanteilen früher pathologischer verinnerlichter Objektbeziehungen bewirkt eine Konfusion zwischen »Innen« und »Außen« in der Weise wie der Patient seine Interaktionen mit dem Therapeuten erlebt. Der Patient scheint zwar immer zu wissen, daß er ein anderer ist als der Therapeut, aber zugleich erlebt er es so als tauschten er und der Therapeut immer wieder ihre Person gegeneinander aus. Dies ist eine sehr erschreckende Erfahrung, die einem Zusammenbruch der Ichgrenzen entspricht, bei dem auch die Realitätsprüfung in der Übertragung verloren geht. Gerade dieser Verlust der Realitätsprüfung in der Übertragungssituation beeinträchtigt ganz erheblich die Fähigkeit des Patienten zur Unterscheidung zwischen Phantasie und Realität, zwischen Vergangenheit und Gegenwart in der Übertragung, zwischen projizierten Übertragungsobjekten und dem Therapeuten als realer Person. Unter solchen Umständen ist die Wirksamkeit mutativer Deutungen ernstlich in Frage gestellt. Klinisch erkennt man das daran, daß der Patient etwas erlebt, was er etwa folgendermaßen ausdrückt: »Ja, Sie haben schon recht, wenn Sie meinen, daß ich Sie genauso erlebe wie meine Mutter, aber das liegt daran, daß Sie für mich wirklich meine Mutter sind.« Hier ist der Punkt erreicht, wo wir – wie bereits oben geschehen – von einer Übertragungspsychose sprechen können.

In solch einem Moment wird der Therapeut mit dem Übertragungsobjekt praktisch identisch, und der Verlust der Realitätsprüfung manifestiert sich in Wahnbildungen; sogar Halluzinationen können als weitere Übertragungskomplikation auftreten. Der Therapeut wird manchmal mit einer elterlichen Imago total identifiziert – so war zum Beispiel eine Patientin davon überzeugt, daß der Therapeut zu ihrem Vater geworden war und sie vergewaltigen wollte. Ein andermal wird der Therapeut mit einem abgespaltenen und projizierten Selbstanteil identifiziert – so zum Beispiel bei einem Patienten, der die Überzeugung entwickelte, der Analytiker habe ein Verhältnis mit seiner (des Patienten) Mutter und drohe ihn umzubringen.

Der Begriff »Übertragungspsychose« sollte ausschließlich in solchen Fällen angewendet werden, wo es sich um einen Verlust der Realitätsprüfung mit Auftauchen von Wahnideen in der Übertragung, aber ohne wesentliche Beeinträchtigung der psychischen Funktionen außerhalb der Behandlungssituation, handelt. Es gibt auch Patienten, die während der Behandlung in einer Form psychotisch dekompensieren, die nicht mehr von sonstigen psychotischen Episoden zu unterscheiden ist, wobei dann auch die Störung sich in allen Lebensbereichen des Patienten, nicht nur in den Behandlungsstunden manifestiert. In solchen Fällen hat möglicherweise die Regression in der Übertragung zur Dekompensation beigetragen, aber ob die Bezeichnung »Übertragungspsychose« hier immer noch angebracht ist, erscheint mir doch fraglich. Bei Patienten mit einer typischen Übertragungspsychose dagegen tauchen Wahnideen und psychotische Verhaltensweisen nur während der Behandlungsstunden auf, und zwar über Tage und Monate hinweg, ohne daß die Patienten außerhalb der Therapie psychotisch erscheinen. Mitunter kann auch in solchen Fällen eine stationäre Krankenhausaufnahme erforderlich werden, und manchmal ist die Abgrenzung zwischen einer auf die Übertragung beschränkten psychotischen Reaktion und einer generalisierten psychotischen Episode außerordentlich schwierig. Dennoch läßt sich diese Differentialdiagnose bei vielen Borderline-Patienten leicht entscheiden, und die Erfahrung zeigt auch, daß die Übertragungspsychose oft innerhalb der Behandlung mit psychotherapeutischen Mitteln wieder aufgelöst werden kann (Holzman und Ekstein 1959, Little 1958, Reider 1957, Romm 1957, Wallerstein 1967). Dabei kommt vor allem der Beherrschung des Übertragungsagierens in der therapeutischen Beziehung eine zentral wichtige Rolle zu.

Unter dem Begriff des Übertragungsagierens in der therapeutischen Beziehung verstehe ich das Ausagieren der Übertragung in den Sitzungen, also innerhalb der Behandlungssituation. Unter dem Einfluß der Übertragung zeigt wohl jeder Patient eine mehr oder weniger starke Tendenz, mit dem Therapeuten im Sinne der Übertragungseinstellungen konkret handelnd umzugehen, statt die betreffenden Gefühle, die er ihm gegenüber empfindet, zu reflektieren. Dies ist zum Beispiel der Fall, wenn ein Patient heftige Wutgefühle in der Behandlung nicht nur verbal äußert und über die Gründe und Zusammenhänge seiner Wut reflektiert, sondern statt dessen den Therapeuten anschreit und beleidigt, also seine Emotionen in direkte Handlungen umsetzt, statt sie zu verbalisieren, und das eventuell über Wochen und Monate hinweg. Das gibt es natürlich keineswegs nur bei Borderline-Patienten, aber in Analysen von Neurotikern kommt ein derartiges Agieren normalerweise nur in Phasen schwerer

Regression und nach monatelanger Anstauung solcher Affekte vor und läßt sich dann gewöhnlich allein mit den Mitteln der Deutungstechnik auflösen. Bei Patienten mit einer Borderline-Persönlichkeitsstruktur ist das anders: Hier kommt es anscheinend häufiger vor, daß alle Versuche des Therapeuten, das Agieren in der therapeutischen Beziehung allein mit deutungstechnischen Mitteln anzugehen, fehlschlagen, zumal wenn das Agieren mit einer Übertragungspsychose zusammenhängt. Zum Teil liegt das am Fehlen eines beobachtenden Ichanteils infolge der schon erwähnten projektiv-introjektiven Kreisprozesse und dem damit verbundenen Verlust der Ichgrenzen und der Realitätsprüfung. Es gibt aber noch einen wichtigeren Grund, warum dieses penetrante Übertragungsagieren so außerordentlich resistent gegen Deutungen ist: weil es gleichzeitig die Triebbedürfnisse dieser Patienten befriedigt, und zwar vor allem diejenigen, die mit den intensiven präödipalen aggressiven Triebanteilen zusammenhängen, wie sie für Borderline-Patienten ja so charakteristisch sind. Genau dieses Stück Triebbefriedigung macht den hauptsächlichen Übertragungswiderstand aus. Zwei klinische Beispiele sollen diesen Punkt veranschaulichen.

Eine stationär behandelte Borderline-Patientin pflegte ihren Stationsarzt während der ersten halbstündigen Sitzungen, die sie mit ihm hatte, regelrecht anzuschreien, und zwar so laut, daß man sie in allen Räumen des Gebäudes hören konnte. Nachdem sie dieses Verhalten etwa zwei Wochen lang so fortgesetzt hatte und ihr Therapeut sich außerstande sah, daran mit psychotherapeutischen Mitteln auch nur das mindeste zu ändern, sah er sie eines Tages zufällig kurz nachdem sie sein Behandlungszimmer verlassen hatte. Er selbst war innerlich noch ganz aufgewühlt; um so mehr erstaunte es ihn, daß seine Patientin einen völlig entspannten Eindruck machte, während sie freundlich lächelnd mit einigen Mitpatienten sprach, mit denen sie näher bekannt geworden war. Vor ihrer stationären Aufnahme hatte die Patientin sich bereits in jahrelangen heftigen Auseinandersetzungen mit ihren Eltern zerstritten. In der Klinik konzentrierten sich diese ganzen Streitereien nun auf ihren behandelnden Arzt, während sie mit dem übrigen Klinikpersonal zum Erstaunen aller ganz entspannt und freundlich umging. Es wurde allmählich immer deutlicher, daß die Wutausbrüche gegen ihren Therapeuten für sie eine aggressive Triebbefriedigung bedeuteten, die alles, was ihr diesbezüglich vor der Klinikaufnahme zu Gebote stand, bei weitem übertraf, und daß diese Triebbefriedigung als solche mittlerweile die Funktion des hauptsächlichen Übertragungswiderstandes angenommen hatte. Nachdem der Therapeut ihr dies begreiflich gemacht hatte und gleichzeitig ihr Schreien und ihre Verbalinsulte während der Sitzungen durch Setzung fester Grenzen auf ein erträgliches Ausmaß eingeschränkt worden waren, nahm die Angst der Patientin außerhalb der Behandlungsstunden erheblich zu, ihre Konfliktkonstellationen zeigten sich nun auch deutlicher im gesamten Klinikmilieu, und innerhalb der Übertragung kam es zu Einstellungsänderungen, an denen man erkennen konnte, daß in der Therapie etwas in Bewegung geraten war.

Ein anderer Patient, der im Rahmen einer aufdeckenden Psychotherapie ambulant behandelt wurde, verlangte immer wieder in einer außerordentlich wütenden und trotzig fordernden Art nach einer Erhöhung der Stundenfrequenz. Eine gewisse Zeitlang wurde diese Aggression in seiner Forderung in dem Sinne gedeutet, daß er offenbar Schuldgefühle wegen seiner so gierigen Ansprüche empfinde, die er aber so schwer ertragen könne und daher auf den Therapeuten projiziere, so daß er nun meine, dieser hasse und verachte ihn. Eine weitere Deutung zielte darauf ab, daß er den Therapeuten wohl deshalb öfter sehen wolle, weil er sich seiner Zuwendung und seines Interesses versichern müsse, um so sein Mißtrauen und seinen Verdacht, der Therapeut hasse ihn, zu beschwichtigen. Der Patient schien dies alles zu verstehen, vermochte aber darum sein Verhalten noch immer nicht zu ändern. Endlich kam der Therapeut zu der Einsicht, daß der Patient in diesen Wutausbrüchen unmittelbar seine orale Aggression befriedigen konnte und daß eine solche Entwicklung der Therapie auf eine Übertragungsfixierung hinauszulaufen drohte. Er teilte daher dem Patienten seinen Entschluß mit, die Stundenfrequenz nicht zu erhöhen, und setzte gleichzeitig als Bedingung für die Fortsetzung der Behandlung fest, daß der Patient in bezug auf die Form und Angemessenheit des Ausdrucks seiner Gefühle in den Sitzungen ein Minimum an Selbstbeherrschung aufbringen müsse. Von dem Moment an, als diese Modifikation der Technik eingeführt worden war, trat bereits binnen weniger Tage eine merkliche Veränderung ein: Der Patient wurde nachdenklicher und vermochte schließlich sogar zuzugeben, daß er ein beträchtliches Maß an Befriedigung daraus gezogen hatte, seine heftige Wut auf den Therapeuten derart offen an ihm auslassen zu dürfen.

Das Ausagieren der Übertragung in der Beziehung zum Therapeuten wird bei diesen Patienten leicht zum Hauptwiderstand gegen jede weitere Veränderung; man muß deshalb in solchen Fällen bestimmte technische Parameter zur Eingrenzung dieses Agierens in das Behandlungssetting einführen. Bei solchen Maßnahmen besteht allerdings die Gefahr, daß der Therapeut seinerseits in den Circulus vitiosus von Projektion und Reintrojektion sadistischer Selbst- und Objektrepräsentanzen des Patienten hineingerät, wenn er vom Patienten als autoritär verbietend und sadistisch erlebt wird. Dieser Gefahr läßt sich begegnen, indem man zunächst die Übertragungssituation deutet, sodann die strukturierenden technischen Parameter (soweit erforderlich) einführt und schließlich erneut die sich daraus ergebende Übertragungssituation interpretiert, aber ohne dabei die betreffenden Parameter aufzugeben. Einige Gesichtspunkte einer solchen Technik sind in etwas anderem Zusammenhang von Ella Sharpe (1931) dargestellt worden, die an Hand von Fallbeispielen den Umgang mit akuten Angstanfällen geschildert hat.

In vielen Fällen genügt die konsequente Blockierung des Übertragungsagierens in der therapeutischen Beziehung bereits, um die Übertragungspsychose so weit zu dämpfen und einzugrenzen, daß sie sich allein durch weitere Deutungsarbeit auflösen läßt. Die bloße Tatsache, daß da ein Therapeut ist, der einen festen Standpunkt bezieht und innerhalb der Behandlungssituation eine Struktur schafft, die er nicht aufgeben wird, erleichtert es bereits dem Patienten, zwischen sich und dem Therapeuten klarer zu unterscheiden und damit die Konfusion rückgängig zu machen, die durch den fortwährenden »Austausch« von projizierten Selbst- und Objektrepräsentanzen entstanden war. Solch eine Strukturierung bietet den weiteren Vorteil, daß sie auch den Therapeuten selbst vor dem Ausagieren seiner Gegenübertragung bewahrt, insbesondere jener überaus schädlichen chronischen Gegenübertragungsreaktionen, wie sie bei der intensiven Psychotherapie von Borderline-Patienten leicht aufkommen können (Sutherland, pers. Mittlg.).

Chronische Gegenübertragungs-Fixierungen entstehen hauptsächlich dann, wenn es dem Patienten gelingt, in seiner Beziehung zum Therapeuten dessen stabile und reife Ich-Identität zu zerstören (vgl. Kap. 2). Analytiker, die mit Borderline-Patienten arbeiten, müssen, um emotional im Kontakt mit dem Patienten zu bleiben, auch selbst eine Regression durchmachen und aushalten können, die gelegentlich in ihnen Relikte früher konflikthafter Objektbeziehungen wieder aufleben läßt. So tauchen beim Analytiker unter anderem aggressive Impulse auf, die er beherrschen und zum besseren Verständnis seines Patienten nutzen muß. Dieses Arbeiten mit der Gegenübertragung und das ständige Bemühen um die Aufrechterhaltung einer toleranten und neutralen Einstellung gegenüber dem Patienten, um mit ihm emotional in Fühlung zu bleiben, bedeuten für den Analytiker einen enormen Streß. Hinzu kommt, daß die Aggressivität von Patienten in tiefer Übertragungsregression unentwegt die Selbstachtung und das Selbstverständnis des Analytikers gegenüber diesem betreffenden Patienten, damit aber auch die integrierende Ichfunktion seiner analytischen Identität zu untergraben droht. Der Analytiker muß in solchen Behandlungen also manchmal gleichzeitig an verschiedenen Fronten kämpfen: gegen das Andrängen primitiver Impulse in sich selbst, sodann gegen die Tendenz, im Bemühen um die Beherrschung solcher Impulse zugleich auch den Patienten beherrschen zu wollen, und schließlich gegen die Versuchung, sich dem Patienten, der ihn seinerseits zu kontrollieren und zu beherrschen versucht, masochistisch zu unterwerfen (Money-Kyrle 1956). Unter solchen Umständen kann es zu einer Wiederbelebung pathologischer, früher schon überwundener Abwehrformen und vor allem neurotischer Charakterzüge des Analytikers kommen, so daß mitunter eine Situation entsteht, in der Analytiker und Patient in ihren Persönlichkeitsstrukturen genau »zusammenzupassen« scheinen und gemeinsam in einer stabilen unauflöslichen Übertragungs-Gegenübertragungs-Bindung verstrickt sind. Die Einführung strukturierender Parameter bzw. Modifikationen der Technik ist deshalb in solchen Fällen von fundamentaler Bedeutung als technische Schutzvorkehrung, die bei Borderline-Patienten oft über einen großen Teil der Psychotherapie hin aufrechterhalten werden muß.

Die Frage der Indikation zur stationären Klinikaufnahme – um solch einen strukturierenden Rahmen zu schaffen, wenn dies auf keine andere Weise erreicht werden kann – wird im 6. Kapitel eingehend besprochen. Ich möchte an dieser Stelle nur hervorheben, daß bei manchen Patienten eine stationäre Aufnahme unumgänglich ist, um von außen her eine Struktur schaffen und aufrechterhalten zu können, mit deren Hilfe das Übertragungsagieren wirksam unter Kontrolle gebracht werden kann.

Handelt es sich nun bei der Übertragungspsychose auch um eine Neuauflage früherer unbewußter pathogener Objektbeziehungen, die uns insofern also auch nähere Aufschlüsse über die Konflikte des Patienten vermitteln könnte? Mitunter fällt es allerdings schwer, in der Vorgeschichte des Patients Hinweise auf real vorgefallene Interaktionsszenen mit den Eltern aufzufinden, die die gleiche Gewaltsamkeit und Primitivität aufwiesen wie die aktuelle Übertragung auf dem Niveau einer regressiven Übertragungspsychose. Ein andermal wiederum gewinnt man durchaus den Eindruck, daß die Übertragung tatsächlich vorgefallene, äußerst traumatische Erlebnisse widerspiegelt, denen diese Patienten in ihrer frühen Kindheit ausgesetzt waren (J. Frosch, pers. Mittlg.; Holzman und Ekstein 1959). Wahrscheinlich beruht die Übertragung bei allen diesen Patienten großenteils auf den verzerrten Phantasien, die im Zusammenhang mit frühen pathogenen Objektbeziehungen entstanden sind, zum Teil aber auch auf diesen Beziehungen selbst in ihrer Realität und auf den pathologischen Abwehrformen, zu denen der Patient als kleines Kind seine Zuflucht genommen hatte, um sich aus diesen traumatischen Beziehungen zu retten. Die Übertragungspsychose wäre somit ein verdichtetes Mischgebilde aus Realerlebnissen, groben Phantasieausgestaltungen solcher Erlebnisse und Abwehranstrengungen, die darauf abzielen, durch Entstellung oder Abwendung mit solchen Erlebnissen und Phantasien fertig zu werden (Melanie Klein 1952). Damit kommen wir auf die technischen Probleme des Umgangs mit den für Borderline-Patienten charakteristischen pathologischen Abwehrmechanismen, die weiter oben schon erwähnt worden sind. Ist unsere Deutungsarbeit darauf ausgerichtet, solche pathologischen Abwehrformen immer wieder aufzulösen, sobald sie in der Übertragung auftauchen, so trägt sie ebenfalls ihr Teil zur Aufhebung der Übertragungspsychose und zur Ichstärkung bei.

Das Übertragungsagieren in der therapeutischen Beziehung erscheint als eine derart bedeutungsträchtige Neuauflage früherer Konflikte, Phantasien, Abwehrvorgänge und verinnerlichter Objektbeziehungen, daß der Therapeut nur allzu leicht versucht ist, dieses ständig wiederholte Agieren als Anzeichen für ein echtes Durcharbeiten dieser Konflikte zu nehmen. Der hier zum Ausdruck kommende Wiederholungszwang hat aber mit Durcharbeiten gar nichts zu tun, solange die Patienten die Übertragungsbeziehung zur Befriedigung ihrer pathologischen, insbesondere ihrer aggressiven Triebbedürfnisse mißbrauchen. Manche Patienten beziehen ja aus der Übertragungsbeziehung zum Therapeuten mehr pathologische Triebbefriedigung, als sämtliche außertherapeutischen Interaktionen ihnen je bieten könnten. Dieses regressive Agieren durchkreuzt immer wieder die Bemühungen des Therapeuten, ein Klima der »Abstinenz« aufrechtzuerhalten. Das andere Extrem, nämlich die Aufstellung eines derart rigiden und kontrollierten Behandlungsrahmens, daß dadurch die Entwicklung der Übertragung völlig unterbunden wird und insbesondere die negative Übertragung ganz latent bleibt, bringt gleichermaßen den therapeutischen Prozeß zum Stocken, wie sich erwiesen hat, und wirkt sich daher im Endeffekt genauso negativ aus wie ein hemmungsloses Übertragungsagieren. »Rein stützende« Behandlungen, in denen jegliche Bearbeitung der Übertragung sorgsam vermieden wird, führen oft zu einer chronischen emotionalen Flachheit der therapeutischen Beziehung mit gleichzeitig heftigem Agieren außerhalb der Therapiestunden, das aber von der Übertragung zum Therapeuten rigide abgespalten bleibt, sowie zu einer Scheinanpassung an den Therapeuten, wodurch trotz jahrelanger Behandlung keine wirkliche Veränderung erreicht wird. Es gibt allerdings Patienten, die trotz aller therapeutischen Bemühungen nicht imstande sind, eine Übertragungsregression, ja überhaupt die Entstehung irgendeiner bedeutungsvollen Beziehung zu ertragen, ohne sie sogleich wieder abzubrechen; dennoch sind die Chancen für eine Psychotherapie insgesamt wesentlich besser, wenn der Therapeut gegen die emotionale Flachheit anzugehen und den Patienten zu einem echten emotionalen Engagement in der Therapie zu bringen versucht. Gewiß kostet das viel Mühe, und auch die Gefahr einer überschießenden Übertragungsregression ist nicht zu vermeiden; dennoch sollte es mit Hilfe einer sorgfältigen und konsequenten Strukturierung der therapeutischen Beziehung in den meisten Fällen möglich sein, die Entwicklung unlösbarer Übertragungs-Gegenübertragungs-Verstrickungen zu verhüten.

Inwieweit soll der Therapeut dem Patienten gegenüber als »reale Person« in Erscheinung treten? Verschiedene Autoren halten es ja für besonders wichtig, daß der Therapeut als »reale Person« erscheint und sich dem Patienten als Objekt zur Identifizierung und zur Introjektion ins Über-Ich zur Verfügung stellt. Gill (1954) dagegen hat einmal gesagt, daß »wir noch immer zu wenig vom nicht-direktiven Geist unserer Analysen auch in unsere Psychotherapien übernehmen«. Versteht man unter »realer Person« die direkten und offenen Interventionen des Therapeuten, sein Bemühen um Strukturierung und Grenzensetzung sowie seine aktive Weigerung, sich in regressive Gegenübertragungs-Fixierungen hineinzwingen zu lassen, dann sollte der Therapeut in der Tat eine reale Person sein. Ist jedoch mit »realer Person« gemeint, daß der Therapeut auf die regressiven Übertragungsangebote von Borderline-Patienten und auf ihre maßlosen Ansprüche auf Liebe, Beachtung, Schutz und Sonderzuwendungen eingehen und ihnen mehr »geben« soll, als mit einer objektiven, professionellen Psychotherapeut-Patient-Beziehung vereinbar ist, so erheben sich doch schwerwiegende Bedenken gegen den Therapeuten als »reale Person«. Man hat von den übermäßigen »Abhängigkeitsbedürfnissen« dieser Patienten gesprochen; in Wirklichkeit spiegelt sich darin gerade ihre Unfähigkeit wider, sich in eine echte Abhängigkeitsbeziehung zu irgendeinem anderen Menschen zu begeben, weil dazu ihr Mißtrauen und ihr Haß gegen sich selbst und gegen die in der Übertragung wiederbelebten frühen verinnerlichten Objektimagines viel zu stark sind. Indem man die negative Übertragung durcharbeitet, die Patienten mit ihrem Mißtrauen und Haß konfrontiert und ihnen aufzeigt, wie sie sich mit diesen Gefühlseinstellungen immer wieder jede Möglichkeit zerstören, von dem, was der Psychotherapeut ihnen realistischerweise geben kann, im Sinne einer vertrauensvollen Abhängigkeit zu profitieren, geht man auf ihre wirklichen Bedürfnisse besser ein. Klinische Erfahrungen haben zur Genüge erwiesen, daß es sehr wenig oder überhaupt nichts nützt, wenn der Psychotherapeut als ein besonderer Mensch hervortritt und dem Patienten Zugang zu seinem Leben, seinen Wertvorstellungen, Interessen und Gefühlen gewährt.

Zu meinen, der Patient sei imstande, sich mit dem Therapeuten positiv zu identifizieren, während zugleich tiefsitzende latente negative Übertragungseinstellungen gegen ihn bestehen oder außerhalb der Therapie ausagiert werden, erscheint mir überhaupt als eine höchst fragwürdige Annahme. Die Entwicklung einer beobachtenden Icheinstellung [der Selbstreflexion] wird nicht gefördert, indem der Therapeut dem Patienten seine bedingungslose Freundschaft anbietet, sondern ist das Ergebnis mühevoller therapeutischer Arbeit an den pathologischen Kreisprozessen von Projektion und Introjektion, an übertragungsbedingten Verzerrungen und agierenden Verhaltensweisen und am beobachtenden Ichanteil selbst. In diesem Zusammenhang dürfte eine Beobachtung, die Ekstein und Wallerstein (1956) an Kindern mit Borderline-Störungen machten, analog auch für Erwachsene gelten:

Die Aufrechterhaltung der therapeutischen Beziehung, die oft nur dadurch ermöglicht wird, daß man aus der Regression heraus deutet, schafft somit die Voraussetzungen für eine neue Entwicklung echter Identifizierungen – was mehr ist als die bloße Überlagerung der Pathologie durch eine imitative Fassade ...

Die systematische Beachtung und Analyse der manifesten und latenten negativen Übertragung ist ein wesentliches Erfordernis, um den Circulus vitiosus von Projektion und Reintrojektion pathologischer früher Selbst- und Objektrepräsentanzen aufzulösen. Sie stellt, neben der Unterbindung des Übertragungsagierens und der gezielten Arbeit am beobachtenden Ichanteil, überhaupt eine der Grundvoraussetzungen für jegliche Veränderung und positive Weiterentwicklung in der Therapie dar. Hinzuzufügen wäre noch, daß man sich bei der Deutung der negativen Übertragung auf die Ebene des »Hier und Jetzt« beschränken und nur ausnahmsweise auf deren genetische Wurzeln, die ursprünglichen unbewußten Konflikte aus der Vergangenheit, Bezug nehmen soll. Statt dessen ist die Beobachtung und Deutung der negativen Übertragung eher in einer anderen Richtung zu ergänzen, nämlich durch eine systematische Untersuchung und Analyse solcher negativer Übertragungsäußerungen außerhalb der Therapie, also in allen sonstigen Beziehungen und Lebensbereichen des Patienten.
Der Grund für diese Empfehlung liegt darin, daß es für einen Borderline-Patienten infolge des regressiven Charakters seiner Übertragung ohnehin schon schwer genug ist, zwischen dem Therapeuten als realer Person und den projizierten Übertragungsobjekten zu differenzieren, so daß genetische Rekonstruktionen durch eine Bahnung weiterer Regressionswege unter Umständen die Realitätsprüfung des Patienten noch weiter beeinträchtigen. Dies bedeutet aber keineswegs, daß man die Vergangenheit des Patienten überhaupt ganz heraushalten soll; sie kann durchaus in Übertragungsdeutungen mit einbezogen werden, soweit es sich bei diesem Stück Lebensgeschichte um eine bewußte Erinnerung, keine genetische Rekonstruktion handelt und soweit darin realistische Aspekte und allenfalls vorbewußte Phantasieentstellungen der Vergangenheit zum Ausdruck kommen. Manchmal kann ein Hinweis auf eine frühere Erfahrung des Patien-

ten und deren Verknüpfung mit irgendeinem Wesenszug, den er jetzt fälschlich an seinem Therapeuten wahrzunehmen meint, die Unterscheidung zwischen Übertragung und Realität erleichtern. Die sekundäre »Ablenkung« der negativen Übertragung, indem deren Interpretation über den engeren Bereich der therapeutischen Beziehung hinaus auch auf andere Beziehungen des Patienten außerhalb der Therapie und in seiner bewußt erinnerten Vergangenheit erweitert wird, fördert die Realitätsprüfung des Patienten und bietet ihm im Rahmen einer wesentlich aufdeckenden Psychotherapie doch auch ein beträchtliches Maß an Stützung.

Die Frage der »Einsicht« bei Borderline-Patienten verdient eine gesonderte Diskussion. Was bei manchen Patienten auf den ersten Blick als erstaunliche Einsicht in tiefe Schichten ihres Seelenlebens und der unbewußten Dynamik imponiert, erweist sich leider nur zu oft als Ausdruck einer allzu großen Offenheit für primärprozeßhafte Funktionsweisen im Zuge der allgemeinen Regression von Ichstrukturen. Einsichten, die mühelos zustandekommen, die mit keinerlei Veränderungen der intrapsychischen Verhältnisse einhergehen und die vor allem nicht mit einer gewissen Betroffenheit des Patienten über das Pathologische an seinem Verhalten oder Erleben verbunden sind, erscheinen uns als Einsicht fragwürdig. Aufgrund unserer Erfahrungen im Psychotherapie-Forschungsprojekt der Menninger-Stiftung halte ich es für gerechtfertigt, den Begriff »Einsicht« enger zu fassen, insbesondere im Hinblick auf Borderline-Patienten. »Echte« Einsicht wäre demnach ein zugleich intellektuelles und emotionales Verständnis für die tieferen Quellen des eigenen Erlebens, verbunden mit einer Betroffenheit über das Pathologische daran und mit dem Bedürfnis, daran etwas zu ändern.

Auch auf die Unterscheidung von »positiver« und »negativer« Übertragung muß ich noch näher eingehen. Übertragungsphänomene als entweder positiv oder negativ zu klassifizieren bedeutet sicherlich eine recht grobe Vereinfachung. Denn die Übertragung ist gewöhnlich ambivalent und hat viele Facetten, so daß oft schwer zu entscheiden ist, was daran positiv und was negativ, was libidinöser und was aggressiver Herkunft ist. Patienten mit einer Borderline-Persönlichkeitsstruktur neigen nun in besonderem Maße dazu, positive und negative Übertragungsanteile voneinander zu dissoziieren, so daß bei ihnen häufig eine scheinbar »rein« positive oder »rein« negative Übertragung entsteht. Therapeutisch ist wichtig, diese künstliche

Trennung aufzuheben, die ja auch nur wieder ein Beispiel für die Auswirkung des Spaltungsmechanismus bei diesen Patienten ist. Es wäre sicherlich ein Mißverständnis, wollte man in meiner Betonung des konsequenten Durcharbeitens der negativen Übertragung zugleich eine Vernachlässigung der positiven Übertragungsanteile impliziert sehen. Ich halte im Gegenteil die Betonung der positiven Übertragung für genauso wesentlich wie die der negativen. Um die Verzerrungen der Selbst- und Objektrepräsentanzen unter dem Einfluß aggressiver Triebanteile zu verringern und damit auch die Angst des Patienten vor seiner vermeintlich so absoluten Schlechtigkeit zu vermindern, muß man gerade im Zusammenhang mit der Untersuchung der negativen Übertragung immer wieder auch die positiven Übertragungsaspekte aufzeigen. Dabei ist auch noch wichtig, daß man sich bei Borderline-Patienten immer auf das »Hier und Jetzt« der Übertragung in ihren positiven wie negativen Anteilen beziehen sollte, ohne den genetischen Hintergrund ihrer aggressiven und libidinösen Triebabkömmlinge deuten zu wollen (G. Ticho, pers. Mittlg.). Im übrigen kann ein Gutteil des positiven Übertragungspotentials, über das der Patient verfügt, in gemäßigter Form ohne weiteres bestehen bleiben, da es eine zusätzliche Grundlage für den Aufbau des therapeutischen Arbeitsbündnisses und auf die Dauer gesehen auch für die Stärkung des beobachtenden Ichanteils [der Selbstreflektion des Patienten] bildet (Strachey 1934).

4. Zur psychotherapeutischen Bearbeitung spezieller Abwehrvorgänge

Ich habe bereits an früherer Stelle (Kernberg 1966 sowie in Kap. 1) über den Mechanismus der Spaltung und andere, ihr nahestehende Abwehrformen (primitive Idealisierung, projektive Identifizierung, Verleugnung, Allmachtsphantasien) gesprochen, die insgesamt für Borderline-Patienten charakteristisch sind. Im jetzigen Zusammenhang möchte ich mich deshalb darauf beschränken, diese Abwehrvorgänge vom klinischen Erscheinungsbild her zu beschreiben und einige allgemeine Richtlinien für den psychotherapeutischen Umgang mit ihnen vorzuschlagen.

a) Spaltung

Ich möchte gleich noch einmal betonen, daß ich den Ausdruck »Spaltung« hier in einem ganz eng umschriebenen Sinne gebrauche, nämlich als Bezeichnung für einen Vorgang, der Introjektionen und Identifizierungen gegensätzlicher Art aktiv voneinander getrennt hält; diese enggefaßte Definition muß von der umfassenderen Bedeutung, die der Begriff bei manchen anderen Autoren hat, unterschieden werden. Das klinische Erscheinungsbild des Spaltungsmechanismus läßt sich am besten an einem Fallbeispiel verdeutlichen.

Es handelt sich bei dieser Patientin um eine alleinstehende Frau von Ende dreißig, die sich wegen Alkoholismus und Tablettensucht in stationärer Behandlung befand. Nach einer anfänglichen Phase von trotziger Auflehnung gewann man den Eindruck, daß sie in der Klinik beachtliche stetige Fortschritte machte. Ihre Psychotherapie begann schon einige Monate vor ihrer Entlassung aus der Klinik und wurde anschließend ambulant weiter fortgesetzt. Im Gegensatz zu ihrem früheren recht chaotischen persönlichen und beruflichen Leben kam sie jetzt mit ihrer Arbeit und ihren sozialen Beziehungen außerhalb der Klinik anscheinend gut zurecht, aber es fiel auf, daß sie mehrmals Beziehungen von jeweils einigen Monaten Dauer zu Männern aufnahm, die sie offensichtlich ausnutzten und denen gegenüber sie eine ganz masochistische Einstellung zeigte. Die Beziehung zu ihrem Psychotherapeuten war dagegen emotional flach, die Patientin gab sich konventionell freundlich. Sie klagte über ein allgemeines Gefühl von »Leere«, hinter dem sich ein starkes Mißtrauen zu verbergen schien, was sie jedoch, darauf angesprochen, sehr betont von sich wies und erst zu einem späteren Zeitpunkt ihrem früheren Stationsarzt, nicht aber ihrem Therapeuten gegenüber, eingestehen konnte. Nach einer mehrmonatigen Periode vollständiger Abstinenz betrank sie sich plötzlich wieder, wurde schwer depressiv, hatte Selbstmordgedanken und mußte erneut in die Klinik aufgenommen werden. Den Therapeuten hatte sie die ganze Zeit über völlig im Unklaren darüber gelassen, was hier eigentlich vorging; er erfuhr von diesen neueren Entwicklungen erst, als sie schon wieder in der Klinik war. Kaum war sie wieder entlassen, verleugnete sie alle Übertragungs-Implikationen, ja überhaupt jegliche emotionale Bedeutung dieser Alkoholepisode. Dabei ist zu betonen, daß sie sich sehr wohl erinnerte, wie sie in der Zeit, als sie tagelang im Alkoholrausch war, von heftiger Wut und Depression erfüllt war; aber zu diesem Teil ihrer selbst hatte sie jetzt keinen Zugang mehr, sondern betonte wiederholt, sie empfinde es so, als sei dies gar nicht sie selbst gewesen, und könne sich überhaupt nicht vorstellen, daß ihr so etwas noch einmal passieren könnte.

Von dieser Zeit an konzentrierte der Therapeut über Monate hin immer wieder seine Bemühungen darauf, die übliche »leere«, »freundliche« aber distanzierte Haltung der Patientin und andererseits den Aufruhr ihrer Gefühle während der Alkoholepisode und besonders auch die Verheimlichung dieser Krise ihm gegenüber in einen Bezug zueinander zu bringen. Erst nachdem es noch zwei weitere Male zu ähnlichen Episoden gekommen war – dazwischen lagen jeweils monatelange Phasen von äußerlich angepaßtem Verhalten, in denen sie insgesamt gut zurechtzukommen schien –, ließ sich endlich verstehen, daß sie den Psychotherapeuten wie ihren kalt-distanzierten, ja feindseligen Vater erlebte, der nichts getan hatte, um sie vor den Grausamkeiten ihrer noch ablehnenderen und aggressiven Mutter zu schützen. Eines Tages schilderte die Patientin dem Therapeuten tief bewegt, wie ihre Mutter sie einmal als Kind, obwohl sie damals, wie sich später herausstellte, an einer schweren und gefährlichen Krankheit litt, allein zu Hause zurückgelassen hatte, um ihren eigenen sozialen Aktivitäten nachzugehen, in denen sie sich nicht stören lassen wollte. Die Patientin hatte das Gefühl, wenn sie wirklich ihrem Therapeuten/Vater zeigen würde, wie sehr sie ihn brauchte und liebte, so müßte sie fürchten, mit ihrer übermächtigen Wut darüber, daß sie so lange und so heftig enttäuscht worden war, ihn zu zerstören. So kam sie auf die Lösung, zu ihm ein Verhältnis von distanzierter Freundlichkeit – ihrem Empfinden nach noch immer die bestmögliche Beziehung – zu wahren, während sie ihre wirklichen Gefühle abspaltete: ihre Sehnsucht nach Liebe, ihre Unterwerfung unter sadistische Vaterfiguren in Form masochistischer Bindungen an lieblose Männer und ihren Protest gegen den Vater in ihren Alkoholexzessen, in denen sie Wut und Depression fühlen konnte, die sonst in ihren Beziehungen sowohl zum Therapeuten als auch zu ihren Freunden völlig dissoziiert waren.

Der Versuch, alle diese Gefühlsanteile in die Übertragung hereinzuholen, steigerte die Angst der Patientin erheblich; sie wurde gegenüber dem Therapeuten mißtrauischer und aggressiver und fing wieder in der gleichen Weise wie früher an zu trinken, nämlich indem sie sich wahllos mit Männern einließ und es dabei zu Alkoholexzessen kam. Alle Bemühungen, dieses Agieren mit psychotherapeutischen Mitteln zu beherrschen, schlugen fehl, so daß schließlich eine erneute Klinikaufnahme beschlossen wurde.

Es fällt auf, daß diese Patientin am Anfang der Psychotherapie äußerlich gesehen ganz gut zurechtkam, wohingegen es ihr jetzt viel schlechter zu gehen schien. Und dennoch war der Therapeut davon überzeugt, daß er es erst jetzt zum erstenmal mit einer »realen Person« zu tun hatte. Deshalb hatte er auch die Hoffnung, daß eine Fortsetzung der Psychotherapie – solange erforderlich, auch in Kombination mit stationärer Behandlung – ihr auf die Dauer dazu verhelfen könnte, die hier zugrundeliegende stabile Übertragungskonstellation endlich zu überwinden.

Man erkennt an diesem Fallbeispiel eine starke Ausprägung des Spaltungsmechanismus, dessen Abwehrfunktion hier gegen das Auftauchen einer ziemlich primitiven überwiegend negativen Übertragung gerichtet ist, sowie die Folgen dieser Abwehr, die hier vor allem in der emotionalen Flachheit und Künstlichkeit der therapeutischen Interaktion zum Ausdruck kommen. Ein wirkliches Arbeitsbündnis ließ sich mit dieser Patientin nicht aufbauen, solange die Spaltung als Abwehrvorgang noch nicht genügend überwunden war. Nur wenn es gelänge, der Patientin in konsequenter Deutungsarbeit immer wieder zu zeigen, wie sie selbst aktiv zur Aufrechterhaltung ihres »zerteilten« Zustandes beitrug, ließe sich auf die Dauer an dem stabilen pathologischen Gleichgewicht etwas ändern. Hierfür aber bedarf es konsequenter Anstrengungen, die immer wieder darauf abzielen müssen, die Kluft zwischen den verselbständigten, miteinander im Konflikt stehenden Ichzuständen zu überbrücken und dabei auch die sekundären Abwehrformationen, die zur Absicherung dieser Dissoziation dienen, aufzuspüren und in der Behandlung durchzuarbeiten. Bei solchen Patienten geht es also nicht so sehr um die Suche nach unbewußten, verdrängten Inhalten, sondern vielmehr um Vermittlung und Integration zwischen zwei oder mehreren emotional voneinander dissoziierten Ichzuständen, die äußerlich betrachtet zunächst scheinbar gar nichts miteinander zu tun haben, aber alternierend die Szene beherrschen.

b) Primitive Idealisierung

Was wir hier primitive Idealisierung nennen (vgl. Kap. 1), zeigt sich in der Therapie als eine extrem unrealistische, archaische Form der Idealisierung, deren Hauptfunktion darin zu bestehen scheint, daß der Patient damit seinen Therapeuten vor der Projektion einer negativen Übertragungsdisposition schützen will. Er projiziert statt dessen auf den Therapeuten eine primitive »nur gute« Selbst- und Objektrepräsentanz, wobei er zugleich darauf bedacht sein muß, dieses »gute Bild« vor einer Kontamination mit seinen »bösen« bzw. »schlechten« Selbst- und Objektrepräsentanzen zu bewahren.

So schätzte ein Patient sich außerordentlich glücklich, daß er einen Psychotherapeuten gefunden hatte, der – so der Patient – auf optimale Weise die »intellektuelle Überlegenheit« seines Herkunftslandes mit der »emotionalen Freiheit« des anderen Landes, in dem er nach der Vermutung des Patienten nun schon viele Jahre lebte, verband. Vordergründig betrachtet schien der Patient in seiner anklammernden Beziehung zu solch einem »idealen« Therapeuten ein Stück Sicherheit zu finden; er fühlte sich durch eine Art magischer Einheit mit dem Therapeuten vor der von ihm als kalt, ablehnend und feindlich empfundenen restlichen Umwelt geschützt. Es stellte sich aber bald heraus, daß der Patient im Grunde überzeugt war, diese »gute« Beziehung zu seinem Therapeuten nur solange bewahren zu können, als es ihm noch mit aller Anstrengung gelang, sich und den Therapeuten ständig über seine eigene Person zu täuschen. Wenn der Therapeut wüßte, was der Patient in Wirklichkeit von sich selbst hielt, so würde er ihn bestimmt nicht mehr akzeptieren, sondern nur noch hassen und verachten können. Man sieht hier übrigens, wie schädlich solch eine Überidealisierung sich auswirkt, indem sie dem Patienten die Möglichkeit nimmt, den Therapeuten als gutes Überich-Introjekt – nicht als überhöhte und fordernde Instanz – zu verinnerlichen. Bei diesem Patienten zeigte sich später deutlicher, daß seine Idealisierung zur Abwehr von Tendenzen zur Entwertung und Verachtung des Therapeuten diente, von dem er sich nämlich auch das Bild eines Blenders und scheinheiligen Spießbürgers – nach Art seiner Eltern – gemacht hatte.

Es fällt mir schwer, in der hier gebotenen Kürze einen Eindruck von der unrealistischen Qualität der Idealisierung zu vermitteln, mit der diese Patienten ihren Therapeuten erleben und die der Übertragung eine so ganz andere Qualität gibt, als man es von der weniger regressiven Idealisierung der meisten neurotischen Patienten her gewohnt ist. Diese besondere Form von Idealisierung wurde übrigens auch als wichtiger Abwehrmechanismus bei narzißtischen Persönlichkeitsstrukturen beschrieben (Kohut 1968, Rosenfeld 1964). Psychotherapeuten, die selber in ihrer Charakterstruktur ausgeprägte narzißtische Züge aufweisen, geraten manchmal unversehens mit ihren Patienten in eine Art von schwärmerischer gegenseitiger Bewunderung und müssen eventuell erst durch bittere Enttäuschungen lernen, wie dieser Abwehrmechanismus den Aufbau eines einigermaßen realistischen Arbeitsbündnisses äußerst wirksam untergraben kann. Diese Idealisierung standhaft immer wieder in Frage zu stellen, indem man den Patienten mit den unrealistischen Aspekten seines überhöhten Übertragungsbildes vom Therapeuten konfrontiert, dabei aber auch wiederum die positiven Gefühle anzuerkennen, die ja auch in diese Idealisierung mit eingehen, ist für den Therapeuten gar keine leichte Aufgabe, zumal hinter der Idealisierung häufig paranoide Ängste und sehr direkte primitive aggressive Gefühle gegenüber dem Übertragungsobjekt zum Vorschein kommen.

c) Frühe Formen der Projektion, besonders die projektive Identifizierung

Die projektive Identifizierung ist ein Mechanismus, der in den Übertragungsmanifestationen von Patienten mit einer Borderline-Persönlichkeitsstruktur eine zentrale Rolle spielt. Paula Heimann (1955 a) und Herbert Rosenfeld (1963) haben das klinische Erscheinungsbild dieses Abwehrvorgangs beschrieben; hier ein eigenes Fallbeispiel:
Eine Patientin, die zuvor bereits bei zwei anderen Psychotherapeuten die Behandlung auf der Höhe massiver, fast wahnhafter Projektionen ihrer Feindseligkeit abgebrochen hatte, vermochte bei einem dritten Therapeuten endlich doch etwas seßhafter zu werden, aber sie brachte es fertig, auch ihn über viele Monate hinweg in eine Position zu manövrieren, aus der heraus er fast gar keine eigene Bewegung machen konnte. Er mußte ständig äußerst vorsichtig sein; wollte er zum Beispiel nur eine Frage stellen, so konnte es passieren, daß die Patientin ihm durch bloßes Anheben einer Augenbraue signalisierte, daß sie keine Fragen dulde und der Therapeut gefälligst das Thema

wechseln solle. Sie nahm für sich das Recht in Anspruch, sich in bezug auf ihre meisten Lebensbereiche in absolutes Stillschweigen zu hüllen und den Therapeuten völlig herauszuhalten. Die Behandlungssituation benutzte sie dem Anschein nach als eine Art von magischem Ritual; auf einer tieferen Ebene gesehen agierte sie in der Therapie offensichtlich ihr Bedürfnis nach totaler sadistischer Beherrschung eines Übertragungsobjekts, auf das sie ihre Aggression projiziert hatte.

Dieses Agieren während der Therapiestunden ließ sich nicht modifizieren; der Therapeut blieb überzeugt, daß jeglicher Versuch, das Agieren einzuschränken oder die Patientin mit den Implikationen ihres Verhaltens zu konfrontieren, nur wieder zu Wutausbrüchen der Patientin und zum erneuten Behandlungsabbruch führen würde.

Hier erhebt sich nun die Frage, wie man denn überhaupt mit solchen Patienten fertig werden soll, die schon gleich zu Anfang ihrer Psychotherapie in diese Art von Agieren verfallen und damit die therapeutische Situation derart grob zu verzerren drohen, daß es bald nur noch diese Alternative zu geben scheint: entweder der Therapeut geht auf die unrealistischen Forderungen des Patienten ein, oder die Fortsetzung der Behandlung ist gefährdet. Manche Therapeuten halten es unter Umständen für vorteilhaft, solche Patienten erst einmal mit der Therapie anfangen zu lassen, ohne unrealistische Ansprüche sogleich in Frage zu stellen, in der Hoffnung, daß das Agieren später, im Maße wie die therapeutische Beziehung sich festigt, allmählich besser unter Kontrolle gebracht werden kann. Aufgrund langfristiger Beobachtungen an einer ganzen Reihe von Fällen dieser Art halte ich es dagegen für richtiger, eine Psychotherapie unter unrealistischen Bedingungen besser gar nicht erst anzufangen. Muß der Therapeut fürchten, daß jeder Versuch, diese Art von Agieren unter Kontrolle zu bringen, mit einem Behandlungsabbruch seitens des Patienten enden würde, so sollte die Frage einer stationären Aufnahme erwogen und offen mit dem Patienten besprochen werden. Denn die Indikation zur stationären Aufnahme ist durchaus gegeben, um eine noch im Frühstadium befindliche psychotherapeutische Beziehung zu schützen, wenn das regressive Übertragungsagieren des Patienten sich nicht mehr allein mit psychotherapeutischen Mitteln beherrschen läßt und jede Konfrontation des Patienten mit seinen pathologischen Abwehrvorgängen eine überschießende Regression zu induzieren droht. Eine stationäre Klinikaufnahme kann unter solchen Umständen sowohl diagnostischen wie prophylaktischen Zwecken dienen und kommt daher sogar für solche Patienten in Betracht, von denen man an sich erwarten kann, daß sie auch ohne Hospitalisierung, ja eventuell auch ohne Psychotherapie weiterhin einigermaßen zurechtkommen würden. Denn wenn eine Psychotherapie überhaupt grundsätzlich indiziert ist, aber durch früh einsetzendes Agieren in unrealistischer Weise eingeschränkt und behindert wird, dann ist es immer noch besser, den Patienten in eine Klinik aufzunehmen, selbst wenn das für ihn belastend ist, als sich auf eine Psychotherapie einzulassen, in der die notwendigen Strukturierungsmaßnahmen gerade durch diejenigen Störungsanteile, die eine solche Strukturierung erforderlich machen, immer wieder durchkreuzt werden.

In allen Behandlungen, wo von Anfang an eine ganz unrealistische Patient-Therapeut-Beziehung entsteht, ist zumeist hauptsächlich der Mechanismus der projektiven Identifizierung dafür verantwortlich. Die unmittelbaren Folgen dieses Abwehrvorgangs – die feindseligen Attacken des Patienten auf das Übertragungsobjekt; seine unablässigen Versuche, den Therapeuten in eine Position hineinzuzwingen, aus der heraus er schließlich mit Gegenaggression reagiert, und schließlich die sadistischen Anstrengungen des Patienten, den Therapeuten total zu beherrschen – können sich auf die Therapie außerordentlich lähmend auswirken. Erforderlich ist also in solchen Fällen eine energische und eindeutige Strukturierung des therapeutischen Settings, konsequentes Unterbinden des Übertragungsagierens und – um es auf die einfachste Formel zu bringen – ein ausreichender Schutz des Therapeuten vor der Entstehung chronisch festgefahrener und unlösbarer Situationen. In Verbindung mit dieser festen Strukturierung des Behandlungsrahmens gilt es nun, die projektiven Mechanismen abzubauen, indem man sie immer wieder konsequent herausarbeitet und deutet – in der Tat eine mühevolle Aufgabe.

d) Verleugnung

Bei Borderline-Patienten tritt der Mechanismus der Verleugnung unter anderem in der Form auf, daß der Patient einen bestimmten Bereich seines subjektiven Erlebens oder seiner äußeren Realität einfach »nicht wahrhaben will«. Damit konfrontiert, kann er zwar zugeben, daß der verleugnete Bereich ihm irgendwie bewußt ist, vermag ihn aber nicht mit seinem übrigen Erleben zu integrieren. Ist eine Verleugnung im Spiel, so läßt sie sich an Hand des damit verbundenen eklatanten Defekts der Realitätsprüfung meist relativ leicht diagnostizieren. Der Patient verhält sich so, als nähme er bestimmte, sehr belastende, bedrängende Gegebenheiten in seiner Erlebniswirklichkeit überhaupt nicht wahr.

Ein Patient mußte bis zu einem bestimmten Termin eine schriftliche Arbeit abschließen, von der sein Examen und damit auch die Chance, eine entsprechende Arbeitsstelle zu bekommen, abhingen. Während der letzten beiden Wochen vor dem Abgabetermin ging er aber auf das Problem dieser Arbeit einfach überhaupt nicht mehr ein. Er hatte bereits in früheren Stunden mit dem Therapeuten über seine Angst und Wut gegen die Mitglieder des Komitees, dem die Prüfung seiner Arbeit oblag, gesprochen, so daß klar war, daß seine jetzige Verleugnung in erster Linie dazu diente, ihn gegen seine paranoiden Ängste vor einer Disqualifizierung durch diese Lehrer, von denen er annahm, daß sie ihn öffentlich »fertigmachen« wollten, zu schützen. Der Therapeut konfrontierte ihn wiederholt damit, daß er so wenig um seine Arbeit besorgt zu sein schien und sich so wenig Mühe gab, sie fertigzustellen. Er versuchte auch die unbewußten Zusammenhänge dieses Verhaltens zu deuten, aber gleichzeitig arbeitete er vor allem immer wieder heraus, auf welch vielfältige Weise der Patient sich der Notwendigkeit entzog, die Arbeit endlich fertigzustellen.

Der Verleugnungsmechanismus kann in der Übertragung zum Teil recht komplexe Formen annehmen, so zum Beispiel wenn Realitätsaspekte der Therapiesituation verleugnet werden, um Übertragungsbedürfnisse zu befriedigen.

Eine Patientin, die ihren Ärger darüber, daß der Analytiker überhaupt nicht auf ihre Verführungsversuche eingehen wollte, nur schwer verwinden konnte, entwickelte die Phantasie, der Analytiker würde sich insgeheim wohl doch gern von ihr verführen lassen, wenn sie nur ihren Wunsch nach sexueller Intimität mit ihm ganz rückhaltlos und unterwürfig zum Ausdruck brächte. An einem Punkt schlug diese Phantasie in die Vorstellung um, sie werde tatsächlich von ihrem Vater und vom Analytiker vergewaltigt und empfinde eine intensive Lust dabei, und bei dieser Vorstellung stieg mit einemmal heftige Angst in ihr auf, weil sie plötzlich fest überzeugt war, der Analytiker sei wirklich ihr Vater, er wolle sie brutal vergewaltigen, und alles würde mit einer Katastrophe enden. Diese Übertragungsentwicklung hing – neben anderen Faktoren – wohl hauptsächlich mit dem Bedürfnis der Patientin zusammen, die Realität – nämlich die Tatsache, daß der Analytiker gerade nicht auf ihre sexuellen Angebote einging und daß sie sich darüber so ärgerte – zu verleugnen. Daher versuchte der Analytiker ihr aufzuzeigen, daß sie quasi mit einem Teil ihrer selbst sehr wohl wußte, daß er keineswegs ihr Vater war, daß er sie auch nicht vergewaltigen würde und daß diese Phantasien, so erschreckend sie für die Patientin sein mochten, ihr doch zugleich auch ermöglichten, ihren Ärger darüber, daß er auf ihre sexuellen Wünsche gar nicht einging, nicht wahrhaben zu müssen. Die ödipalen Zusammenhänge wurden in dieser Deutung für den Moment bewußt herausgelassen. Die Patientin reagierte darauf mit einer fast augenblicklichen Entspannung. Nun konnte der Analytiker ihr auch deuten, warum sie auf den Wunsch ihres Verlobten nach einer intimen Beziehung nicht eingehen wollte, nämlich deshalb weil sie fürchtete, ihre maßlosen wütenden Ansprüche könnten ihr den sexuellen Genuß verderben, dazu aber auch weil infolge der Projektion ihrer eigenen Wut auf den Verlobten jede Intimität mit ihm in eine panische Angst vor brutaler Vergewaltigung umzuschlagen drohte. Durch dieses Vorgehen des Therapeuten war nun der Weg frei zu weiteren Einsichten in die Verleugnung ihrer aggressiven Impulse und bestimmter Realitätsbereiche.

Das letzte Fallbeispiel veranschaulicht übrigens auch, was mit dem konsequenten Durcharbeiten der pathologischen Abwehrvorgänge bei Borderline-Patienten angestrebt wird: Man erreicht damit eine verbesserte Realitätsprüfung und Ichstärkung – im Gegensatz zu anderen Vorgehensweisen, die eher die Regression fördern. Außerdem demonstriert unser Beispiel die Technik der partiellen Übertragungsdeutung und der Ablenkung der Übertragung auf andere Beziehungen außerhalb der Therapie.

Manche Patienten müssen auch positive Übertragungsanteile verleugnen, weil sie fürchten, daß eine offene Äußerung positiver Gefühle für den Therapeuten sie in zu gefährliche Nähe zu ihm bringen könnte. Und zwar gefährlich deshalb, weil solch eine übermäßige Nähe ihre Aggression in der Übertragung gegen den Therapeuten und ebenso dessen (projizierte) Aggression gegen sie entfesseln könnte. Schlesinger (1966) hat diesen speziellen Gebrauch des Verleugnungsmechanismus an einem Fallbeispiel dargestellt und die Ansicht vertreten, daß solch eine Verleugnung von positiven Übertragungsanteilen respektiert werden sollte, weil es manchen Patienten nur auf diese Weise möglich ist, sich in optimaler Distanz zum Therapeuten zu halten.

e) Allmacht (Omnipotenz) und Entwertung

Diese beiden eng zusammenhängenden Abwehrformen beruhen auf einer Identifizierung des Patienten mit einer überidealisierten Selbst- und Objektrepräsentanz zum Schutz gegen bedrohlich empfundene Bedürfnisse oder gegen ein zu weitgehendes Sich-Einlassen in Beziehungen zu anderen Personen. Eine derartige »Selbstidealisierung« ist gewöhnlich mit magischen Allmachtsphantasien und mit der Überzeugung des Patienten verbunden, daß er einen Anspruch darauf habe, daß alle seine Wünsche in Erfüllung gehen, und daß Enttäuschungen, Krankheit, Tod oder der Lauf der Zeit ihm nichts anhaben können. Eine Begleiterscheinung solcher Allmachtsphantasien ist die Entwertung anderer Menschen einschließlich des Therapeuten, über die der Patient sich weit erhaben fühlt. Eine andere Form dieses Abwehrmechanismus besteht in der Projektion magischer Allmacht auf den Therapeuten, wobei der Patient sich mit diesem omnipotenten Therapeuten auf magische Weise verbunden fühlt bzw. sich ihm ganz unterwirft.

Dieser Abwehrmechanismus weist übrigens enge Beziehungen zur oben schon beschriebenen primitiven Idealisierung auf. Wenn ich hier die verschiedenen für Borderline-Patienten typischen Abwehrmechanismen etwas künstlich voneinander abgegrenzt habe, so um ihre Auswirkungen klarer darstellen zu können, womit notwendigerweise eine übermäßige Vereinfachung des Sachverhalts verbunden ist. Denn es kommen auch komplexe Mischformen und Kombinationen aller dieser Abwehrvorgänge vor.

Eine Patientin mit einer schweren Fettsucht und ausgeprägten Unsicherheitsgefühlen anderen Menschen gegenüber, entdeckte eines Tages in ihrer Psychotherapie, daß sie im Grunde davon überzeugt war, sie habe ein Recht darauf und könne es sich leisten, so viel zu essen wie sie wollte, und dabei immer noch erwarten, egal in welcher körperlichen Gestalt, bewundert, umhätschelt und geliebt zu werden. Es waren also nur Lippenbekenntnisse, wenn sie zugab, durch ihre Fettleibigkeit ihre Chancen bei Männern zu verringern; denn als der

Therapeut ihr sagte, solche Überlegungen seien durchaus realistisch, wurde sie sehr wütend auf ihn. Zu Anfang ihrer Psychotherapie ging die Patientin offenbar von der Vorstellung aus, sie brauche sich für ihre Sitzungen nicht an feste Zeiten zu halten, und schien es auch selbstverständlich zu finden, daß sie Zeitungen aus dem Wartezimmer mitnahm und überall ihre Zigarettenasche verstreute. Als dieses Verhalten zum erstenmal angesprochen wurde, schenkte sie dem Therapeuten ein anerkennendes Lächeln für seine »gute Beobachtungsgabe«, aber nichts änderte sich. Erst als der Therapeut ihr sehr eindeutig klarmachte, daß seine Toleranz nur bis zu einer gewissen Grenze reiche, wurde sie plötzlich wütend und äußerte nun auch offen ihre abfällige Meinung über den Therapeuten, die nur die Kehrseite ihrer Größenphantasien war. In ihrem bewußten Erleben steckte diese Patientin voller sozialer Unsicherheits- und Minderwertigkeitsgefühle; die dahinter verborgenen Omnipotenzgefühle blieben ihr lange Zeit unbewußt.

5. Triebschicksale und psychotherapeutische Strategie

Eine hervorstechende Besonderheit der Triebentwicklung von Patienten mit einer Borderline-Persönlichkeitsstruktur besteht in der übermäßig starken Ausprägung prägenitaler, insbesondere oral-aggressiver Triebanteile und einer eigentümlichen pathologischen Verschränkung prägenitaler und genitaler Triebziele unter dem Primat aggressiver Bedürfnisse. Diese Art der Triebentwicklung ist auch für das therapeutische Vorgehen bei solchen Patienten unmittelbar relevant. Es gilt stets im Auge zu behalten, daß inmitten der destruktiven und selbstdestruktiven Triebäußerungen positive Entwicklungspotentiale verborgen liegen und daß vor allem auch das scheinbar so destruktive und selbstdestruktive Sexualverhalten dieser Patienten Ansätze zu weiterer psychosexueller Reifung und Vertiefung zwischenmenschlicher Beziehungen enthält.

Es hat eine Zeit gegeben, in der das Mißverständnis sehr verbreitet war, aus der psychoanalytischen Theorie und Praxis ergäbe sich die Konsequenz, jede sexuelle Betätigung als solche sei grundsätzlich ein therapeutischer Faktor. Solche Irrtümer haben wir mittlerweile weit hinter uns gelassen, indem die Erfahrung gezeigt hat, daß das, was vordergründig betrachtet als genitale Aktivität imponiert, in Wirklichkeit oft im Dienst prägenitaler aggressiver Triebziele steht. In der klinischen Arbeit mit Borderline-Patienten scheint eher die entgegengesetzte Gefahr zu bestehen, nämlich daß man nur ihre prägenitalen destruktiven Triebziele sieht, statt auch die Anstrengungen anzuerkennen, mit denen diese Patienten ihre Sexualhemmung zu überwinden versuchen.

Eine geschiedene junge Frau mit promiskuösen Tendenzen, die nach bereits jahrelangem recht chaotischem Verhalten schließlich psychotisch regrediert und daher stationär aufgenommen worden war, wurde in der Klinik von allen männlichen Patienten ferngehalten. Denn mehrmals hatte man sie nur wenige Minuten lang unbeaufsichtigt gelassen, und schon hatte sie die Gelegenheit genutzt, um ganz impulsiv mit anderen Patienten, die ihr so gut wie fremd waren, Geschlechtsverkehr auszuüben. Monatelang wurde die Patientin ständig überwacht, und in den psychotherapeutischen Sitzungen bei ihrem Stationsarzt wurde ihr Verhalten immer wieder nur unter dem Aspekt ihrer »Impulsivität«, ihrer »mangelnden Selbstbeherrschung«, ihres »ungehörigen Benehmens« besprochen. Als ein neuer Stationsarzt die Therapie übernahm und das Sexualverhalten dieser Patientin auch einmal von anderen Gesichtspunkten her aufzuklären versuchte, stellte sich heraus, daß darin tiefe masochistische Neigungen zum Ausdruck kamen und die Patientin im Grunde eine Prostitutionsphantasie agierte. Als nun der Therapeut den Standpunkt vertrat, sexuelle Freiheit sei keineswegs immer gleichbedeutend mit Prostitution, und sich darüber mit der Patientin auseinandersetzte, regte sie sich sehr über ihn auf und bezeichnete ihn als »unmoralisch«. Und als er schließlich auch noch die Freiheitsbeschränkungen der Patientin aufhob, wurde sie sehr ängstlich und wütend auf ihn. Sie ließ sich dann zunächst in ziemlich provozierender Weise mit mehreren Mitpatienten sexuell ein, was der Therapeut aber nur dazu benutzte, sie erneut mit ihren masochistischen Phantasien und Prostitutionsneigungen zu konfrontieren und ihr zu zeigen, wie sie sich einem primitiven sadistischen Über-Ich unterwarf, das einer lustfeindlichen vereinigten Vater-Mutter-Imago entsprach. Die Patientin vermochte schließlich eine gute Beziehung zu einem Mitpatienten aufzubauen, in den sie sich wirklich verliebte, dem sie über zwei Jahre lang treu bleiben konnte und den sie schließlich sogar heiraten wollte. Gegen Ende dieser zwei Jahre hatte sich ihre sexuelle Beziehung zu diesem Mann in der Weise verändert, daß sie jetzt zum erstenmal in ihrem Leben beim Geschlechtsverkehr diesem einen Mann gegenüber sowohl zärtliche als auch sexuelle Gefühle empfinden konnte; ebenfalls im Gegensatz zu früher kümmerte sie sich nun auch um die Schwangerschaftsverhütung.

Es geht also in der Behandlung darum, die im pathologischen Sexualverhalten der Patienten enthaltenen normalen, progressiven Tendenzen von den prägenitalen Triebzielen abzulösen, was allerdings leichter gesagt ist als getan. Dennoch ist dies eines der Ziele, auf die ein Psychotherapeut, der mit solchen Patienten arbeitet, beständig ein Augenmerk richten muß.

5. ABSCHLIESSENDE BEMERKUNGEN ZUM BEHANDLUNGSVERFAHREN

Die hier für Borderline-Patienten vorgeschlagene spezielle Form von aufdeckender, psychoanalytisch orientierter Psychotherapie unterscheidet sich als Behandlungsverfahren von einer klassischen Psychoanalyse darin, daß man es nicht zur Entfaltung einer vollständigen Übertragungsneurose kommen läßt und auch die Übertragung nicht allein mit den Mitteln der Deutungstechnik aufgelöst wird. Es handelt sich um ein aufdeckendes Psychotherapieverfahren insofern, als unbewußte Faktoren berücksichtigt werden und im Zentrum der therapeutischen Arbeit stehen, was insbesondere für die negative Übertragung und die konsequente Bearbeitung der pathologischen Abwehrformen dieser Patienten gilt. Technische Parameter oder Modifikationen der Technik werden nur eingeführt, soweit es erforderlich ist, um Übertragungsagieren unter Kontrolle zu halten; manche dieser Parameter lassen sich zwar noch im Verlaufe der Behandlung wieder aufheben, das ist aber weder immer möglich noch überhaupt immer wünschenswert. In diesem Behandlungsverfahren sind eindeutig auch stützende Elemente enthalten. Dies betrifft zum einen die Handhabung des Behandlungssettings im Sinne einer Strukturierung der therapeutischen Situation, soweit diese erforderlich ist. So zählen beispielsweise die Stundenfrequenz, die permissive oder eher restriktive Einstellung zu außertherapeutischen Kontakten mit dem Therapeuten oder auch die Toleranzgrenzen des Therapeuten für die Affektäußerungen des Patienten sämtlich zu den Faktoren, die je nach den Erfordernissen der Behandlung zu regeln sind. Zum anderen spielen bei diesem Therapieverfahren auch Interventionen zur Klärung der Realität eine bedeutende Rolle; unter solchen Umständen lassen sich auch direkte oder indirekte Ratschläge kaum je ganz vermeiden.

Der Therapeut sollte bestrebt sein, so neutral wie möglich zu bleiben, wobei aber Neutralität hier nicht gleichbedeutend ist mit Inaktivität. Von einem gewissen Grad von Aktivität an wird die Frage, ob der Therapeut immer noch oder schon nicht mehr neutral sei, zu einer rein akademischen Streitfrage. Man wird diese Art von Psychotherapie vorzugsweise im Sitzen durchführen, so daß Therapeut und Patient sich sehen können, wodurch die Realitätsaspekte der Situation betont werden. Andererseits sollte man der Anordnung als solcher, ob der Patient nun auf der Couch liegt oder dem Therapeuten gegenübersitzt, keine magische Wirkung zuschreiben. Es gibt durchaus Behandlungen, die auf der Couch durchgeführt werden und trotzdem von der Methode her eher Psychotherapien sind als Psychoanalysen.

Ichstärkung ist eines der Ziele, auf die dieses aufdeckende psychoanalytisch orientierte Behandlungsverfahren fortwährend ausgerichtet ist. Die Bearbeitung der für die Borderline-Persönlichkeitsstruktur so charakteristischen pathologischen Abwehrvorgänge schafft Voraussetzungen für eine Ersetzung dieser ich-schwächenden pathologischen Abwehrformen von niederem Funktionsniveau durch andere Abwehrmechanismen, die einem höheren Niveau der Ichorganisation angehören; dies allein bewirkt für sich schon eine Ichstärkung. Weitere Zuschüsse hierzu kommen aus der Lösung von Konflikten, die hier notgedrungen partiell bleiben muß, wenngleich manchmal auch in dieser Hinsicht mit unserem Verfahren eine ganze Menge zu erreichen ist.

Am Schluß bleibt noch eine sehr wichtige Frage zu besprechen, nämlich: Sind manche Borderline-Patienten nicht doch analysefähig, sei es von Anfang an oder aber nach einer Phase vorbereitender Psychotherapie etwa vom beschriebenen Typ? Es gibt diesbezüglich Meinungsverschiedenheiten, auf die bereits in der Literaturübersicht am Anfang des Kapitels eingegangen wurde. Zweifellos gibt es innerhalb der großen Gruppe von Patienten mit einer Borderline-Persönlichkeitsstruktur eine spezielle Untergruppe von Patienten, die von dem von mir vorgeschlagenen aufdeckenden psychoanalytisch orientierten Therapieverfahren nur sehr wenig profitieren können und bei denen eine klassische Psychoanalyse ohne irgendwelche Modifikationen vor-

Anfang an die Methode der Wahl darstellt. Dies gilt insbesondere für die typischen Formen narzißtischer Persönlichkeitsstörungen.

Solche Patienten fallen auf durch ein ungewöhnliches Maß an Selbstbezogenheit und ein starkes Bedürfnis danach, von anderen Menschen geliebt und vor allem bewundert zu werden, das nur scheinbar im Widerspruch zu ihrem enorm aufgeblähten Selbstkonzept steht. Vordergründig erscheinen sie als nicht sehr stark regrediert, und in der Tat sind manche von ihnen sogar sozial recht erfolgreich; sie verfügen jedenfalls über eine wesentlich bessere Impulskontrolle als durchschnittliche Borderline-Patienten. Sie können also zum Teil sehr erfolgreich und tüchtig sein. Erst wenn man ihr Gefühlsleben näher betrachtet, so erscheint es als flach und spiegelt einen Mangel an Empathie für andere, ein weitgehendes Fehlen echter Lebensfreude mit Ausnahme der Lust an narzißtischer Bestätigung und schließlich eine Verquickung von Größenphantasien, Neid und einer Tendenz zur Entwertung und ausbeuterischen Manipulierung anderer Menschen.

Diese narzißtisch gestörten Patienten weisen gewöhnlich derart verfestigte und glatt funktionierende pathologische Charakterstrukturen auf, daß eine Mobilisierung ihrer Konflikte in der Übertragung mittels des hier vorgeschlagenen psychotherapeutischen Verfahrens auf große Schwierigkeiten stößt. Andererseits scheinen viele Patienten dieser Art eine klassische Psychoanalyse durchaus zu tolerieren, ohne daß man eine übermäßige Regression befürchten müßte. Manche von ihnen tolerieren leider nicht nur die analytische Situation, sondern erweisen sich überdies als extrem resistent gegen jeden Versuch, ihre rigide Charakterabwehr in der Übertragung zu mobilisieren. Ernst Ticho (1966) hat einmal erwähnt, daß es bezüglich der Indikation zur Psychoanalyse auch eine Gruppe von Patienten gibt, bei denen man von einer »heroischen Indikation« sprechen könnte. Und zwar bezieht sich das auf Patienten, bei denen es zwar mehr oder weniger fraglich erscheint, ob eine Psychoanalyse ihnen helfen könnte, wo aber andererseits kein vernünftiger Zweifel daran bestehen kann, daß andere Behandlungsverfahren erst recht nichts nützen würden. Narzißtische Persönlichkeiten gehören teilweise zu dieser Gruppe »heroischer Indikationen«. Es gibt auch noch andere Autoren, die ebenfalls eine Psychoanalyse für die Behandlungsmethode der Wahl bei solchen Patienten halten und die mit ihren Erfahrungen entscheidend zum Verständnis der Psychodynamik und der technischen Schwierigkeiten derartiger Analysen beigetragen haben (Kohut

1968, Rosenfeld 1964). Bei jedem Patienten, der eine Borderline-Persönlichkeitsstruktur aufweist, sollte also irgendwann im Verlauf der diagnostischen Untersuchungen auch die Frage der Analysefähigkeit erwogen und eine Psychoanalyse erst dann ausgeschlossen werden, wenn sämtliche Kontraindikationen sorgfältig geprüft worden sind.

In diesem Kapitel habe ich versucht, die allgemeine psychotherapeutische Strategie bei der Arbeit mit Borderline-Patienten in groben Zügen zu umreißen. Solch eine Skizze birgt notgedrungen die Gefahr als Repertoire fester Regeln mißverstanden zu werden oder umgekehrt als Übersicht wiederum zu allgemein zu erscheinen. Ich hoffe jedenfalls mit diesem Abriß einen Beitrag im Sinne eines allgemeinen Bezugsrahmens für Psychotherapeuten zu leisten, die mit solchen Patienten arbeiten und von daher mit den komplexen Problemen therapeutischer Taktik, die jeder Einzelfall aufwirft, wohlvertraut sind

4. Kapitel
Prognose

In diesem Kapitel geht es um die Prognose von Patienten mit Borderline-Persönlichkeitsstruktur in einer langfristigen intensiven psychotherapeutischen Behandlung. Ich habe im vorigen Kapitel eine bestimmte Variante modifizierter analytischer Therapie bzw. psychoanalytisch orientierter Psychotherapie als Behandlungsverfahren der Wahl bei Patienten mit solchen Störungen geschildert und daneben auch hervorgehoben, daß manche dieser Patienten durchaus für eine Psychoanalyse geeignet sind, sei es von Anfang an oder aber nach einer Phase vorbereitender Psychotherapie der beschriebenen Art. Die im folgenden dargestellten prognostischen Überlegungen mögen eine Hilfe sein, wo es um Entscheidungen über Indikationen zu einer langfristigen analytischen Psychotherapie und um die Frage der Analysefähigkeit von Borderline-Patienten geht.

In dieses Kapitel sind auch meine Auswertungen klinischer Befunde aus dem Psychotherapie-Forschungsprojekt der Menninger-Stiftung (Wallerstein et al. 1956, Robbins und Wallerstein 1959) und einige Ergebnisse der quantitativen Auswertung von Behandlungsresultaten im Rahmen dieses Projekts (Kernberg et al. 1968, Burstein et al. 1969) mit eingegangen. Ich werde folgende Kriterien hinsichtlich ihrer prognostischen Relevanz näher untersuchen: 1. die deskriptive Charakterdiagnose, 2. Art und Ausmaß der Ichschwäche, 3. Art und Ausmaß der Überich-Störung, 4. die Art der Objektbeziehungen des Patienten und 5. die Qualifikation und Persönlichkeit des Therapeuten.

1. DIE DESKRIPTIVE CHARAKTERDIAGNOSE

Die deskriptive Diagnose ist bei Patienten mit einer Borderline-Persönlichkeitsstruktur ein entscheidend wichtiges prognostisches Kriterium. Diese Feststellung gilt jedoch in der Hauptsache für die Diagnose der Charakterstörung, nicht für die Diagnose der neurotischen Symptomatik des Patienten, denn neurotische Symptome kommen bei psychischen Störungen aller möglichen Schweregrade vor, und andererseits gibt es Patienten mit einer schweren Charakterstörung, die fast gar keine neurotischen Symptome aufweisen. Eine neurotische Symptomatik ist also kein brauchbarer Indikator für den Schweregrad der psychischen Störung. Es gibt jedoch Anhaltspunkte dafür, daß die Prognose für Borderline-Patienten ohne neurotische Symptome schlechter ist. Dies gilt vor allem für Fälle, wo eine schwere Charakterstörung vorliegt: Leidet der Patient nicht an irgendeiner neurotischen Hemmung oder Symptomatik, so ist seine Motivation, sich um Hilfe zu bemühen und in der Behandlung ausdauernd mitzuarbeiten, wesentlich geringer als bei vergleichbaren Fällen, wo ein gewisses Maß an neurotischem Leidensdruck besteht.

Nach unseren Ergebnissen ist das Bestehen manifester Angst ein guter Anhaltspunkt für die Vorhersage einer zu erwartenden Besserung durch eine Psychotherapie (Burstein et al. 1969, Luborsky 1962), wahrscheinlich deshalb, weil sie die Motivation des Patienten zur Mitarbeit in der Psychotherapie verstärkt. Aus klinischer Sicht scheint jedoch die Stärke der manifesten Angst bzw. des neurotischen Leidensdrucks viel weniger wichtig zu sein als die Frage, inwieweit die Charakterstörung ich-synton oder ich-dyston ist. Man könnte es folgendermaßen ausdrücken: Angst – und überhaupt Leiden – führen den Patienten zum Psychotherapeuten und tragen auch weiterhin dazu bei, daß er in der Therapie bleibt; aber die mehr oder weniger ich-syntone oder ich-dystone Qualität seiner Charakterstörung (die zum Teil eine Prozeßvariable ist, indem sie letztlich von der Patient-Therapeut-Beziehung abhängt) entscheidet darüber, ob der Patient in der Behandlung auch weiterhin seine Symptome loswerden will oder ob er nicht lieber die »Bedrohung«, die die Therapie für ihn darstellt, loswerden will. Mit anderen Worten: Das Vorhandensein manifester Angst ist zunächst im Hinblick auf den Aufbau einer therapeutischen Beziehung ein prognostisch günstiges Zeichen; für eine exaktere Prognose ist es aber erforderlich, diese Zeichen mehr und mehr durch andere, aus der Charakterstörung des Patienten abgeleitete Indikatoren zu ersetzen.

Ich möchte jedoch betonen, daß der Art und Intensität einer neurotischen Symptomatik bei Borderline-Patienten zwar keine entscheidende *prognostische* Aussagekraft zukommt, daß aber solche Symptome dennoch einen wichtigen *diagnostischen* Stellenwert besitzen. Im 1. Kapitel habe ich die besonderen neurotischen Syndrome, die auf eine zugrundeliegende Borderline-Persönlichkeitsstruktur verweisen, eingehend beschrieben und zu den diagnostischen »Verdachtsmomenten« für eine Borderline-Persönlichkeitsstruktur gezählt.

Wurde bereits oben die Diagnose der Charakterstruktur als wichtiges prognostisches Kriterium bei Borderline-Patienten hervorgehoben, so läßt sich dies nun präzisieren: Prognostisch wichtig ist die *Art* der vorliegenden Charakterstörung und daneben natürlich auch die mehr oder weniger ich-syntone bzw. ich-dystone Qualität der betreffenden Charakterzüge. Die bloße Diagnose »Borderline-Persönlichkeitsstruktur« ist sicherlich unzureichend. Denn zur deskriptiven Diagnose gehört immer auch eine Aussage über die Art der bestehenden Charakterstörung und die Art der neurotischen Symptomatik.

a) Zur Art der bestehenden Charakterstörung

Eine möglichst genaue Diagnose bezüglich der Art der vorliegenden Charakterstörung ist sehr wichtig. So könnte eine gute deskriptive Diagnose etwa folgendermaßen lauten: »1. Depressives Syndrom mit weniger ausgeprägter Angstsymptomatik; 2. infantile Persönlichkeit mit paranoiden Zügen auf dem Hintergrund einer Borderline-Persönlichkeitsstruktur.« Eine in dieser Weise [– symptomorientiert und strukturorientiert –] formulierte Diagnose bietet den Vorteil, daß man daraus ohne weiteres Informationen nicht nur über die rein deskriptiven Merkmale, sondern darüber hinaus auch über strukturelle und dynamisch-genetische Aspekte der Störung des Patienten ablesen kann. Denn die Diagnose einer »Borderline-Persönlichkeitsstruktur« impliziert ja bereits bestimmte strukturelle und dynamisch-genetische Zusammenhänge (vgl. Kap. 1). Darüber hinaus enthält auch die genaue Spezifizierung der Art der Charakterstörung weitere Anhaltspunkte über die Struktur, Psychodynamik und Genese der Störung, weil die verschiedenen Typen von Charakterstörungen mit unterschiedlichen Stufen der Triebentwicklung, der Über-ich-Entwicklung, der Abwehrorganisation des Ichs und unterschiedlichen Schicksalen der verinnerlichten Objektbeziehungen korreliert sind (Kernberg 1970).

Eine Diagnose der pathologischen Charakterkonstellation, die sich sowohl auf das Strukturniveau der betreffenden Charakterstörung (Kernberg 1970) als auch auf die vorherrschende Konstellation pathologischer Charakterzüge bezieht, enthält zugleich unmittelbar relevante Aussagen zur Prognose und Therapie. Kommt man zum Beispiel in der Diagnose zu dem Schluß, daß man es mit einer Borderline-Persönlichkeitsstruktur zu tun hat, so ergibt sich daraus unmittelbar, welche psychotherapeutische Strategie in dem Fall angezeigt ist (Kap. 3). Welches sind nun die prognostischen Implikationen der verschiedenen Arten von Charakterstörungen, die man bei Patienten mit einer Borderline-Persönlichkeitsstruktur findet?

1. Bei *hysterischen Persönlichkeiten* auf Borderline-Niveau besteht in der Regel für eine analytische Psychotherapie eine gute Prognose. Man findet bei diesen Patienten häufig ein Überwiegen von Konflikten oraler Herkunft, eine generalisierte oder auf umschriebene Bereiche beschränkte Ichschwäche und eine »zweischichtige Organisation von Abwehrmechanismen« (Kernberg 1970), die unter anderem in enormen Schwankungen der Regressionstiefe während der therapeutischen Sitzungen zum Ausdruck kommt, die sich aber im Rahmen einer langfristigen intensiven Psychotherapie als sehr gut behandelbar erweist. Einige dieser Patienten sind auch für eine (nicht modifizierte) Psychoanalyse geeignet.

2. *Infantile Persönlichkeiten* haben in einer analytischen Psychotherapie (Kap. 3) ebenfalls eine gute Prognose; eine klassische Psychoanalyse ist bei solchen Patienten in der Regel kontraindiziert.

3. Bei *narzißtischen Persönlichkeiten* hängt die Prognose davon ab, ob Borderline-Funktionsweisen manifest nachweisbar sind oder nicht. Denn narzißtische Persönlichkeiten mit manifesten Borderline-Funktionsmerkmalen haben in bezug auf eine aufdeckende, analytisch orientierte Psychotherapie keine gute Prognose; sie profitieren unter Umständen mehr von einer langen vorbereitenden Behandlungsperiode mit vorwiegend stützendem Vorgehen (das nach meiner Erfahrung bei den meisten anderen Borderline-Typen sehr wenig Nutzen bringt). Im Gegensatz dazu sollte man narzißtische Persönlichkeiten, bei denen manifeste Funktionsstörungen auf Borderline-Niveau fehlen, obwohl strukturell eine typische Borderline-Persönlichkeitsstruktur besteht, entweder mit einer klassischen Psychoanalyse oder, falls eine solche nicht durchführbar ist, vielleicht überhaupt nicht behandeln (was nicht heißt, daß eine begrenzte, krisenorientierte Kurzpsychotherapie nicht unter Umständen durchaus indiziert sein kann). Diese Patienten bringen es in einem erstaunlichen Maße fertig, sich emotional auf Distanz zu halten und ein wirkliches Sich-Einlassen auf den Behandlungsprozeß zu vermeiden, wenn man nicht

systematisch ihre pathologischen Abwehrvorgänge bearbeitet, sobald sie in der Übertragung auftauchen.

In einem späteren Kapitel (Kap. 8) werde ich noch ausführlich auf die Behandlung narzißtischer Persönlichkeiten und deren differential-diagnostische Abgrenzung gegenüber anderen Formen narzißtischer Charakterabwehr eingehen und in diesem Zusammenhang eine Aufteilung dieser Störungen in drei Typen narzißtischer Charakterkonstellationen vorschlagen, nämlich: (a) Narzißtische Aspekte pathologischer Charakterzüge allgemein, insofern diese das Selbstwertgefühl schützen und aufrechterhalten; je erstarrter solche pathologischen Charakterzüge sind, desto deutlicher treten neben ihrer Funktion, die Verdrängung bestimmter strukturgebundener intrapsychischer Konflikte zu stabilisieren, auch die narzißtischen Aspekte hervor. (b) Narzißtische Charakterzüge, die einer Fixierung auf der Stufe des infantilen Narzißmus mit Abwehrformationen gegen alle möglichen genitalen oder prägenitalen Konflikte entsprechen; die infantil-narzißtischen Aspekte vieler hysterischer und zwanghafter Charakterzüge sind typische Beispiele hierfür. (c) Der pathologische Narzißmus im engeren Sinne einer spezifischen Charakterkonstellation, die durch eine besondere Störung der verinnerlichten Objektbeziehungen und durch ganz eigentümliche Deformierungen bestimmter Ich- und Überich-Strukturen gekennzeichnet ist. Ich schlage vor, die Diagnose »narzißtische Persönlichkeit« ausschließlich auf die dritte Kategorie von Narzißmus zu beschränken, und möchte hier vor allem die besonderen Behandlungsschwierigkeiten, die diese Patienten bieten, unterstreichen. Man findet zwar bei praktisch allen Borderline-Patienten schwere Charakterstörungen und insofern auch narzißtische Charakterzüge im weiteren Sinne – Typ (a) und (b) –, aber dieser »Narzißmus« im weiteren Sinne muß sorgfältig von den spezifischen pathologischen Strukturen der narzißtischen Persönlichkeit im engeren Sinne abgegrenzt werden. Allgemein gilt: je ausgeprägter pathologische narzißtische Strukturen im Sinne einer narzißtischen Persönlichkeit nachweisbar sind, desto schlechter ist die Prognose.

4. Für *antisoziale Persönlichkeiten* ist die Prognose über das ganze Spektrum. psychotherapeutischer Behandlungsverfahren hin überaus dürftig (dies bezieht sich nur auf antisoziale Persönlichkeiten im strengen Sinne, nicht auf das bloße Vorkommen antisozialer Verhaltensweisen an sich). Diese Differentialdiagnose ist oft bei Jugendlichen abzuwägen, die mit dem Gesetz in Konflikt geraten sind. Zur

Differentialdiagnose der verschiedenen Charakterstrukturen, bei denen antisoziales Verhalten auftreten kann, sind folgende diagnostische Fragen abzuklären:

(a) Ist das betreffende antisoziale Verhalten wirklich Ausdruck einer persönlichen psychischen Störung oder erscheint es nur aus der Sicht bestimmter Konventionen und sozialer Vorurteile als »antisozial«?

(b) Handelt es sich bei dem betreffenden antisozialen Verhalten vielleicht nur um eine »normale« Anpassung an eine pathologische soziale Umwelt? Eine Bejahung dieser Frage impliziert eine eher gutartige Einschätzung des Falles; bei Jugendlichen mit antisozialen Verhaltensweisen ist diesbezüglich jedoch Vorsicht geboten, weil es immerhin fraglich ist, inwieweit zum Beispiel einem Jugendlichen, der eine relativ normale psychische Entwicklung durchlaufen hat, wirklich keine andere Wahl bleibt, als sich mit der antisozialen Subkultur seiner unmittelbaren Umwelt zu identifizieren. Selbst unter Bedingungen schwerster sozialer Deprivation gibt es doch irgendwo immer auch ein gewisses Bewußtsein für normalere soziale Werte, das es einem relativ gesunden Individuum ermöglichen sollte, sich nicht völlig mit einer antisozialen Untergruppe identifizieren zu müssen.

(c) Handelt es sich bei dem betreffenden antisozialen Verhalten um den Ausdruck einer »Pubertätskrise« [»adjustment reaction of adolescence«], mit anderen Worten: ist das antisoziale Verhalten vielleicht in Wirklichkeit nur Begleiterscheinung einer akuten emotionalen Krise oder eines akuten Beziehungskonflikts, in dem der Jugendliche steht? Ist dies der Fall, so sind in der Regel auch andere neurotische Symptome wie zum Beispiel Angst und/oder Depression sowie massive Auflehnungs- und Abhängigkeitskonflikte nachweisbar. Ist das antisoziale Verhalten eindeutig zeitlich begrenzt und läßt es sich mit einer Episode extremer Turbulenz korrelieren, so mag die Diagnose »Pupertätskrise« angebracht sein. Leider wird jedoch diese Diagnose [und im englischen Sprachraum die der »adjustment reaction of adolescence«] vielfach weit überstrapaziert, wobei dann oft schwere psychische Störungen verschiedenster Art und insbesondere schwere Charakterstörungen unterschätzt oder schlicht ignoriert werden. Masterson (1967) und Robins (1966) haben eindrucksvoll nachweisen können, wie schwere psychische Störungen häufig unter dem Titel dieser Diagnose übersehen werden. Meines Erachtens sollte diese Diagnose deshalb nur gestellt werden, nachdem zuvor die folgenden, viel häufigeren und viel schwereren Störungen ausgeschlossen worden sind.

(d) Ist das antisoziale Verhalten Ausdruck einer schweren Charakterstörung, aber nicht von der Art einer antisozialen Persönlichkeitsstruktur im engeren Sinne? Wahrscheinlich ist dies die häufigste Kategorie antisozialer Verhaltensweisen, die hier als ein Aspekt beispielsweise einer infantilen Persönlichkeit oder einer narzißtischen Persönlichkeit etc. auftreten. Natürlich ist in solchen Fällen die Prognose generell schlechter als bei Patienten der oben beschriebenen Kategorien (b) und (c), aber wenn die anderen, weiter unten beschriebenen prognostischen Kriterien günstig ausfallen, ist antisoziales Verhalten im Rahmen einer Charakterstörung (nicht vom Typ der antisozialen Persönlichkeit im engeren Sinne) keineswegs gleichbedeutend mit Unbehandelbarkeit. Das Ausmaß und die Art der Überich-Störung sind in solchen Fällen von besonderer prognostischer Relevanz.

(e) Ist das antisoziale Verhalten Ausdruck einer antisozialen Persönlichkeit im engeren Sinne? Muß diese Frage bejaht werden, so sind prognostisch die Heilungschancen sehr gering. Diese Diagnose läßt sich aber nicht allein auf Grund einer kurzen diagnostischen Untersuchung stellen, sondern nur an Hand einer sorgfältigen Auswertung der ganzen Vorgeschichte und häufig erst nach längerer Beobachtung des Patienten, in deren Verlauf die Art seiner Objektbeziehungen sowie auch Art und Ausmaß der bestehenden Überich-Störung genauer eingeschätzt werden können. Die Behandlung solcher Patienten in spezialisierten Behandlungszentren (im Sinne einer strukturierten Umgebung, die die Merkmale einer Haftanstalt für Schwerstkriminelle mit denen eines psychiatrischen Krankenhauses verbindet) hat sich nach den vorliegenden Erfahrungsberichten in manchen Fällen als hilfreich erwiesen, zumindest insofern als mehr oder weniger dauerhafte Verhaltensänderungen in Richtung einer besseren sozialen Anpassung erzielt werden konnten.

5. Die Prognose für Patienten mit *sexuellen Verhaltensabweichungen*, soweit sie manifeste Borderline-Merkmale aufweisen, hängt von der jeweiligen Persönlichkeitsstruktur ab. Sexuelle Abweichungen bei narzißtischen Persönlichkeitsstrukturen haben im allgemeinen keine gute Prognose, und zwar wegen der besonderen Schwierigkeiten, die sich einer analytischen Therapie bei narzißtischen Persönlichkeiten überhaupt entgegenstellen; bei anderen Formen von Charakterstö-

rungen ist die Prognose günstiger. Die Behandlung sexueller Probleme bei Patienten mit manifesten Borderline-Merkmalen erweist sich oft als sehr langwierig, weil man bei solchen Patienten mit ihrer starken Regressionsneigung die psychodynamischen Hintergründe des abweichenden sexuellen Verhaltens nur sehr behutsam und allmählich aufgreifen darf. Bei allen Patienten mit sexuellen Verhaltensabweichungen ist die Qualität der Objektbeziehungen ein entscheidend wichtiges prognostisches Kriterium. Je eher der Patient imstande ist, nicht-ausbeuterische Objektbeziehungen aufrechtzuerhalten, desto günstiger ist die Prognose zu veranschlagen; je labiler die Objektbeziehungen sind, desto mehr verschlechtert sich die Prognose. Patienten mit einer Borderline-Persönlichkeitsstruktur, die seit vielen Jahren praktisch völlig isoliert leben und deren gesamtes Sexualleben in irgendeiner Form von Masturbation mit ausschließlich oder vorwiegend perversen Phantasien besteht, haben in bezug auf ihre sexuellen Schwierigkeiten prognostisch geringe Chancen.

6. Die Prognose für Patienten mit *Alkoholismus* oder *Drogenabhängigkeit* – diese Syndrome kommen übrigens häufiger auf der Grundlage einer Borderline-Persönlichkeitsstruktur vor – hängt wiederum von der jeweils zugrundeliegenden Persönlichkeitsstruktur ab. Auch hier fällt die Prognose ungünstiger aus, wenn die Symptomatik auf dem Hintergrund einer narzißtischen Persönlichkeitsstruktur entstanden ist. Ein weiterer ausschlaggebender Gesichtspunkt ist die Impulskontrolle des Patienten beziehungsweise auch die Frage, ob eine Möglichkeit besteht, die fehlende Impulskontrolle des Patienten in bezug auf sein Suchtsymptom während der Behandlung vorübergehend durch eine äußere Struktur zu ersetzen. Verfügt der Patient über genügend Impulskontrolle, um zu verhindern, daß sein Symptom die Behandlung allzu sehr beeinträchtigt, oder läßt sich ersatzweise eine beschützende Umweltsituation in Form einer stationären Krankenhausaufnahme, einer Tagesklinik oder sonstiger Arrangements schaffen, so verbessert sich die Prognose.

7. Bei Patienten mit einer der »klassischen« *präpsychotischen Persönlichkeitsstrukturen* (paranoide Persönlichkeit, schizoide Persönlichkeit, hypomanische bzw. hyperthyme Persönlichkeit) ist die Prognose unterschiedlich.

(a) *Paranoide Persönlichkeiten* auf Borderline-Niveau haben eine günstigere Prognose, wenn das Behandlungssetting so strukturiert wird, daß ihr Bedürfnis nach omnipotenter Kontrolle und Beherrschung des Therapeuten die therapeutische Beziehung nicht allzu sehr beeinträchtigt. Diese paranoiden Patienten versuchen oft gleich zu Beginn der Behandlung Bedingungen aufzustellen, zum Beispiel daß sie bestimmte Dinge geheimhalten wollen oder indem sie den Therapeuten derart unrealistisch zu dominieren versuchen, daß die therapeutische Beziehung völlig verzerrt wird und die Therapie häufig in einer Sackgasse endet (Heimann 1955 a). Wenn ein Patient die mit dem Eingehen einer therapeutischen Beziehung verbundenen realistischen Anforderungen und Einschränkungen zunächst noch nicht akzeptieren kann, so mag es von Vorteil sein, ihn nach Möglichkeit für die Anfangsstadien der Behandlung, in denen die therapeutische Beziehung erst aufgebaut werden muß, stationär aufzunehmen. Auf diese Weise erhält man durch die Beobachtungen des Klinikpersonals und die gegenseitige Unterstützung der Mitarbeiter des therapeutischen Teams doch einen gewissen Ausgleich für die Geheimnistuerei paranoider Patienten in bezug auf viele ihrer Lebensbereiche und für ihr Bestreben, den Therapeuten omnipotent beherrschen zu wollen.

(b) Für *schizoide Persönlichkeiten* ist die Prognose schon zurückhaltender zu stellen. Denn bei Patienten mit ausgeprägten manifesten schizoiden Zügen besteht oft eine derart starke Distanzierung und Zurückgezogenheit von der therapeutischen Beziehung, daß die Fähigkeit, ja auch die Bereitschaft des Therapeuten, solche Patienten für eine sinnvolle Beziehung zu gewinnen, unter Umständen ernstlich in Frage gestellt wird. Schizoide Patienten machen einen derartig ausgiebigen Gebrauch von Spaltungsprozessen, daß man den Eindruck gewinnt, alle emotionalen, man könnte sogar sagen: alle menschlichen Elemente der Patient-Therapeut-Beziehung würden fortwährend zerstört oder verflüchtigt, wodurch ein Klima von emotionaler Flachheit und Leere entsteht, das für einen Therapeuten über längere Zeit hin kaum zu ertragen ist. Guntrip (1968) hat in sehr überzeugender Weise diese typischen psychodynamischen Merkmale schizoider Patienten geschildert, die den Therapeuten einem maximalen Streß aussetzen; ich stimme ganz mit seiner Auffassung überein, daß die Person des Therapeuten unter solchen Umständen sehr wichtig wird. Es kann sogar sein, daß die Prognose bei schizoiden Patienten hauptsächlich von persönlichen Eigenschaften des Therapeuten, wie sie in seiner Technik zum Ausdruck kommen, abhängt. Gewiß wird der Therapeut einem schizoiden Patienten nicht helfen können, indem er ihm »seine eigene Person zur Verfügung stellt«, sondern nur indem er seine natürliche Wärme, seinen emotionalen Reichtum und seine Fähigkeit zur Einfühlung dazu verwendet, systematisch und unermüdlich den defensiven Rückzug des Patienten zu analysieren.

(c) *Hypomanische Persönlichkeiten* haben eine schlechte Prognose, das heißt: der entscheidende Punkt ist hier tatsächlich die Depressionstoleranz des Patienten. Je eher der Patient in der Lage ist, ein Stück Depression zu ertragen, ohne gleich in eine schwere Dekompensation zu geraten, desto günstiger ist die Prognose einzuschätzen. In ihren vorherrschenden Abwehrformen ähneln hypomanische den narzißtischen Persönlichkeiten; insofern sind auch die technischen Schwierigkeiten mit solchen Patienten oft ähnlicher Art (vgl. Kap. 8). Insgesamt jedoch ist die Prognose für hypomanische Persönlichkeiten ungünstiger als für narzißtische.

8. Die Prognose bei Charakterstörungen vom Typ des sogenannten *»chaotischen«* oder *triebhaften Charakters* [impulse-ridden character disorders] ist insgesamt gar nicht einmal so ungünstig, aber es gibt individuelle Unterschiede je nach dem Ausprägungsgrad unspezifischer Anzeichen von Ichschwäche, worauf später noch eingegangen werden soll. Patienten mit multiplen sexuellen Perversionen, mit heterosexueller und/oder homosexueller Promiskuität sowie Patienten mit polymorph-perversen Tendenzen (die ja überhaupt für Borderline-Störungen sehr charakteristisch sind) gehören ebenfalls in diese Kategorie. Allgemein gilt: Je chaotischer und vielfältiger die perversen Phantasien und Verhaltensweisen und je labiler und flüchtiger die Objektbeziehungen sind, in die solche sexuellen Interaktionen eingebunden sind, desto sicherer erscheint die Diagnose einer Borderline-Persönlichkeitsstruktur gerechtfertigt, aber desto besser ist auch die Prognose (im Gegensatz zu Patienten mit einer stabilen sexuellen Abweichung auf der Grundlage einer narzißtischen Persönlichkeit). Das bedeutet also, daß bei Patienten mit einem chaotischen Sexualleben, die Anzeichen einer Borderline-Störung, aber keine Hinweise auf eine narzißtische Persönlichkeitsstruktur aufweisen, die Prognose wesentlich günstiger ist, als man es auf Grund der Instabilität und der polymorphen Qualität ihres pathologischen Sexualverhaltens zunächst vermuten könnte. Spiegelt sich jedoch in den polymorphen perversen Phantasien und/oder Verhaltensweisen eher eine allgemeine Unfähigkeit zur Herstellung stabiler Objektbeziehungen wider, so verschlechtert sich aus eben diesem Grunde auch die Prognose.

9. Patienten mit überwiegend zwanghafter Persönlichkeit – *Zwangs-*

charaktere – haben eine gute Prognose auch dann, wenn ihre psychischen Funktionen auf Borderline-Niveau organisiert sind. Wichtig ist jedoch die Abgrenzung der zwanghaften Persönlichkeitsstrukturen im engeren Sinne von den narzißtischen und den schizoiden Persönlichkeiten, die ihnen in ihrer kühlen, intellektualisierenden und distanzierten Art ähneln können.

10. *Depressiv-masochistische Persönlichkeiten* auf Borderline-Funktionsniveau haben ebenfalls eine relativ gute Prognose, wenn auch mit gewissen Einschränkungen. Zum einen ist die Prognose bei den stärker sadistisch geprägten Charakterstrukturen, den sogenannten sadomasochistischen Persönlichkeiten, ungünstiger als im Falle der depressiven Persönlichkeiten im engeren Sinne (vgl. Kap. 1). Und zum zweiten haben auch solche Patienten eine schlechtere Prognose, bei denen eine generalisierte Selbstdestruktivität besteht, beispielsweise in Form von Verhaltensweisen, die vorwiegend auf eine Selbstschädigung hin angelegt zu sein scheinen (etwa eine chronische Neigung zu suizidalen Handlungen oder mehr noch das wiederholte Vorkommen erheblicherer Selbstbeschädigungen). Je primitiver also die Form der Autoaggression und je diffuser die aggressive Triebabfuhr ist – in dem Sinne, daß zwischen Selbst und Objekt gar nicht mehr differenziert wird (im Gegensatz zu solchen autoaggressiven Tendenzen, die weitgehend in Überichstrukturen eingebunden sind) –, desto ungünstiger ist die Prognose. Eine langfristige (unter Umständen mehrjährige) Hospitalisierung in Verbindung mit intensiver analytisch orientierter Psychotherapie kann bei Patienten mit chronischen Selbstbeschädigungstendenzen recht gute Besserungen bewirken, vorausgesetzt daß das ganze Behandlungssetting so geartet ist, daß es die Versuche dieser Patienten, ihre Umwelt mittels angedrohter oder durchgeführter Selbstbeschädigungen omnipotent zu beherrschen, aufzufangen vermag (Peng Nie Pao, pers. Mittlg. 1970).

Die prognostische Relevanz der jeweils vorliegenden Art von Charakterstörung ist ein wichtiges Argument für eine sorgfältige Diagnostik bei diesen Patienten. Je eingehender dabei die deskriptive Diagnose abgeklärt wird, desto eher kann man sicher sein, neben den rein deskriptiven auch strukturelle und genetisch-psychodynamische Aspekte mit erfaßt zu haben.

Wenn ich hier von einer strukturellen und genetisch-dynamischen Analyse spreche, so geht es dabei nicht um den Veruch einer Rekonstruktion der einzelnen pathogenen Konflikte und der Lebensgeschichte des Individuums, sondern vielmehr um eine mehrdimensionale Bestimmung der dauerhafteren Veränderungen, die auf Grund solcher Konflikte und früheren Erlebnisse im Einzelfall entstanden sind und die mittlerweile zu einem Bestandteil der Charakterstruktur geworden sind. Kurz gesagt: eine gute Diagnose erfordert eine metapsychologische Analyse des »hier und jetzt« Vorhandenen.

b) Spezielle Charakterzüge, die auf Ich- und Überich-Deformierungen verweisen

Bis hierher habe ich die verschiedenen Charaktertypen in ihrer Gesamtkonstellation als ein wichtiges prognostisches Kriterium in bezug auf die Behandlung von Borderline-Patienten untersucht. Im folgenden möchte ich nun mein Augenmerk noch schärfer auf ganz bestimmte einzelne Charakterzüge als mögliche prognostische Indikatoren richten. Je ausgeprägter primitive pathologische Überich-Identifizierungen in bestimmten Charakterzügen realisiert werden, je ich-syntoner sie geworden sind und je stärker insbesondere selbstdestruktive Tendenzen in bestimmten Charakterzügen zum Ausdruck kommen (so daß man von »Selbstdestruktivität als Ich-Ideal« sprechen könnte), desto ungünstiger wird die Prognose.

Obgleich bekannt ist, daß die Charakterstruktur zwischen den verschiedenen Anforderungen vermittelt, denen das Ich vom Es, vom Über-Ich und von der Außenwelt her ausgesetzt ist, werden in der Literatur doch meist einseitig die Es-Ansprüche hervorgehoben. Ich möchte dagegen hier besonders die Funktion der Charakterstruktur als Kompromißbildung zwischen dem Ich und den Anforderungen des Über-Ichs unterstreichen.

1. Beispiel: Eine Patientin mit hysterischer Charakterstruktur und einem unterdrückenden, strafenden Überichkern, der aus der Introjektion einer im Zusammenhang mit ödipalen Konflikten entstandenen bedrohlichen Mutterimago hervorgegangen ist, empfindet in der Phantasie jede Äußerung heterosexueller Wünsche und jede Rivalität mit anderen Frauen als tabu. Bei solch einer Überichbildung verwundert es nicht, daß die Patientin in ihrem Konkurrenzstreben gegenüber anderen Frauen gehemmt ist, sich dominierenden Mutterfiguren leicht unterordnet und sexuelle Hemmungen aufweist. Das Bestehen solcher masochistischer Charakterzüge spiegelt also hier einen struk-

turbildenden Vorgang wider, über den die Beziehung zwischen dem unterwürfigen, von Schuldgefühlen gequälten Selbst des kleinen Mädchens der ödipalen Phase und der bedrohlichen ödipalen Mutterimago ihren dauerhaften Niederschlag im Ich dieser Frau gefunden hat. Es kommt aber durchaus vor, daß solche masochistischen Züge vom Ich in »adaptiverer« Weise benutzt werden, etwa in Form einer masochistischen Einstellung Männern gegenüber, wobei ein gewisses Maß an seelischem oder körperlichem Leiden quasi der zu entrichtende Preis für sexuelle Befriedigung ist, also die Bedingung, unter der Sexualität dann doch genossen werden darf. Die masochistischen Charakterzüge sind in so einem Falle einerseits Ausdruck der Strukturierung eines bestimmten Selbstbildes, das zu einem entsprechenden Mutter-Introjekt im Über-Ich in Beziehung steht (also einer Ichfunktion in bezug auf das Über-Ich); andererseits drückt sich darin auch das Bemühen des Ichs aus, die verpönten Es-Impulse in einer zwar modifizierten, masochistischen, aber damit auch ich-syntonen Form doch noch zum Zuge kommen zu lassen. Die pathologische Charakterkonstellation des Masochismus wird also auch zu einem Aspekt des Selbstkonzepts und damit zu einem Bestandteil der Ich-Identität des Patienten. Zusammenfassend können wir festhalten, daß im Falle der angeführten Patientin eine Überich-Introjektion (der ödipalen, triebeinschränkenden Mutterimago) stattgefunden hat, die einen Identifizierungsvorgang im Ich nach sich zog, und zwar eine Identifizierung mit der Rolle des unterwürfigen, von Schuldgefühlen geplagten kleinen Mädchens der ödipalen Phase, die eine komplementäre Ichstruktur zu dem Mutter-Introjekt im Über-Ich darstellt.

2. Beispiel: Eine andere Patientin mit hysterischer Charakterstruktur und strengem Über-Ich, das hauptsächlich aus der Verinnerlichung einer verbietenden sexualfeindlichen Mutterimago stammt, zeigt zum Beispiel dominanten Frauen gegenüber eine unterwürfige, masochistische Einstellung, gegenüber schwächeren Männern jedoch ein recht herrschsüchtiges, dominierendes Verhalten. Gerade dieses Verhalten Männern gegenüber möchte ich hier als Ausdruck einer pathologischen Charakterkonstellation näher beleuchten, die gleichzeitig mehrere Funktionen erfüllt: Zum einen handelt es sich hier um eine »Identifizierung mit dem Angreifer« (Anna Freud 1936), also mit der dominierenden ödipalen Mutterimago, vermittels einer charakterlichen Identifizierung mit dem sadistischen Über-Ich; zweitens handelt es sich um eine Reaktionsbildung gegen die unterwürfig-ma-

sochistischen Tendenzen des Ichs, und drittens bietet dieses Verhalten der Patientin die Möglichkeit, einen Teil der unterdrückten Aggression, die letztlich der ödipalen Auflehnung gegen ihre Mutter entspringt, in rationalisierter Form auszuagieren. In diesem Falle ist das strenge Über-Ich womöglich auf den ersten Blick gar nicht zu erkennen, weil die teilweise Charakter-Identifizierung mit diesem Über-Ich die sonst zu erwartende überich-bedingte Icheinschränkung verringert und eine Ablenkung von Aggression, die sowohl vom Über-Ich als auch vom Es herstammt, nach außen ermöglicht.

3. Beispiel: Eine schwerwiegendere Variante pathologischer Entwicklungen dieser Art fällt dadurch auf, daß der betreffende Patient in einer strukturierten sozialen Umwelt ziemlich gehemmt, scheu, ja unterwürfig erscheint, wohingegen er in unstrukturierten sozialen Situationen, sobald er in eine Überlegenheits- oder Machtposition gerät, plötzlich ein erstaunliches Maß an Aggressivität und Arroganz, aber auch an scheinbarer Dummheit zu erkennen gibt. Auch in solchen Fällen kann man wiederum ein strenges, brutales Über-Ich finden, das unter gewöhnlichen Umständen einen überwiegend hemmenden Einfluß auf die Ichfunktionen ausübt; aber unter bestimmten sozialen Voraussetzungen, die das begünstigen, tritt dann eine Identifizierung mit dem Aggressor ein, und die Überichfunktionen treten nun in neuer Gestalt auf, nämlich integriert in sadistische Charakterzüge. Die Arroganz entspricht einer Charakter-Identifizierung mit einer omnipotent-sadistischen Überichfigur; in der scheinbaren Dummheit kommt eine Realitätsverleugnung zum Ausdruck, indem hier das Über-Ich die vom Ich auszuübende Realitätsprüfung teilweise unterdrückt. Bion (1967) hat in einem anderen Zusammenhang Arroganz und Dummheit als Abwehrformen gegen paranoide Tendenzen beschrieben; meiner Ansicht nach kann eine Projektion von Überichkernen und können manifeste paranoide Tendenzen bei solchen Charakterstrukturen vorkommen, brauchen es aber nicht; das hängt vom Grad der erreichten Überich-Integration ab.

Im dritten der angeführten Beispiele, wo die Identifizierung mit dem Über-Ich sich auf ein viel primitiveres Überich-Introjekt bezog als in den ersten beiden Beispielen, erscheint denn auch die Aggression, die in solch einer Charakter-Identifizierung geäußert wird, als ziemlich roh und der Tendenz nach sozial inadäquat. Dies kommt daher, daß hier das Ich seine Funktion der Realitätsprüfung in sozialen Situationen teilweise aufgegeben hat, um so den pathologischen Fremdkörper, den die Charakter-Identifizierung mit dem primitiven Über-Ich darstellt, leichter »assimilieren« zu können. Ein derartiger Verlust der Kritikfähigkeit, der Realitätsprüfung als Ichfunktion also, findet sich oft als schwerwiegende Komplikation, wenn es zu einer Verfestigung primitiver Identifizierungen in der Charakterstruktur gekommen ist. Diese Verfestigung entspricht einer erheblichen Deformierung der Identitätsbildung und gleichzeitig auch des Über-Ichs, zumal wenn pathologische Aggressivität anderen gegenüber mit einer Haltung von »moralischer Entrüstung« gerechtfertigt wird. Die Realitätsprüfung (hier im allgemeineren Sinne einer kritischen Prüfung der sozialen Realität zu verstehen und nicht so sehr im engeren Sinne der Differenzierung zwischen Selbst und Nicht-Selbst bzw. der damit verwandten Unterscheidung zwischen intrapsychischem und interpersonalem Erleben) und die Fähigkeit zur Introspektion sind unter solchen Umständen gleichermaßen eingeschränkt.

Zusammenfassend läßt sich feststellen, daß die Prognose um so ernster ist, je ausgeprägter die Charakterstruktur pathologische primitive Überich-Identifizierungen enthält, die unter Verlust höherer Ich- und Überichfunktionen im Ich integriert worden sind.

Ein weiteres prognostisch wichtiges Kriterium ist die Frage, inwieweit widersprüchliche Charakterzüge, denen wiederum in die Charakterstruktur eingebaute, miteinander im Konflikt stehende Identifizierungen zugrundeliegen, vom Ich (genauer: vom Selbst) und vom Über-Ich toleriert werden. Je ausgeprägter solche miteinander unvereinbaren Charakterzüge bei ein und derselben Person alternieren, desto eher ist eine Ichspaltung anzunehmen. Ein Überwiegen von Spaltungsprozessen und ähnlichen primitiven Abwehrmechanismen des Ichs ist ein Hauptmerkmal der Borderline-Persönlichkeitsstruktur. Dennoch gilt es auch hier wieder zu unterscheiden: Je weniger der betreffende Patient zumindest den Versuch einer Rationalisierung seines widersprüchlichen Verhaltens unternimmt und je ausgeprägter die gegensätzlichen Identifikationssysteme vom Ich und vom Über-Ich toleriert werden, desto ungünstiger ist die Prognose für jede Form von Psychotherapie.

Ich möchte dies am Beispiel eines Patienten mit schwer masochistischen Zügen demonstrieren, der für alles, was ihm im Leben mißlungen ist, in rationalisierender Weise die bösen anderen oder das Schicksal verantwortlich macht, der aber gleichzeitig unter bestimmten Umständen ein ziemlich sadistisches, deutlich provozierendes Verhalten an den Tag legt; als er mit dem Widerspruch zwischen dieser provozierenden Art und seiner Neigung, sich ständig über ungerechte Behandlung durch andere zu beklagen, konfrontiert wird, scheint dieser Widerspruch ihn nicht im mindesten zu irritieren. Eine solche lässige Haltung gegenüber offenkundigen Widersprüchen in gewohnheitsmäßigen Verhaltensmustern ist als ungünstiges prognostisches Zeichen zu werten.

Ein weiteres einschlägiges Beispiel ist der übergewissenhafte Zwangscharakter, der sich unter bestimmten Umständen durchaus unanständig verhalten kann, ohne dabei auch nur die Spur eines Konflikts zu empfinden; in diesem Falle handelt es sich allerdings vorwiegend um eine Überich-Störung.

c) Selbstdestruktivität als Charakterformation – die negative therapeutische Reaktion

Die Frage, inwieweit pathologische Charakterzüge Ausdruck einer selbstdestruktiven Ideologie sind – in dem Sinne, daß man von »Selbstdestruktion als Ich-Ideal« sprechen könnte –, ist ein weiteres Kriterium, das gegebenenfalls die Behandlungsprognose erheblich verschlechtert. Dieses Problem reicht allerdings über eine deskriptive Klassifizierung selbstdestruktiver Charakterstörungen hinaus und hat etwas mit dem allgemeineren Phänomen der negativen therapeutischen Reaktion zu tun. Schwere Formen von Autoaggressivität als Bestandteil der Charakterstruktur manifestieren sich in der Therapie regelmäßig als Neigung zur negativen therapeutischen Reaktion. Dabei handelt es sich, genau genommen, um eine »transaktionelle« oder »Prozeß-Variable«, das heißt: die Frage, ob und wie ausgeprägt eine negative therapeutische Reaktion innerhalb der psychotherapeutischen Beziehung entsteht, liefert uns wichtige prognostische Hinweise, ist aber erst im fortschreitenden Verlauf der Behandlung zu beurteilen. Negative therapeutische Reaktionen gibt es nicht nur bei Borderline-Patienten, aber bei ihnen kommen sie häufig vor. Je mehr die Vorgeschichte an Verhaltensweisen aufzeigt, die überwiegend im Sinne einer Tendenz zur sozialen, psychischen oder körperlichen Selbstschädigung zu interpretieren sind, desto ungünstiger ist die Prognose.

Ich möchte jedoch unterstreichen, daß die selbstdestruktiven Auswirkungen bestimmter Verhaltensweisen zu unterscheiden sind von der Selbstdestruktion als eigener, ja hauptsächlicher Absicht in einem Verhalten. So kommt es zum Beispiel vor, daß ein Patient, der eine Arbeitsstelle nach der anderen verliert oder der sein Studium sofort abbricht, sobald eine Konfrontation mit seinen Leistungsmängeln droht, solche Abbrüche rationalisierend als Ausdruck seiner »Selbstdestruktivität« erklärt. Vordergründig betrachtet, mag er recht haben; die eigentliche Intention könnte aber vielmehr die sein, daß er ein primitives grandioses Selbstkonzept vor Infragestellungen schützen will. Vielleicht kann man überhaupt nur bei Patienten mit einer chronischen Neigung zu körperlichen Selbstbeschädigungen hinreichend sicher sein, daß dieses Symptom als gravierendes prognostisches Zeichen zu werten ist, sofern darin primitive selbstdestruktive Bedürfnisse und mittelbar auch eine erhebliche Neigung zu einer negativen therapeutischen Reaktion zum Ausdruck kommen.

Bei manchen Patienten mit Selbstbeschädigungstendenzen, die sich von Spannungen jeglicher Art durch selbstzugefügte Schmerzen zu entlasten versuchen (indem sie sich schneiden, sich die Haut verbrennen etc.), beobachtet man manchmal eine wahre Lust und einen enormen Stolz über diese Macht der Selbstdestruktion, eine Art von Allmachtsgefühl und Stolz darüber, daß man nicht auf die Befriedigung durch andere angewiesen ist, was im lustvollen selbstdestruktiven Akt symbolisch bekräftigt wird. Patienten, die sich körperlich oder seelisch selbst schädigen und dabei das Leiden und die Ohnmacht derer, die ihnen nahestehen – den Therapeuten eingeschlossen –, triumphierend genießen, sind typische Beispiele für solch eine pathologische Entwicklung. Bei funktionstüchtigeren masochistischen Persönlichkeitsstrukturen (etwa bei den depressiv-masochistischen Persönlichkeiten) wird solch eine selbstdestruktive Ideologie mit Triumphgefühlen und Lust an der Selbstschädigung manchmal in Form einer Unterwerfung unter ein besonders strenges Wertsystem bzw. unter eine dementsprechende religiöse oder politische Gruppe rationalisiert. Dabei ist zu unterscheiden zwischen unbewußter Selbst-Sabotage als Ausdruck der Unterwerfung unter ein sadistisches Über-Ich und andererseits dem bewußten Bekenntnis zu selbstdestruktiven Zielen als einem Ich-Ideal, dem das Lebensglück, gute Beziehungen zu anderen Menschen, Erfolg und Befriedigung geopfert werden müssen.

Ein anderes, aber doch ähnliches selbstdestruktives Motiv besteht darin, daß man eigenes Scheitern in Kauf nimmt, wenn man damit eine andere Person zum Scheitern bringen kann, die einem helfen könnte und die man gerade deshalb unbewußt haßt und beneidet. Selbstdestruktion hat hier zum Ziel, über das beneidete Objekt zu triumphieren. Gravierende Fälle von negativer therapeutischer Reaktion (Cooperman 1970, Freud 1923, Rosenfeld 1964 und 1970) gehören häufig zu dieser Kategorie von Patienten, denen es darum geht, über andere – hier also: über den Therapeuten und dessen lebensbejahende Tendenzen – zu »triumphieren«. Guntrip (1968) hat darauf hingewiesen, daß Identifizierungen im Ich des Patienten mit primitiven bösen Objekten (Fairbairn und Guntrip sprechen diesbezüglich vom »antilibidinösen Ich«) für die Behandlung schizoider Persönlichkeiten als prognostisch ungünstiger Faktor zu werten sind.

Der Begriff der »negativen therapeutischen Reaktion« bezieht sich in unserem Sprachgebrauch nicht etwa allgemein auf das Scheitern einer Behandlung oder auf Phasen von erhöhtem Widerstand oder gesteigerter negativer Übertragung. Es geht dabei vielmehr ausschließlich um solche Fälle, bei denen das Bedürfnis, die hilfreichen Aspekte der eigenen Psychotherapie oder Psychoanalyse zu zerstören, in der Trieb- und Abwehrkonstellation des Patienten eindeutig dominiert. Freuds (1923) klassische Darstellung dieser Reaktion bezog sich auf Patienten mit einem starken unbewußten Masochismus und einer schweren Überich-Störung, die in überwältigenden unbewußten Schuldgefühlen zum Ausdruck kam. Tatsächlich zeigen viele Patienten mit depressiv-masochistischen Charakterstrukturen diese Art von Widerstand.

Es gibt indessen auch schwerer gestörte Patienten, bei denen negative therapeutische Reaktionen in einem anderen Zusammenhang auftreten, nämlich narzißtische Persönlichkeitsstrukturen, bei denen ein unbewußtes Bedürfnis besteht, den Therapeuten und mit ihm überhaupt alle äußeren Objekte, die Liebe und Befriedigung zu geben vermöchten, an sich scheitern zu lassen, was mit oralem Neid und rachsüchtiger Zerstörungswut auf solche Objekte zusammenhängt (vgl. Kap. 8 dieses Buches sowie Rosenfeld 1964).

Darüber hinaus gibt es eine weitere, noch tiefer regressive Ebene psychischer Störung, auf welcher die negative therapeutische Reaktion besonders ausgeprägt hervortritt – nämlich bei solchen Patienten, deren Funktionsniveau als Borderline oder gar als manifest psychotisch einzustufen ist und die [bei aller sonstigen Verschiedenheit] zwei gemeinsame Merkmale aufweisen: das Vorherrschen starker prägenitaler Aggression in ihrer Triebstruktur und eine gewisse Verschwommenheit der Grenzen zwischen Selbst und Nicht-Selbst mit der Folge, daß Aggression ohne Unterschied wahllos gegen andere oder gegen die eigene Person gerichtet wird. In diese Kategorie gehören zum Beispiel viele Patienten mit Neigung zu Selbstschädigungen, die sich durch selbstzugefügte Schmerzen eine unspezifische Entlastung von Angst und Spannungen jeder Art verschaffen. Anderen Patienten aus der großen Gruppe der Borderline-Strukturen und der Psychotiker scheint es dagegen besonders darauf anzukommen, ganz gezielt die Bemühungen anderer, ihnen zu helfen, zum Scheitern zu bringen, auch wenn sie sich damit letztlich selbst am meisten schädigen.

Ein chronisch-schizophrener Patient, alleinstehend und Anfang zwanzig, schien unter den eingeschränkten Lebensbedingungen der Krankenhausstation recht gut zurechtzukommen. Aber jedem, der sich ihm mit der Absicht ihm zu helfen näherte, begegnete er konstant mit einem abschätzigen Lächeln. Er schrieb seinen Eltern lange Briefe, in denen er sich über die schlechte Behandlung in der Klinik beklagte, und gleichzeitig gab er dem Klinikpersonal gegenüber offen zu, daß seine Anschuldigungen, die er in den Briefen erhob, falsch waren und einzig dem Zweck dienten, die Behandlung abzubrechen und seine Eltern dazu zu zwingen, ihn aus der Klinik herauszunehmen. Sein Vater war ein harter, gefühlsarmer Mann, der auf eiserner Disziplin bestand; die überängstliche und mißtrauische Mutter war alkohol- und tablettensüchtig und hatte bereits mehrere psychotische Episoden durchgemacht. Etliche Behandlungsversuche, darunter stationäre Behandlungen und psychotherapeutische Bemühungen, waren völlig erfolglos geblieben. Der Patient begrüßte einen seiner Stationsärzte jeden Tag bei der Visite mit einem Lächeln und dem Ausspruch: »Sie werden schon sehen – mir können Sie in keiner Weise helfen!« Er blieb im Gespräch immer vordergründig freundlich, dahinter aber spürte man eine unerschütterliche Entschlossenheit, mit der er sich jeder Besserung seines Zustandes widersetzte. Seine Vorgeschichte verzeichnete, daß er einmal seine Mutter tätlich angegriffen und ein andermal versucht hatte, seinen Penis abzuschneiden, und daß er lange Zeit einen Krankheitsherd verheimlicht hatte, der sich dann als bösartiger Tumor erwies.

Im Team gelangten wir schließlich zu der Auffassung, daß der Patient sich unbewußt mit einem extrem destruktiven Mutterbild identifizierte und daß er sich deshalb gegen jede Besserung sträuben mußte, weil jede Besserung seines Zustandes gleichbedeutend wäre mit Trennung von seiner Mutter, ja Zerstörung seiner Mutter. Seine Wut auf die Mutter lenkte er deshalb von ihr ab und richtete sie gegen sich selbst und alle, die ihm helfen wollten. Die Selbstdestruktivität dieses Patienten erschien uns als mehrfach determiniert: Sie entsprang einem Bedürfnis nach Selbstzerstörung, war ein Ausdruck diffuser Aggression und zeigte die Identifizierung des Patienten mit einer sadistischen Mutterimago, seinen neiderfüllten Haß auf alle diejenigen, die sich nicht in so einer sklavischen Abhängigkeit befanden, seine Angst vor Mutters Strafen, falls er sich von ihr zu befreien versuchen würde, und seine Angst um ihr Leben, falls sich überhaupt etwas ändern würde. Mehrere Mitarbeiter des Teams sprachen in bezug auf die Krankheit dieses Patienten von einem »Persönlichkeitskarzinom«. Es fiel auf, daß der Patient keineswegs das Klinikpersonal »manipulierte« etwa in dem Sinne, daß er seine Umwelt zu einer feindseligen Haltung gegen ihn provoziert hätte; er ging vielmehr bei dieser Entwertung, Verächtlichmachung und Vernichtung seiner Psychotherapeuten, seines Stationsarztes und überhaupt aller derjenigen, die ihm zu helfen versuchten, ganz offen, ja fast genüßlich vor. Zugleich ist aber auch zu betonen, welchen Grad an Ich-Integration dieser Patient doch erreicht hatte: Man hatte den Eindruck, daß er sich gewissermaßen »zusammengerissen« und damit auf einem Niveau stabilisiert hatte, wo er zumindest über genügend Realitätsprüfung und Impulskontrolle verfügte, um seine Einstellung gegen alle auf Änderung zielenden Bemühungen abzuschirmen.

Die deskriptiven Aspekte der Charakterstruktur und deren prognostische Implikationen lassen sich gewöhnlich schon im Verlaufe einer gründlichen diagnostischen Untersuchung klären. Hierbei geht es neben der detaillierten Erfassung der Charakterstruktur auch um die Abklärung der Fragen, inwieweit bestehende pathologische Charakterzüge ich-synton oder ich-dyston sind; inwieweit widersprüchliche Charakterzüge oder Widersprüche zwischen bestimmten Charakterzügen und dem Wertsystem des Patienten konfliktlos toleriert werden; ob und inwieweit das Ich des Patienten seine Funktionen der Realitätsprüfung, das Selbsterhaltungsstreben und die Fähigkeit zur Sorge [um sich selbst und andere] »aufgibt«, und schließlich vor allem der Frage, ob und wie ausgeprägt selbstdestruktive Tendenzen bestehen und ob diese gegebenenfalls als Ich-Ideal ich-synton sind oder ob sie eher dazu benutzt werden, anderen Niederlagen zu bereiten.

Die prognostischen Implikationen aller dieser Befunde müssen jedoch eventuell revidiert werden, wenn nämlich diese Befunde sich im Verlaufe bestimmter Entwicklungen während der Therapie ändern. So wird darauf zu achten sein, inwieweit prognostisch ungünstige pathologische Charakterzüge im Fortgang der therapeutischen Arbeit ich-dyston werden, inwieweit sich beim Patienten ein Bewußtsein für solche pathologischen Kräfte in ihm selbst und eine Betroffenheit darüber einstellt und schließlich ob der Patient es fertig bringt, von der fortwährenden Rationalisierung selbstdestruktiver Tendenzen Abstand zu nehmen; denn hierbei handelt es sich um wichtige transaktionelle oder Prozeßvariablen, die im Verlaufe der Behandlung die Gesamtprognose modifizieren können.

Psychotherapeuten sollten jedoch nicht der Versuchung erliegen, sich bezüglich der Prognose nur noch darauf zu verlassen, wie der Patient auf eine längerfristige Behandlung anspricht. Da eine intensive Therapie von Borderline-Patienten, soweit damit grundlegende Änderungen in der Persönlichkeitsstruktur angestrebt werden, viele Monate oder Jahre dauert und da andererseits jeder Psychotherapeut von den vielen derartigen Patienten, die er untersucht, nur wenige in Behandlung nehmen kann, ergibt sich von selbst die Notwendigkeit, für eine solche intensive psychotherapeutische Behandlung sorgfältig diejenigen Patienten auszuwählen, deren Charakterstörung die prognostisch relativ günstigsten Faktoren aufweist.

2. ART UND AUSMASS DER ICHSCHWÄCHE

Im 1. Kapitel dieses Buches bin ich dafür eingetreten, den Begriff der »Ichschwäche« beizubehalten, weil er immer noch klinisch brauchbar ist, sofern man ihn nicht überdehnt und durch übermäßige Verallgemeinerung verwässert, sondern die verschiedenen Aspekte der Ichschwäche einzeln herausarbeitet und voneinander differenziert. Ich habe also unterschieden zwischen einerseits spezifischen Aspekten der Ichschwäche, nämlich (a) der *überwiegenden Verwendung primitiver Abwehrmechanismen*, wie sie für die Borderline-Persönlichkeitsstruktur kennzeichnend sind, und andererseits unspezifischen Aspekten der

Ichschwäche, nämlich (b) der *mangelhaften Impulskontrolle*, (c) der *mangelhaften Angsttoleranz* und (d) *mangelhaft ausgebildeten Sublimierungen*. Dazu kommen noch zwei weitere, auch schon erwähnte Aspekte der Ichschwäche, nämlich (e) eine *Neigung zu primärprozeßhaften Denkvorgängen* und (f) die *Schwächung der Realitätsprüfung*. Alle diese angeführten Aspekte sind zunächst ganz allgemein Ausdruck einer pathologischen Ichentwicklung; darüber hinaus aber spiegeln sich darin auch die spezifischen Folgen der Pathologie verinnerlichter Objektbeziehungen wider, die für Borderline-Patienten so charakteristisch ist. Die quantitative Gesamtauswertung des Psychotherapie-Forschungsprojekts der Menninger-Stiftung hat beweiskräftige Belege für die prognostische Relevanz der Ichstärke erbracht (Kernberg et al. 1968, Burstein et al. 1969). Im folgenden soll nun die prognostische Bedeutung jedes einzelnen Aspekts der Ichschwäche näher geprüft werden.

a) *Die überwiegende Verwendung primitiver Abwehrmechanismen.* Je ausgeprägter bestimmte Abwehrkonstellationen des Ichs, nämlich sogenannte primitive Abwehrmechanismen (Spaltung, primitive Idealisierung, frühe Formen der Projektion, insbesondere die projektive Identifizierung, Verleugnung, Allmachtsphantasien, Entwertung) gegenüber Abwehrformen von höherem Niveau (Verdrängung und ähnliche Mechanismen) vorherrschen, desto eher erscheint die Diagnose einer Borderline-Persönlichkeitsstruktur angebracht (vgl. Kap. 1). Mit anderen Worten: die diagnostische Bedeutung der jeweils vorherrschenden Abwehrkonstellation des Ichs ist sehr hoch anzusetzen. Für die Prognose dagegen scheint es nicht so wichtig zu sein, welche Abwehrformen innerhalb des Gesamtspektrums der für Borderline-Zustände typischen jeweils dominieren. Allerdings ist das Ausmaß, in welchem Verdrängung und andere Abwehrmechanismen und Charakterzüge »von höherem Niveau« (Kernberg 1970) nachweisbar sind, für die Art der vorzuschlagenden Behandlung (also was zum Beispiel die Frage der Eignung für eine Analyse anbetrifft) von Bedeutung.

b) *Die mangelhafte Impulskontrolle* ist tatsächlich ein wichtiger prognostischer Indikator. Besteht eindeutig nur ein umschriebener Verlust der Impulskontrolle in bezug auf ein ganz bestimmtes Triebverhalten bei ansonsten gut erhaltener Impulssteuerung in allen übrigen psychischen Funktionsbereichen, so handelt es sich gewöhnlich um eine Abwehrformation, die diagnostisch abgeklärt und therapeutisch durch Deutungen in Verbindung mit der zeitweiligen Einführung technischer Parameter aufgelöst werden kann. Eine global mangelhafte Impulskontrolle dagegen ist nicht nur ein wichtiges Indiz für eine Ichschwäche, sondern bedingt und impliziert auch eine Neigung zum Ausagieren der Übertragung (innerhalb wie außerhalb der Behandlungsstunden).

Im 3. Kapitel erwähnte ich bereits, daß das sogenannte Übertragungsagieren in der Beziehung zum Therapeuten, das heißt also innerhalb des therapeutischen Settings, sich bei Borderline-Patienten oft als hochgradig resistent gegen Deutungen erweist, und zwar deshalb, weil damit pathologische Triebbedürfnisse befriedigt werden, besonders solche, die mit massiven präödipal-aggressiven Triebabkömmlingen zusammenhängen, wie sie für diese Patienten so charakteristisch sind. Eine derartige Befriedigung von Triebbedürfnissen in der Behandlung stellt einen erheblichen Übertragungswiderstand dar; manchen Patienten gelingt es sogar, ihre pathologischen Triebbedürfnisse in der Übertragung sehr viel ausgiebiger zu befriedigen, als es in ihren sonstigen Beziehungen außerhalb der Therapie je möglich wäre.

Eine mangelhafte Impulskontrolle ist ein ernstzunehmendes prognostisches Zeichen, das darauf hinweist, daß der Behandlungsverlauf eventuell durch Übertragungsagieren erheblich kompliziert werden kann. Von der Ausprägung dieses Merkmals hängt es ab, in welchem Umfang eine Festsetzung von Rahmenbedingungen innerhalb der Behandlung und/oder strukturierende Eingriffe in die Lebensverhältnisse des Patienten (durch Krankenhausaufnahme, Tagesklinik, Heimunterbringung etc.) erforderlich sein werden, damit die Therapie überhaupt durchgeführt werden kann. Eine mangelhafte Impulskontrolle ist deshalb prognostisch so besonders gravierend, weil sie tendenziell den Schwerpunkt des Behandlungsprozesses mehr in Richtung einer stützenden Therapie verschiebt, wodurch aber wiederum das Bestreben, die pathologische Abwehrstruktur des Patienten mit analytisch orientierten Mitteln aufzulösen, notwendigerweise behindert wird. Mit anderen Worten: je weniger der Patient selbst zu einer ausreichenden Impulskontrolle imstande ist, desto mehr sieht sich der Therapeut dazu genötigt, »die Führung zu übernehmen«, wodurch aber seine neutrale Position unterminiert wird; je mehr die Neutralität verloren geht, desto weniger läßt sich ein analytischer Ansatz noch aufrechterhalten. Bei einem beträchtlichen Teil der Patienten mit einer schwer defekten Impulskontrolle läßt sich in der Tat eine Hospitalisierung mit stationärer Psychotherapie nicht umgehen.

c) *Mangelhafte Angsttoleranz*. Unter Angsttoleranz verstehen wir hier nicht das Ausmaß an manifester Angst, die der Patient erlebt, sondern vielmehr das Ausmaß, in welchem jede zusätzliche Steigerung der Angst über das gewohnte Maß hinaus sogleich weitere Symptombildungen, pathologische Verhaltensweisen oder eine Vertiefung der Regression bewirkt. Da eine mangelhafte Angsttoleranz in bestimmten Behandlungsmomenten, wo unvermeidlich die Angst des Patienten ansteigt, zugleich die Impulskontrolle mit beeinträchtigen kann, gilt vieles, was im vorigen Abschnitt über die mangelhafte Impulskontrolle ausgeführt wurde, auch für diesen Punkt. Eine eingeschränkte Angsttoleranz ist also ebenfalls als prognostisch ungünstiges Zeichen zu werten.

Hier schließt sich die Frage an, inwieweit eine mangelhafte Angsttoleranz sich durch Anwendung von Psychopharmaka kompensieren läßt. Grundsätzlich würde ich eine derartige medikamentöse Behandlung zusätzlich zur Psychotherapie immer dann in Erwägung ziehen, wenn die manifeste Angst derart stark ist, daß die Herstellung und Aufrechterhaltung einer sinnvollen kommunikativen Patient-Therapeut-Beziehung in Frage gestellt ist. Dies trifft jedoch hauptsächlich für Psychotiker zu; bei der überwiegenden Mehrzahl der Borderline-Patienten, die ich untersucht oder behandelt oder deren Behandlung ich supervisiert habe, war eine solche medikamentöse Zusatztherapie nicht erforderlich.

Kommt es jedoch bei einem Borderline-Patienten mit schwer defekter Angsttoleranz zu Angstausbrüchen von fast psychotischer Intensität, so ist die Verordnung von Psychopharmaka indiziert, und zwar nach folgenden Prinzipien: (a) Die betreffenden Medikamente müssen in ausreichender Dosierung gegeben werden, um nicht bloß einen Placeboeffekt, sondern eine echte pharmakologische Wirkung zu erzielen. (b) Sie sollten über eine ausreichende Zeitspanne angewendet werden, damit der Angstpegel, mit dem der Patient »funktionieren« muß, auf ein neues »Basisniveau« eingestellt werden kann. Werden Psychopharmaka nur kurzfristig gegeben oder ihre Dosierung im Laufe der psychotherapeutischen Behandlung zu häufig geändert, so schwankt der Angstpegel derart auf und ab, daß die Übertragungsimplikationen solcher Schwankungen kaum zu erfassen sind. Oder anders gesagt: unter der Anwendung von Psychopharmaka kann es geschehen, daß der Angstpegel derart unregelmäßigen Schwankungen unterliegt, daß er seinen Charakter als eine grundlegend wichtige transaktionelle oder Prozeßvariable, an Hand deren sich psychotherapeutische Interventionen dosieren lassen, verliert. (c) Die unbewußten Bedeutungen der Einnahme von Medikamenten im Rahmen der Psychotherapie müssen herausgearbeitet und konsequent immer wieder in den psychotherapeutischen Prozeß eingebracht werden, da die primitiven Abwehrformen der Borderline-Patienten unter Umständen durch einen symbolischen Gebrauch der Medikamente maskiert werden können und eine systematische Beobachtung der Abwehrvorgänge in der Übertragung unter solchen Umständen sehr erschwert wird. So kann zum Beispiel ein Bedürfnis nach omnipotenter Kontrolle seinen Ausdruck in der unbewußten Überzeugung eines Patienten finden, wenn er über Medikamente verfüge, so verfüge er damit auch über den Therapeuten. Oder es kann sein, daß die gierige orale Ansprüchlichkeit eines Patienten durch die Verordnung von Medikamenten bereits ausreichend abgesättigt ist, so daß die aggressiven Anteile dieser Anspruchshaltung teils gemildert und teils auch maskiert werden, indem der Angstanstieg, den das Nicht-Eingehen des Therapeuten auf den Wunsch nach Medikamenten sonst hervorgerufen hätte, hier eben ausbleibt.

Meine Ausführungen über die Verordnung von Medikamenten könnten vielleicht in dem Sinne mißverstanden werden, als sei ich grundsätzlich gegen die Anwendung von Psychopharmaka. Ich beziehe mich aber hier auf die Anwendung von Medikamenten im Rahmen einer intensiven langfristigen Psychotherapie bei Patienten mit einer Borderline-Persönlichkeitsstruktur, die über bloße Symptombesserung hinaus auf eine grundlegende Modifikation der Persönlichkeitsstruktur abzielt. Natürlich kann bei akuten Kriseninterventionen und bei mehr auf Symptombesserung ausgerichteten Kurzpsychotherapien der Einsatz von Psychopharmaka oder sonstigen Medikamenten einen wichtigen Teil der gesamten Behandlungsstrategie ausmachen, aber darum geht es hier ja gar nicht.

d) *Mangelhaft ausgebildete Sublimierungen.* Hierbei handelt es sich um einen prognostischen Faktor von großer Bedeutung, der aber leider oft schwer zu beurteilen ist. Als wichtigste Indikatoren der Sublimierungsfähigkeit betrachten wir die Freude an der Arbeit und am Leben überhaupt und die Fähigkeit zu schöpferischen Leistungen, was etwas anderes ist als die bloße Leistungsfähigkeit als solche, in der sich nicht so sehr die Ausbildung von Sublimierungen als vielmehr die besonderen Abwehrformen, Fähigkeiten oder auch Begabungen des Patienten widerspiegeln.

Vergleichen wir zum Beispiel zwei Borderline-Patienten miteinander, die beide Ärzte sind, die es also geschafft haben, trotz ihrer psychischen Handicaps ihr Studium abzuschließen und bestimmten beruflichen Anforderungen zu genügen. Der eine jedoch benutzt seinen Beruf überwiegend als Prestigemittel und Einkommensquelle, kümmert sich dagegen nur wenig um seine Patienten und um die weitere Vervollständigung seiner beruflichen Kenntnisse und Fähigkeiten. Dieser Mann hat es mit seinem sehr hohen Intelligenzquotienten immerhin fertiggebracht, trotz längerer Perioden von Dekompensation und Vernachlässigung seiner beruflichen Angelegenheiten schließlich doch den Anforderungen seines Arztberufes zu entsprechen und seine Ausbildung zum Abschluß zu bringen. Aber kurz gesagt, es fehlt ihm weitgehend an einem Bewußtsein für die wirklichen Werte in seiner beruflichen Arbeit über die unmittelbaren narzißtischen Befriedigungen hinaus, die er daraus bezieht, und es mangelt ihm auch an jeglichem Interesse für wissenschaftliche Fortentwicklungen in seinem Fachgebiet. Der zweite Arzt hat große Schwierigkeiten in seinen zwischenmenschlichen Beziehungen und benutzt seine wissenschaftlichen Interessen und Tätigkeiten als Fluchtmöglichkeit vor allzu engen und intensiven Beziehungen zu anderen, aber auch als einen Versuch, vor seiner konfusen inneren Erlebniswelt in eine als gut und solide empfundene »professionelle Welt« zu fliehen. Seine Sublimierungsfähigkeit ist viel besser ausgebildet als die des ersten Patienten.

Allgemein drückt sich das Sublimierungspotential eines Menschen unter anderem darin aus, inwieweit er sich für eine bestimmte Tätigkeit oder berufliche Arbeit über bloße narzißtische Bedürfnisse hinausgehend engagieren kann, welches Ausmaß an Befriedigung er aus solchen Betätigungen zu ziehen vermag und inwieweit es ihm dabei um die Sache selbst geht, also um den eigenen Wert der betreffenden Arbeit oder Tätigkeit. Die Einschätzung der Sublimierungsfähigkeit erfordert also eine sehr sorgfältige Beurteilung nicht nur der allgemeinen Qualität der Arbeit und sonstiger Betätigungen des Patienten, sondern auch seiner Beziehung dazu, also der Funktion, die diese Tätigkeiten für ihn haben. Patienten, die von ihren sozioökonomischen Umweltbedingungen her jede Gelegenheit hatten, entsprechende Fertigkeiten zu entwickeln und Berufe zu ergreifen, oder die über eine sehr hohe Intelligenz oder sonstige Begabungen verfügen, haben oft eine glänzende Fassade entwickelt, die über den weniger auffälligen Mangel an echtem Sublimierungspotential hinwegtäuschen kann. Für die Praxis ist die prognostische Bedeutung dieser Variable enorm hoch einzuschätzen, so daß es in diesem Zusammenhang gerechtfertigt erscheint, wenn auch nur kurz, auf die Genese der Sublimierungsfähigkeit einzugehen. Ich erwähnte ja bereits, daß das Sublimierungspotential eines Menschen unter anderem in einem echten Engagement für etwas, das über unmittelbar selbstbezogene Interessen hinausgeht, zum Ausdruck kommt. In etwas allgemeineren Begriffen bedeutet das ein tiefes Interesse [concern] für das, was an anderen Menschen und an der eigenen Person gut und wertvoll ist, eine Wertschätzung und ein Bewußtsein für Werte und Wirklichkeiten, die mit Liebe »besetzt« worden sind und von denen man umgekehrt auch Liebe in symbolischer Form zurückerhält. Melanie Klein (1940) hat die Zusammenhänge zwischen Sublimierungsleistungen und der allgemeinen Fähigkeit zur Ausbildung von Schuldgefühlen und Wiedergutmachungstendenzen hervorgehoben, und Winnicott (1955, 1963) hat weiterhin untersucht, wie die Entwicklung der Fähigkeit zur Sorge [capacity for concern, vgl. Anm. d. Übers. S. 84] mit der Verarbeitung der »depressiven Position« in Beziehung steht.

Alle diese Beobachtungen lassen den Schluß zu, daß die Sublimierung, im Gegensatz zur traditionellen psychoanalytischen Auffassung, nicht einfach nur als Ausdruck einer durch Ich- und Überichfunktionen bedingten Modifikation von Triebabkömmlingen bezüglich ihrer Zielsetzung und Anwendung zu verstehen ist, sondern vielmehr ein direktes Ergebnis der Schicksale verinnerlichter Objektbeziehungen darstellt. Die Fähigkeit zur Ausbildung von Beziehungen zu ganzen Objekten, also auch zur Integration von liebevollen und haßvollen Beziehungsanteilen im Verhältnis zu anderen und zu sich selbst, muß also vorhanden sein, damit Sublimierungen in vollem Umfang entwickelt werden können. Wenn ein Borderline-Patient in irgendeinem Bereich seines Lebens grundsätzlich auf irgend etwas Gutes und Wertvolles in der Beziehung zu anderen Menschen (oder zu seiner Arbeit, Freizeitbetätigungen, Kunst, Wissenschaft oder Religion) zu vertrauen vermag, so ist dies von großer Bedeutung als prognostisch positives Zeichen. Denn die Fähigkeit, über unmittelbar selbstbezogene Interessen hinaus Werte aufzubauen und aufrechtzuerhalten, erscheint vielleicht ziemlich abstrakt und ist gewiß oft schwer zu beurteilen, sie stellt aber ein höchst konkretes und praktisch bedeutsames Bindeglied dar zwischen den Schicksalen verinnerlichter Objektbeziehungen einerseits und andererseits der Fähigkeit, von einer psychotherapeutischen Beziehung zu profitieren.

e) *Die Neigung zu primärprozeßhaften Denkvorgängen*. Bei Patienten mit einer Borderline-Persönlichkeitsstruktur lassen sich in einer üblichen psychiatrischen Untersuchung gewöhnlich keine formalen Denkstörungen nachweisen; die psychologische Testuntersuchung mittels projektiver Tests zeigt jedoch, besonders in den Antworten auf relativ unstrukturierte Reizangebote, Hinweise auf Primärprozeßdenken in Form archaischer Phantasien, einer deutlich herabgesetzten Fähigkeit, sich auf die formalen Gegebenheiten des Testmaterials einzustellen, und besonders in der Verwendung bizarrer Formulierungen (Rapaport, Gill und Schafer 1945/46). Wenn in der Erstuntersuchung bereits bei psychiatrischer Explorationstechnik eindeutige Anzeichen für formale Denkstörungen auftauchen, so besteht diagnostisch der Verdacht auf eine Psychose. Primärprozeßhafte Denkweisen können aber klinisch auch bei Borderline-Patienten in bestimmten Abschnitten einer intensiven Psychotherapie auftreten. Bion (1967) hat aufgezeigt, wie eine zeitweilige Desorganisation von Denkvorgängen für bestimmte Abwehrzwecke benutzt werden kann. Gleich zu Anfang schon bestehende Hinweise auf Primärprozeßdenken sind sowohl diagnostisch wie therapeutisch von Belang; eine eventuelle Neigung des Patienten zu primärprozeßhaften Denkvorgängen geht auch in die Beurteilung der Frage mit ein, ob der betreffende Patient von einer (nicht-modifizierten) Analyse würde profitieren können. Das zeitweilige Auftauchen primärprozeßhafter Denkabläufe im späteren Verlauf der Behandlung ist an sich nicht von prognostischer Bedeutung, aber man kann es als Hinweis darauf nehmen, daß der Abwehraspekt solcher Verzerrungen der Kommunikation in der Behandlungssituation besonders zu beachten ist.

f) *Die Schwächung der Realitätsprüfung*. Die Realitätsprüfung im engeren Sinne der Fähigkeit, intrapsychische Erlebnisse von äußerlich wahrgenommenen Ereignissen zu unterscheiden, ist eine Ichfunktion, die bei Patienten mit Borderline-Persönlichkeitsstruktur im allgemeinen erhalten ist. Sie kann aber auch bei ihnen vorübergehend ausfallen, so zum Beispiel unter dem Einfluß eines massiven Affektsturms oder auch unter Alkohol- oder Drogeneinfluß sowie im Zusammenhang einer Übertragungspsychose. Unter gewöhnlichen Umständen bleibt die Realitätsprüfung jedoch erhalten; dies ist gerade ein entscheidendes Kriterium für die Differentialdiagnose zwischen Borderline-Zuständen und Psychosen (Frosch 1964). Für die Diagnose einer psychotischen Episode, etwa einer Schizophrenie, ist grundsätzlich der Nachweis eines andauernden Verlusts der Realitätsprüfung in irgendeinem psychischen Funktionsbereich und/oder einer bestehenden »produktiven« psychotischen Symptomatik, zum Beispiel Halluzinationen oder Wahnideen, zu fordern. Wird die Differentialdiagnose zwischen Borderline-Störung und Psychose bei einem Patienten erwogen, der keinen Ausfall der Realitätsprüfung in bezug auf sein Verhalten, sein Denken oder seine Gefühlsreaktionen aufweist und auch keinerlei produktive psychotische Symptome zeigt, so handelt es sich ganz einfach nicht um einen Psychotiker. Die üblich gewordene Überdehnung der Diagnose »Schizophrenie« auf Grund psychodynamischer Kriterien – anstelle einer streng deskriptiv begründeten Schizophreniediagnose – hat viel zu der Verwirrung beigetragen, der man auf diesem Gebiet häufig begegnet.

Zeigt ein Patient im Interview bizarre Verhaltensweisen oder bizarre Auffassungen über sein inneres Erleben oder die äußere Realität oder schließlich Affekte, so gehört es als notwendiger Bestandteil zur Untersuchung, daß man ihn mit der Abnormität, die man in einem dieser Bereiche oder in allen festgestellt hat, konfrontiert. Kann der Patient dann spontan zugeben, daß ihm das Abnorme an seinem Verhalten, Denken oder Fühlen bewußt ist, oder vermag er zumindest nach entsprechender Konfrontation diesen Schluß zu ziehen, so ist die Realitätsprüfung (im Sinne der oben angeführten strengen Definition) immer noch vorhanden. Das Erhaltenbleiben der Realitätsprüfung ist also per definitionem ein kennzeichnendes Merkmal der Borderline-Störungen, allerdings mit der Einschränkung, daß diese Funktion unter den oben erwähnten Bedingungen vorübergehend ausfallen kann.

Die Häufigkeit und der Ausprägungsgrad solcher vorübergehenden Ausfälle der Realitätsprüfung sind dabei für sich genommen prognostisch gar nicht so wichtig. Wenn Borderline-Patienten im Verlaufe einer Psychotherapie regredieren und eine Übertragungspsychose entwickeln, so sprechen sie in der Regel günstig auf eine – zeitweilige oder dauernde – Veränderung der psychotherapeutischen Technik an, die beispielsweise in einer stärkeren Strukturierung der Behandlungssituation oder der Lebensumstände des Patienten außerhalb der

Therapie bestehen kann. Ist die Patient-Therapeut-Beziehung solide etabliert und vermag der Therapeut mit der psychotischen Regression realistisch umzugehen, ohne überschießenden Gegenübertragungsreaktionen zu erliegen, so brauchen solche zeitweiligen Ausfälle der Realitätsprüfung keine größeren Behandlungsprobleme zu bieten. Mit anderen Worten: die Realitätsprüfung ist als solche kein prognostischer Indikator, obschon die besondere Charakteristik dieser Funktion als ein Anteil in die Gesamtkonstellation mit eingeht, auf die sich die Diagnose der Borderline-Persönlichkeitsstruktur gründet. Die Realitätsprüfung ist jedoch eine wichtige diagnostische Variable hinsichtlich der Behandlungsindikation bei Borderline-Persönlichkeitsstrukturen, da die Intensität und Häufigkeit von Ausfällen der Realitätsprüfung eines der allgemeinen Kriterien für die Entscheidung darüber ist, ob der Patient eventuell für eine Analyse geeignet ist. Bei häufigeren Ausfällen der Realitätsprüfung würde man, auch wenn diese Störungen nur vorübergehend auftreten und sich durch Einführung strukturierender Parameter leicht beheben lassen, nicht zu einer klassischen Analyse raten, zumindest nicht ohne entsprechende Vorbehandlung. Für die meisten Borderline-Patienten ist jedenfalls eine modifizierte Behandlungstechnik erforderlich, die spezielle strukturierende Maßnahmen und/oder technische Parameter mit einschließt (vgl. Kap. 3).

Der Begriff »Realitätsprüfung« läßt sich aber noch anders, d. h. in einem allgemeineren, unschärferen, aber zugleich subtileren Sinne verstehen, nämlich im Hinblick auf die Frage, inwieweit der Patient über ein Bewußtsein für seine zwischenmenschliche Umwelt, für die soziale Realität und insbesondere für die moralischen Werte anderer Menschen verfügt. Borderline-Patienten weisen oft subtile Verhaltensstörungen in ihrem sozialen Alltagsleben auf, in denen sich ein Verlust feinerer Unterscheidungsleistungen der Realitätsprüfung infolge ihrer Ich- und Überich-Pathologie dokumentiert: Feinere Signale und Andeutungen von seiten anderer nehmen sie oft überhaupt nicht wahr; ihr unpassendes Auftreten, die Gefühle anderer und die Weise, wie sie von anderen wahrgenommen werden, sind ihnen häufig gar nicht bewußt, und sie fallen oft durch Taktlosigkeit auf. Die Realitätsprüfung in diesem weiter gefaßten Sinne ist durchaus auch prognostisch von Bedeutung, aber wir befinden uns hier bereits im komplexen Bereich des zwischenmenschlichen Geschehens, wo es eigentlich mehr um die Qualität der Objektbeziehungen als prognostischen Indikator geht, ein Punkt, auf den ich später noch ausführlicher eingehen möchte. Halten wir an dieser Stelle nur noch einmal fest, daß der Realitätsprüfung im engeren Sinne jedenfalls keine große Bedeutung als prognostischer Faktor zukommt.

Fassen wir nun zusammen: Manche Teilfaktoren der Ichstärke bzw. Ichschwäche haben ganz entschieden eine prognostische Bedeutung, und zwar gilt dies vor allem für die sogenannten unspezifischen Anzeichen von Ichstärke, nämlich für die Impulskontrolle, die Angsttoleranz und die Sublimierungsfähigkeit eines Patienten. Dagegen sind andere Faktoren wie zum Beispiel die Realitätsprüfung, das Auftauchen primär-prozeßhafter Denkweisen sowie auch die bei Borderline-Patienten vorherrschenden Abwehrformen zwar für die Diagnose, aber nicht so sehr für die Prognose von Gewicht.

3. Art und Ausmass der Überich-Störung

Die Art und das Ausmaß der bestehenden Überich-Störung sind ein fundamental wichtiger prognostischer Faktor bei Patienten mit einer Borderline-Persönlichkeitsstruktur. Obwohl grundsätzlich zwischen dem erreichten Strukturniveau des Ichs und dem des Über-Ichs ein enger Zusammenhang besteht, der sich aus der Tatsache herleitet, daß Ich- und Überich-Störungen durch ähnliche Schicksale verinnerlichter Objektbeziehungen bedingt sind (Kernberg 1966, 1970), weist die Überich-Entwicklung bei Borderline-Patienten häufig Besonderheiten auf und entspricht nicht immer dieser Regel. Ernst Ticho (1972 a) hat betont, wie wichtig die diagnostische Einschätzung des Entwicklungsstandes des Über-Ichs ist, denn die Frage, inwieweit das Über-Ich noch unintegriert oder schon integriert, noch heteronom oder eher autonom ist, ist unmittelbar klinisch relevant. Mitunter findet man bei Borderline-Patienten ein höheres Integrationsniveau der Überichfunktionen, als man es auf diesem Level von Persönlichkeitsstrukturen normalerweise erwarten würde. Warum das so ist, läßt sich noch nicht mit Sicherheit beantworten. Es könnte zum Beispiel sein, daß zwar aufgrund schwerer prägenitaler Konflikte eine schwere Ichstörung entstanden ist, aber außergewöhnlich günstige Umweltbedingungen in den späteren Kindheitsjahren die späteren Überich-Introjektionen und -Identifizierungen in positivem Sinne geprägt haben.

Wir finden zwar bei Borderline-Patienten regelmäßig Anzeichen einer schweren Überich-Pathologie im Sinne einer Vorherrschaft von Spaltungsvorgängen im Über-Ich, einer Reprojektion von Überichkernen in Form paranoider Tendenzen, einer pathologischen Toleranz des Über-Ichs gegenüber widersprüchlichen Werteinstellungen, konträren Ichzuständen und pathologischen Charakter-Identifizierungen, die in eklatantem Widerspruch zu Werteinstellungen des Über-Ichs stehen; aber gleichzeitig besteht auch eine relativ große Variabilität in bezug auf das Ausmaß, in welchem abstrahierte, depersonifizierte und integrierte Überich-Werthaltungen vorhanden sind. Manche Patienten mit Borderline-Persönlichkeitsstruktur, nämlich diejenigen bei denen sich eine narzißtische Persönlichkeitsstörung herausgebildet hat (vgl. Kap. 8) weisen beispielsweise eine viel tieferreichende Überich-Störung auf, als nach ihren Ichfunktionen zu erwarten wäre.

Je ausgeprägter bei Borderline-Patienten ein Bewußtsein für Werte, die über unmittelbar selbst-bezogene Befriedigungen hinausgehen, vorhanden ist, desto eher ist eine weitgehend abstrahierte und depersonifizierte Überichstruktur anzunehmen und desto günstiger ist auch die Prognose. Umgekehrt: je deutlicher antisoziale Tendenzen bestehen, zumal wenn diese ich-synton und fest in die Charakterstruktur eingebaut sind, desto weniger kann man von einem integrierten, abstrahierten und depersonifizierten Über-Ich sprechen und desto ungünstiger ist dementsprechend auch die Prognose. Gewisse im weitesten Sinne antisoziale Verhaltensweisen sind bei Patienten mit Borderline-Persönlichkeitsstruktur relativ häufig zu beobachten. So findet man zum Beispiel antisoziale Handlungen wie Stehlen, gewohnheitsmäßiges Lügen, parasitäre und ausbeuterische Einstellungen häufig bei narzißtischen Borderline-Charakterstrukturen, vor allem natürlich bei den antisozialen Persönlichkeiten im engeren Sinne. Letztere, also die antisozialen Persönlichkeiten, haben für jede Art von Psychotherapie die schlechteste Prognose. Weniger schwerwiegende antisoziale Züge kommen auch bei anderen Typen von Borderline-Patienten vor; pathologisches Lügen z. B. findet sich häufig bei infantilen Persönlichkeiten und »Als ob«-Persönlichkeiten (die »Pseudologia phantastica« galt lange Zeit als hysterischer Charakterzug, gehört aber in Wirklichkeit eher zum Bild der infantilen Persönlichkeiten). Entscheidend für die Beurteilung ist dabei nicht das antisoziale Verhalten als solches, sondern dessen Stellenwert in bezug auf das Über-Ich. Auf die Differentialdiagnose antisozialer Verhaltensweisen bin ich bereits in einem früheren Abschnitt dieses Kapitels eingegangen, so daß hier nur noch einmal betont werden soll, daß solche Verhaltensweisen im Hinblick auf die ihnen zugrundeliegende Charakterstörung und Überichstruktur analysiert werden müssen.

1. Beispiel: Herr A. belog immer wieder den Therapeuten bezüglich seiner finanziellen Verhältnisse, weil er fürchtete, dieser wolle ihn ausbeuten und ihm rücksichtslos alles, was er verdiente, wegnehmen. Wegen seines Lügens hatte er aber wiederum chronische Schuldgefühle gegenüber dem Therapeuten und reagierte daher auf alles, was er als Freundlichkeit von dessen Seite empfand, mit Angst und Ablehnung. Erst als diese verächtlich-ablehnende Einstellung gegen den Therapeuten näher untersucht wurde, kamen allmählich die durchaus realistischen Schuldgefühle und die dagegen wiederum aufgebaute Abwehrhaltung ans Licht. So benutzte der Patient zum Beispiel jede scheinbare Inkonsequenz des Therapeuten als Anlaß und Rechtfertigung für heftige Wutausbrüche darüber, daß er nicht »als jemand Besonderes« behandelt werde. Auf diese Weise schaffte er sich immer wieder die Bestätigung dafür, daß er ganz zu Recht solch einem Therapeuten gegenüber auch gar nicht restlos aufrichtig zu sein brauchte. Im Gegensatz dazu war dieser Patient übrigens in seinem alltäglichen Umgang mit anderen Menschen und in Geldangelegenheiten durchaus korrekt und ehrlich. Es gab jedoch eine Information aus der Vorgeschichte, nämlich daß der Vater des Patienten ihn oft sehr geärgert hatte, indem er ihn immer erst lange bitten und betteln ließ, bevor er ihm etwas Geld gab; der Vater hatte also die finanzielle Notlage des Patienten ausgenutzt, weil er sich bei solchen Gelegenheiten, im Gegensatz zu seiner sonstigen Unsicherheit, überlegen fühlen konnte. Der Patient wiederum hatte es gelernt, wie er seinen Vater manipulieren konnte, um ihm Geld aus der Tasche zu ziehen, und war auf diese Weise »selektiv unehrlich« geworden; seine Schuldgefühle beschwichtigte er mit dem Gedanken, daß er sich damit ja nur an seinem Vater räche. Die Bearbeitung dieser Übertragungskonstellation wurde erst möglich, nachdem der Patient zunehmend Schuldgefühle wegen seines Vaters gegenüber dem Therapeuten entwickelt hatte, die schließlich in einem »Geständnis« gipfelten, in dem die Schuldgefühle und die Depression des Patienten offen zutage traten. Bei diesem Patienten war das Lügen als eine Form antisozialen

Verhaltens also kein Ausdruck für eine schwerwiegendere Überich-Störung etwa in dem Sinne, daß es ihm an verinnerlichten moralischen Werten gefehlt hätte. Die Unehrlichkeit des Patienten beschränkte sich vielmehr auf einen umschriebenen Bereich und hing mit einer spezifischen Übertragungskonstellation zusammen; im übrigen bestand durchaus eine Fähigkeit zu echten Schuldgefühlen und eine Verpflichtung an moralische Werte.

2. Beispiel: Herr B. wollte sich um eine Stelle in einer Institution bewerben, in der er seine Ausbildung absolviert hatte, und wandte sich an einen seiner früheren Ausbilder, der immer sehr freundlich zu ihm gewesen war, mit der Bitte, er möge ihn bei seiner Bewerbung unterstützen. Eine Voraussetzung, um die Stelle zu bekommen, war eine tadellose Führung. Der Patient wußte, daß diese Voraussetzung bei ihm nicht gegeben war, und er wußte auch, daß der Ausbilder von seinen früheren Schwierigkeiten mit dem Gesetz nichts ahnte. Dieser Mann gehörte jedoch dem Ausschuß an, der über die Bewerbungen zu entscheiden hatte, und da dem Ausschuß die betreffende Angelegenheit aus der Vergangenheit des Patienten bekannt geworden war, bekam er die Stelle nicht. Nachdem nun Herr B. den ablehnenden Bescheid erhalten hatte und damit wußte, daß die von ihm verheimlichte Angelegenheit herausgekommen war, kam er noch einmal zu dem Ausbilder, um ihn zu bitten, sich im Ausschuß für eine Revision des Ablehnungsbeschlusses einzusetzen. Als der Ausbilder ihm daraufhin erklärte, wie überraschend und überaus peinlich für ihn die Situation im Ausschuß gewesen war, zeigte sich der Patient in keiner Weise betroffen. Er empfand überhaupt keine Schuldgefühle darüber, daß er den ihm freundlich gesonnenen Mann in diese Lage gebracht hatte, sondern (das erscheint mir noch wichtiger) er empfand die Betrübnis und Enttäuschung des Ausbilders nur als ein Anzeichen dafür, daß dieser vom Ausschuß »einer Hirnwäsche unterzogen« worden sei und er deshalb auf ihn wohl nicht mehr zählen könne. – Ich möchte vor allem das fehlende menschliche Mitgefühl des Patienten und sein mangelndes Bewußtsein für ethische Werte bei anderen Menschen hervorheben. Trotz seiner hohen Intelligenz und seiner im allgemeinen intakten Realitätsprüfung vermochte er nicht zu erkennen, daß der Ausbilder nicht etwa über seine früheren Konflikte mit dem Gesetz betroffen war, sondern vielmehr über die Unwahrhaftigkeit, die schnöde Art des Patienten und die Gleichgültigkeit, mit der dieser über seine Gefühle hinweggegangen war.

5. Beispiel: Der Patient C empfand oft den starken Drang zu stehlen, dem er nur deshalb nicht nachgab, weil er fürchtete, dabei erwischt zu werden. Es fiel ihm sehr schwer zu verstehen, daß es andere Leute gibt, die aus moralischen Gründen nicht stehlen.

Zusammenfassend können wir festhalten, daß das Fehlen verinnerlichter Werteinstellungen, die mangelnde Wahrnehmung und Rücksichtnahme auf die Werteinstellungen anderer Menschen und das mangelnde Empfinden für die zwischenmenschliche Bedeutung solcher Werteinstellungen wichtige Indizien für das Fehlen reiferer Überichstrukturen und -funktionen und damit prognostisch als ungünstiges Zeichen zu werten sind.

Im Zusammenhang mit Überich-Störungen der geschilderten Art findet man gewöhnlich auch Mängel in bezug auf die feineren Leistungen der Realitätsprüfung im zwischenmenschlichen Beziehungsfeld und eine verminderte Fähigkeit zu wirklich sinnvoller Einsicht. Einsicht bedeutet hier etwas anderes als die bloße Tatsache, daß viele Borderline-Patienten in ihrem bewußten oder vorbewußten Erleben einen Zugang zu primärprozeßhaften Inhalten haben; wir verstehen darunter vielmehr ein zugleich intellektuelles und emotionales Verständnis für die tieferen Quellen des eigenen Erlebens, verbunden mit einer echten Betroffenheit über das Pathologische daran und mit dem Bedürfnis, diese pathologischen Anteile zu ändern (vgl. Kap. 3). Was bei Patienten mit einer schweren Überich-Störung vor allem fehlt, ist ein moralisches Interesse [concern] im Sinne der Sorge um sich selbst, um die Beziehungen zu anderen Menschen und um das, was man anderen antut. Mit anderen Worten: die moralische Selbsteinschätzung ist ein weiterer Aspekt der Überichfunktionen, dessen Fehlen ungünstig zu bewerten ist. Die Fähigkeit, Depression und Schuldgefühle zu erleben, steht in engem Zusammenhang mit der Fähigkeit zur Sorge und Anteilnahme [concern] (Winnicott 1963). Ich habe betont, wie wichtig die Beurteilung der Fähigkeit zur Depression und zu Schuldgefühlen für die Behandlungsprognose von Patienten mit narzißtischen Persönlichkeitsstörungen ist (Kap. 8), und dies gilt allgemein auch für andere Typen von Patienten mit einer Borderline-Persönlichkeitsstruktur.

Aggressivität und Impulsivität von Borderline-Patienten als Ausdruck einer schweren inneren Unruhe und aggressive Anteile bestimmter pathologischer Objektbeziehungen müssen unterschieden werden von einem allgemeineren Zug von Brutalität und Rücksichtslosigkeit, den manche Patienten in allen ihren Beziehungen zu anderen Menschen zeigen. Inwieweit eine solche Rücksichtslosigkeit eine Überich-Störung anzeigt, ist im Einzelfall jeweils sorgfältig zu prüfen. Manchmal fühlt man sich damit allerdings als Untersucher oder Therapeut überfordert, denn es ist gar nicht so leicht, die innere Welt und die zwischenmenschlichen Beziehungen eines Patienten unter dem Aspekt zu untersuchen, inwieweit er sich moralischen Werten verpflichtet fühlt, ohne dabei moralistisch zu werden.

Ein auffallender Zug, der regelmäßig für eine schwere Überich-Störung spricht, ist, daß manche Patienten sich sehr stark einem bestimmten Wertsystem verpflichtet fühlen, andererseits aber Verhaltensweisen zeigen, die teilweise dazu in eklatantem Widerspruch stehen. Es ist außerordentlich wichtig, solche Widersprüche sorgfältig festzustellen und dabei auch zu prüfen, inwieweit der Patient eventuell dazu neigt, darüber ohne tiefere Betroffenheit hinwegzugehen. Ein Patient zum Beispiel, ein katholischer Priester, fiel durch seine chronische heterosexuelle Promiskuität auf. Ein anderer Patient, plastischer Chirurg von Beruf und chronischer Alkoholiker, operierte in betrunkenem Zustand, wobei seine einzige Sorge sich darauf bezog, ob seine Assistenten etwas merken würden.

In der Behandlung äußert sich dieselbe Überich-Störung beispielsweise darin, daß der Patient den Therapeuten fortwährend belügt und womöglich »gar nichts dabei findet«; solch ein Verhalten ist prognostisch als verhängnisvoll anzusehen. Wann immer man als Psychotherapeut merkt, daß der Patient einen belügt, hat alles andere zurückzustehen gegenüber der vorrangigen Notwendigkeit, den Patienten mit seiner Lüge zu konfrontieren, sein Verhalten genau aufzuklären und die Gründe für dieses Verhalten bis zur Auflösung der Angelegenheit durchzuarbeiten. Eine psychotherapeutische Behandlung gleich welcher Art ist nicht durchführbar, wenn das grundlegende Instrument der Therapeut-Patient-Beziehung, nämlich die verbale Kommunikation, so schwerwiegend entstellt wird. Allgemeiner ausgedrückt: unbewußte Widerstände lassen sich nicht richtig untersuchen und schon gar nicht lösen, bevor nicht die bewußten Widerstände beseitigt sind.

Zusammenfassend möchte ich festhalten, daß das Vorhandensein oder Fehlen integrierter, abstrahierter und depersonifizierter Überichstrukturen, wie sie beispielsweise in einem entsprechenden moralischen Empfinden und einer Verpflichtung gegenüber moralischen und anderen Werten zum Ausdruck kommen, bei Borderline-Patienten ein wichtiges prognostisches Zeichen ist. Dieses prognostische Zeichen ist gleichzeitig auch eines der Kriterien für die Indikation oder Kontraindikation einer Analyse im engeren Sinne bei ausgewählten Borderline-Fällen.

Ich möchte an dieser Stelle noch eine weitere normalerweise vorhandene, schützende Überichfunktion erwähnen, die ebenfalls meistens fehlt, wenn gravierende Fehlentwicklungen oder Entwicklungsstillstände die Überichbildung beeinträchtigt haben. Und zwar meine ich hier die antizipatorische Funktion des normalen Über-Ichs, die in Situationen von Unsicherheit ein Affektsignal [im Ich] auslöst, das Ticho (1972 a) [in Analogie zur »Signalangst« bzw. zum »Angstsignal«] als »Schuldsignal« [»signal guilt«] bezeichnet. Dieses Schuldsignal induziert beispielsweise Phantasien von möglichem Versagen, von früher begangenen Fehlern, von uneingelösten Verpflichtungen, bis hin zu Phantasien mit leicht paranoiden Anklängen, die dann ihrerseits wiederum die selbstbeobachtenden und integrierenden Funktionen des Ichs aktivieren und somit eine optimale Vorbereitung bewirken, um der Unsicherheitssituation angemessen begegnen zu können. So mag beispielsweise ein unerwarteter Ruf zum Chef bei einem normalen Menschen vielleicht gewisse Besorgnisse und mit Schuldgefühlen durchsetzte Phantasien auslösen, die wiederum die Selbsterforschung fördern und eventuell gewisse Korrekturen der eingeschlagenen Richtung des Handelns veranlassen.

Diese Funktion fehlt bei Menschen mit einer schweren Überich-Störung weitgehend. Es ist oft erstaunlich zu beobachten, wie manche Borderline-Patienten mit sehr strengem Über-Ich, die anderen gegenüber äußerst empfindlich sind und leicht paranoid reagieren, in bestimmten Situationen völlig unsensibel erscheinen und jede Selbstkritik vermissen lassen, wo eigentlich ein gewisses Maß an Unsicherheit angemessen wäre, so zum Beispiel wenn sie bei ihrer Arbeit in freundlicher Form auf einen Fehler angesprochen werden. Man hat den Eindruck, daß feinere Signale aus der Umwelt, die normalerweise ein »Schuldsignal« auslösen würden, solche Patienten überhaupt nicht erreichen, wohingegen ein stärkerer Druck von seiten der Umwelt, etwa eine massivere Kritik, sehr leicht in paranoid entstellter Form wahrgenommen wird. Die Überichreaktionen dieser Patienten sind also nicht flexibel wie beim Normalen, sondern gehorchen eher einem »Alles oder Nichts«-Prinzip. Greifen wir noch einmal auf unser obiges Beispiel vom unerwarteten Ruf zum Chef zurück, so würden solche Patienten wahrscheinlich die zunächst noch freundlichen Ratschläge ihres Vorgesetzten ganz unbeachtet lassen: sie reagieren erst auf eine deutlichere und schärfere Kritik, aber dann gleich in der Weise, daß sie sich brutal angegriffen oder gar verfolgt fühlen.

Der antizipatorischen Funktion des normalen Über-Ichs, d. h. also der Auslösung von »Signalschuldgefühlen«, Besorgnissen und leicht »paranoid« gefärbten Phantasien in Situationen von Unsicherheit, stehen normalerweise ausgleichende Ichkräfte gegenüber, nämlich zum einen die Möglichkeit, irgendeine vorbeugende oder korrigierende Handlung einzuleiten, dann aber vor allem auch das grundsätzliche Vertrauen des Ichs (oder vielmehr des Selbst) auf das Gute in sich selbst und auf seine Fähigkeit, überwiegend gute Beziehungen zu anderen immer wiederherstellen zu können. Diese normalerweise wirksame Ichfunktion der Kompensation von Überichspannungen fehlt bei Borderline-Patienten, die im Gegensatz dazu aufgrund ihrer diffusen Ich-Identität und ihres heteronomen und ungenügend integrierten Über-Ichs eine pathologische Neigung zeigen, unter Überichspannungen primitive Abwehrmechanismen wie zum Beispiel Dissoziation, Projektion, Verleugnung und Allmachtsphantasien zu mobilisieren.

Ticho (1972 a) nimmt an, daß die Errichtung selektiver Identifizierungen im Über-Ich das Vorhandensein eines integrierten Selbstkonzepts im Ich voraussetzt. Ich bin der gleichen Auffassung: Das Selbstkonzept muß erst einen gewissen Grad an Stabilität erreicht haben, bevor reifere [»higher level«] Überichfunktionen sich entwickeln und insbesondere realistischer aufgefaßte Forderungen und Verbote der Eltern verinnerlicht werden können. Und umgekehrt fördert ein integriertes und relativ autonomes Über-Ich auch wiederum sehr die Entwicklung einer stabilen Ich-Identität. Nur ein pathologisches Über-Ich toleriert die Widersprüche zwischen voneinander dissoziierten oder abgespaltenen Ichzuständen. So kommt es dazu, daß eine mangelhafte Integration des Selbstkonzepts aufgrund exzessiver Spaltungsvorgänge im Ich und andererseits eine mangelhafte Integration des Über-Ichs zwei zusammenhängende Prozesse sind, die einander wechselseitig verstärken.

4. Die Qualität der Objektbeziehungen

Die Qualität der gegenwärtigen Beziehungen eines Patienten zu den für ihn wichtigen Bezugspersonen läßt sich an der Art, wie er diese Beziehungen innerlich erlebt, und an seinem Verhalten anderen Menschen gegenüber beobachten. Hiervon zu unterscheiden sind die strukturellen Niederschläge früher verinnerlichter Objektbeziehungen, von denen wir wissen, daß sie für die Entwicklung aller psychischen Strukturen außerordentlich folgenreich sind (Kernberg 1966). Daß wir es bei Borderline-Patienten mit einer in der Regel schweren Pathologie verinnerlichter Objektbeziehungen zu tun haben, zeigt sich vor allem an der weitreichenden Spaltung verinnerlichter Selbst- und Objektrepräsentanzen in »gute« und »böse«, an der durchgehenden Primitivisierung und Aggressivierung der zwischenmenschlichen Beziehungen, dem Gefühlsaufruhr, dem charakteristischen »Überengagement« ebenso wie an den Rückzugstendenzen und der dem Selbstschutz dienenden emotionalen Flachheit in Beziehungen zu anderen (vgl. Kap. 1).

Es gibt jedoch erhebliche Unterschiede in bezug auf die Art und das Ausmaß, in welchem Borderline-Patienten wirklich in die Interaktion mit anderen Menschen eintreten und sich dabei emotional engagieren. Das Vorhandensein stabiler Beziehungen, so »neurotisch« diese auch sein mögen, ist auf jeden Fall ein prognostisch günstiges Zeichen, weil es etwas über die Fähigkeit, sich zu engagieren, aussagt. Auch die Fähigkeit zur Individualisierung von Objektbeziehungen in dem Sinne, daß zwischen verschiedenen Personen, denen gegenüber ähnliche neurotische Konflikte zum Ausdruck kommen, dennoch einigermaßen realitätsgerecht differenziert wird, ist als Hinweis auf ein prognostisch günstiges Potential von Beziehungsfähigkeit zu werten. Wenn Borderline-Patienten in der Lage sind zu erkennen, was am Therapeuten im Vergleich zu ihren Übertragungsobjekten »anders« ist, so zeigen sie damit, daß sie über die Fähigkeit zu individualisierten Beziehungen verfügen.

Charakteristischerweise ist ja bei Borderline-Patienten die Objektkonstanz, also die Fähigkeit zur Herstellung von Beziehungen zu »ganzen« Objekten, gestört bzw. defekt, was sich daran zeigt, daß sie Ambivalenz anderen gegenüber so schwer ertragen können. Umgekehrt gilt: je besser ein Borderline-Patient gleichzeitig liebevolle und Haßgefühle gegenüber ein und derselben Person zu ertragen vermag, ohne dabei nur von einer extremen Gefühlseinstellung zur anderen umzuschwenken, desto günstiger ist die Prognose, weil sich darin eine reifere Qualität von Objektbeziehungen dokumentiert. Unter diesem Gesichtspunkt ist auch eine seit langem bestehende sehr konflikthafte pathologische Abhängigkeit von ein und derselben Person prognostisch immer noch besser einzuschätzen als ein totaler Rückzug mit Distanzierung von allen emotionalen Beziehungen.

Etwas anderes ist es jedoch mit solchen »Abhängigkeits«-Beziehungen, die in Wirklichkeit Ausdruck [einer Hörigkeit, d. h.] einer chronischen pathologischen Unterwerfung unter ein äußeres Objekt sind, das einen primitiven sadistischen Überichanteil repräsentiert. Die Identifizierung mit einem primitiven Überichanteil, verbunden mit einem selbstdestruktiven Ich-Ideal als festem Bestandteil der Charakterstruktur (wie oben beschrieben) äußert sich häufig in Form einer chronischen Unterwerfung unter (einen) Menschen, die einen feindselig behandeln und schädigen. Zuweilen sind es die realen Eltern oder ein Elternteil, das im Leben eines Patienten eine derartige Funktion repräsentiert. Solch eine Unterwerfung oder Hörigkeit gegenüber einen tatsächlich destruktiven anderen Person muß unter zwei Aspekten beurteilt werden, zum einen im Hinblick auf die Fähigkeit zu dauerhaften Objektbeziehungen, zum anderen hinsichtlich der Fähigkeit oder Unfähigkeit, sich aus solchen aggressiven selbstschädigenden Bindungen zu befreien.

Narzißtische Persönlichkeiten weisen, trotz ihrer erstaunlich guten äußeren Anpassung in sozialen Gruppen, besonders dürftige Objektbeziehungen auf. Gerade bei diesen Patienten sieht man, wie wichtig es ist, für die Beurteilung der Objektbeziehungen auch die inneren Gefühlsbeziehungen zu anderen Menschen zu berücksichtigen und sich nicht einfach auf die Beobachtung des interpersonellen Verhaltens zu beschränken. Wenn Freud (1937, G. W. Bd. XVI S. 87) von Patienten spricht, bei denen man als Analytiker oft den Eindruck gewinnt, »als habe man nicht in Ton gearbeitet, sondern in Wasser geschrieben«, handelt es sich wahrscheinlich überwiegend um narzißtische Persönlichkeiten. Die oberflächliche Anpassung narzißtischer Patienten verschleiert sowohl das Fehlen tiefergehender Objektbeziehungen in der Gegenwart als auch die schwere Störung ihrer verinnerlichten Objektbeziehungen, die sich in pathologischen Ich- und Überichstrukturen niedergeschlagen hat.

Die Analyse des aktuellen Verhaltens anderen gegenüber und der inneren Gefühlsbeziehungen zu bedeutsamen anderen Personen liefert uns also bei Patienten mit Borderline-Persönlichkeitsstruktur wichtige prognostische Hinweise. Je stabiler, differenzierter und emotional tiefreichender die inneren Beziehungen des Patienten zu den für ihn wichtigen Mitmenschen sind, desto besser ist auch die Prognose für die Behandlung.

Die Art der Objektbeziehungen des Patienten manifestiert sich natürlich in prognostisch bedeutsamster Weise in der Beziehung, die er zu seinem Therapeuten herstellt. Dadurch wird die Art der Objektbeziehungen zu einer transaktionalen oder Prozeßvariable von hohem prognostischem Stellenwert. Die Qualität der Beziehung, die der Patient zum Therapeuten herstellt, sagt auch etwas über die Qualität seines Über-Ichs aus, was die Fähigkeit anbelangt, den Therapeuten als Person wahrzunehmen und Rücksicht für ihn zu fühlen, oder auch das Ausmaß, in welchem der Patient imstande ist, sich von einer chronischen Unterwerfung unter die inneren Gebote eines sadistischen primitiven Über-Ichs zu befreien.

Damit ist unsere Untersuchung der prognostischen Faktoren, die sich aus dem aktuellen Krankheitsbild und der Persönlichkeit des Patienten ableiten lassen, abgeschlossen. Ich möchte jetzt anschließend noch etwas zur prognostischen Relevanz einer weiteren höchst wichtigen Prozeßvariable sagen, die nicht vom Patienten abhängt, sondern die Qualifikation [skill, auch: das Können] und die Persönlichkeit des Therapeuten betrifft.

5. Qualifikation und Persönlichkeit des Therapeuten

Im Bericht über die quantitative Auswertung der Behandlungsergebnisse im Rahmen des Psychotherapie-Forschungsprojekts der Menninger-Stiftung unterstrichen die Autoren (Burstein, Coyne, Kernberg und Voth 1969) die große Bedeutung der psychotherapeutischen Technik bei der Behandlung schwer ich-gestörter Patienten und versuchten in diesem Zusammenhang das Verhältnis von therapeutischer Technik, Qualifikation [skill] und Persönlichkeit des Therapeuten zu klären. Ich zitiere im folgenden die relevantesten Abschnitte aus den Schlußfolgerungen am Ende der angeführten Arbeit:

»Bei psychotherapeutischen Behandlungen auf der konzeptuellen Grundlage der psychoanalytischen Theorie kommt es für das Gelingen auf ein gutes ›Zusammenpassen‹ von Therapeut und Patient an. Entscheidend wichtig wird dieses Zusammenpassen vor allem dann, wenn es sich um Patienten von geringer Ichstärke handelt. Die Qualifikation [skill] des Therapeuten, worunter wir insbesondere die Fähigkeit verstehen, seine persönlichen Wesenszüge und seine Gegenübertragungsreaktionen auf kreative Weise mit seiner Technik zu integrieren, ist dabei der wichtigste Faktor, von dem das Behandlungsresultat bei Patienten mit relativ niedrigem psychischem Funktionsniveau, d. h. mit einer Ichschwäche, am meisten abhängt.

Weniger qualifizierte Therapeuten erreichen bessere Behandlungsresultate in solchen Fällen, wo ihre Qualifikation und Persönlichkeit eher einen geringeren Einfluß auf die Ergebnisse der Therapie haben. Bei Patienten mit hoher Ichstärke und bei der Anwendung aufdeckender Therapieformen (wobei der Therapeut ziemlich streng auf eine Position der Neutralität festgelegt ist) ist der Einfluß einer geringeren Qualifikation des Therapeuten im allgemeinen geringer zu veranschlagen. Solche ichstarken Patienten sind imstande, hart an ihren Problemen zu arbeiten, auch wenn die Behandlungsform und der Therapeut nicht ganz optimal sind.

Dagegen brauchen Patienten mit geringer Ichstärke einen hochqualifizierten Therapeuten, gleich ob es um eine stützende oder aufdeckende Behandlung geht. Unsere Beobachtungen lassen den Schluß zu, daß die Therapie der Wahl für Patienten mit geringer Ichstärke am ehesten in einer Form von aufdeckender Psychotherapie besteht, die von einem hochqualifizierten Therapeuten durchgeführt werden sollte, der zur Hauptsache mit den Übertragungsäußerungen in der therapeutischen Beziehung arbeitet.«

Diese Ergebnisse bestätigen auch entsprechende klinische Beobachtungen – teils aus dem erwähnten Psychotherapie-Forschungsprojekt und teils aus meiner eigenen Erfahrung –, aufgrund deren ich seinerzeit (Kap. 3) ein modifiziertes psychoanalytisches Verfahren im Sinne einer bestimmten Form von analytisch orientierter Psychotherapie als Therapie der Wahl für Borderline-Patienten vorgeschlagen habe. Ein solches modifiziertes analytisches Behandlungsverfahren setzt ein hohes Niveau an psychoanalytisch orientierter Ausbildung und psychotherapeutischer Erfahrung voraus und erfordert überdies ein hohes Maß an Qualifikation und Können in der systematischen Bearbeitung der überwiegend negativen Übertragungsangebote dieser Patienten. Wer mit solchen Patienten therapeutisch arbeiten will, muß sich darüber im klaren sein, daß es nötig werden kann, technische Parameter einzuführen, strukturierende Maßnahmen im weitesten Sinne in die Behandlung mit hineinzunehmen und dennoch zugleich eine im wesentlichen neutrale Position aufrechtzuerhalten. Je stärker ein Patient zum Agieren neigt, desto mehr kommt es auf die Qualifikation des Therapeuten an, der zur Strukturierung Grenzen setzen und trotzdem weiterhin eine Atmosphäre von Respekt gegenüber der Person und der Selbständigkeit des Patienten aufrechterhalten muß. Je stärker der Therapeut dabei der Versuchung erliegt, dem Patienten eine »Stützung« in Form voreiliger Ratschläge angedeihen zu lassen, je mehr er bestrebt ist, auch in das Leben des Patienten richtungweisend einzugreifen, desto größer wird die Gefahr, die Übertragungssituation zu verwischen, und desto höher ist auch der Preis, den man zu zahlen hat, indem man für eine doch nur vorübergehende Angstminderung die längerfristigen Behandlungsziele opfert. Das Gegenstück hierzu wäre eine künstlich aufrechterhaltende »analytische Situation«, wo der Therapeut das gesamte Material vom aktuellen Geschehen in der Stunde her zu deuten versucht, dabei aber die reale Lebenssituation des Patienten mißachtet oder auch das Übertragungsagieren in den Stunden stillschweigend erträgt; auch dieses Vorgehen führt leicht in eine therapeutische Sackgasse. Der Therapeut muß eben gerade das rechte Maß (und keinesfalls mehr) an Strukturierung der Behandlungs- und/oder auch der Lebenssituation des Patienten setzen und gleichzeitig eine im wesentlichen neutrale Position gegenüber dem Patienten bewahren. Das setzt ein hohes Maß an Qualifikation und Erfahrung voraus, einer Qualifikation, die von jedem Patienten immer wieder auf andere Weise auf die Probe gestellt wird, bis endlich das erwähnte »Zusammenpassen« sich herstellt, das auch als prognostische Prozeßvariable anzusehen ist.

Welche Rolle spielt die Persönlichkeit des Therapeuten für die Behandlungsprognose bei Patienten mit einer Borderline-Persönlichkeitsstruktur? Der Einfluß bestimmter Persönlichkeitsmerkmale des Therapeuten ist nur sehr schwer von Gegenübertragungsfaktoren und von der angewendeten Technik zu unterscheiden; klinisch bestehen enge Zusammenhänge zwischen der Persönlichkeit des Therapeuten, seiner Qualifikation im oben genannten Sinne und seinen Gegenübertragungsreaktionen (Little 1960 b, Winnicott 1960). Ticho (1972 b) hat festgestellt, daß Persönlichkeitsanteile und Gegenübertragungsanteile sich grundsätzlich trennen lassen, und er betont insbesondere die Bedeutung der Persönlichkeit des Psychotherapeuten oder Analytikers, vor allem bei der Behandlung von Borderline-Patienten:

Welches wären zum Beispiel wünschenswerte Persönlichkeitsmerkmale für einen Psychotherapeuten, der Borderline-Fälle behandeln will? Der Therapeut eines Borderline-Patienten sollte über die Fähigkeit zu echten Objektbeziehungen verfügen. Die Behandlung von Borderline-Fällen setzt beim Analytiker ein hohes Maß an Sicherheit voraus. Es ist auch gar keine Frage, wenn man die Behandlungsprobleme bei Neurotikern, Borderline-Patienten und Psychotikern nebeneinanderstellt, daß der Therapeut, je mehr er sich dem psychotischen Bereich nähert, um so sicherer seine Aggression unter Kontrolle haben muß. Daß Patienten agieren, ist unvermeidlich, aber die Haltung des Analytikers macht dabei sehr viel aus: Nimmt er das Agieren gleichgültig hin, so verschlimmert es sich; reagiert er überbesorgt, so provoziert er auch damit weiteres Agieren. Notwendig ist auch, daß die Wertvorstellungen des Analytikers eindeutig spürbar sind; jede Unsicherheit des Analytikers in bezug auf seine moralischen Überzeugungen kann zu Schwierigkeiten in der Behandlung führen, während andererseits eine moralistische Haltung vollends vom Übel ist.

Ticho (1972 b) spricht in der zitierten Arbeit auch von einer Kategorie von im großen ganzen erfolgreichen Analytikern und Psychotherapeuten, die er als »unaufdringliche, unprätentiöse, nicht selbstbezogene, aber sich selbst akzeptierende Analytiker« schildert. Seine Erfahrungen zeigen, wie wichtig es für den Therapeuten ist, mit seinem eigenen Narzißmus zu Rande zu kommen, denn dies wirkt sich wiederum auf seine Beziehungen und auf die Qualität seiner Arbeit mit Patienten aus. Dies ist vielleicht überhaupt der entscheidendste Aspekt der Persönlichkeit des Therapeuten in ihren Auswirkungen auf den Behandlungsprozeß bei Borderline-Patienten.

Narzißtische Probleme des Therapeuten sind bei längerfristigen Behandlungen von Patienten mit Borderline-Persönlichkeitsstruktur ein ausgesprochen ungünstiger prognostischer Faktor. Die starke Regressionsneigung dieser Patienten, ihre intensiven vorwiegend negativen Übertragungsreaktionen und die speziellen Übertragungs-Gegenübertragungs-Komplikationen, die in solchen Behandlungen entstehen können, stellen die Fähigkeiten des Psychotherapeuten in hohem Maße auf die Probe. Die mangelnde Fähigkeit, Objektbeziehungen unter frustrierenden Bedingungen aufrechtzuerhalten – typisch für narzißtische Persönlichkeiten – ist ein Haupthandicap für Therapeuten mit gravierenden ungelösten narzißtischen Problemen, wenn sie Borderline-Patienten behandeln wollen.

6. Zusammenfassung

Es ging in diesem Kapitel um die Prognose bei langfristiger intensiver psychotherapeutischer Behandlung von Patienten mit einer Borderline-Persönlichkeitsstruktur. Die aus dem manifesten Krankheitsbild und der Persönlichkeit des Patienten ableitbaren prognostischen Faktoren wurden im einzelnen dargestellt. Fassen wir sie hier noch einmal kurz zusammen: Die Prognose bei Borderline-Patienten hängt ab
1. von der deskriptiven Diagnose bezüglich des vorherrschenden Typus von Charakterstörung und vom Ausmaß der Ich- und Überich-Störung, die in bestimmten pathologischen Charakterzügen zum Ausdruck kommt; 2. von den bestehenden unspezifischen Anzeichen von Ichschwäche, insbesondere eventuellen Einschränkungen der Impulskontrolle, der Angsttoleranz und der Sublimierungsfähigkeit; 3. von der Frage, inwieweit integrierte, abstrahierte und depersonifizierte Überichstrukturen ausgebildet worden sind und damit auch die Fähigkeit zur Sorge und Anteilnahme, zu Schuldgefühlen, zu Depression, zur Einsicht besteht, und von der etwaigen Ausprägung und den strukturellen Implikationen antisozialer Tendenzen; schließlich 4. von der Qualität der Objektbeziehungen.
Ich möchte noch einmal betonen, daß die Abwägung der prognostischen Faktoren, wie sie bereits in der Erstuntersuchung faßbar werden, uns die Aufgabe erleichtert, diejenigen Patienten für eine intensive psychotherapeutische Behandlung auszuwählen, die unsere derzeit so beschränkten therapeutischen Möglichkeiten am besten nutzen können. Bei dieser ersten Einschätzung der prognostischen Anzeichen werden sich gewiß auch prognostisch unsichere Punkte ergeben, die dann im Verlaufe der Behandlung weiter abgeklärt werden können.
Ich habe auch schon unterstrichen, daß die Prognose außerdem von verschiedenen transaktionellen oder Prozeßvariablen abhängt. Hiermit sind Entwicklungen und Veränderungen gemeint, die mit der Entfaltung der Patient-Therapeut-Beziehung eintreten und die etwa mit den Fragen erfaßt werden, inwieweit vorher ich-syntone patho-

logische Charakterzüge allmählich ich-dyston werden; inwieweit sich unter dem Einfluß des therapeutischen Prozesses Fähigkeiten wie z. B. eine erweiterte Selbstwahrnehmung und Introspektion und die Fähigkeit zur Sorge und Anteilnahme entwickeln; inwieweit die Patienten fähig sind, zu ihrem Therapeuten eine echte Objektbeziehung einzugehen, und schließlich, inwieweit es gelingt, die Neigung dieser Patienten zur negativen therapeutischen Reaktion zu bewältigen.

Am Schluß habe ich die prognostischen Implikationen einer weiteren, höchst bedeutsamen Prozeßvariable geprüft, die nicht vom Patienten abhängt: Ich meine die Qualifikation und die Persönlichkeit des Therapeuten. Patienten mit geringer Ichstärke, so habe ich betont, brauchen einen hochqualifizierten Therapeuten, und zwar gleichgültig, ob eine stützende oder aufdeckende Behandlung durchgeführt wird. Die schwierige Aufgabe, gerade das notwendige Maß – aber keinesfalls mehr – an Strukturierung zu schaffen, sei es in der Behandlungssituation oder auch in der weiteren Lebenssituation des Patienten, und dabei doch gleichzeitig eine im wesentlichen neutrale Position dem Patienten gegenüber aufrechtzuerhalten, setzt auf seiten des Therapeuten sehr viel Können und Erfahrung voraus. Jeder Patient stellt die Qualifikation des Therapeuten immer wieder neu auf die Probe, und so tragen beide ihr Teil dazu bei, daß sich ein jeweils einzigartiges »Zusammenpassen« ergibt, das seinerseits eine prognostische Prozeßvariable darstellt. Der jeweilige Einfluß von Persönlichkeitsmerkmalen des Psychotherapeuten ist sehr schwer von Gegenübertragungsfaktoren und von den Auswirkungen der angewendeten Behandlungstechnik zu trennen. Klinisch gesehen ist die Persönlichkeit des Psychotherapeuten bzw. des Analytikers jedenfalls eine entscheidend wichtige prognostische Variable für die Behandlung von Borderline-Patienten.

5. Kapitel
Differentialdiagnose und Behandlung

1. KRITISCHE ÜBERSICHT ÜBER NEUERE ARBEITEN

a) Zur Diagnose

Eine ausführliche Übersicht über die Literatur zur Diagnose und Behandlung von Borderline-Störungen wurde bereits im 1. und 3. Kapitel dieses Buches gegeben. Ich beschränke mich daher an dieser Stelle auf eine Diskussion neuerer Beiträge zu diesen Themen.

Was die Diagnose von Borderline-Störungen anbelangt, so stellt das Buch von Grinker und Mitarb.: *The Borderline Syndrome* (1968) sicher einen sehr wichtigen Beitrag zur definitorischen Abgrenzung dieses Krankheitsbildes dar. Diese Autoren führen folgende Hauptmerkmale des Borderline-Syndroms an: »Wut als vorherrschender oder überhaupt einziger Affekt; Defekte in bezug auf gefühlshafte Beziehungen; Fehlen von Anzeichen einer Selbst-Identität; depressive Einsamkeit« (S. 176). Sie definieren vier Untergruppen des Borderline-Syndroms: Gruppe I, »Grenzfälle zur Psychose«, ist gekennzeichnet durch inadäquate und negativistische Verhaltensweisen und Affekte gegenüber anderen Patienten und dem Klinikpersonal; bei Gruppe II, dem »Borderline-Kernsyndrom«, findet man typischerweise negativistische und chaotische Affekte und Verhaltensweisen, Widersprüche im Verhalten und eine starke Neigung zum Agieren; Gruppe III, »überangepaßte, affektlos defensive ›Als ob‹-Persönlichkeiten« sind charakterisiert durch eine blande fassadenhafte Angepaßtheit mit der Qualität des »Als ob«, des Pseudohaften, mit oberflächlich unauffälligen aber affektiv leeren Interaktionen; bei Gruppe IV schließlich, den »Grenzfällen zur Neurose«, steht eine Depression mit infantilen Anklammerungstendenzen im Vordergrund.

Grinker und seine Mitarbeiter schließen weiterhin aus ihren Beobachtungen, daß folgende Symptome in der Regel *nicht* zum Borderline-Syndrom (sondern zur Schizophrenie) gehören: Störungen in den assoziativen Denkprozessen; autistisches oder regressives Denken; die charakteristische Familienstruktur mit den Merkmalen »Pseudo-Gemeinschaft« [»pseudo-mutuality«] und »Strukturverschiebung«

[»skewing«]*; Wahnideen oder Halluzinationen; kognitive Defekte in bezug auf die konnotativen Aspekte der Sprache (S. 93). Beim Vergleich zwischen dem Borderline-Syndrom und den Neurosen stellen die Autoren fest, daß »Depression als Affekt zwar bei verschiedenen Typen von Borderline-Patienten vorkommt, hier aber nicht der Affektqualität von depressiven Syndromen entspricht. Die Borderline-Depression ist ein Gefühl von Einsamkeit und Isolierung« (S. 95).

Grinkers Versuch, das Borderline-Syndrom gegenüber anderen Persönlichkeits- oder Charakterstörungen abzugrenzen, erscheint mir weniger gelungen. Er weist (meines Erachtens zu Recht) darauf hin, daß manche Autoren die unterschiedlichsten charakterologischen Typenbezeichnungen für Patienten verwenden, bei denen es sich im Grunde um Borderline-Patienten handelt; eine bessere Definition des Borderline-Syndroms könne daher wesentlich zur Klärung des verschwommenen Gebietes der Diagnostik von Charakterstörungen beitragen. Wohl deshalb, weil der Forschungsansatz von Grinker und seinen Mitarbeitern sich hauptsächlich auf manifeste Verhaltensweisen und Interaktionsformen von Borderline-Patienten in einem stationär-klinischen Rahmen bezieht, wurden die dem Manifesten zugrundeliegenden Struktureigentümlichkeiten, die den eigentlichen Unterschied zwischen einer Borderline-Persönlichkeitsstruktur und leichteren Typen von Charakterstörungen ausmachen, in dieser Studie nicht hinreichend erfaßt. Trotz dieser Einschränkung halte ich die Studie für einen außerordentlich wichtigen Forschungsbeitrag zur definitorischen Abgrenzung des Borderline-Syndroms. Von Werble (1970) gibt es übrigens einen Bericht über eine Nachuntersuchung der Patienten, auf die Grinkers Studie sich bezogen hatte. Hierbei zeigte sich, daß während der nächsten fünf Jahre nach Abschluß der ursprünglichen Studie nur wenige und vereinzelte Änderungen im sozialen Verhalten dieser Patienten eingetreten waren; sie waren nach wie vor in der Lage, sich innerhalb enggezogener Grenzen einigermaßen anzupassen; menschliche Objektbeziehungen gab es nur in sehr spärlichem Maße; und noch ein wichtiger Punkt: Anzeichen von Schizophrenie waren zum Zeitpunkt der Nachuntersuchung bei keinem dieser Patienten nachweisbar.

* [Anm. d. Übers.: Vgl. zu diesen Begriffen Bateson, Jackson, Lidz, Wynne et al.: *Schizophrenie und Familie*, Frankfurt (Suhrkamp) 1969.]

Verschiedene andere Autoren haben ebenfalls Beiträge zur klinisch-psychiatrischen Analyse von Borderline-Störungen geliefert. So hebt Collum (1972), der übrigens bestimmte Gesichtspunkte von Grinker et al. mit solchen aus meinen eigenen einschlägigen Arbeiten verbindet, vor allem den zentralen Stellenwert der Identitätsdiffusion als charakteristisch für Borderline-Patienten hervor. Cary (1972) hat die strukturelle und psychodynamische Analyse von Borderline-Störungen ein Stück weitergetrieben und insbesondere herausgearbeitet, daß eine »Depression« im Rahmen eines Borderline-Syndroms gekennzeichnet ist durch ein Grundgefühl von Wertlosigkeit, Einsamkeit und Isolierung, Ausgeschlossensein und wütender Ansprüchlichkeit, nicht aber durch Schuldgefühle und Selbstanklagen, wie wir sie typischerweise bei neurotischen und psychotischen Depressionen finden. Unter den Abwehrformen der Borderline-Patienten hebt er besonders die schizoide Distanzierung hervor. Meines Erachtens erweisen die Untersuchungen sowohl von Grinker et al. als auch von Cary die überwiegend unreife Ich-Organisation von Borderline-Patienten, bei denen die Selbst- und Objektrepräsentanzen noch nicht zur Integration gelangt sind oder anders ausgedrückt: die Stufe von Objektbeziehungen zu »ganzen« Objekten nicht erreicht worden ist. Diese primitive Ich-Organisation erklärt auch den primitiven Charakter depressiver Verstimmungen bei Borderline-Patienten, ihre mangelnde Fähigkeit zu tieferem Mitgefühl für andere und ihr durchgehendes Leeregefühl (vgl. Kap 7).

Bergeret (1970, 1972) hat ebenfalls die strukturellen und psychodynamischen Kennzeichen von Borderline-Störungen unter psychoanalytischen Gesichtspunkten untersucht. Nach einer Übersicht über die angelsächsische und die neuere französische psychoanalytische Literatur kommt auch dieser Autor zu dem Schluß, daß Borderline-Störungen gekennzeichnet sind durch das Vorherrschen prägenitaler Konflikte sowie primitiver Struktur- und Abwehrmerkmale des Ichs und Über-Ichs. Er hebt als besonders charakteristisch für Borderline-Patienten die Unreife ihres Ichs in bezug auf Objektbeziehungen hervor; Borderline-Störungen stellen nach seiner Auffassung eine eigene psychopathologische Kategorie dar, die sowohl von neurotischen als auch von psychotischen Strukturen zu unterscheiden sei. Duvocelle (1971) integriert verschiedene Gesichtspunkte aus Bergerets und meiner eigenen Konzeption zu einer umfassenden klinischen und theoretischen Sicht der Borderline-Persönlichkeitsstruktur.

Margaret Mahler (1971) hat in einer neueren Arbeit die Hypothese aufgestellt, daß Kinder, denen während der Rapprochement-Subphase des Trennungs-Individuations-Prozesses eine normale Lösung der Rapprochement-Krise nicht gelingt, unter bestimmten Umständen ein »böses Introjekt« ausbilden, das mit aggressiven Triebabkömmlingen aufgeladen wird und die Grundlage für eine mehr oder weniger dauerhafte Spaltung der Objektwelt in »gute« und »böse/schlechte« Objekte bilden kann. Sie schreibt (a. a. O. S. 413): »Diese Mechanismen, nämlich die Koartierung und Spaltung der Objektwelt, findet man typischerweise bei den meisten Borderline-Fällen auch in der Übertragung.« Eine derartige pathologische Entwicklung kontrastiert mit der normalen Lösung der Rapprochement-Subphase, die im dritten Lebensjahr in eine normale Identitätsbildung einmündet.

In bezug auf die allgemeinen deskriptiven und vielleicht auch die dynamisch-strukturellen Kennzeichen von Borderline-Störungen stimmen die erwähnten Autoren großenteils miteinander überein. Auf die Differentialdiagnose der Borderline-Störungen, einerseits gegenüber anderen Formen von Charakterstörungen, andererseits gegenüber psychotischen, insbesondere schizophrenen Krankheitsbildern wird dagegen in der neueren Literatur nicht eben ausführlich eingegangen. In einer Arbeit (Weisfogel et al. 1969) wird ein Überblick über die Literatur zur Differentialdiagnose von Borderline-Störungen gegeben und am Ende folgende Schlußfolgerung gezogen: »Diejenigen Autoren, die diese Patienten als psychotisch einstufen, haben die schlüssigsten klinischen Daten und theoretischen Konzeptualisierungen vorgelegt; es hat daher den Anschein, daß diese Patienten am ehesten als Psychotiker anzusehen sind« (a. a. O., S. 34). Die Literaturübersicht in dieser Arbeit ist gut und gedankenreich, aber mit der zitierten Schlußfolgerung kann ich mich auf Grund der dargestellten klinischen Gegebenheiten und Konzepte nicht einverstanden erklären.

Kohut (1971) hat sich in seinem Buch auch zur Abgrenzung der Borderline-Strukturen von den narzißtischen Persönlichkeitsstörungen geäußert. Ich werde selbst noch im 9. Kapitel auf die komplexen Zusammenhänge zwischen Borderline-Störungen und narzißtischen Persönlichkeiten näher eingehen. Unter einer allgemeinen Perspektive habe ich eine umfassende Klassifikation der Charakterstörungen aufzustellen versucht, in der die Borderline-Fälle als diejenigen Charakterstörungen erscheinen, die der tiefsten Regressionsstufe zuzuordnen sind (Kernberg 1970).

Bellak und Hurvich (1969) und Hurvich (1970) haben den Wert einer genauen Beurteilung der Ichfunktionen als Hauptkriterium zur Differentialdiagnose zwischen schizophrenen und nichtschizophrenen Störungen in einer größeren Forschungsarbeit untersucht. Zur Ichfunktion der Realitätsprüfung – der im Hinblick auf die Differentialdiagnose zwischen Borderline und Psychosen ein besonders hoher Stellenwert zukommt (vgl. Frosch 1964 sowie Kap. 1 dieses Buches) – gibt es eine umfassende Übersichtsarbeit von Hurvich (1970). Auf die Benutzung der Realitätsprüfung als Kriterium zur Differentialdiagnose zwischen Borderline- und psychotischen Störungen werde ich an späterer Stelle in diesem Kapitel noch genauer eingehen.

Neben den englischen und französischen Übersichtsarbeiten über die Borderline-Konstellation gibt es auch einige einschlägige Arbeiten in spanischer Sprache (Meza 1970, Paz 1969). Ein guter und sehr umfassender Literaturüberblick über Borderline-Störungen findet sich in dem jüngst erschienenen Buch von Arlene R. Wolberg (1973).

b) Zur Behandlung

In der psychiatrischen und besonders in der psychoanalytischen Literatur der letzten Jahre ist eine zunehmende Zahl von Veröffentlichungen festzustellen, die sich mit der Behandlung von Borderline-Störungen befassen. Wie schon früher sind auch jetzt die Meinungen immer noch geteilt, ob man Borderline-Patienten stützend behandeln soll oder ob ein aufdeckendes, psychoanalytisch orientiertes Verfahren oder gar eine klassische Analyse ohne irgendwelche Modifikationen eher angebracht ist. Von der Empfehlung, diese Patienten in stützender Psychotherapie zu behandeln, ist man mehr und mehr abgekommen, und nur E. Zetzel (1971) empfiehlt »regelmäßige, aber beschränkte Kontakte (nur ausnahmsweise öfter als einmal wöchentlich)«, um dadurch die Intensität der Übertragungs- und Gegenübertragungsreaktionen abzumildern, und tritt für eine Fokussierung auf Schwierigkeiten der Realitätsbewältigung und für eine stärkere Strukturierung des Behandlungssettings ein – alles Merkmale eines im wesentlichen stützenden Verfahrens. E. Zetzel sah allerdings auch, daß (unter einer Therapie nach ihrem Konzept) »viele Borderline-Patienten doch die Gewißheit brauchen, daß der Therapeut ihnen auf unbestimmte Zeit hinaus zumindest potentiell weiterhin zur Verfügung stehen wird.« Daraus geht schon hervor, daß solch ein stützendes Vorgehen zwar effektiv sein mag, indem es dem Patienten unmittelbar eine bessere Realitätsbewältigung ermöglicht, daß es aber auch zu einer endlosen Therapie führen kann.

Mehrere Autoren haben modifizierte psychoanalytische Behandlungsverfahren empfohlen, darunter auch Formen von aufdeckender, analytisch orientierter Psychotherapie, die der von mir in Kap. 3 vorgeschlagenen Behandlungsform ähneln. So hat zum Beispiel Frosch (1970) den klinischen Umgang mit Borderline-Patienten im Rahmen einer modifizierten psychoanalytischen Therapie beschrieben und erst kürzlich (1971) seine allgemeine Behandlungsstrategie bei solchen Patienten zusammenfassend dargestellt. Greenson (1970) vertritt einen ähnlichen Ansatz und belegt seine modifizierte psychoanalytische Technik an Hand klinischer Fallbeispiele. Sowohl Frosch als auch Greenson halten es für besonders wichtig, die Wahrnehmungen des Patienten in der Therapiesituation und seine Einstellung gegenüber den Interventionen des Therapeuten immer wieder zu klären. Beide – und auch darin stimme ich grundsätzlich mit ihnen überein – vertreten ein technisches Vorgehen, bei dem der Therapeut eine grundsätzlich neutrale Position beibehält, von der er nur falls notwendig und auch dann so wenig als möglich abweichen sollte. Im Gegensatz dazu gibt es andere, ebenfalls psychoanalytisch begründete Psychotherapieverfahren für Borderline-Patienten, die mit weiterreichenden Modifikationen der analytischen Technik verbunden sind.

So hält zum Beispiel Masterson (1972) »das Borderline-Syndrom (für) eine Folge tiefer Verlassenheitsgefühle, die dadurch entstanden sind, daß die Mutter des Patienten ihm jedesmal, wenn er einen Versuch der Ablösung und Individuation unternahm, ihre Unterstützung entzog. Aus dem Bedürfnis der Abwehr solcher Verlassenheitsgefühle ergibt sich der Entwicklungsstillstand und das klinische Bild« (a. a. O., S. 35). Auf dieser Basis hat der Autor eine eigene Psychotherapieform entwickelt, die speziell auf die »Lösung der akuten Krise (mit der Symptomatik einer Verlassenheits-Depression) sowie auf die Korrektur und Behebung der mit der oral-narzißtischen Fixierung verbundenen Ichdefekte (ausgerichtet ist), indem sie eine Weiterentwicklung durch die verschiedenen Stadien des Ablösungs- und Individuationsprozesses zur Autonomie hin fördert.« Mir scheint, daß Masterson in seinem Konzept den Unterschied zwischen Konflikten und Abwehrbestrebungen im Zusammenhang mit symbiotischen Ver-

schmelzungstendenzen (die etwas mit einer pathologischen Wiederverschmelzung von Selbst- und Objektrepräsentanzen zu tun haben)
und andererseits Konflikten auf Grund von Strukturverhältnissen, die
überwiegend auf Spaltungsprozessen beruhen (und mit einem Unvermögen zur Integration aggressiv bestimmter mit libidinös bestimmten Selbst- und Objektrepräsentanzen verbunden sind) nicht hinreichend berücksichtigt. Außerdem vernachlässigt er auch die Bedeutung
prägenital-aggressiver Triebkonflikte in der Ätiologie von Borderline-Persönlichkeitsstrukturen. Im übrigen gibt es ganz unterschiedliche Charakterstrukturen auf Borderline-Niveau, und die jeweils
anzuwendende Behandlungstechnik muß sich auch nach solchen und
anderen mehr individuell geprägten genetisch-dynamischen Besonderheiten richten.

Arlene R. Wolberg (1973) nimmt an, daß frühe Deutungen der
feindseligen negativen Übertragung bei Borderline-Patienten womöglich eher deren Masochismus befriedigen, als daß sie das Durcharbeiten der Übertragung förderten. Diese Autorin schlägt vor,
aggressive Konflikte besser indirekt mittels einer »projektiven therapeutischen Technik« zu deuten, das heißt: solche Konflikte vorzugsweise in Zusammenhängen aufzugreifen, wo sie anderen Objekten
(als dem Therapeuten) gegenüber zum Ausdruck kommen. »Durch
solch eine projektive Deutungstechnik«, schreibt sie, »läßt sich die
›hier und jetzt‹ bestehende Beziehung [zum Therapeuten] durch
Einbeziehung der ›anderen Person‹ leichter handhaben, indem man
hauptsächlich die Abwehraspekte der Nebenübertragung zur ›anderen Person‹ hervorhebt, dem Patienten jedoch gestattet, die persönliche Konfrontation mit dem Therapeuten vorerst zu vermeiden, solange er die Angst in der therapeutischen Beziehung noch nicht ertragen kann, ohne zu massiven Abwehrmaßnahmen Zuflucht zu
nehmen. Das Ziel der Behandlung besteht ja darin, daß man dem
Patienten dazu verhelfen will, seine Abwehr aufzugeben; durch verfrühte Konfrontationen zwingt man ihn nur dazu, seine Abwehr
noch zu verstärken.« Ich kann der Autorin in dieser Auffassung
und diesem Vorgehen nicht zustimmen, sondern möchte statt dessen
betonen, daß ich ein direktes, aber nicht verurteilendes Aufgreifen
sowohl der positiven als auch der negativen Übertragungsanteile für
die wirksamste Methode halte, um dem Patienten die Angst vor seiner Aggression überwinden zu helfen. In vielen anderen Hinsichten
dagegen ist A. Wolbergs technisches Vorgehen bei der Behandlung

von Borderline-Patienten dem anderer Autoren an die Seite zu stellen, die ebenfalls eine modifizierte psychoanalytische Behandlungstechnik befürworten. Dies gilt, wie mir scheint, auch für die von Chessick (1971) für Borderline-Patienten empfohlene Psychotherapie-Form.

Masterson weist darauf hin, daß bei manchen jugendlichen Borderline-Patienten eine stationäre Aufnahme erforderlich sei, und empfiehlt bestimmte Strukturierungen des therapeutischen Milieus, die den Umgang mit den Abwehrformen und Konflikten dieser Patienten erleichtern (Masterson 1972, S. 105–109). Adler (1973) hat ebenfalls die Frage der stationären Aufnahme aufgegriffen und in bündiger Form das für Borderline-Patienten erforderliche Behandlungsarrangement bei kurzfristiger stationärer Therapie in geeigneten Behandlungszentren beschrieben. Er betont vor allem zwei Gefahren, zum einen die, daß regressive Entwicklungen, wenn man sie uneingeschränkt zuläßt, ein solches Ausmaß annehmen können, daß der Patient durch das Agieren seiner Konflikte in der Krankenhaussituation fortwährend pathologische Triebbedürfnisse befriedigen kann; die andere Gefahr besteht darin, daß bei zu weitgehenden Einschränkungen die Psychopathologie des Patienten immer schwerer zu beurteilen ist. Die Frage einer langfristigen stationären Behandlung von Borderline-Patienten, bei denen eine ambulante oder kurzfristige stationäre Therapie nichts bringt, ist anscheinend in der Literatur bisher noch kaum untersucht worden.

Boyer und Giovacchini (1967) empfehlen für Schizophrene und Charakterstörungen eine nicht-modifizierte psychoanalytische Behandlungstechnik. Nach ihrer Auffassung ist es durch die Erweiterung des Verständnisses, der Erfahrung und der Behandlungstechnik in den letzten Jahren möglich geworden, auch tief regredierte Patienten analytisch zu behandeln, sofern sie imstande sind, sich an ein reguläres rein analytisches Behandlungssetting zu halten. Obwohl Giovacchini in seinen Kapiteln über Charakterstörungen nicht ausdrücklich von Borderline-Patienten spricht (sondern allgemeiner von schweren Charakterstörungen), beziehen sich die von ihm angeführten Beobachtungen zur Hauptsache auf technische Probleme, wie man sie in der Therapie von Borderline-Patienten antrifft. Er gesteht auch zu, daß manche Patienten »derart heftig agieren, daß dadurch der analytische Behandlungsrahmen gesprengt wird und die Analyse nicht mehr fortgesetzt werden kann« (a. a. O., S. 258). In der Praxis würde auch Giovacchini das Agieren in den Behandlungsstunden, sofern es bestimmte Grenzen überschreitet, einschränken und gegebenenfalls technische Parameter einführen, die er später durch entsprechende Deutungen wieder aufzuheben versuchen würde. Für gewisse Fälle empfiehlt er notfalls eine Unterbrechung der Behandlung (S. 261). Und schließlich erwähnt er auch selbst, »daß manche dieser Patienten jemanden brauchen, mit dessen Hilfe sie ihre chaotische Situation so weit bewältigen und sich selbst genügend stabilisieren können, daß die Therapie weitergehen kann. Ob der Analytiker solch eine Funktion übernehmen und dabei gleichzeitig noch die notwendigen Voraussetzungen für eine analytische Therapie wahren kann ... ist eine nach wie vor noch unentschiedene Frage« (S. 286).

Boyer (1971) hält es für besonders wichtig, in analytischen Behandlungen von schwer charaktergestörten und schizophrenen Patienten aggressive Triebäußerungen relativ früh zu deuten; auch er vertritt, wie auch schon in früheren Arbeiten, die Auffassung, daß man bei solchen Patienten die analytische Methode ohne wesentliche Modifikationen anwenden kann. Paz (1969) hält es ebenfalls für möglich, bei Borderline-Patienten an einer im wesentlichen unmodifizierten psychoanalytischen Vorgehensweise festzuhalten, und auch die Arbeiten von M. M. R. Khan (1964, 1969) über spezielle Abwehrformen bei schizoiden Borderline-Patienten implizieren einen solchen strikt analytischen Ansatz.

Ich selbst fühle mich durch die Ergebnisse der quantitativen Auswertung des Psychotherapie-Forschungsprojekts der Menninger-Stiftung (Kernberg et al. 1972) in meiner Überzeugung bestärkt, daß für die Mehrzahl unserer Borderline-Patienten ein modifiziertes analytisches Verfahren das Richtige ist, während die psychoanalytische Standardmethode nur für eine Minderheit dieser Patienten in Betracht kommt. In den folgenden Abschnitten werde ich zunächst meine früheren Arbeiten über die Psychopathologie, Diagnose und Behandlung der Borderline-Persönlichkeitsstruktur zusammenfassen und anschließend einige weitere klinische Beiträge über die Übertragungsentwicklungen bei solchen Fällen, die langfristige Behandlungsstrategie und die Differentialdiagnose zur Schizophrenie bringen.

Zwei Begriffe werden am häufigsten benutzt, um strukturelle Ichveränderungen zu bezeichnen, bei denen die Psychoanalyse an die Grenzen ihrer therapeutischen Wirksamkeit stößt, nämlich »Ichdeformierung« [»ego distortion«] und »Ichschwäche« [»ego weakness«]. Für
alle praktischen Zwecke können wir davon ausgehen, daß beide Begriffe auf dieselbe Kategorie von Patienten angewandt werden, wobei der Terminus »Ichdeformierung« mehr auf die hoch pathologischen rigiden Charakterstrukturen dieser Patienten abhebt, wohingegen der Terminus »Ichschwäche« sich hauptsächlich darauf bezieht,
daß bestimmte normalerweise vorhandene Ichfunktionen bei solchen
Patienten fehlen oder inadäquat entwickelt sind. Unter Forschungs-
gesichtspunkten ist der Terminus »Ichschwäche« vorzuziehen, weil er
einen quantitativen Aspekt enthält; so wurde er auch im Psychotherapie-Forschungsprojekt der Menninger-Stiftung (Kernberg et al.
1972) verwendet, wo es darum ging, das Verhältnis zwischen strukturellen Ichstörungen und Ichfunktionsmängeln einerseits und der therapeutischen Wirksamkeit der Psychoanalyse und analytischen Psychotherapie andererseits zu bestimmen. Meine eigenen Arbeiten über
die Diagnose, Prognose und Behandlung von Borderline-Störungen
leiten sich aus diesem Projekt her.
In diesem Kapitel benutze ich den Ausdruck »Ichschwäche« zur Bezeichnung struktureller Ichveränderungen, die sich aus frühen Störungen der Ichentwicklung herleiten, und gehe kurz ein auf (a) die klinischen Anzeichen der Ichschwäche, wie man sie typischerweise bei Borderline-Patienten findet; (b) einige Hypothesen zum Ursprung der
Ichschwäche; (c) Komplikationen, die beim Versuch einer analytischen Behandlung von ichschwachen Patienten auftreten, und technische Besonderheiten bei der Therapie solcher Patienten; schließlich
(d) einige Bedingungen, die sich auf die Analysefähigkeit solcher Patienten positiv oder negativ auswirken. An mehreren Stellen werde
ich meine Ausführungen in früheren Kapiteln durch neue Gesichtspunkte ergänzen, wobei der Hauptakzent auf den diagnostischen und
therapeutischen Aspekten der Borderline-Persönlichkeitsstörungen
liegen wird. Zum Schluß möchte ich einige klinische und theoretische
Besonderheiten der Übertragungspsychose zusammenfassen und noch
einmal auf die Differentialdiagnose zur Schizophrenie eingehen.

a) Klinische Merkmale der Borderline-Persönlichkeitsstruktur

Im klinischen Sinne sprechen wir von Borderline-Patienten, wenn wir es mit Menschen zu tun haben, die erhebliche Schwierigkeiten in ihren zwischenmenschlichen Beziehungen und auch gewisse Störungen in der Realitätswahrnehmung aufweisen, ohne daß jedoch die Realitätsprüfung wesentlich beeinträchtigt wäre (vgl. Kap. 1). Wir finden weiterhin bei solchen Patienten widersprüchliche Charakterzüge, ein chaotisches Nebeneinander von direkt erlebten primitiven »Es-Inhalten« und Abwehrbildungen dagegen im bewußten Erleben, eine Art von Pseudo-Einsicht in tiefere Bereiche der eigenen Persönlichkeit ohne echte Betroffenheit und ohne ein Bewußtsein für die damit verbundenen Konflikte, schließlich eine mangelhaft ausdifferenzierte Identität und eine Empathiestörung, d. h. ein fehlendes tieferes Verständnis für andere Menschen. Anstelle von Abwehrmechanismen vom Typ der Verdrängung überwiegen hier primitivere Abwehrformen; insbesondere beobachtet man ein Alternieren voneinander dissoziierter gegensätzlicher Ichzustände als Hinweis darauf, daß hier frühe pathologische verinnerlichte Objektbeziehungen gleichsam in »unverdauter«, unassimilierter Form bestehen geblieben sind. Außerdem weisen diese Patienten »unspezifische« Anzeichen von Ichschwäche auf: eine mangelhafte Impulskontrolle, eine mangelhafte Angsttoleranz, mangelhaft entwickelte Sublimierungen und das Auftauchen primärprozeßhafter Denkweisen – wobei »unspezifisch« anzeigen soll, daß es sich bei den zuletzt genannten Anzeichen von Ichschwäche um den Ausdruck einer allgemeinen Unzulänglichkeit von ansonsten normalen Ichfunktionen handelt. Im Gegensatz hierzu bezeichnen wir die primitiven Abwehrkonstellationen und die so widersprüchlichen pathologischen Charakterzüge dieser Patienten als »spezifische« Anzeichen von Ichschwäche. Denn es handelt sich bei ihnen, kurz gesagt, um hochgradig individualisierte aktive Kompromißbildungen zwischen Impuls und Abwehr.

b) Hypothesen zum Ursprung der Ichschwäche

Zwei wichtige Schritte müssen im Verlaufe der frühen Ichentwicklung kurz hintereinander vollzogen werden: erstens die Differenzierung zwischen Selbst- und Objektimagines und zweitens die Integration libidinös-bestimmter mit aggressiv-bestimmten Selbst- und Objektimagines.

Der erste Entwicklungsschritt wird teilweise in Abhängigkeit von der Reifung der primär-autonomen Apparate vollzogen; im Zuge der Entwicklung von Wahrnehmungsfunktionen und Gedächtnisspuren wird der Ursprung von Reizen immer genauer zugeordnet und werden allmählich Selbstimagines und Objektimagines voneinander abgegrenzt. Dieser erste Entwicklungsschritt mißlingt weitgehend bei den Psychosen, wo infolge einer pathologischen Verschmelzung von Selbst- und Objektimagines die Differenzierung von Ichgrenzen und damit auch die Differenzierung zwischen Selbst und Nicht-Selbst nicht ausreichend zustandekommt. Im Gegensatz dazu hat bei Borderline-Patienten eine ausreichende Differenzierung zwischen Selbst- und Objektimagines stattgefunden, die wiederum die Errichtung integrierter Ichgrenzen und damit zugleich die Differenzierung zwischen der eigenen Person und anderen ermöglicht hat.

Der zweite Entwicklungsschritt jedoch, nämlich die Integration derjenigen Selbst- und Objektimagines, die unter dem Einfluß libidinöser Triebabkömmlinge und der dazugehörigen Affekte entstanden sind, mit jenen anderen Selbst- und Objektimagines, die unter dem Einfluß aggressiver Triebabkömmlinge und der dazugehörigen Affekte aufgebaut wurden – dieser zweite Entwicklungsschritt ist bei Borderline-Patienten weitgehend gescheitert, und zwar hauptsächlich auf Grund eines pathologischen Übergewichts prägenital-aggressiver Triebstrebungen. Daraus wiederum ergibt sich eine mangelhafte Synthese zwischen gegensätzlich gearteten Selbstimagines und ebenso zwischen gegensätzlichen Objektimagines, wodurch die Integration des Selbstkonzepts und die Erreichung der Objektkonstanz, also auch der Aufbau von Objektbeziehungen zu »ganzen« Objekten, beeinträchtigt worden ist. Ich möchte auf diese Hypothesen im folgenden näher eingehen.

Zum Begriff einer »hinreichend guten Bemutterung« gehört unter anderem, daß die Mutter beim Säugling bestimmte Ichfunktionen evoziert, stimuliert und komplementiert, die ihm selbst noch nicht zur Verfügung stehen. Der intuitive Umgang der Mutter mit ihrem Kind gewährleistet, daß beispielsweise Anlässe von Schmerz, Angst und Frustration frühzeitig entdeckt und beseitigt werden und daß über die Erfüllung der Grundbedürfnisse hinaus für ein Optimum von befriedigenden und lustvollen Erfahrungen gesorgt wird. In bezug auf die innere psychische Entwicklung bedeutet dies, daß sich im Säugling ein Kern von befriedigenden und lustvollen Erfahrungen niederschlägt, der durch die mit solchen Erlebnissen einhergehenden Lustaffekte und allmählich auch durch die damit verbundenen propriozeptiven und exterozeptiven Wahrnehmungen weiter bereichert und gefestigt wird. Aus diesem Kern entsteht die grundlegende, zunächst noch zu einer Einheit verschmolzene Selbst-Mutter-Imago, auf der das Urvertrauen beruht. Urvertrauen bezieht sich also auf das Erleben – später auf das Erhoffen, Erwarten – einer lustvollen, befriedigenden Mutter-Kind-Beziehung. Die tiefste Ichstörung ist dann gegeben, wenn der Aufbau einer solchen genügend starken »total guten« Selbst-Objekt-Imago oder anders ausgedrückt: eines »guten inneren Objekts« nicht gelungen ist.

Diese libidinös geprägte gute Selbst-Objekt-Imago gewährleistet in gewissem Umfang eine Abschwächung oder Neutralisierung der angsterzeugenden und desorganisierenden Wirkungen übermäßiger Frustrationen, in deren Folge »böse«, zunächst ebenfalls noch verschmolzene Selbst-Objekt-Imagines entstehen. Eine normale Beziehung zur Mutter beruht jedenfalls auf dem Aufbau einer guten inneren verschmolzenen Selbst-Objekt-Imago und trägt zugleich zu deren Konsolidierung bei.

Schwere Frustrationen und ein dadurch bedingtes Überwiegen aggressiv-bestimmter »total böser/schlechter« verschmolzener Selbst-Objekt-Imagines können den nächsten Entwicklungsschritt behindern, der in einer allmählichen Sonderung von Selbstanteilen und Objektanteilen im Bereich der guten Selbst-Objekt-Imago besteht. Wie schon Edith Jacobson (1954 b) hervorgehoben hat, stellt die Wiederverschmelzung primitiver »total guter« Selbst- und Objektimagines als Abwehrprozeß zum Schutz vor übermäßiger Frustration und Wut den Prototyp eines Vorganges dar, den wir, wenn er über die frühkindlichen Entwicklungsstufen hinaus erhalten bleibt, als psychotische Identifizierung bezeichnen.

Wenn erst einmal die Differenzierung zwischen Selbst- und Objektimagines im Bereich der libidinös-bestimmten Ichkerne und später auch im Bereich der aggressiv-bestimmten Ichkerne abgeschlossen ist, so ist damit ein entscheidender Entwicklungsschritt geschafft, dessen Bewältigung oder Nichtbewältigung die künftigen Psychotiker von den nicht-psychotischen Ichstrukturen unterscheidet. Der nächste Schritt besteht nun in der allmählichen Integration gegensätzlicher

(das heißt: libidinös-bestimmter mit aggressiv-bestimmten) Selbstimagines unter Auskristallisierung eines zentralen Selbst, das gewissermaßen nach verschiedenen Seiten hin mit entsprechend integrierten
Objektimagines (entstanden durch Integration von guten mit bösen/
schlechten Repräsentanzen jeweils desselben äußeren Objekts) in Beziehung steht. Dies ist auch der Punkt, von dem an sich eine Ambi-
valenz-Toleranz zu entwickeln beginnt. Ist der beschriebene Integra-
tionsprozeß vollzogen, so haben wir es, wie gesagt, mit einem integrierten Selbstbild oder Selbstkonzept zu tun, das mit integrierten
Objektrepräsentanzen in Beziehung steht, wobei über Projektions-
und Introjektionsmechanismen in Verbindung mit den realen zwischenmenschlichen Beziehungen des Kindes zur Mutter und zu anderen Menschen in seiner Umgebung fortwährend Modifizierungen und
Neubestätigungen sowohl des Selbstkonzepts als auch der Objektkonzepte stattfinden.
Ein solches integriertes Selbstkonzept in Verbindung mit integrierten
Objektrepräsentanzen bildet das, was wir im weitesten Sinne als Ich-
Identität bezeichnen. Eine stabile Ich-Identität ist wiederum die
Grundlage für eine entsprechende Stabilität, Integrität und Flexibili-
tät des Ichs und beeinflußt außerdem auch die Entwicklung reiferer
Überichfunktionen (das heißt, die Abstraktion, Depersonifizierung
und Individualisierung des Über-Ichs).
Eine mißlungene Integration von libidinös-bestimmten mit aggressiv-
bestimmten Selbst- und Objektimagines ist die Hauptursache für
nicht-psychotische Ichstörungen, die der Analysefähigkeit Grenzen
setzen. Diese fehlende oder mangelhafte Integration läßt sich ihrerseits darauf zurückführen, daß bei solchen Patienten von früh an ein
pathologisches Übergewicht aggressiv-bestimmter Selbst- und Objektimagines besteht und im Zusammenhang damit kein genügend
starker Ichkern auf der Grundlage der ursprünglich noch verschmolzenen guten Selbst-Objekt-Imago ausgebildet werden konnte. Im Gegensatz jedoch zu solchen Störungen, bei denen Selbst- und Objektimagines gar nicht bzw. nicht ausreichend voneinander differenziert
worden sind (den Psychosen), hat bei den Fällen von Ichdeformierung, die wir generell als Borderline-Störungen bezeichnen, zumindest eine ausreichende Differenzierung zwischen Selbst- und Objektimagines doch stattgefunden, so daß stabile Ichgrenzen errichtet werden konnten. Das Problem ist nur, daß die extreme Ausprägung aggressiv-bestimmter Selbst- und Objektimagines einerseits und defen-

siv überidealisierter »total guter« Selbst- und Objektimagines andererseits mittlerweile eine Integration dieser beiden Repräsentanzenreihen unmöglich gemacht hat. Jeder Versuch, die extrem entgegengesetzten – liebevollen und haßerfüllten – Selbstbilder und Objektvorstellungen einander anzunähern, löst sofort unerträgliche Angst und Schuldgefühle aus, weil dadurch die guten inneren und äußeren Objektbeziehungen bedroht werden; die so extrem gegensätzlichen Selbst- und Objektimagines müssen daher aus Abwehrgründen aktiv voneinander getrennt gehalten werden. So kommt es, daß wir bei diesen Patienten primitive Dissoziations- oder Spaltungsprozesse als hauptsächliche Abwehrform beobachten.

Eine mangelhafte Integration sowohl der Selbst- wie der Objektrepräsentanzen ist ja zunächst, beim Kind, noch ein normales Merkmal der frühen Ichentwicklung; später jedoch wird dieser gleiche Zustand aktiv herbeigeführt bzw. aufrechterhalten, um gegensätzliche Ichzustände voneinander getrennt zu halten. Der Begriff der Spaltung meint genau dies: das aktive Auseinanderhalten von gegensätzlichen Ichzuständen zu Abwehrzwecken. Mit Spaltungsprozessen sind zumeist noch andere Abwehrformen verbunden (Verleugnung, primitive Idealisierung, Omnipotenzgefühle, Projektion und projektive Identifizierung), die die Spaltung verstärken und damit das Ich vor unerträglichen Konflikten zwischen Liebe und Haß schätzen sollen, indem dafür seine Integration geopfert wird. Klinisch betrachtet lebt ein Kind, das auf dem Wege ist, eine Borderline-Störung zu entwikkeln, immer nur von einem Moment zum nächsten: Es muß fortwährend die Zusammenhänge zwischen den einzelnen emotionalen Erfahrungen mit den bedeutsamen Personen seiner Umwelt aktiv zerstückeln, weil sein Beziehungserleben sonst allzu chaotisch widersprüchlich, zutiefst frustrierend und erschreckend zu werden drohte.

Strukturell ergeben sich mehrere einschneidende Konsequenzen aus der Verwendung solcher primitiver Abwehrformen zum Schutze des Ichs vor unerträglichen Konfliktspannungen auf Grund gestörter verinnerlichter Objektbeziehungen. Zum einen kann sich kein integriertes Selbstkonzept entwickeln, und so kommt es zu einer dauernden übermäßigen Abhängigkeit von äußeren Objekten, mit deren Hilfe wenigstens eine gewisse Kontinuität im Handeln, Denken und Fühlen zu erreichen versucht wird. Auch das Syndrom der Identitätsdiffusion ist auf die mangelhafte Integration des Selbstkonzepts zurückzuführen. Zweitens entwickeln sich widersprüchliche Charakterzüge

– als Ausdruck der widersprüchlichen Selbst- und Objektrepräsentanzen –, die ihrerseits zum Chaos in den zwischenmenschlichen Beziehungen beitragen. Drittens ist auch die Überich-Integration beeinträchtigt, weil die hierfür wichtige orientierende Funktion einer integrierten Ich-Identität fehlt; extreme Gegensätze zwischen überhöhten »total guten« Idealobjekt-Imagines und extrem sadistischen »total-bösen« Überich-Vorläufern erschweren die Überich-Integration erheblich. Deshalb fehlen auch jene Überichfunktionen, die ihrerseits die Ich-Integration fördern könnten, was wiederum die pathologischen Folgen übermäßiger Reprojektion von Überichkernen in Form paranoider Züge noch verstärkt. Viertens ist auf Grund der mangelhaften Integration von Objektrepräsentanzen auch die Entwicklung eines tieferen Einfühlungsvermögens (Empathie) für andere Menschen in ihrer Eigenart behindert; die mangelhafte Integration des Selbstkonzepts erschwert eben auch das emotionale Verstehen von Fremdseelischem, so daß im Endeffekt ein Defekt bezüglich der Objektkonstanz, oder anders gesagt: eine Unfähigkeit zur Herstellung von Ganzobjektbeziehungen besteht. Fünftens sind durch die Ich- und Überichintegrationsschwäche auch bestimmte unspezifische Aspekte dessen, was wir unter dem Begriff der Ichstärke zusammenfassen, mitbetroffen, nämlich die Angsttoleranz, die Fähigkeit zur Impulskontrolle und die Ausbildung von Sublimierungen. Die Ichstärke hängt ab von der Neutralisierung von Triebenergie, und diese wiederum geschieht im wesentlichen im Zuge der Integration libidinös- und aggressiv-bestimmter Selbst- und Objektimagines.

c) Komplikationen bei Analysen von Borderline-Patienten und behandlungstechnische Konsequenzen daraus

Bei ichschwachen Patienten sind primitive, frühe Konflikte nicht verdrängt, sondern anstelle der Verdrängung und der üblichen Impuls/Abwehr-Organisation (unbewußte Inhalte und Widerstände dagegen) besteht hier das Phänomen, daß gegensätzliche primitive Inhalte in alternierender Form bewußt werden, dabei aber wechselseitig voneinander dissoziiert sind. Daß hier primitive Inhalte im Bewußtsein auftauchen, ist kein Zeichen einer ungewöhnlichen Einsichtsfähigkeit, sondern vielmehr ein Hinweis auf das Überwiegen von Spaltungsmechanismen und damit einer anderen Kategorie von Abwehrkonstellationen, als wir sie bei neurotischen Patienten auf der Grundlage von Verdrängungsmechanismen zu sehen bekommen.

Auch die unspezifischen Aspekte von Ichschwäche wirken sich bei der Behandlung solcher Patienten ungünstig aus, insofern sie die erforderliche Toleranz für erhöhte Konfliktspannungen beeinträchtigen und eine übermäßige Neigung zum Agieren fördern.

Hinzu kommt, daß auf Grund der mangelhaften Differenzierung des Selbstkonzepts und der mangelhaften Differenzierung und Individualisierung der Objekte auch die Differenzierung zwischen gegenwärtigen und früheren Objektbeziehungen erschwert ist. Übertragung und Realität werden ständig miteinander vermischt, und primitive Projektionsmechanismen sind derart vorherrschend, daß auch der Analytiker nicht vom Übertragungsobjekt unterschieden werden kann. Ich erwähnte auch schon das Unvermögen dieser Patienten, den Analytiker als integriertes Objekt in seiner Eigenart wahrzunehmen, und die pathologisch gesteigerte alternierende Projektion von Selbst- und Objektrepräsentanzen (mit ständigem Oszillieren zwischen reziproken Rollenpositionen in der Übertragung), wodurch die Ichgrenzen in der Übertragungsbeziehung geschwächt werden und die Entwicklung einer Übertragungspsychose gefördert wird.

Und schließlich geschieht es bei diesen Patienten leicht, daß die therapeutische Beziehung ihr sonstiges Alltagsleben mehr und mehr ersetzt, weil sie befriedigender und geschützter ist und dadurch um so mehr dazu verführt, primitive pathologische Bedürfnisse in der Übertragung und im Agieren zu befriedigen.

In dieser Aufzählung habe ich aus der typischen Struktur der Borderline-Persönlichkeit die typischen Behandlungsschwierigkeiten abgeleitet, auf die man bei solchen Patienten stößt. Manche Autoren glauben zwar, daß auch unter solchen Voraussetzungen die psychoanalytische Standardmethode anwendbar und indiziert sei; andere dagegen, zu denen auch ich gehörte, zweifeln daran. Bei der von mir vorgeschlagenen Behandlungsform, die ich für diese Patienten als ideal geeignet ansehe, handelt es sich aber durchaus um ein psychoanalytisch fundiertes Verfahren, bei dem die Deutung von Widerstand und Übertragung und das Festhalten an einer grundsätzlich neutralen Position des Analytikers immer noch eine zentrale Rolle spielen.

Im einzelnen habe ich folgende technischen Richtlinien für die analytische Psychotherapie von Borderline-Patienten hervorgehoben (vgl. Kap. 3): 1. systematische Bearbeitung der negativen Übertragung, aber nur in der »hier und jetzt« gegebenen Form, also unter Verzicht auf vollständige genetische Rekonstruktionen; 2. Interpretation der typischen Abwehrformen dieser Patienten, sobald sie in der Übertragung auftauchen; 3. Setzung von Grenzen zur Unterbindung des Übertragungsagierens; strukturierende Eingriffe in das Leben des Patienten außerhalb der Therapie nur soweit erforderlich, um die neutrale Position des Therapeuten aufrechterhalten zu können; 4. die reiferen, gemäßigten positiven Übertragungsanteile sollte man nicht deuten, da sie in die allmähliche Entwicklung des therapeutischen Arbeitsbündnisses mit eingehen.

d) Zur Analysefähigkeit von Borderline-Patienten

Ob wir eine bessere oder schlechtere Prognose für eine [klassische, nicht modifizierte] Psychoanalyse bei strukturell ichgestörten Patienten mit einer Borderline-Persönlichkeitsstruktur anzunehmen haben, hängt von bestimmten strukturellen Entwicklungen ab, die gewissermaßen als zusätzliche Komplikation zur Borderline-Persönlichkeitsstruktur hinzukommen und die ihrerseits weitgehend mit bestimmten Schicksalen der verinnerlichten Objektbeziehungen zusammenhängen (vgl. die Kapitel 4, 8 und 9).

Hat ein Borderline-Patient einen gewissen Grad an Integration, Abstraktion und Depersonifizierung seines Über-Ichs erreicht, so ist dieses Über-Ich möglicherweise stark genug, um mit seinen Funktionen insgesamt ich-integrierend zu wirken, wodurch die mangelhafte Integration des Selbstkonzepts (Identitätsdiffusion) in gewissem Umfang kompensiert werden kann. Manche infantilen Persönlichkeiten haben erstaunlich gute verinnerlichte Wertsysteme ausgebildet und verfügen über die Fähigkeit, sich über unmittelbar eigennützige Motive hinaus mit ethischen, professionellen und/oder künstlerischen Werten zu identifizieren, sowie über ein hohes Maß an persönlicher Integrität im Umang mit solchen Werten, mit Kunstwerken oder in der Ausübung ihres Berufs. Eine hohe Intelligenz und das Vorhandensein besonderer Begabungen mögen gewiß ihren Teil zu solch einer günstigeren Entwicklung beitragen, aber der wichtigste Faktor scheint doch die Frage zu sein, ob auf dem Höhepunkt der Entwicklung reiferer Überichstrukturen (also etwa im Alter von 4–6 Jahren und/

oder während der Adoleszenz) Objektbeziehungen bestanden haben, die nicht so ausschließlich von primitiven Konflikten beherrscht waren, sondern eine harmonischere Integration realitätsgerechter Über-Ich-Gebote und -Verbote ermöglichten. Ehrlichkeit und Integrität im üblichen Sinne sind ebenfalls wertvolle prognostische Faktoren, die bei manchen infantilen Persönlichkeiten und anderen Borderline-Persönlichkeitsstrukturen eher eine nicht-modifizierte Psychoanalyse in Betracht ziehen lassen.

Die Borderline-Persönlichkeitsstruktur kann aber auch durch prognostisch ungünstige Entwicklungen zusätzlich kompliziert worden sein, so zum Beispiel durch eine pathologische Fusion von »total guten« Selbstrepräsentanzen mit frühen Idealselbst- und Idealobjekt-Imagines. Solch eine pathologische Fusion sämtlicher »guter« Anteile verinnerlichter Objektbeziehungen schlägt sich in einem hochgradig unrealistischen Selbstkonzept nieder, das aber, falls bestimmte reale Voraussetzungen hinzukommen (etwa eine ungewöhnliche Begabung, körperliche Schönheit oder Intelligenz), von der Realität her in gewissem Umfang bestätigt wird und somit paradoxerweise eine bessere Realitätsanpassung auf der Basis, eben »jemand ganz Besonderes« zu sein, ermöglichen kann. Eine solche Entwicklung kennzeichnet die narzißtischen Persönlichkeiten (vgl. Kap. 8 und 9). Sie bedingt zwar oft eine wesentlich bessere soziale Funktionsfähigkeit, aber um den Preis eines gravierenden Überichdefekts, indem nämlich die normale Differenzierung zwischen dem Selbst und dem Ich-Ideal hier verloren gegangen (oder gar nicht erst zustandegekommen) ist. Schwere Überichdefekte sind typisch für narzißtische Persönlichkeiten und beeinträchtigen ihre Analysefähigkeit.

Ich brauche kaum zu betonen, daß Menschen mit solch einem idealisierten Selbstkonzept erst recht auf den Einsatz primitiver Abwehrmechanismen angewiesen sind, um immer wieder die abgewerteten, »bösen/schlechten« Selbstanteile zu verleugnen und zu projizieren; durch derartige Abwehrformen wird aber das Fehlen einer realitätsgerechteren Integration des Selbstkonzepts nur perpetuiert. Gerade die äußerlich gute Funktionsfähigkeit dieser Patienten täuscht oft über die schwere Psychopathologie, die sich hinter dieser Fassade verbirgt, hinweg. Narzißtische Persönlichkeiten machen mitunter jahrelange psychoanalytische Behandlungen durch, ohne daß es zu irgendeiner Änderung käme. An anderer Stelle (Kap. 8) werde ich noch ausführlicher darauf eingehen, daß man solche Patienten trotzdem mit der psychoanalytischen Standardmethode behandeln sollte, wobei allerdings einige technische Besonderheiten zu beachten sind.

Mit einer besonders malignen Entwicklung – und dementsprechend auch mit einer wesentlich schlechteren Prognose sowohl für eine Analyse als auch für eine analytische Psychotherapie – haben wir es in den Fällen zu tun, wo es im Rahmen einer Borderline-Charakterstruktur zu einer Ich-Identifizierung mit primitiven extrem sadistischen Überich-Vorläufern gekommen ist. Im Zuge solcher Entwicklungen werden primitive Destruktivität und Selbstdestruktivität gewissermaßen in die Ichstruktur eingebaut und vom Über-Ich sanktioniert, so daß aggressive Impulse unmittelbar in solcher Form ausgelebt werden können, daß sie das physische und psychische Überleben der Patienten unter Umständen ernstlich gefährden. Selbstdestruktion – als Abfuhrmöglichkeit für primitive, prägenitale Aggression – kann schließlich zum Ich-Ideal werden und das Allmachtsgefühl bestätigen, daß man Frustration und Leiden nicht zu fürchten braucht (da ja Leiden selbst zur Lust geworden ist). Diese Art von Aggression beobachtet man übrigens nicht nur in Form einer wahllosen Destruktivität nach allen Richtungen, sondern häufiger auch als ganz gezielte, selektive Destruktivität gerade denjenigen Menschen gegenüber, auf die der Patient in bezug auf sein Wohlergehen (und auf eine Besserung in der Therapie) angewiesen ist. Er muß besonders diejenigen, von denen er abhängig ist, beneiden, weil sie Liebe und Güte in sich haben und sogar anderen Menschen, auch dem Patienten Gutes gönnen und geben möchten. Diese Kategorie von Patienten stellt den prognostisch ungünstigsten Typus von Identifikation mit dem Aggressor dar (vgl. Kap. 4).

3. Weitere Gesichtspunkte zur Behandlung

*a) Übertragungsdeutungen, Regression
und Rekonstruktion*

Ich möchte nun folgende Aspekte der Behandlung von Borderline Patienten besonders hervorheben: Erstens ist stets zu beachten, daß Ichschwäche keineswegs gleichbedeutend ist mit dem Fehlen jeglicher stabileren Abwehrorganisation des Ichs; wir stoßen im Gegenteil bei diesen ichschwachen Patienten auf eine höchst aktive, rigide Konstel ation primitiver Abwehrmechanismen, die in ihren Auswirkungen wesentlich zur Entstehung und Aufrechterhaltung der Ichschwäche beitragen. Zweitens nützt es nicht so viel, wenn man reifere Abwehrformen zu stärken und die Anpassung des Patienten auf direktem Wege zu verbessern versucht, sondern es hat sich als hilfreicher erwiesen, diese primitiven Abwehrmechanismen konsequent in die Deutungsarbeit einzubeziehen, sobald sie in der Übertragung auftauchen, denn die deutende Bearbeitung dieser Abwehrformen macht den Weg frei für eine Nachreifung des Ichs, wobei dann von selbst reifere Abwehrmechanismen die Oberhand gewinnen. Drittens muß man Deutungen so formulieren, daß eventuelle Entstellungen, die der Patient mit den Interventionen des Analytikers vornimmt, sowie überhaupt seine verzerrte Wahrnehmung der aktuellen Realität und besonders des Geschehens in der Behandlungssituation immer gleich systematisch untersucht und geklärt werden können. Eine solche Klärung hat nichts mit Suggestion, Ratschlägen oder einer Enthüllung persönlicher Angelegenheiten des Analytikers gegenüber dem Patienten zu tun; vielmehr geht es darum, daß der Analytiker jeweils eindeutig erklären muß, wie *er* die »hier und jetzt« ablaufende Interaktion mit dem Patienten sieht und wie nach seinem Verständnis *der Patient* dieses Geschehen erlebt. Die Klärung solcher Wahrnehmungen und der Art und Weise, wie der Patient die Deutungen des Analytikers erlebt, ist also ein ganz wesentlicher Bestandteil der aufdeckenden Behandlungsmethode, insofern dabei eine systematische analytische Bearbeitung der primitiven Abwehrkonstellationen in den Formen, wie diese in der Übertragung auftauchen, angestrebt wird.

Oft stellt sich in fortgeschritteneren Stadien der Behandlung von Borderline-Patienten heraus, daß die früher vom Patienten als real geschilderten traumatischen Umstände gar nicht der Wirklichkeit entsprechen, wohingegen andere höchst reale und chronisch traumatisierende Eltern-Kind-Interaktionen tatsächlich stattgefunden haben, deren sich der Patient bis dahin noch nie bewußt geworden war. Dabei erweisen sich oft gerade solche Einflüsse aus der Kindheit als besonders schädlich, die der Patient bislang als selbstverständlich erachtet hatte, und umgekehrt wird der Fortfall solcher Einflüsse vom Patienten oft mit Überraschung als eine Eröffnung völlig neuer Lebensperspektiven erfahren. Das folgende Fallbeispiel einer Borderline-Patientin zeigt den Zusammenhang zwischen Entstellung der gegenwärtigen Realität und Entstellung der Vergangenheit in der

Übertragung und unterstreicht damit noch einmal die Notwendigkeit, immer wieder die Wahrnehmungen dieser Patienten zu klären, insbesondere wie sie das Geschehen in der Behandlungssituation erleben.

Eine Patientin berichtete als Erinnerung, sie habe mit ihren beiden Eltern intime sexuelle Beziehungen gehabt, und schilderte dies als eine Art sexueller Orgie unter Beteiligung der ganzen Familie. Erst allmählich wurde sie sich darüber klar, daß es sich bei diesen Erinnerungen um Phantasien handeln müsse. Dafür erinnerte sie sich später an andere Erfahrungen, die sie bis dahin noch gar nicht erwähnt hatte, weil sie ihr belanglos und selbstverständlich erschienen. Die Patientin reagierte jedesmal wütend, wenn der Analytiker sagte, er habe irgendeine verbale oder averbale Mitteilung von ihr nicht verstanden. Es stellte sich heraus, daß sie ihm das einfach nicht glaubte, sondern überzeugt war, er könne in Wirklichkeit ihre Gedanken lesen und behaupte nur, er verstehe sie nicht, um sie zu ärgern. Nachdem sie erst einmal dahin gelangt war, diese Überzeugung in Frage zu stellen, erinnerte sie sich nun auch wieder, daß ihre Mutter in der Tat immer behauptet hatte, sie könne ihre Gedanken lesen. Wenn die Patientin in der Therapie Deutungen zurückwies, die sie als falsch empfand, so erlebte sie das jedesmal wie eine rebellische Auflehnung gegen ihre Mutter. Es erwies sich nun, daß die realen wirklich traumatisierenden Aspekte ihrer Kindheit gerade hierin zu suchen waren, nämlich in der vermeintlichen Omnipotenz der Mutter und deren sadistischer Aufdringlichkeit sowie in der Art und Weise, wie die Patientin ihrerseits diesen Kommunikationsstil während ihrer Kindheit und Adoleszenz passiv-gläubig akzeptiert hatte und später selbst in ähnlich omnipotenter Weise mit der Realität verfuhr. Nachdem die Patientin ihre phantastischen Erlebnisse mit den Eltern und ihre Abwehr dagegen in der Übertragung durchgearbeitet hatte, vermochte sie allmählich auch die realistischeren Aspekte ihrer Beziehung zum Therapeuten besser wahrzunehmen. Zugleich konnte sie nun auch die wirklich pathogenen Aspekte ihrer Beziehung zu den Eltern erkennen, die ihr bisher als ganz natürlich und unbezweifelbar erschienen waren.

Im Zusammenhang mit diesem klinischen Fallbeispiel möchte ich noch hervorheben, daß die Störung der Realitätsprüfung bei der Patientin auf zwei Ebenen von Übertragungsphänomenen zutage trat: Da gab es erstens eine hochgradig verzerrte (und zeitweilig fast psychotisch anmutende) Übertragung, in der phantastische innere Objektbeziehungen, die mit ganz frühen Ichstörungen zusammenhingen, wiederbelebt wurden; zweitens bestand eine »realistischere« Übertragung, in der sich reale Erlebnisse der Patientin, eben die hochgradig pathologischen Eltern-Kind-Interaktionen ihrer Kindheit, widerspiegelten.

Deutungen der primitiven Abwehrformen im Kontext der aktuellen therapeutischen Beziehung bewirken manchmal eine derart unmittelbare und eindrucksvolle Besserung der psychischen Funktionsfähigkeit, daß dieses Verfahren sich auch als differentialdiagnostisches Hilfsmittel zur Abgrenzung von Borderline-Störungen gegenüber Psychosen eignet. Ein systematisches Aufdecken primitiver Abwehroperationen, also etwa die Deutung von Spaltungsmechanismen im Verhalten des Patienten während der Sitzung, pflegt bei Borderline-Patienten zu einer sofortigen funktionellen Besserung zu führen, wohingegen ein solches Vorgehen bei psychotischen Patienten eher eine Vertiefung der Regression bis hin zum Auftreten manifester psychotischer Symptome bewirkt. Die folgenden Fallbeispiele sollen derartige progressiven bzw. regressiven Bewegungen in diagnostischen Interviews veranschaulichen.

In der Klinik untersuchte ich einmal eine College-Studentin (ledig, Anfang zwanzig) mit eigenartig linkischem, fast bizarr anmutendem Verhalten, kindisch und theatralisch wirkenden Gesten, Affektausbrüchen und Suizidgedanken nach völligem Scheitern ihrer sozialen Beziehungen und Versagen im Studium. Die erste Verdachtsdiagnose lautete auf hysterische Persönlichkeit. Sie war sehr besorgt über verschiedene soziale und politische Probleme und weinte darüber, daß sie zunächst einmal in der Klinik bleiben sollte, aber als die Rede auf ihre Selbstmordphantasien kam, erschien sie völlig gleichgültig, tat so als sei sie schläfrig oder stünde unter Drogeneinfluß, zeigte wie sehr die Interviews sie langweilten und klagte darüber, daß sie nicht in der Lage sei, zu irgendeinem Entschluß zu kommen, was sie überhaupt wolle. Ich versuchte ihr daraufhin zu zeigen, wie sie, statt um sich selbst besorgt zu sein, diese Besorgnis auf soziale und politische Probleme verschob, wie abschätzig sie mit mir umging und wie sie es effektiv vermied, die Verantwortung für sich selbst zu übernehmen, indem sie ihre ernsthafte, besorgte Haltung völlig dissoziierte von ihrem chaotischen, betont »wurschtigen« Verhalten, das darauf angelegt war, andere zum Eingreifen zu zwingen.

Technisch gesprochen habe ich der Patientin ihre primitiven Abwehrformen (Spaltung, Verleugnung, Omnipotenzgebaren und Entwertung) im Kontext der »hier und jetzt« ablaufenden Interaktion mit
mir gedeutet. Im Verlaufe weniger Interviews veränderte sich die
Patientin, die zuerst ein fast psychotisches Bild geboten hatte, zu
einer recht nachdenklichen und einsichtsvollen, allerdings hochgradig
ängstlichen Person, die jetzt eher als neurotisch erschien. Die abschlie-
ßende Diagnose lautete: Infantile Persönlichkeit mit Borderline-
Zügen.

Als Gegenstück hierzu möchte ich den Fall einer anderen, ebenfalls
unverheirateten College-Studentin von Anfang zwanzig anführen,
bei der zunächst eine »Zwangsneurose, wahrscheinlich auf Borderline-Niveau« diagnostiziert worden war. Das gesamte Interview
wurde von der Patientin mit hochtheoretischen und philosophischen
Erörterungen bestritten; auf jeden Versuch meinerseits, sie mehr auf
persönlichere und gefühlhafte Inhalte zu bringen, folgten nur noch
abstraktere Kommentare. Ich versuchte daraufhin der Patientin die
Vermeidungsfunktion ihres Theoretisierens zu deuten und etwas von
dem emotionalen Erleben, das sie nur indirekt in ihrer Theoriesprache
ausdrücken konnte, aufzudecken. So fragte ich sie, ob nicht vielleicht
die unmittelbar persönliche Gefühlsbedeutung solcher Erlebnisse ihr
zu nahe gehe und das Theoretisieren eben dazu diene, sich ein Stück
weit davon zu distanzieren und zu schützen. Als wir beispielsweise
auf ihre unglückliche Beziehung zu einem Freund zu sprechen kamen,
verfiel sie in eine Diskussion über die theologischen Theorien der
Schuld, worauf ich meinte, es falle ihr offenbar schwer, auf Schuldgefühle näher einzugehen, die sie möglicherweise im Zusammenhang
mit dieser Freundschaft empfunden habe. Je mehr ich in dieser Weise
die Patientin mit ihren Abwehrmanövern konfrontierte, desto gestörter, mißtrauischer und zugleich abstrakter wurde sie. Gegen Ende
des Interviews gab es direkte Anhaltspunkte für formale Denkstörungen, und die Diagnose einer schizophrenen Psychose konnte
schließlich als gesichert gelten.

Mit diesen beiden klinischen Beobachtungen sollte vor allem demonstriert werden, (erstens) daß Deutungen der vorherrschenden Abwehrformen bei Borderline-Patienten zu einer Stärkung der Ichfunktionen führen, wohingegen dasselbe Vorgehen bei Psychotikern eine
Vertiefung der Regression bewirken kann, und (zweitens) daß ein
enger Zusammenhang besteht zwischen der Fähigkeit zur Realitäts-

prüfung, der Wirksamkeit von Abwehrmechanismen und der jeweiligen aktuellen zwischenmenschlichen Interaktion.

Wenn die Deutung solcher Abwehrvorgänge bei psychotischen Patienten die Regression noch verstärken kann, so heißt das keineswegs, daß ein interpretierendes Vorgehen in solchen Fällen grundsätzlich nicht in Frage käme; es bedeutet nur, daß dabei besondere Modifikationen der analytischen Behandlungstechnik erforderlich sind und daß deshalb bei Psychotikern sowohl eine Psychoanalyse im engeren Sinne als auch die für Borderline-Patienten empfohlene Form von analytischer Psychotherapie kontraindiziert sind. Auch der Psychotiker, bei dem die Abgrenzung zwischen Selbst- und Objektrepräsentanzen so leicht verschwimmt und damit die Ichgrenzen verlorengehen, benutzt Spaltungsprozesse und ähnliche primitive Abwehrformen, aber er benutzt sie, um angesichts ständiger Bedrohung durch archaische Gefahren wie die des Verschlungenwerdens oder der Ichauflösung wenigstens eine oberflächliche Realitätsanpassung zu bewahren. Sein Problem ist nicht nur, daß er Liebe und Haß völlig voneinander getrennt halten muß, sondern er muß darüber hinaus überhaupt jede Intensivierung von Gefühlen vermeiden, da schon die bloße Intensität einer emotionalen Beziehung als solche den regressiven Prozeß mit Wiederverschmelzung von Selbst- und Objektimagines in Gang setzen kann. Dies ist auch der Grund, warum Deutungen der primitiven Abwehrformen beim Psychotiker zu weiterem Verlust der Realitätsprüfung und stärkerer psychotischer Regression führen können.

Beim psychotischen Patienten dienen primitive Abwehrmechanismen, darunter besonders die pathologischen Formen von Spaltungs- und Projektionsvorgängen, hauptsächlich dazu, die so labile soziale Anpassung zu schützen und die tiefere Störung, nämlich die mangelhafte Selbst-Objekt-Differenzierung, in der Latenz zu halten. In einer intensiven Psychotherapie psychotischer Patienten treten derartige Verschmelzungen zwischen Selbst und Objekt aber sehr deutlich hervor und machen eine andere therapeutische Technik als bei Borderline-Patienten erforderlich.

Die intensive analytische Psychotherapie psychotischer, insbesondere schizophrener Patienten setzt vom Therapeuten vor allem voraus, daß er imstande sein muß, die vehementen Gegenübertragungsreaktionen auszuhalten, die durch Verschmelzungserlebnisse der Patienten in der Übertragung in ihm ausgelöst werden. Er ist hier wesentlich auf sein Gegenübertragungserleben angewiesen und muß es maximal nutzen, um das, was der Patient erlebt, überhaupt zu verstehen, sodann dem Patienten in verbaler Form sein Verständnis zu übermitteln und schließlich mittels solcher Mitteilungen ganz allmählich die Unterschiede zwischen dem Erleben des Patienten und der Realitätswahrnehmung des Therapeuten, zwischen der Vergangenheit des Patienten und dem, was er gegenwärtig in der Übertragung erlebt, immer wieder herauszuarbeiten und abzugrenzen. Im Unterschied dazu kommt es bei der Psychotherapie von Borderline-Patienten vor allem darauf an, die primitiven Projektionsmechanismen, insbesondere projektive Identifizierungen, zu deuten, denn auf ihnen beruht im wesentlichen die schon mehrfach beschriebene alternierende Projektion von Selbst- und Objektimagines, die im Erleben des Patienten die Grenze zwischen »Innen« und »Außen« in der Beziehung zum Therapeuten verschwimmen läßt. Weiterhin müssen beim Borderline-Patienten Tendenzen zum Ausagieren der Übertragung und zur übermäßigen Befriedigung primitiver Gefühlsbedürfnisse in der Übertragung unter Kontrolle gehalten werden, um überhaupt eine grundsätzlich neutrale Haltung als Therapeut aufrechterhalten zu können.

Die folgenden abschließenden Bemerkungen beziehen sich speziell auf Borderline-Patienten. In dem Maße, wie die primitive Ebene verinnerlichter Objektbeziehungen in der Übertragung wiederbelebt und durchgearbeitet worden ist, treten im Übertragungsgeschehen allmählich verinnerlichte Objektbeziehungen von höherem Niveau in den Vordergrund, die auch insofern realistischer sind, als sie sich auf reale Kindheitserlebnisse beziehen. Soll eine wirkliche Besserung der verzerrten Ichfunktionen erreicht werden, so muß der Patient früher oder später mit der Tatsache zurechtkommen, daß er in seinen ersten Lebensjahren wirklich gravierend in vieler Hinsicht zu kurz gekommen ist. Das Problem, Defekte und Mängel zu akzeptieren, kommt im Grunde, ob es sich nun um körperliche oder seelische Defekte handelt, weitgehend auf dasselbe hinaus. Es fällt einem Borderline-Patienten wahrscheinlich genau so schwer, mit bestimmten Mängeln seiner frühen Entwicklung und seiner damaligen Umwelt sich abzufinden, wie es für Menschen mit angeborenen oder früh erworbenen körperlichen Defekten ein Problem ist, ihre Defekte zu akzeptieren, zu betrauern und damit leben zu lernen. Borderline-Patienten müssen im Verlaufe der Behandlung immer deutlicher erkennen, wie ihre

Eltern an ihnen versagt haben; die monströsen Zerrbilder, in denen die Eltern noch zu Beginn der Therapie geschildert wurden, erweisen sich zwar als phantasiebedingte Entstellungen; versagt haben diese Eltern aber, und zwar in einfachen menschlichen Dingen, nämlich da, wo es darum ging, Liebe zu geben und anzunehmen, Trost und Verständnis zu vermitteln oder mit intuitivem Geschick helfend einzugreifen, wenn ihr Kind in Not war. Borderline-Patienten müssen auch lernen, ihre hochgradig überidealisierten Vorstellungen über die vermeintlich so wunderbaren früheren Beziehungen zu ihren Eltern als unrealistische Schutzphantasien zu erkennen und aufzugeben; die wirkliche Ablösung von den Eltern ist für sie ein wesentlich schwierigeres und ängstigenderes Unterfangen als für einen Neurotiker. Die Patienten müssen die entsprechenden Idealisierungen und magisch-überhöhten Erwartungen auch in der Übertragung durcharbeiten und den Analytiker realistisch als einen Menschen mit bestimmten Grenzen und Unvollkommenheiten zu akzeptieren lernen. Dieser schmerzliche Lernprozeß wird unter anderem dadurch gefördert, daß man technische Parameter zu einem fortgeschrittenen Zeitpunkt der Behandlung analysiert bzw. Modifikationen der Technik und die Gründe des Analytikers für sein jeweiliges Vorgehen in der Behandlung realistisch mit dem Patienten erörtert. Um solche schweren Defekte und Mängel bewältigen zu können und damit leben zu lernen, bedarf es der Fähigkeit zu trauern und diese Trauer innerlich zu verarbeiten und zu überwinden, das damit verbundene Alleinsein auszuhalten und realistisch zu akzeptieren, daß andere Menschen manches haben, was man selbst nie gehabt hat und womöglich auch nie mehr in vollem Umfang ausgleichen kann. Man hofft natürlich, daß solch eine Fähigkeit sich im Verlaufe der Behandlung entwickeln wird, aber in welchem Umfange das geschieht, ist immer schwer vorauszusagen.

b) Die Übertragungspsychose

Ich erwähnte bereits, daß die mangelhafte Differenzierung des Selbstkonzepts und die mangelhafte Differenzierung und Individualisierung der Objekte auch die Differenzierung zwischen früheren und gegenwärtigen Objektbeziehungen erschweren und somit die Entwicklung einer Übertragungspsychose begünstigen. Die Übertragungspsychose ist eine typische Komplikation in Behandlungen von Patienten mit einer Borderline-Persönlichkeitsstruktur. Zwischen der Übertragungspsychose von Borderline-Patienten und der psychotischen Übertragung, wie man sie typischerweise bei Psychotikern sieht, besteht eine Reihe von charakteristischen Ähnlichkeiten und Unterschieden.

Zunächst was die *Ähnlichkeiten* der Übertragungspsychose bei Borderline- und bei psychotischen Patienten anbelangt: 1. In beiden Fällen beobachtet man einen Verlust der Realitätsprüfung in der Übertragungssituation und das Auftauchen von Wahnideen in bezug auf den Therapeuten, gelegentlich auch Halluzinationen oder Pseudohalluzinationen während der Sitzungen. 2. In beiden Fällen wird die Übertragung beherrscht von primitiven Objektbeziehungen phantastischer Art; diese sind gekennzeichnet durch multiple Selbstimagines und multiple Objektimagines, d. h. es handelt sich hier um Phantasiegebilde, die den frühesten Schichten verinnerlichter Objektbeziehungen zugehören und somit einer tieferen Schicht des Psychischen entstammen als die dyadischen und ödipal-triadischen Beziehungen, wie sie die Übertragungsneurose kennzeichnen. Denn im Gegensatz zur Übertragungspsychose überwiegen in der Übertragungsneurose bei weniger gestörten Patienten spätere, realistischere verinnerlichte Selbst- und Objektrepräsentanzen im Zusammenhang mit einem integrierten Ich und Über-Ich, in denen sich realitätsgetreuer bestimmte frühere Interaktionen mit Elternfiguren widerspiegeln. 3. Sowohl bei Borderline-Patienten als auch bei Psychotikern treten primitive Affektausbrüche in der Übertragung auf, und das Gefühl, eine eigene Identität abgegrenzt vom Therapeuten zu besitzen, geht mehr oder weniger verloren.

Andererseits bestehen zwischen der Übertragungspsychose von Borderline-Patienten und der psychotischen Übertragung von Psychotikern, insbesondere Schizophrenen, in einer intensiven Psychotherapie folgende *Unterschiede*:

1. Bei Borderline-Patienten reicht der Verlust der Realitätsprüfung nicht so weit, daß dadurch auch das Erleben und Verhalten des Patienten außerhalb der Behandlungssituation auffallend mitbetroffen wäre; solche Patienten können vielmehr über Tage, Wochen, Monate hin während der Behandlungsstunden Wahnideen und psychotisches Verhalten zeigen, während sie außerhalb der Therapie überhaupt nicht psychotisch wirken. Ein weiteres Merkmal besteht darin, daß

die Übertragungspsychose auf die schon beschriebene Behandlung anspricht. Im Gegensatz dazu ist die psychotische Übertragung schizophrener Patienten nur ein Ausdruck ihres umfassenden Verlustes der Realitätsprüfung und ihres psychotischen Denkens, Verhaltens und Fühlens, wie man es auch außerhalb der Therapiesituation beobachten kann. Die anfängliche Unzulänglichkeit schizophrener Patienten besteht ja gewöhnlich gerade in ihrem psychotischen Verhalten während der Sitzungen, das sich gar nicht wesentlich von dem psychotischen Verhalten außerhalb der Therapie unterscheidet. Es kann mitunter ziemlich lange dauern, bis ein psychotischer Patient schließlich eine ganz eigentümliche intensive emotionale Beziehung zu seinem Therapeuten entwickelt, die sich qualitativ von allen seinen sonstigen Interaktionen abhebt; ist dies erst geschehen, so läßt sich die psychotische Übertragung eines Borderline-Patienten unterscheiden, und zwar nach folgenden Kriterien:

2. Zumal in fortgeschritteneren Entwicklungsstadien ihrer psychotischen Übertragung haben Psychotiker Verschmelzungserlebnisse mit dem Therapeuten, wobei sie so etwas wie eine gemeinsame Identität zwischen sich und dem Therapeuten empfinden. Im Gegensatz zu Borderline-Patienten, bei denen es aufgrund rasch oszillierender Projektionen von Selbst- und Objektimagines (also einer Aktivierung primitiver Objektbeziehungen mit ständigem Rollenwechsel zwischen Patient und Therapeut) ebenfalls zu Identitätsstörungen kommen kann, ist diese Identitätskonfusion des Psychotikers in der Übertragung die Folge einer Wiederverschmelzung von Selbst- und Objektimagines unter Aufhebung der Grenzen zwischen Selbst und Nicht-Selbst; darin zeigt sich die Regression auf eine primitivere Stufe, auf welcher Selbst und Objekt noch symbiotisch miteinander verschmolzen sind. Ein Borderline-Patient empfindet selbst in der Übertragungspsychose immer noch eine Art von Grenze zwischen sich und dem Therapeuten, aber er erlebt ständig so etwas wie einen Austausch von Persönlichkeitsanteilen zwischen sich und dem Therapeuten. Demgegenüber erleben psychotische Patienten sich selbst ständig als eins mit dem Therapeuten, wobei jedoch die Art dieses Einsseins wechselt: Mal handelt es sich um ein erschreckendes und bedrohliches Erleben roher Aggression und wirren Verschlungenseins (ohne daß zu unterscheiden wäre, wer der Verschlingende und wer der Verschlungene ist); dann wiederum ist es eher eine Art verzückter mystischer Erfahrung von Einssein, Güte und Liebe. Kurz gesagt: die Mechanis-

men, aufgrund deren es zum Verlust der Ichgrenzen, zum Verlust der Realitätsprüfung und zur Wahnbildung kommt, sind bei der Übertragungspsychose von Borderline-Patienten andere als bei der psychotischen Übertragung von Psychotikern.

4. Zur Differentialdiagnose zwischen Schizophrenie und Borderline-Störungen

Bei der Untersuchung neuer Patienten stehen wir häufig vor der Aufgabe, die Differentialdiagnose zwischen Borderline-Störungen und Schizophrenie sorgfältig abzuklären. Diese Differentialdiagnose ist vor allem wegen der unterschiedlichen Prognose und Therapie so wichtig: Bezüglich der Prognose von Borderline-Patienten bin ich optimistischer geworden, seit ich die Ergebnisse eines speziell für solche Störungen entwickelten Behandlungsprogramms kenne, das eine intensive analytisch orientierte Psychotherapie in Kombination mit einer gut durchstrukturierten stationären Milieutherapie vorsieht, wobei letztere in vielen Fällen nur während der Anfangsphase der Behandlung, bei manchen Patienten auch über einen längeren Zeitraum hin erforderlich ist. Demgegenüber ist die Prognose für chronisch-schizophrene Patienten natürlich immer ernst.

Die beiden Hauptkriterien zur Differentialdiagnose zwischen Schizophrenie und Borderline-Störungen sind die Realitätsprüfung und die Übertragungspsychose. Da letztere bereits besprochen wurde, beschränke ich mich an dieser Stelle auf die Diskussion der Realitätsprüfung.

Wenn ein Patient in die Klinik kommt und die typische Vorgeschichte einer chronischen psychischen Krankheit mit formalen Denkstörungen, Halluzinationen und Wahnideen, bizarren Verhaltensweisen und Affektäußerungen und einer Desintegration des Zusammenhangs zwischen Denken, Fühlen und Verhalten aufweist, so lautet die Diagnose gewöhnlich »schizophrene Psychose«. Es gibt jedoch auch viele Borderline-Patienten mit schweren chronischen Störungen in ihren zwischenmenschlichen Beziehungen und einem chaotischen Sozialverhalten, bei denen im Verlaufe einer Psychoanalye oder einer ambulant durchgeführten intensiven analytischen Psychotherapie vorübergehend psychotische Episoden auftreten, die an eine Schizophrenie denken lassen. Und es gibt auch Borderline-Patienten und Schizophrene, die über lange Zeit hin mit hohen Dosen von Psychopharmaka behandelt worden sind oder bei denen eine gewisse soziale Stabilisierung in der Form eingetreten ist, daß sie in irgendeiner isolierten, mechanischen Arbeitssituation noch einigermaßen adäquat »funktionieren«, dafür aber sich aus allen realen zwischenmenschlichen Kontakten auf der ganzen Linie chronisch zurückgezogen haben; auch bei solchen Patienten ist diese Differentialdiagnose abzuklären.

Wie ich bereits an früherer Stelle betont habe, weisen sowohl Borderline-Patienten als auch Schizophrene ein Übergewicht pathologischer verinnerlichter Objektbeziehungen und primitiver Abwehrformen auf (wodurch beide Patientengruppen sich gleichermaßen von den weniger tief gestörten Neurotikern und sonstigen Charakterstörungen unterscheiden); diese primitiven Abwehrformen haben aber bei Borderline-Störungen eine ganz andere Funktion als bei der Schizophrenie: Borderline-Patienten müssen solche primitiven Abwehrmechanismen (insbesondere Spaltung, primitive Idealisierung, Omnipotenz, Verleugnung und Entwertung) einsetzen, um sich vor ihrer intensiven Ambivalenz und vor der gefürchteten Kontaminierung und Zerstörung aller ihrer Liebesbeziehungen durch das Eindringen von Haßgefühlen zu schützen. Schizophrene Patienten dagegen müssen sich mit Hilfe solcher Abwehrvorgänge (und zwar besonders durch pathologisch entwickelte Spaltungsmechanismen, die zu einer generalisierten Fragmentierung des inneren Erlebens und der zwischenmenschlichen Beziehungen führen) vor etwas anderem schützen, nämlich vor einem totalen Verlust der Ichgrenzen und vor der ständig drohenden Verschmelzung mit anderen, worin sich die mangelhafte Differenzierung zwischen den Selbst- und Objektrepräsentanzen dieser Patienten zeigt.

Für die klinische Praxis ergibt sich daraus, daß der Versuch, die überwiegend primitiven Abwehrformen mittels entsprechender Deutungen konfrontierend aufzudecken, bei Borderline-Patienten eher eine Stärkung der Ichfunktionen und eine Verbesserung der Realitätsprüfung bewirkt, wohingegen das gleiche Vorgehen bei Psychotikern eher zu einer Vertiefung der psychotischen Regression führt und dabei auch den basalen Defekt, nämlich die mangelhafte Differenzierung zwischen Selbst und Nicht-Selbst, deutlicher hervortreten läßt. Wie schon betont, bedeutet das aber keineswegs, daß ein psychoanalytisches oder generell ein aufdeckendes Behandlungsverfahren bei solchen Patienten nicht in Frage käme. Der regressive Effekt von Deutungen der primitiven Abwehrformen in der Übertragung hält ja im allgemeinen nur kurzfristig an; auf längere Sicht kann eine intensive analytische Psychotherapie bei psychotischen Patienten durchaus deren Fähigkeit zur Unterscheidung zwischen Selbst und Nicht-Selbst weiterentwickeln und ihre Ichgrenzen stabilisieren.

Der vorübergehend desintegrierende Effekt, der sich bei schizophrenen Patienten nach Deutungen ihrer primitiven Abwehrmechanismen in der Übertragung beobachten läßt, ermöglicht eine differentialdiagnostische Abgrenzung dieser Fälle von den Borderline-Störungen, bei denen – wie gesagt – solche Deutungen das aktuelle Ichfunktionsniveau und insbesondere die Realitätsprüfung in der Regel eher verbessern. Für die Praxis ergibt sich daraus, daß diagnostische Interviews bei Patienten, bei denen es um die Differentialdiagnose zwischen Borderline-Störung und Schizophrenie geht, daraufhin angelegt sein müssen, daß unter anderem auch eine solche Testung der Abwehrfunktionen durchgeführt werden kann.

Es empfiehlt sich natürlich, im diagnostischen Interview zunächst einmal nach formalen Denkstörungen, Halluzinationen und/oder Wahnideen zu forschen; lassen sich solche nachweisen, so besteht Anhalt für eine Psychose. Sind dagegen im Interview keine formalen Denkstörungen, keine eindeutigen Halluzinationen oder Wahnideen festzustellen, so würde ich nun meine Aufmerksamkeit auf feinere Hinweise im Denken, Fühlen und Verhalten des Patienten richten, an denen eine besondere Qualität des Inadäquaten oder Bizarren im Kontext der Beziehungssituation im Interview hervortritt. Konfrontiert man dann den Patienten mit solchen feineren inadäquaten oder bizarren Zügen in seinem Verhalten, Fühlen oder Denken, so löst das gewöhnlich Angst aus. Geschieht jedoch diese Konfrontation in taktvoller und rücksichtsvoller Weise und in dem Bemühen, dem Patienten damit zu zeigen, wie verwirrend, kontaktverhindernd und verzerrend solche Verhaltensweisen sich auf die aktuelle Beziehung zum Interviewer »hier und jetzt« auswirken, so bietet sie unter Umständen eine gute Möglichkeit, den Patienten auf sinnvolle Weise therapeutisch zu stützen.

Bei derartigem Vorgehen übt der Interviewer gewissermaßen eine Abgrenzungsfunktion aus, nämlich zwischen dem inneren Erleben des Patienten, das der Interviewer empathisch zu verstehen versucht, und der äußeren Realität, die hier durch die soziale Beziehung zwischen Patient und Therapeut repräsentiert ist. Diese Interviewtechnik steht im Gegensatz sowohl zur klassischen psychiatrischen Exploration im Sinne einer Suche nach deskriptiven Einzelsymptomen, an Hand deren sich die Diagnose einer Schizophrenie stellen ließe, als auch zu einem psychoanalytischen Vorgehen, das nur auf empathisches Verstehen des inneren Erlebens der Patienten eingestellt ist, ohne dabei die Frage zu klären, ob der Patient dieses sein Erleben überhaupt der Realitätsprüfung zu unterziehen vermag.

Wenn zum Beispiel ein Patient in bezug auf irgendeinen emotional bedeutsamen Sachverhalt einen befremdlichen Affektmangel zeigt, so kann man ihn auf diese Diskrepanz hinweisen und deren Gründe näher erforschen. Ein Borderline-Patient wird daraufhin die Diskrepanz erkennen können, weil er sich mit der Realitätsperspektive, die in der Frage des Interviewers impliziert ist, identifizieren kann; er wird also in dieser Hinsicht realistischer werden. Konfrontiert man dagegen einen Schizophrenen mit solch einer Diskrepanz, so wird er entweder überhaupt nicht begreifen, worauf der Interviewer hinaus will, oder er interpretiert dessen Frage als Angriff oder reagiert in der Weise, daß die Diskrepanz zwischen Affekt und Denkinhalt noch ausgeprägter wird. Mit anderen Worten: solche Interventionen führen beim Borderline-Patienten zu einer Verbesserung, beim Schizophrenen zu einer weiteren Verschlechterung der Realitätsprüfung.

Auf gleiche Weise kann man auch beispielsweise eine inadäquate Geste (also eine Verhaltensweise nach Art psychogener Tics oder motorischer Stereotypien) oder sonst irgendein Phänomen aufgreifen, das in auffälligem Gegensatz zu den übrigen vom Patienten gebotenen Denkinhalten, Affekten oder Verhaltensweisen steht. Oft bestehen multiple Diskrepanzen zwischen Denken, Fühlen und Verhalten, und es hängt dann von der emotionalen Gesamtsituation der Therapeut-Patient-Beziehung ab, welche Phänomene jeweils am vordringlichsten aufgegriffen und geklärt werden sollen, sei es weil sie besonders eklatant erscheinen oder weil sie die aktuelle Beziehung »hier und jetzt« besonders stark verzerren.

Erweist sich bei diesem konfrontierenden Vorgehen, daß die Realitätsprüfung tatsächlich in allen Bereichen aufrechterhalten bleibt, so kann man auf eine zweite Untersuchungseinstellung übergehen, indem man die Aufmerksamkeit direkt auf primitive Abwehrvorgänge richtet und diese im Kontext der Übertragung deutet. Setzt sich zum Beispiel ein Patient sehr intensiv mit irgendwelchen philosophischen oder politischen Problemen auseinander, während er andererseits einem sehr konkreten und schwerwiegenden eigenen Problem völlig gleichgültig gegenüberzustehen scheint, so kann man ihm die Verleugnung aufzeigen (bzw. die Verschiebung und Dissoziation seiner Besorgnis weg von seiner konkreten Lebenssituation); beobachtet man bei einem Patienten eine massive Projektion von Aggression in Verbindung mit der Tendenz, den Interviewer sadistisch beherrschen und kontrollieren zu wollen, so kann man in einer Probedeutung die projektive Identifizierung in der Übertragung anzusprechen versuchen. Auch hierbei reagieren wieder Borderline-Patienten auf derartige Interventionen meist im Sinne einer verbesserten Realitätsprüfung und eines gehobeneren Ichfunktionsniveaus in der akutellen Interviewsituation, wohingegen schizophrene Patienten eher noch weiter regredieren und derartige Deutungen als angsterregende Übergriffe erleben, die ihre Selbstgrenzen zu verwischen drohen.

Häufig spürt der Interviewer schon intuitiv, daß ein Patient dazu neigt, nach aufdeckenden Deutungen regressiv zu dekompensieren; ich möchte deshalb betonen, daß dieses Vorgehen in solchen Fällen nur zu diagnostischen Zwecken indiziert ist. Reagiert ein Patient auf solche Interventionen mit übermäßiger Angst, so sollte der Interviewer, nachdem er seine Diagnose gesichert hat, diese Angst wieder herabmindern, indem er dem Patienten den Zusammenhang zwischen seinen psychotischen Realitätsentstellungen und den Interventionen des Interviewers aufzeigt. Für einen Psychotherapeuten, der sich als Diagnostiker betätigt, ist es oft gar nicht leicht, den richtigen Mittelweg zu finden zwischen der Notwendigkeit, genügend objektiv zu bleiben, um zu einer fundierten Diagnose zu kommen, und der anderen Notwendigkeit, genügend empathisch mit dem Patienten umzugehen, um ihn vor einem Übermaß an Angst zu schützen.

Zusammenfassend möchte ich noch einmal wiederholen, daß man mit Hilfe der Therapeut-Patient-Beziehung Diskrepanzen zwischen Denkinhalt, Affekt und Verhalten untersuchen und dabei die Frage klären kann, ob die Fähigkeit zur Realitätsprüfung bei dem betreffenden Patienten erhalten ist oder nicht. Auch die Deutung primitiver Abwehrformen, vor allem im Kontext der aktuellen Übertragungssituation, trägt zur weiteren Klärung dieser Frage bei.

Der Ausfall der Realitätsprüfung in irgendeinem Bereich ist als Anzeichen für eine psychotische Störung zu werten. Ich möchte aber betonen, daß der Ausdruck »Realitätsprüfung« von mir hier in einem ganz engen, umschriebenen Sinne verwendet wird, und zwar verstehe ich darunter in diesem Zusammenhang ausschließlich die Fähigkeit (bzw. bei Verlust dieser Funktion das Unvermögen) des Patienten, sich mit der äußeren Realität, wie sie in der Therapeut-Patient-Beziehung gegeben ist, zu identifizieren. Mit dieser Formulierung soll auch ausgedrückt werden, daß es nach meiner Auffassung kein Kontinuum und keine allmählichen Übergänge zwischen dem Vorhandensein und dem Fehlen dieser Fähigkeit zur Realitätsprüfung gibt und daß zwischen der strukturellen Organisation von Borderline-Störungen einerseits und Psychosen andererseits nicht nur quantitative, sondern auch qualitative Unterschiede bestehen. Der entscheidende qualitative Unterschied hängt, wie gesagt, mit den jeweils besonderen Schicksalen der Selbst- und Objektimagines bei Borderline-Störungen und bei Psychosen zusammen, von denen das Unterscheidungsvermögen zwischen Selbst und Nicht-Selbst abhängt, auf dem wiederum andere Fähigkeiten beruhen wie zum Beispiel die, zwischen Wahrnehmungen und Phantasien sowie zwischen intrapsychischen Wahrnehmungen und Wahrnehmungen von Außenweltgegebenheiten zu unterscheiden und sich in soziale Realitätskriterien einzufühlen.

6. Kapitel
Gesamtstrategie, Setting und Initialphase der Behandlung

An früherer Stelle (in Kap. 3 und 5) habe ich bereits folgende allgemeine Behandlungsstrategie für die analytische Psychotherapie von Borderline-Patienten vorgeschlagen: 1. Systematische Bearbeitung der negativen Übertragung, und zwar ausschließlich im »Hier und Jetzt«, ohne den Versuch vollständiger genetischer Rekonstruktionen; 2. konsequente Deutung der Abwehrkonstellationen dieser Patienten, sobald sie in der negativen Übertragung auftauchen; 3. Festsetzung von Grenzen, falls erforderlich, um ein Ausagieren der Übertragung zu verhindern, und eventuell auch strukturierende Eingriffe in das Alltagsleben des Patienten außerhalb der Therapie, soweit dies erforderlich erscheint, um die Neutralität des Analytikers zu schützen; 4. keine Deutung der weniger primitiv motivierten abgemilderten positiven Übertragungsanteile, um so die allmähliche Entwicklung des therapeutischen Arbeitsbündnisses zu fördern; 5. Formulierung von Deutungen in der Weise, daß die Entstellungen, mit denen der Patient die Interventionen des Analytikers und die aktuelle Realität (insbesondere das Geschehen in den therapeutischen Sitzungen) wahrnimmt, systematisch geklärt werden können; 6. Bearbeitung zunächst der hochgradig verzerrten (zuweilen fast psychotischen) Übertragungsanteile, in denen sich phantastische innere Objektbeziehungen in Verbindung mit frühen Ichstörungen darstellen, um dann später die Übertragungsebene zu erreichen, die mit realen Kindheitserlebnissen der Patienten zusammenhängt. Dieser Behandlungsstrategie liegt unter anderem die Prämisse zugrunde, daß die interpretative Bearbeitung der für die Borderline-Persönlichkeitsstruktur so charakteristischen überwiegend primitiven Abwehrvorgänge und der damit verbundenen primitiven verinnerlichten Objektbeziehungen das Ich des Patienten stärkt und zu strukturellen intrapsychischen Veränderungen führt, die auf eine Auflösung der Borderline-Pathologie hinauslaufen.

Was nun folgt, sind technische Überlegungen hinsichtlich der Anfangsphase der Behandlung von Borderline-Patienten, also taktische Vorgehensweisen, die aus der oben skizzierten allgemeinen Behandlungsstrategie abgeleitet werden können. Der Terminus »Borderline-Persönlichkeitsstruktur« [»borderline personality organization«, vgl. Anm. d. Übers. S. 20 Fn.] bezeichnet eine ziemlich allgemeine Diagnose, die sehr verschiedene Typen von Charakterstörungen auf Borderline-Funktionsniveau umfaßt. Es ist von großer Bedeutung, die jeweils vorherrschende Charakterstruktur von Borderline-Patienten so genau wie möglich zu diagnostizieren, da sich aus den verschiedenen Typen von Charakterkonstellationen unterschiedliche prognostische und therapeutische Folgerungen ergeben (vgl. Kap 4). Einige dieser therapeutischen Implikationen, nämlich verschiedene technische Variationen in den Anfangsstadien der Behandlung bei bestimmten Charakterkonstellationen, werden weiter unten noch eingehender besprochen.

1. Generelle Behandlungsarrangements

Es gibt durchaus Borderline-Patienten, die man erfolgreich mit einer nicht-modifizierten psychoanalytischen Standardtechnik behandeln kann. Nach meiner Erfahrung ist jedoch für die Mehrzahl der Borderline-Patienten die oben skizzierte Form einer modifizierten psychoanalytischen Behandlung im Sinne einer analytisch orientierten Psychotherapie angezeigt, wobei folgende Behandlungsarrangements sich als hilfsreich erwiesen haben.

Eine Stundenfrequenz von zwei Wochenstunden betrachte ich als unerläßliches Minimum, um die erwähnte Behandlungsstrategie überhaupt durchführen zu können; drei Stunden pro Woche wären vorzuziehen, aber man kann die Frequenz unter Umständen auch bis zu vier oder fünf Wochenstunden steigern. Gewisse Befürchtungen, wie man sie in der älteren Literatur zur Behandlung von Borderline-Störungen findet, nämlich daß durch eine übermäßige Frequenz der therapeutischen Sitzungen die Regression nur noch gefördert werden könnte, erscheinen im Lichte neuerer Erfahrungen als unbegründet. Als potentiell regressionsfördernd hat sich in der analytischen Psychotherapie von Borderline-Patienten vielmehr ein anderer Faktor erwiesen, nämlich eine mangelhafte Strukturierung der Behandlungssituation, die dazu führt, daß primitive pathologische Triebbedürfnisse in der Übertragung dermaßen ausagiert werden, daß die Übertragungsneurose (oder Übertragungspsychose) schließlich das Alltagsleben des Patienten völlig zu ersetzen droht. Unter solchen Umständen gelangt der Patient dazu, seine pathologischen primitiven Bedürfnisse in den Behandlungsstunden in einem Maße zu befriedigen, das weit über alles hinausgeht, was er an diesbezüglichen Möglichkeiten in seinem sonstigen Leben außerhalb der Therapie je erwarten könnte. Ein weiterer regressionsfördernder Faktor sind verfrühte genetische Rekonstruktionen (das heißt: bevor der Patient über einen ausreichend entwickelten »beobachtenden Ichanteil« verfügt und bevor er die Fähigkeit erworben hat, seine entstellten Wahrnehmungen des Geschehens in den Behandlungsstunden fortlaufend zu korrigieren); solche Versuche können dazu führen, daß im Erleben des Patienten eine Konfusion des Therapeuten mit den Übertragungsobjekten und eine Konfusion der gegenwärtigen und früheren Realität mit der phantastischen intrapsychischen Realität eintritt. Dies aber sind die Merkmale der Übertragungspsychose.

Gelingt es, diese Gefahren durch eine angemessene Behandlungstechnik zu vermeiden, so glaube ich eigentlich nicht, daß eine höhere Stundenfrequenz für sich genommen schon als regressionsfördernder Faktor gelten kann. Es bietet allerdings gewisse Vorteile, wenn man mit weniger als vier oder fünf Wochenstunden beginnt; der Therapeut vermag auf diese Weise besser zu beurteilen, wie der Patient mit dem in den Behandlungsstunden Erarbeiteten während der Zwischenzeiten umgeht. Die sorgfältige Klärung der Frage, wie der Patient die psychotherapeutische Arbeit in den Zeiten zwischen den Sitzungen zu nutzen vermag, ist überhaupt äußerst wichtig, um die Entwicklung des beobachtenden Ichanteils und des therapeutischen Arbeitsbündnisses richtig einzuschätzen und subtilere Formen einer negativen therapeutischen Reaktion (d. h. unbewußter Tendenzen, die emotionale Bedeutung und den Lernprozeß, der während der therapeutischen Sitzungen in Gang kam, zu zerstören bzw. zu neutralisieren) frühzeitig zu erkennen.

Sogenannte »stützende« psychotherapeutische Verfahren, mit denen man übermäßige pathologische Abhängigkeitsbedürfnisse der Patienten befriedigt – statt die unbewußten Bedürfnisse mit den Mitteln der Deutung zu bearbeiten, auf Grund deren diese Patienten gerade nicht imstande sind, eine realitätsgerechte vertrauende Abhängigkeit gegenüber dem Therapeuten zu entwickeln (zum Beispiel das unbewußte Bedürfnis, emotionale Zuwendungen immer wieder zu zerstören) – wirken ebenfalls regressionsfördernd. Mit anderen Worten:

Die systematische Deutungsarbeit an den für Borderline-Patienten typischen primitiven Abwehrformationen, die klare Eingrenzung des Agierens während der Sitzungen und die strikte Wahrung einer technisch neutralen Position des Therapeuten schützen den Patienten am ehesten vor einer übermäßigen Regression, unabhängig von der Stundenfrequenz.

Sieht man einen Borderline-Patienten nur einmal in der Woche oder noch seltener, so läßt sich kaum vermeiden, daß das Schwergewicht der Behandlung sich auf die äußere Realität zuungunsten der Deutungsarbeit verschiebt oder daß die Orientierung am Übertragungsgeschehen schließlich derart unrealistisch von der äußeren Realität abgehoben ist (weil der Therapeut diese Realität seines Patienten gar nicht mehr in ausreichendem Maße kennt), daß die Therapie auf die Dauer unvermeidlich zu einer stützenden wird. Ein rein stützendes Vorgehen wiederum (im Gegensatz zu Verfahren mit dem Schwergewicht auf der Deutung der Übertragung) fördert gewöhnlich erst recht die Spaltung zwischen der äußeren Lebenswirklichkeit des Patienten und der Behandlungssituation, treibt die primitiven Abwehrmechanismen in den Untergrund, führt zu einer Fixierung der Übertragung auf der Ebene einer maximal unbewußten latenten negativen Übertragung und fördert schließlich die Entwicklung von »Lebenslänglichen«. So bezeichnet man Patienten, die über viele Jahre hin in Behandlung bleiben müssen, weil sie weder auf die äußere Stützung verzichten noch in ausreichendem Maße die Fähigkeit zu eigenständiger Lebensbewältigung entwickeln können, dieses Syndrom ist zuweilen eindeutig iatrogen bedingt.

Ein weiteres wichtiges Problem, gerade in den Anfangsstadien der Behandlung, betrifft die Frage, in welchem Maße eine äußere Strukturierung erforderlich ist, um den Patienten und die Behandlungssituation vor überstürztem gewaltsamem Agieren zu schützen, womit der Patient sonst sein Leben oder das Leben anderer oder jedenfalls die Fortsetzung der Therapie gefährden könnte. Soll mit der Therapie kurz nach oder gar während einer psychotischen Episode begonnen werden (solche Episoden kommen bei Borderline-Patienten unter extremer emotionaler Spannung oder unter dem Einfluß von Drogen oder Alkohol oder schließlich im Verlaufe einer Übertragungspsychose vor), so mag eine stationäre Behandlung von einigen Tagen bis Wochen Dauer angezeigt sein, sofern eine Klinik mit einem gut durchstrukturierten milieutherapeutischen Programm, mit ständiger

Klärung der unmittelbaren Realität und mit einer Kombination von verstehenden und klärenden und doch zugleich Grenzen setzenden Vorgehensweisen zur Verfügung steht. Auch bei Patienten, die sich in einer durch und durch chaotischen Lebenssituation befinden und womöglich zunächst auch noch gar nicht in der Lage sind, dem Psychotherapeuten einigermaßen sinnvolle Informationen über ihre Probleme zu vermitteln, kann eine kurzfristige stationäre Behandlung angezeigt sein. Schwerwiegende Suizidabsichten oder Suizidversuche, eine zunehmend sich verschlechternde soziale Situation oder schweres Agieren mit kriminellen Folgen sind ebenfalls typische Beispiele für Situationen, die das Leben des Patienten gefährden oder zumindest die Fortsetzung der Behandlung in Frage stellen. In solchen Fällen kann ebenfalls eine kurzfristige Hospitalisierung erforderlich werden, während gleichzeitig eine intensive psychotherapeutische Behandlung entsprechend den zu Anfang des Kapitels angeführten Richtlinien begonnen bzw. fortgesetzt werden sollte.

Das wichtigste Ziel, an dem das erforderliche Ausmaß an strukturierenden Eingriffen auszurichten ist, besteht in der Herstellung eines generellen Behandlungsarrangements, das es dem Therapeuten ermöglicht, eine Position analytischer Neutralität zu wahren, in der er sich in gleicher Entfernung zur äußeren Realität, zum Über-Ich des Patienten, zu dessen Triebbedürfnissen und zu seinem handelnden Ich (hier im Gegensatz zum beobachtenden Ichanteil) halten kann (Anna Freud 1936). Dieses Ziel läßt sich oft auch mit weniger eingreifenden Mitteln als einer vollen Hospitalisierung erreichen, etwa durch die Nutzung teilstationärer Einrichtungen, Heimunterbringung, Einschaltung eines Sozialarbeiters zur Regelung der unmittelbaren Lebensverhältnisse des Patienten etc. Es gibt eben Borderline-Patienten, die nicht in genügendem Maße über beobachtende Ichfunktionen verfügen, um einer intensiven ambulanten analytischen Psychotherapie gewachsen zu sein; so ist beispielsweise bei vielen Borderline-Patienten mit extrem geringer Behandlungsmotivation, ausgeprägtem Mangel an Angsttoleranz und Impulskontrolle und überaus dürftigen Objektbeziehungen eine langfristige Strukturierung der äußeren Lebensumstände erforderlich, bevor eine aufdeckende Psychotherapie überhaupt erst möglich wird. Eine solche langfristige Strukturierung des äußeren Lebensrahmens läßt sich zum Beispiel durch eine mehrmonatige stationäre oder teilstationäre Behandlung oder auch durch sonstige extramurale soziale Einrichtungen erreichen, die das notwendige Maß an Eingrenzungen im Leben des Patienten gewährleisten oder seine Familie für diesen Zweck unterstützen. Schweres chronisches Agieren, suizidale oder allgemeiner selbstdestruktive Tendenzen, die der Patient selbst nicht mehr beherrschen kann, und manche Formen von negativer therapeutischer Reaktion sind Beispiele für Situationen, in denen eine solche längerfristige äußere Strukturierung erforderlich werden kann.

Viele Borderline-Patienten sind aber auch ohne derartige Strukturierung ihres äußeren Lebensrahmens in der Lage, die Festsetzung von Grenzen in bezug auf bestimmte Formen von Agieren, womit sie ihre Behandlung oder ihre persönliche Sicherheit gefährden würden, zu akzeptieren und in eigene Verantwortung zu übernehmen. Gelegentlich muß der Therapeut bestimmte Bedingungen stellen, an die der Patient sich zu halten hat, wenn eine Fortsetzung der ambulanten analytischen Psychotherapie noch möglich sein soll. Das Stellen von Bedingungen ist natürlich gleichbedeutend mit einem Verlassen der neutralen Position und läuft auf die Einführung eines technischen Parameters hinaus. Solche technischen Parameter sollte man, wie schon Eissler (1953) betont hat, so wenig wie möglich verwenden und dabei stets im Auge behalten, daß diese Parameter und ihre eventuellen Auswirkungen auf das Übertragungsgeschehen zu irgendeinem Zeitpunkt der Behandlung schließlich analysiert werden müssen. Ist mit der Einführung von Parametern eine erhebliche Abweichung von der Position technischer Neutralität verbunden, so läuft das praktisch auf Modifikationen der Technik hinaus, deren letztendliche Aufhebung durch Deutungen manchmal gar nicht mehr möglich ist. Strikte Anweisungen, Verbote sowie eingreifendere suggestive und manipulative Manöver sind typische Beispiele für mögliche Modifikationen der analytischen Technik. Auf die Dauer gesehen muß man solche Modifikationen meist teuer bezahlen: Es kann dabei zu einer pathologischen Idealisierung des Therapeuten kommen, die sich oft gegen alle Deutungsversuche als resistent erweist; der Patient kann eine unterwürfige Übertragungsfixierung an den Therapeuten entwickeln, die den Prozeß der Befreiung aus seinen regressiven Bindungen an die Übertragungsobjekte behindert. Damit ist aber nicht gesagt, daß sämtliche Verbote als Gefahr für die Neutralität des Therapeuten anzusehen wären – im Gegenteil: mitunter kann der Therapeut mit einem Verbot, das in unumgänglichen Erfordernissen der Realität gründet, seine entschiedene Identifikation mit dem beobachtenden

Ichanteil des Patienten zum Ausdruck bringen. Wenn man zum Beispiel Patienten verbietet, in den Behandlungsstunden zu brüllen, statt ihre Wut auf übliche Weise zu verbalisieren, wenn man ihnen verbietet, Gegenstände in der Praxis des Therapeuten zu beschädigen oder zu zerstören, oder wenn man darauf besteht, daß sie nicht versuchen sollen, das Leben des Therapeuten außerhalb ihrer Behandlungsstunden aktiv zu kontrollieren und zu beherrschen, so handelt es sich dabei meines Erachtens in jedem Falle um gelegentlich notwendige Bemühungen des Therapeuten, die darauf zielen, ein neutrales Behandlungsklima zu wahren, also um Meisterbeispiele für technische Parameter, die sich im Laufe der Therapie auch wieder abbauen lassen.

Versuche von Patienten, das Privatleben ihres Psychotherapeuten zu kontrollieren und zu beherrschen, beobachten wir unter anderem in Form häufiger nächtlicher Telefonanrufe, im Versuch, dem Therapeuten oder dessen Angehörigen nachzuspionieren oder durch subtile Manipulation unter Einbeziehung von Drittpersonen sein Privat- und Berufsleben zu beeinflussen. Alle diese Übertragungsphänomene müssen zunächst analysiert werden; erst wenn sie durch Deutungen allein nicht abzustellen sind, muß der Therapeut eventuell ein Verbot aussprechen, um die Grenzen seines Privatlebens und ebenso auch die Grenzen einer normalen psychotherapeutischen Beziehung zu schützen.

Kommt ein Patient mit einer Vorgeschichte von mehrfachen Suizidversuchen oder einer Tendenz, mittels Selbstmorddrohungen seine Umwelt (einschließlich des Therapeuten) zu manipulieren, so muß man diese Situation sehr offen mit ihm besprechen. Entweder muß der Patient in der Lage sein, solche Tendenzen so weit sicher zu beherrschen, daß er sie nicht ausagiert (während er selbstverständlich die Freiheit behält, derartige Wünsche und Impulse in den Behandlungsstunden zu verbalisieren), oder er muß zumindest den Willen zeigen, äußere Hilfe (etwa in Form einer stationären oder halbstationären Behandlung) in Anspruch zu nehmen, wenn er merkt, daß er seine Selbstmordimpulse nicht mehr sicher unter Kontrolle hat. Mit anderen Worten: eine kurzfristige Hospitalisierung, die aber dann der Patient selbst, seine Angehörigen oder ein Sozialarbeiter arrangieren sollten, kann im Sinne einer zusätzlichen äußeren Strukturierung erforderlich werden, um die Behandlungssituation aufrechtzuerhalten; diese Verfahrensweise erscheint mir besser als wenn der Therapeut bei solchen Anlässen seine Technik änderte und das an seine technische Neutralität gebundene primär deutende Vorgehen aufgäbe.

Eine ähnliche Situation entsteht, wenn der Patient zu Alkohol, Drogen oder selbstverordneten Medikamenten seine Zuflucht nimmt. Ich bin allgemein der Auffassung, daß jede zentralnervös wirksame Medikation im Verlaufe einer langfristigen intensiven analytischen Psychotherapie von Borderline-Patienten nach den oben angeführten Richtlinien grundsätzlich kontraindiziert ist; der Patient muß selbst verantwortlich dafür einstehen, daß er seinen Angst- oder Depressionspegel und seine allgemeine psychische Vigilanz und das Reaktionsvermögen nicht durch unkontrollierte Einnahme von Medikamenten verändert. Dies gilt insbesondere für alkohol- und drogenabhängige Patienten, bei denen zumindest für den Beginn der Psychotherapie, sofern sie ihre Symptome nicht selber beherrschen können, eine längere stationäre Behandlung in Betracht gezogen werden muß. Antisoziales und insbesondere delinquentes Verhalten stellt ebenfalls so eine Situation dar, die unbedingt gleich zu Anfang der Behandlung unter Kontrolle gebracht werden muß, zumal antisoziale Tendenzen bei Borderline-Patienten ohnehin in prognostischer Hinsicht allgemein als sehr ungünstig zu werten sind.

Körperliche Krankheiten, die eine ständige selbstverantwortliche Mitarbeit des Patienten erfordern, um seine Gesundheit oder sogar sein Leben zu erhalten, stellen für die Behandlung von Borderline-Patienten oft eine schwerwiegende Komplikation dar. So haben zum Beispiel Diabetiker, die auf strenge Diät und Medikation angewiesen sind, damit ein Mittel in der Hand, um selbst über Leben und Tod zu verfügen. Nicht selten drücken solche Patienten ihre Aggression gegen den Therapeuten in der Weise aus, daß sie sich selbst vernachlässigen, womit sie den Therapeuten zu »stützenden« Eingriffen zwingen wollen, mit denen er die Verantwortung für ihre Gesundheit und persönliche Sicherheit übernehmen soll. Eine solche Entwicklung kann langfristig die Analyse der Übertragung unmöglich machen und damit die Therapie zum Stocken bringen. Überhaupt gilt ganz allgemein: Wenn ein Patient über die Macht verfügt, durch bloßes Absetzen einer lebenserhaltenden Medikation seinen Tod herbeizuführen, so werden dadurch primitive Omnipotenzphantasien und schwere Formen von negativer therapeutischer Reaktion enorm verstärkt. In allen derartigen Fällen ist so früh wie möglich eine Entscheidung darüber zu treffen, ob der Patient imstande ist und sich dazu bereit findet, die volle Verantwortung für sich selbst zu übernehmen, oder ob irgendeine Form von Kontrolle oder strukturierenden Rahmens erforderlich ist, um die Neutralität der Behandlungssituation wahren zu können.

Im Gegensatz dazu gibt es viele andere potentiell selbstdestruktive Symptome, die man lange Zeit vorerst unangetastet bestehen lassen kann, sofern nicht das Leben des Patienten und seine Behandlung dadurch gefährdet werden. So kann es beispielsweise Jahre dauern, bis ein fettsüchtiger Borderline-Patient fähig wird, seine Fettsucht wirksam zu beherrschen; Schulversagen, berufliche Schwierigkeiten und zwischenmenschliche Probleme verschiedenster Art können ebenfalls Ausdrucksformen der Psychopathologie des Patienten sein, die mitunter erst nach langer Behandlungsdauer ins Zentrum der therapeutischen Arbeit rücken. Gelegentlich ist eine längere Beobachtungszeit erforderlich, bevor sich entscheiden läßt, welche Symptome ein unmittelbares Eingreifen mit entsprechender Strukturierung des Behandlungssettings notwendig machen und welche nicht. So sind zum Beispiel leichtere anorektische Tendenzen abzugrenzen gegen eine echte Anorexia nervosa; sexuelle Promiskuität gefährdet für gewöhnlich die Behandlung nicht, wohingegen damit verbundene unbewußte Versuche, eine Schwangerschaft oder sonstige soziale Komplikationen herbeizuführen, unter Umständen die Fortsetzung der Behandlung unmöglich machen können.

Manchmal kommt eine äußere Strukturierung auch als vorbeugende Maßnahme in Betracht, um für die nähere Zukunft die Möglichkeit unkontrollierbaren Agierens zu unterbinden. Solch eine prophylaktische Festsetzung von Grenzen in bezug auf Situationen, die sich erst künftig entwickeln könnten, stellt wiederum einen technischen Parameter dar, der aber manchmal so frühzeitig eingeführt werden muß, weil damit zu rechnen ist, daß sich bald stärkere Übertragungswiderstände entwickeln werden, gegen die solche Verbote später enorm schwer durchzusetzen sind. So wird man zum Beispiel mit Patienten, die sich früher schon mehrmals Selbstverletzungen durch Schnitte beigebracht haben, gleich zu Anfang der Behandlung eingehend besprechen müssen, daß der Impuls, sich Schnittverletzungen zuzufügen, aller Wahrscheinlichkeit nach während der Behandlung wieder auftreten und in bestimmten Phasen der Therapie sogar sehr bedrängend werden kann. Man muß dem Patienten unter Umständen sehr nachdrücklich sagen, daß man von ihm erwartet, daß er solche Impulse in der Behandlung offen bespricht und verantwortlich dafür einsteht, sie nicht auszuagieren, oder wenn er sie nicht mehr beherrschen kann, sich stationär aufnehmen läßt. Das Entscheidende bei solchen Besprechungen ist es, dem Patienten klar zu machen, daß man von ihm erwartet, sich verbal statt handelnd auszudrücken. Damit wird vom Therapeuten ein technischer Parameter eingeführt, der auf die Dauer mit den Mitteln der Deutung wieder aufgehoben werden sollte.

2. DIE THERAPEUTISCHE GRUNDSITUATION (SETTING)

Da die zu Anfang des Kapitels skizzierte Technik zur Behandlung von Borderline-Patienten ein modifiziertes psychoanalytisches Verfahren darstellt, wobei das Schwergewicht auf der Wahrung der technischen Neutralität des Therapeuten und auf der systematischen Deutung der Übertragung im »Hier und Jetzt« (weniger der Deutung genetischer Bezüge des Übertragungsgeschehens) liegt, ließe sich eine solche Behandlung durchaus innerhalb des üblichen analytischen Settings durchführen, also unter Benutzung der Couch und mit der Anweisung zum freien Assoziieren entsprechend der analytischen Grundregel. Eben dieses Vorgehen wird denn auch von Autoren wie Boyer (1971), Frosch (1971) und Giovacchini (1972) befürwortet. Die Hauptvorteile des üblichen analytischen Settings liegen darin, daß die Neutralität des Therapeuten unter solchen Bedingungen am ehesten gewahrt bleibt und auch seine Anonymität (anders als bei der face-to-face-Anordnung, wo Patient und Therapeut sich gegenübersitzen) besser geschützt ist. Außerdem erleichtert das psychoanalytische Setting es dem Therapeuten, Gegenübertragungsagieren zu vermeiden, das in der analytischen Psychotherapie schwer regredierter Patienten eine erhebliche Gefahr darstellt. Ich selbst ziehe es jedoch bei der Mehrzahl derjenigen Fälle, bei denen das psychoanalytische Standardverfahren nicht indiziert ist, vor, die Behandlung im Sitzen durchzuführen, und zwar hauptsächlich aus folgendem Grunde: Je regredierter der Patient ist und je ausgeprägter daher primitive Charakterabwehrformen die Szene beherrschen, desto stärker treten die averbalen Aspekte des Patientenverhaltens in den Vordergrund; diese averbalen, mehr körpersprachlichen Anteile der Kommunikation werden dem Therapeuten in der Situation des Gegenübersitzens viel besser faßbar. Da Patienten mit Borderline-Störungen stets eine schwere Charakterpathologie mit entsprechend primitiven Charakterabwehrformen aufweisen, wobei diese Konstellation primitiver Abwehrmechanismen wie Spaltung, projektive Identifizierung, Allmachtsphantasien und Entwertungstendenzen überwiegend im averbalen Verhalten in der Behandlungssituation (daneben natürlich auch in den verbalisierten Inhalten) zum Ausdruck kommt, und da vor allem die für diese Patienten so typische frühzeitige Übertragungsregression in der Gesamtinteraktion mit dem Therapeuten zum Ausdruck kommt, ist es von der ersten Sitzung an entscheidend, ein besonderes Augenmerk auf das Verhalten des Patienten zu richten. Anders ausgedrückt: Je weiter wir vom neurotischen zum Borderline-Niveau der Charakterpathologie gelangen, desto wichtiger wird der averbale Verhaltensaspekt im Gesamtangebot des Patienten, und die Situation des Gegenübersitzens ermöglicht nun einmal eine vollständigere Beobachtung und Erfassung dieses Anteils im Kontext der Analyse der gesamten Interaktion zwischen Patient und Therapeut. Die Hauptgefahren der sitzenden Anordnung bestehen darin, daß der Therapeut den Ausdruck seiner Gegenübertragungsreaktionen eventuell weniger unter Kontrolle hat und der Patient in stärkerem Maße versuchen kann, den Therapeuten unter seine Kontrolle zu bringen. Das Gegenübersitzen bietet im Gegensatz zum üblichen Setting des Hinter-der-Couch-Sitzens sowohl dem Therapeuten wie dem Patienten weniger Schutz vor einer möglichen Überwältigung durch das Übertragungs-Gegenübertragungsgeschehen und erleichtert dem Patienten die Wahrnehmung bestimmter realer Persönlichkeitseigenschaften des Therapeuten, wodurch unter Umständen bestimmte Abwehrformen wie projektive Identifizierung, primitive Idealisierung und Entwertung von der Realität des Therapeuten her bestätigt und begünstigt werden. Andererseits mag es auch von Vorteil sein, wenn der Patient sich auf eine realistischere Wahrnehmung des Therapeuten beziehen kann, weil dadurch – eine entsprechende therapeutische Technik vorausgesetzt – die allmähliche Differenzierung zwischen Selbst und Objekt in der Übertragung erleichtert wird.

Meine ersten Instruktionen an den Patienten bezüglich unserer künftigen Arbeit in den therapeutischen Sitzungen beschränken sich darauf, daß ich ihn dazu ermutige, so frei und offen wie möglich über alles zu sprechen, was ihm während der Behandlungsstunden in den Sinn kommt und was ihn in seinem sonstigen Alltagsleben beschäftigt. Ich bestehe nicht so sehr auf freier Assoziation im üblichen Sinne, sondern betone vielmehr, daß der Patient nach Möglichkeit alles, was er für wichtig hält, rückhaltlos und offen mitteilen soll. Der Gedanke dabei ist, daß ich so viel wie möglich vom Patienten selbst über ihn erfahren muß, damit ich ihm helfen kann, diejenigen Anteile seiner selbst näher zu erforschen, in denen sein eigenes Verständnis beschränkt geblieben ist. Nachdem ich dem Patienten die nötigen ersten Erklärungen, Klarstellungen und Ermutigungen gegeben habe, greife ich die dann auftauchenden Widerstände auf die übliche Weise in Deutungen auf.

Das gelassene Zuhören mit »gleichschwebender Aufmerksamkeit« wird bei Borderline-Patienten zu einer schwierigen Angelegenheit, weil ihre verbalen Angebote häufig widersprüchlich und konfus erscheinen und überdies eine Fülle averbaler Mitteilungen auftaucht, die wiederum recht widersprüchlich aufeinanderfolgen und oft nicht leicht mit dem verbalen Material zu integrieren sind. Für mich hat sich Bions Konzept vom Analytiker als »Bewahrer« (»container«, Bion 1967) als hilfreich erwiesen, was die grundlegende Aufgabe des Psychotherapeuten angeht, nämlich in sich selbst das Material des Patienten zu einer Gestalt zu organisieren. Der Therapeut muß in jedem Augenblick neu abschätzen, was jeweils in den widersprüchlichen Stücken von verbalen und über das Verhalten ausgedrückten Mitteilungen, in den verwirrenden Gedanken, Gefühlen und Ausdrucksweisen des Patienten das emotional Relevanteste ist und wie dieses zentrale Angebot im Kontext der Gesamtmitteilungen des Patienten zu verstehen ist. Dieses Angebot jeweils herauszuarbeiten und in den Zusammenhang der emotionalen Gesamtsituation des Patienten in diesem Moment zu integrieren, ist das Ziel der gesamten Deutungsarbeit des Therapeuten.

Auf eine Gefahr möchte ich hinweisen, nämlich die vorschnelle Deutung genetisch bedeutsamen Materials in einer Weise, die dieses isoliert von mehr gegenwartsbezogenem Material aufgreift. Man läßt sich dazu leicht durch das dem Patienten sogar bewußte Auftauchen primärprozeßhafter Denkweisen und primitiver Gefühlsregungen verführen, die aber völlig abgespalten von sonstigem Material gebracht werden, das eigentlich dynamisch und strukturell damit zusammenhängt. »Warum sagt dieser Patient mir dies gerade jetzt?« ist die Frage, die der Psychotherapeut sich immer erst beantworten muß, bevor er auf »primitive« Angebote des Patienten eingeht; die

Antwort auf diese Frage muß er häufig erst in einem mühsamen Prozeß innerer Verarbeitung von widersprüchlichen und bizarren Mitteilungen suchen, bis er endlich dahin gelangt, das ganze verwirrende Geschehen in der Stunde als Ausdruck einer verstehbaren menschlichen Interaktion zwischen dem Patienten und ihm zu begreifen. Ein solches Vorgehen hilft zwei wichtige Fehlentwicklungen zu vermeiden, nämlich daß der Therapeut sich in intellektualisierenden genetischen Rekonstruktionen gefällt und daß der Patient sich allzu sehr in befriedigenden primitiven Phantasien verliert, ohne sich den gegenwärtigen Konflikten, mit denen diese Phantasien zusammenhängen, zu stellen.

Oft sind die Mitteilungen des Patienten derart widersprüchlich und bizarr, daß sie sich gegen alle Verstehensbemühungen des Therapeuten sperren. In solchen Situationen soll der Therapeut am besten dem Patienten seine Eindrücke und seine Ungewißheit über die Bedeutung des momentanen Geschehens mitteilen, statt – wie es manche tun – den Patienten mit autoritativen Deutungen zu überfahren, ohne ihm zugleich auch die Grundlagen für das bis dahin vom Therapeuten erreichte Verständnis oder eben Nichtverständnis begreiflich zu machen, was nur primitive Idealisierungstendenzen und magische Erwartungen an die Behandlung begünstigt. Die Psychotherapie ist eine Arbeit, der sich beide, Patient und Therapeut, in gemeinsamem Bemühen widmen sollen; so frustrierend das für die infantilen Übertragungserwartungen gerade von Borderline-Patienten sein mag, fördert es doch letztlich ihre Ichreifung, indem es die Entwicklung des beobachtenden Ichanteils und die Entstehung eines soliden Arbeitsbündnisses unterstützt.

Dieses konsequente Bemühen des Therapeuten um eine fortschreitende Klärung seiner Wahrnehmungen vom Patienten, insbesondere der auffälligen und irritierenden Verwirrungen und Widersprüche in ihm, und die ständige Anregung an den Patienten, die Gründe für diese Widersprüche und diese Konfusion gemeinsam zu erforschen, führt oft zu einem Anstieg des Angstpegels. Unter dem Einfluß primitiver Abwehrmechanismen und paranoider oder depressiver Ängste empfindet der Patient womöglich die explorativen Bemühungen des Therapeuten als Angriff oder als Ablehnung; es ist daher erforderlich, die Weise wie der Patient die Interventionen des Therapeuten erlebt, im Verlaufe dieses Klärungsprozesses immer wieder zu interpretieren. Auch Frosch (1970, 1971) und Greenson (1970) haben hervorgehoben, daß mögliche Bedeutungsverzerrungen und -entstellungen der Interventionen des Therapeuten im Erleben des Patienten konsequent analysiert werden müssen.

Häufig werden die Kommentare des Therapeuten vom Patienten als »magische Gesten« zur Befriedigung von Übertragungswünschen verstanden; unter solchen Umständen wird es besonders wichtig sein, daß der Therapeut systematisch dem Patienten dessen Versuche deutet, die Deutungen als unmittelbare Übertragungsgratifikationen zu benutzen statt als Hypothesen, mit deren Hilfe der Patient weiter danach forschen sollte, was in ihm vorgeht. Die fortlaufende Analyse der bewußten und unbewußten Einstellungen des Patienten zu den Beiträgen des Therapeuten geht Hand in Hand mit der gesamten Deutungsarbeit an den spezifischen Konflikten und Übertragungskonstellationen. Die konsequente Klärung der Art und Weise, wie der Patient die Interventionen des Psychotherapeuten erlebt, steigert zwar oft seine Angst, vermittelt ihm aber auch, daß die Hauptfunktion des Therapeuten darin besteht, die Selbstreflektion des Patienten (seinen beobachtenden Ichanteil) anzuregen, und daß der Therapeut ihm zumindest in Ansätzen die Fähigkeit zutraut, ein Verständnis für sich selbst und seinen Umgang mit anderen Menschen zu gewinnen und dadurch zu lernen, wie er durch ein vertieftes Selbstverständnis seine Gefühle, sein Denken und Verhalten in weiterem Umfange unter den Einfluß seines bewußten Ichs bringen kann.

Die Aufklärung der Weise wie der Patient die Interventionen des Therapeuten erlebt, bringt auch für letzteren den Gewinn, daß er sich mit größerer Freiheit ausdrücken, neue potentiell angsterregende Bereiche erforschen und auch freier seine Ungewißheit und Verwirrung zum Ausdruck bringen kann, wenn damit dem Patienten im Moment am meisten geholfen ist.

Eine wesentliche Konsequenz dieses allgemeinen technischen Vorgehens besteht in der schrittweisen Integration voneinander dissoziierter oder allgemeiner gesagt: fragmentierter Konfliktanteile des Patienten zu bedeutungsvollen Grundkonstellationen [units] primitiver verinnerlichter Objektbeziehungen. Jede dieser Grundkonstellationen setzt sich zusammen aus einer bestimmten Selbstvorstellung, einer bestimmten dazugehörigen Objektvorstellung und einer spezifischen Affektdisposition, die beide miteinander verklammert. Diese Grundkonstellationen verinnerlichter Objektbeziehungen werden in der Übertragung wiederbelebt, und wenn es gelingt, sie zu deuten und mit anderen damit zusammenhängenden oder im Widerspruch stehenden Grundkonstellationen zu integrieren – das bezieht sich vor allem auf die Integration libidinös besetzter mit aggressiv besetzten Beziehungsanteilen –, so ist der Prozeß der Durcharbeitung der Übertragung und der Auflösung primitiver Abwehrinformationen, wie sie typischerweise bei Borderline-Patients bestehen, bereits in vollem Gange. Im folgenden sei ein Ausschnitt aus einem Behandlungsverlauf dargestellt, der diesen Prozeß der Integration des Materials aus widersprüchlichen verbalen und averbalen Mitteilungen zu einer bedeutungsvollen menschlichen Interaktion als ersten Schritt zum Verständnis einer wichtigen inneren Objektbeziehung demonstrieren soll.

Nach längerem Schweigen mit gelegentlich eingestreuten abschätzigen Bemerkungen fing die Patientin, eine Frau von Mitte zwanzig, plötzlich – und erstmalig – an, von ihren sexuellen Phantasien zu sprechen, in denen sie wie ein Mann sein, einen Penis haben und auf diese Weise wie ich werden wollte. Gleichzeitig gab sie Zeichen von Langeweile und von innerer Unruhe zu erkennen und schaute wiederholt auf die Uhr. Ich fühlte mich verwirrt und vermochte die widersprüchlichen Angebote nicht zu erkennen. Scheinbar wichtige Phantasieinhalte wurden von der Patientin mitgeteilt, als seien sie für sie belanglos, während sie vordringlich mit anderen Gedanken beschäftigt zu sein schien, die wahrscheinlich etwas mit der Zeit dieser Behandlungsstunde zu tun haben mochten. Ich teilte der Patientin mit, wie ich diese verschiedenen Angebote erlebte, und fragte sie, wie sie denn das Ganze verstehe.

Daraufhin veränderte sich schlagartig ihre Haltung, und sie fragte mich mit einem Ton der Geringschätzung, ob ich denn an dem, was sie hier bringe, überhaupt interessiert sei; sie entnahm aus meinem Hinweis auf ihr Verhalten und ihre Blicke auf die Uhr, daß ich zerstreut sei und gar nicht mit ganzer Aufmerksamkeit zuhöre. Ich versuchte ihr nun zu zeigen, daß sie mir in diesem Moment eine Reaktion unterstellte, die wenige Augenblicke vorher ihre eigene Reaktion gewesen war. Sie antwortete darauf, daß sie eigentlich schon die ganze Zeit über die Phantasie hatte, ich sei überhaupt nicht wirklich an ihr interessiert, und deshalb in ihren Phantasien nach irgend etwas gesucht hatte, was mich echt interessieren könnte, und so sei sie darauf gekommen, von ihren sexuellen Phantasien zu sprechen. Wenn sie auch damit mein Interesse nicht erregen könnte, so sei es für sie wohl hoffnungslos, hier überhaupt noch irgend etwas einzubringen, um meine Zuwendung zu erreichen; dann könnte sie sich ebenso gut darauf konzentrieren, wieviel Zeit noch bliebe, bis sie wieder fortgehen würde. Nun kam auch heraus, daß sie mit ihrem Verhalten Langeweile und Irritation demonstrierte und damit ihre innere Entwertung der Therapie ausdrückte – eine Form der Abwehr gegen ihre Angst, eigentlich mich als distanziert und gleichgültig zu erleben. Diese Erlebnisebene, auf der sie mich schmerzlich als jemand Distanzierten wahrnahm, stellte das momentan vorherrschende Übertragungsphänomen dar, und auf diesem Hintergrund ließen sich nun auch ihre sexuellen Phantasien verstehen, nämlich einerseits als Wunsch, (wie) ich zu werden, indem sie meinen Penis besäße – womit sie wiederum tiefere Wünsche, von mir geliebt und versorgt zu werden, abwehrte – und andererseits als Ausdruck des Wunsches, sich mir sexuell hinzugeben, um sich damit meine Liebe und meinen Schutz zu erkaufen (dies entsprach einem masochistischen Grundmuster der Patientin). Dieses Beispiel veranschaulicht zugleich das typische Überwiegen von Spaltungsmechanismen (Dissoziation von Denken, Fühlen und Verhalten) und projektiven Abwehrformen sowie auch – andeutungsweise – die therapeutische Nutzung meiner emotionalen Gesamtreaktion in dem Bemühen, die disparaten Angebote der Patientin in mir »zusammenzuhalten« [»container«-Funktion des Therapeuten].

Hat der Therapeut erst einmal eine dominierende Übertragungskonstellation in der Gestalt einer konkret faßbaren emotional bedeutsamen Entwicklung in der Behandlungsstunde verstanden, so kann er im weiteren die zugehörigen Selbst- und Objektvorstellungen und Affekte herausarbeiten und deuten. Dies ist ein weiterer Schritt in der diagnostischen Erfassung bedeutsamer Grundkonstellationen von verinnerlichten Objektbeziehungen. Die Klärung dieser einzelnen Komponenten ist deshalb so wichtig, weil die langfristige therapeutische Arbeit auf der diagnostischen Erkennung der voneinander dissoziierten (gespaltenen) Anteile des Selbstkonzepts und der Objektkonzepte des Patienten beruht. Die Integration der Selbst- und Objektrepräsentanzen und damit der gesamten »inneren Welt« verinnerlichter Objektbeziehungen ist eines der wichtigsten strategischen Ziele bei der Behandlung von Borderline-Patienten.

Die Integration der Affekte mit den ihnen zugehörigen phantasierten oder realen Beziehungskonfigurationen zwischen dem Patienten und bestimmten signifikanten Objekten ist ein weiterer wichtiger Aspekt der therapeutischen Arbeit. Die verschiedenen Affektdispositionen des Patienten sind Ausdruck der jeweiligen libidinösen oder aggressiven Besetzung bestimmter verinnerlichter Objektbeziehungen; die Integration abgespaltener, fragmentierter Affektzustände geht daher Hand in Hand mit der Integration abgespaltener, fragmentierter verinnerlichter Objektbeziehungen. Das folgende Fallbeispiel soll die Aktivierung einer spezifischen primitiven verinnerlichten Objektbeziehung in der Übertragung veranschaulichen.

Eine 18jährige Patientin sprach in einem bestimmten Moment der Behandlungsstunde auffallend monoton und schleppend über bestimmte Dinge, die ihr und auch mir bei früheren Gelegenheiten emotional sehr wichtig erschienen waren. Nun bekam ich es, wie mir schien, plötzlich mit ihrer Gleichgültigkeit und Affektleere zu tun, und das in einem Ausmaß, daß ich Mühe hatte, ihr überhaupt noch zuzuhören und mich in meiner Zuwendung nicht ablenken zu lassen. Wiederholte Versuche meinerseits, das Problem gemeinsam mit der Patientin zu klären und zu ergründen, blieben erfolglos, so daß ich es nach einer Zeitspanne zunehmender Frustration und Unzufriedenheit schließlich aufgab, da ich das Gefühl hatte, ich sei im Augenblick einfach nicht imstande, das Geschehen zu verstehen. In dem Moment nun, als ich mich, bildlich gesprochen, in meinem Stuhl zurücklehnte, änderte sich schlagartig die Situation, indem die Patientin mich jetzt sehr dringend bat, ihr in bezug auf ein aktuelles reales Problem, nämlich einen bevorstehenden Besuch ihrer Mutter, zu helfen. Sie schilderte verschiedene Schwierigkeiten im Zusammenhang mit diesem Besuch und bat mich um Rat, was sie tun solle. Ich hatte den Eindruck, daß die Fragen der Patientin größtenteils belanglose, unwesentliche Dinge betrafen, und merkte, wie ich allmählich ungeduldig wurde und mich innerlich immer mehr distanzierte, während die Patientin zugleich immer dringlicher von mir Ratschläge hören wollte. Erst in diesem Moment wurde mir plötzlich klar, daß es jetzt zu einer Rollenumkehr gekommen war und daß wir in der Übertragung/Gegenübertragung eine spezifische Beziehungskonfiguration durchgespielt hatten. Und zwar hatte die Patientin zunächst ein bestimmtes Bild ihrer Mutter als einer distanzierten, gleichgültigen, unnahbaren Person dargestellt, die von der Patientin durch ständige Appelle um Liebe und Verständnis geradezu gezwungen werden mußte, sich ihr einmal mit Interesse zuzuwenden; meine eigenen Gefühle entsprachen in diesem Kontext dem Selbstbild der Patientin als einem frustrierten und anspruchsvollen Kind, das sich nach einer sinnvollen Beziehung sehnte. Im zweiten Teil unserer Interaktion fiel mir dann die Rollenposition der gleichgültigen und ablehnenden Mutter zu, während die Patientin ihr Selbstbild als frustriertes, nörgeliges, anspruchsvolles Kind darstellte. Meine Deutung dieses Gesamtvorganges bewirkte, daß schlagartig die Konflikte, die diese Patientin mit ihrer Mutter hatte, viel klarer erkennbar wurden und die Patientin schließlich verstand, worin ihr eigener Anteil an diesen Konflikten bestand, nämlich daß sie sich zeitweilig wie ein anspruchsvolles, wütendes und gieriges Kind (entsprechend ihrem Selbstbild von früher her) und wiederum zu anderen Zeiten wie eine arrogant geringschätzige ablehnende Mutter (entsprechend der komplementären Objektvorstellung) verhielt.

Aus diesen beiden Fallbeispielen (die beide aus frühen Behandlungsabschnitten stammen) lassen sich noch einige weitere Schlußfolgerungen ziehen. Zum einen erkennt man hier, wie die Übertragung bei der Behandlung von Borderline-Patienten von vornherein zum Widerstand wird und gedeutet werden muß, und zwar besonders die manifesten und latenten Übertragungsanteile, die sonst die Entstehung eines therapeutischen Arbeitsbündnisses schon in den ersten Ansätzen zu blockieren drohen. Das »therapeutische Bündnis« (Zetzel 1956) oder »Arbeitsbündnis« (Greenson 1967) läßt sich bei Borderline-Patienten vor allem dadurch stärken, daß man die negativen Übertragungsanteile, und zwar nur in der »Hier- und Jetzt«-Situation, aufgreift. Wenn wir in dieser eingegrenzten Weise bereits in den frühen Behandlungsstadien mit der Übertragung arbeiten, so fördern wir damit die Selbstreflexion des Patienten (seinen »beobachtenden Ichanteil«) und gleichzeitig das therapeutische Arbeitsbündnis. Diese Verfahrensweise steht im Gegensatz zu dem vielfach üblichen Vorgehen, bei welchem zugelassen wird, daß unbewußte negative Übertragungsanteile unbearbeitet bleiben und sich daher »in den Untergrund« zurückziehen, während man erwartet, die Arbeitsbeziehung zum Patienten mittels nicht-analytischer, stützender Maßnahmen aufbauen zu können. Eine weitere Schlußfolgerung aus den klinischen Beispielen ist die, daß der Therapeut im Umgang mit dem Übertragungsgeschehen während der frühen Stadien der Behandlung zwar sehr aktiv vorgehen muß, wobei aber diese Aktivität keineswegs ein Verlassen der Position technischer Neutralität bedeutet, sondern eine ständige Beachtung der verschiedenen Auswirkungen der therapeutischen Interventionen auf den Patienten erfordert. Außerdem impliziert meine Methode auch den ständigen Appell an den Patienten um dessen Mitarbeit im therapeutischen Prozeß – und die Deutung der Übertragungsimplikationen jeder mangelnden Mitarbeit des Patienten. Die dauernde Beachtung der Mitverantwortung des Patienten für die Therapie erleichtert die Einschätzung der langfristigen Ergebnisse der psychotherapeutischen Arbeit, insbesondere der Auswirkungen auf die weitere Arbeit des Patienten an seinen Problemen in den Zeiten zwischen den Behandlungsstunden.

3. Spezielle Probleme in den Anfangsstadien der Behandlung

a) Bewußtes Verschweigen

Wenn ein Patient wichtige Informationen bewußt zurückhält oder gar lügt, so muß der Psychotherapeut dieses Verschweigen sofort mit erster Priorität in vollem Umfang deuten und mit interpretativen – also nicht mit erzieherischen – Mitteln aufzuheben versuchen. Diese Aufgabe kann Wochen oder gar Monate in Anspruch nehmen, besonders bei Patienten mit antisozialen Zügen. Aber einerlei wie lange es dauert, die vollständige Durcharbeitung der verschiedenen Realitäts- und Übertragungsaspekte des Lügens oder Verschweigens hat in jedem Falle den Vorrang vor der Bearbeitung sonstiger Themen; allenfalls lebensbedrohliches Agieren des Patienten macht da eine Ausnahme. Da jedoch Unwahrhaftigkeit des Patienten den psychotherapeutischen Zugang zu Problemen jeglicher Art, einschließlich agierender Verhaltensweisen, erheblich behindert, ist zu erwägen, ob man – zumal bei Patienten, die nicht nur lügen, sondern gleichzeitig zu lebensbedrohlichem oder sonstwie ihre Behandlung gefährdendem Agieren neigen – die Behandlung nicht besser mit einer äußeren Strukturierung ihres Lebensrahmens etwa durch eine längerfristige Hospitalisierung einleitet. Patienten, die gewohnheitsmäßig lügen und damit schwerwiegende Überichlücken erkennen lassen, neigen in der Regel dazu, ihre eigene Einstellung zu moralischen Werten auch auf den Psychotherapeuten zu projizieren und ihn ebenfalls für unaufrichtig und korrupt zu halten. Ein deutender Umgang mit den Übertragungsaspekten des Lügens schließt deshalb mit ein, daß der Therapeut auch auf solche Projektionen und deren Übertragungsimplikationen im »Hier und Jetzt« besonders zu achten hat.

Weiterhin gehört zum analytischen Umgang mit lügenden Patienten die Aufdeckung möglicher – sowohl unmittelbarer als auch längerfristiger – Konsequenzen ihres Lügens für die psychotherapeutische Beziehung. Was den unmittelbaren Kontext anbetrifft, so mag der Patient zum Beispiel deshalb lügen, weil er seine Überlegenheit über den Therapeuten behaupten und dessen Bemühungen zum Scheitern bringen oder ihn beherrschen und unter seine Kontrolle bringen will, oder weil er sich vor bedrohlichen Vergeltungs- und Strafmaßnahmen des Therapeuten schützen will, die er befürchtet, sobald der Therapeut etwas von der geheimgehaltenen Angelegenheit erführe, oder weil er ganz bewußt die therapeutische Beziehung für therapiefremde Ziele mißbrauchen möchte. Auf längere Sicht gesehen bedeutet Lügen eine grundsätzliche Infragestellung der menschlichen Vertrauensbasis zwischen Patient und Therapeut und ein Anzeichen dafür, daß der Patient zumindest im Moment jegliche Hoffnung und Überzeugung von der Möglichkeit aufgegeben hat, daß eine aufrichtige Besprechung seiner Probleme für ihn hilfreich sein könnte. Wenn der Patient lügt, so bedeutet das implizit auch, daß er den Therapeuten entweder für inkompetent oder unaufrichtig oder für einen Idioten hält, daß er sich dazu bereit findet, eine derartige Parodie von Behandlung mitzuspielen; aber auch diese Einstellung verweist wiederum auf eine grundlegende Hoffnungslosigkeit oder Unzugänglichkeit für jede echte menschliche Beziehung. Die gründliche Aufdeckung solcher unmittelbaren und weiterreichenden Implikationen des Lügens kann, falls sie gelingt, die Basis für eine Wendung zum Besseren abgeben, so daß eine Behandlung, die bereits zum Scheitern verurteilt schien, schließlich doch noch zu einer bedeutungsvollen therapeutischen Beziehung wird.

b) Unablässige Entwertung sämtlicher Angebote menschlicher Hilfe

Auf dieses Problem stößt man manchmal im Zusammenhang mit der Tendenz zum Lügen, aber es gibt auch oft genug Patienten, bei denen eine bewußte und unbewußte Geringschätzung gegenüber allen, die ihnen zu helfen versuchen, mit einem üblichen Maß an Aufrichtigkeit in bezug auf das, was sie von sich erzählen, vereinbar zu sein scheint. Die Entwertung als vorherrschende Abwehrform bei narzißtischen Persönlichkeiten ist gewöhnlich mit Allmachtsphantasien verbunden und kann zu schwerwiegenden Formen von negativer therapeutischer Reaktion (auf Grund unbewußten Neides auf alles Gute, was hilfreich sein könnte) beitragen, wie wir sie typischerweise gerade bei narzißtischen Persönlichkeiten beobachten.

Bei anderen Patienten wiederum hat die sofortige Entwertung jeder Hilfe, die sie erhalten, andere Gründe und kommt hauptsächlich aus einem tiefen unbewußten Mißtrauen allen Helfern gegenüber, da diese letztlich als Repräsentanten gehaßter und gefürchteter Elternimagines, die in der Übertragung wiederaufleben, empfunden werden. In diese Kategorie gehören unter anderem Patienten mit infantiler Persönlichkeit und einer chronischen Anspruchshaltung, denen keine Hilfe genügt. Man kann allgemein feststellen, daß »übermäßige Abhängigkeit« sich bei näherem Hinsehen in der Regel als Ausdruck einer inneren Unfähigkeit herausstellt, wirklich vertrauensvolle Abhängigkeitsbeziehungen zu anderen Menschen und dem, was man von anderen bekommt, zu entwickeln. Die durchgehende Entwertung jeder empfangenen Hilfeleistung ist das Gegenstück zu einem anderen, ebenfalls häufig zu beobachtenden Phänomen, nämlich der unbewußten Idealisierung dessen, was man vom Therapeuten bekommt, auf Grund magischer Erwartungen aus der Abhängigkeit von idealisierten Elternimagines. In beiden Fällen ist die realistische Aneignung dessen, was der Patient vom Therapeuten wirklich bekommt, mehr oder weniger behindert, was sich wiederum in Gefühlen von Unzufriedenheit, innerer Leere, Frustration und mangelnden Bemühungen des Patienten während der Zeiten außerhalb der therapeutischen Sitzungen niederschlägt. Wenn narzißtische Persönlichkeiten den Therapeuten und den gesamten Lernprozeß, der in der Behandlungssituation stattfindet, entwerten, so ist das oft der erste Hinweis auf eine schwere chronische negative therapeutische Reaktion. Diese wiederum stellt eine außerordentlich schwer zu handhabendes Problem dar und deutet in manchen Fällen sogar auf ein Unvermögen des Patienten, überhaupt von einer analytischen Therapie zu profitieren.

Ich werde im 8. und 9. Kapitel noch eingehender darauf zu sprechen kommen, daß bei narzißtischen Persönlichkeiten unterschiedliche Behandlungsindikationen zu stellen sind, und zwar je nach dem allgemeinen Ichfunktionsniveau, dem Ausmaß direkter Ausdrucksformen primitiver Wut von Anfang der Therapie an und schließlich je nach der Ausprägung einer etwaigen Tendenz zur negativen therapeutischen Reaktion. Narzißtische Persönlichkeiten ohne manifeste Borderline-Merkmale sollte man im Idealfall mit dem klassischen psychoanalytischen Standardverfahren ohne jegliche Modifikationen behandeln; technische Parameter sind meines Erachtens in solchen Fällen nicht angebracht, sondern es bedarf vielmehr einer konsequenten Deutungsarbeit an den narzißtischen Abwehrformen in der Übertragung als einzig probates Mittel zur Auflösung der narzißtischen Persönlichkeitspathologie.

Narzißtische Persönlichkeiten mit manifesten Borderline-Merkmalen sprechen manchmal ganz gut auf eine modifizierte psychoanalytische Therapie von der Art, wie ich sie für Borderline-Patienten allgemein empfehle, an, vorausgesetzt daß ihre Omnipotenz- und Entwertungsmechanismen und der dadurch bedingte mangelhafte »Erfahrungszuwachs« in der Psychotherapie sich binnen einer einigermaßen angemessenen Zeitspanne durcharbeiten lassen. Das Problem ist nur, daß man in Anbetracht der sehr langwierigen Behandlungen, wie solche Patienten sie erfordern, mit dem Risiko zu rechnen hat, daß unter Umständen mehrere Jahre Psychotherapie mit zwei oder drei Sitzungen pro Woche letztlich doch keine grundlegenden Änderungen bewirken. Ich selbst bin deshalb mittlerweile dahin gelangt, bei solchen Patienten zunächst eine auf maximal ein Jahr begrenzte Probe-Psychotherapie durchzuführen. Wenn sich innerhalb dieser Zeitspanne keinerlei grundsätzlichen Veränderungen in der Abwehrstruktur abzeichnen, so ist eventuell der Übergang auf ein mehr stützendes Behandlungsverfahren angezeigt. Mit rein stützenden Verfahren wurden nämlich bei derartigen Patienten zum Teil recht befriedigende Ergebnisse erzielt (vgl. Kap. 9).

Was schließlich narzißtische Persönlichkeiten mit manifesten Borderline-Zügen, die vom Beginn der Behandlung an heftige Wutausbrüche (und im Zusammenhang damit auch eine besonders starke Entwertung der Therapie) zeigen, anbetrifft, so kann auch bei dieser Gruppe von Patienten eine stützende Psychotherapie angezeigt sein, die in etlichen Fällen zunächst eine Zeitlang unter Zuhilfenahme strukturierender Maßnahmen (bis hin zur zeitweiligen Hospitalisierung) durchgeführt werden muß. Ich würde also, kurz gesagt, bei allen narzißtischen Patienten mit manifesten Borderline-Merkmalen zunächst eine aufdeckende Psychotherapie versuchen, aber je nach dem weiteren Verlauf die Behandlungsindikation eventuell revidieren.

Eine sehr genaue Beachtung des Verhaltens von Borderline-Patienten jeweils in den ersten Minuten der therapeutischen Sitzungen liefert uns wertvolle Hinweise auf das Maß an eigener therapeutischer Arbeit, das der Patient zwischen den Sitzungen leistet. Man kann wohl erwarten, daß die Patienten ihre Behandlungsstunden unmittelbar beginnen und die verfügbare Zeit sinnvoll zu nutzen versuchen. Die Tendenz mancher Patienten, wertvolle Zeit mit langen initialen Schweigepausen verstreichen zu lassen, ihre bewußten oder unbewußten Versuche, die Verantwortung für eine gute Nutzung der Behandlungsstunden dem Therapeuten zuzuschieben, oder überhaupt eine allgemeine Passivität mit dem ständigen Bemühen, den Therapeuten zum Reden zu bringen, sind alles mögliche Hinweise, die – neben sonstigen Implikationen – eine entwertende Haltung des Patienten gegenüber dem psychotherapeutischen Prozeß anzeigen können. Ein konsequentes Aufgreifen und Deuten dieser Passivität gleich zu Anfang der Behandlungsstunden kann zu ganz entscheidenden und bis dahin verborgenen Anteilen von negativer Übertragung hinführen, besonders bei Patienten mit narzißtischen Persönlichkeitsstörungen.

c) Chronische Ausbreitung von »Sinnlosigkeit«
in der therapeutischen Interaktion

Ich beziehe mich hier auf eine Reihe verschiedener Behandlungsverläufe, bei denen auch sehr unterschiedliche Ursachen im Spiel sind, die aber alle darauf hinauslaufen, daß sich [zeitweilig oder auf die Dauer] eine allgemein »leere«, sinnlose oder chronisch konfuse Behandlungssituation entwickelt. Eine Kategorie von Patienten, bei denen dieses Problem auftritt, sind die sogenannten »inadäquaten Persönlichkeiten«, eine besondere Untergruppe von Borderline-Patienten, die große Schwierigkeiten haben, sich anderen vermittels symbolischer Kommunikation mitzuteilen; solche Patienten sollte man mit einer stützenden Psychotherapie behandeln und davon ausgehen, daß sie oft einer lebenslangen Stützung bedürfen, wenn auch die Frequenz der Sitzungen allmählich herabgesetzt werden kann. Auch schizoide Persönlichkeiten bringen manchmal über lange Zeiten hin eine Qualität von chronischer »Leere« und Sinnlosigkeit in die Behandlungsstunden; bei diesen Patienten kommt es aber entscheidend auf systematische Deutungen der Abwehrfunktionen dieser

Affektzerstreuung und der latenten negativen, häufig offen paranoiden Übertragungseinstellungen an. Über kürzere Perioden entwickelt sich ein derartiger Mangel an emotionaler Bedeutung des Geschehens wohl bei den meisten Borderline-Patienten und muß mit den Mitteln der allgemeinen technischen Vorgehensweise, wie ich sie weiter oben dargestellt habe, angegangen werden, wobei das Ziel immer wieder darin besteht, die abgespaltenen, fragmentierten Gedankeninhalte, Affekte und Verhaltensbruchstücke zu stimmigen Beziehungsgestalten innerhalb einer menschlichen Interaktion zwischen Patient und Therapeut zu integrieren.

Gelingt es dem Therapeuten über eine längere Zeitspanne hin nicht, eine scheinbar völlig konfuse Materialfülle in dieser Weise verstehend zu integrieren, so ist in erster Linie zu klären, ob diese verworrene Situation (a) auf speziellen Abwehrmechanismen des Patienten oder (b) auf Gegenübertragungsreaktionen des Therapeuten oder (c) auf unbewußten Versuchen des Patienten, den Therapeuten zu verwirren, beruht. Eine offene Besprechung dieser Behandlungssituation mit dem Patienten kann womöglich wichtige Anhaltspunkte ergeben, die eine Lösung der Schwierigkeiten erleichtern.

d) Paranoides Kontrollieren und Verschweigen

Bei manchen paranoiden Borderline-Patienten hängt das bewußte Verschweigen bestimmter Informationen, wie die Patienten selber zugeben, mit paranoiden Phantasien in bezug auf den Therapeuten zusammen. Ein Patient zum Beispiel weigerte sich über mehrere Wochen hin, seinen wirklichen Namen preiszugeben. In allen Fällen, wo manifeste paranoide Ideen bereits in den ersten Behandlungsstunden in den Vordergrund treten, sollte der Therapeut unbedingt sorgfältig abklären, ob es sich wirklich um einen Borderline-Patienten handelt oder ob der Patient nicht vielmehr an einer paranoiden Psychose leidet. Da paranoide Psychotiker, sobald die Übertragungspsychose einsetzt, zu schwerem aggressivem Agieren neigen, ist es für den Therapeuten von entscheidender Bedeutung, frühzeitig zu einer sorgfältigen Differentialdiagnose zu gelangen und auf keinen Fall mit einer intensiven Psychotherapie zu beginnen, bevor er sich nicht eindeutig darüber im klaren ist, was es bedeutet, einen psychotischen Patienten zu behandeln. Bei manchen paranoiden Borderline-Patienten läßt sich diese diagnostische Fragestellung nicht gleich in den ersten Behandlungsstunden entscheiden; in solchen Fällen ist es unter Umständen vorzuziehen, die Psychotherapie zu Anfang mit einer kurzfristigen stationären Aufnahme zu kombinieren, um die Situation noch besser abklären zu können. Der langfristige Nutzen solch einer frühzeitigen, kurzen Hospitalisierung entschädigt hinreichend für das Anwachsen von Angst, Übertragungsverzerrungen und sonstigen Komplikationen, wie sie eine Krankenhausaufnahme mit sich bringt. Wichtig ist auf jeden Fall, daß der Psychotherapeut solchen Patienten nicht gestatten darf, die Behandlungssituation auf pathologische Weise unter ihre Kontrolle zu bringen, weil damit nicht nur die Neutralität des Therapeuten, sondern noch grundsätzlicher: seine Verfügbarkeit auf einer schlicht menschlichen Ebene für den Patienten eingeschränkt würde. Manchmal ist es besser, einen Patienten überhaupt nicht zu behandeln, als ihn unter unmöglichen Bedingungen zu behandeln. Die projektive Identifizierung ist ein vorherrschender Abwehrmechanismus bei paranoiden Patienten; der Therapeut kann Versuche einer sadistischen Kontrolle nur dann richtig deuten, wenn er sich, objektiv gesehen, gerade nicht vom Patienten kontrollieren läßt.

e) Frühzeitiges Auftreten von schwerem Agieren

Häufig läßt sich das »Agierpotential« eines Borderline-Patienten erst richtig beurteilen, wenn die Psychotherapie bereits begonnen hat. Es ergibt sich also das Problem, wie man die Behandlungssituation ausreichend strukturieren kann; dies ist besonders dann schwierig, wenn der Therapeut das volle Ausmaß des Agierens noch gar nicht klar erkannt hat, weil dieses manchmal – wenn überhaupt – nur aus minimalen Anzeichen im Verhalten des Patienten zu erschließen ist. Für die Praxis gilt, daß schon diskrete in den Stunden auftauchende Hinweise auf schwere vehemente Gefühlsausbrüche außerhalb der Behandlungssituation sehr ernst zu nehmen sind und der Therapeut bei den betreffenden Gelegenheiten mit dem Patienten gemeinsam genau ergründen muß, worum es bei solchen auf den ersten Blick scheinbar so trivialen Alltagsproblemen, über die der Patient sich derart aufgeregt hat, wirklich ging. Hier muß der Therapeut sich auf seine Intuition und seine Erfahrung aus anderen Behandlungen ähnlich gelagerter Charakterstörungen verlassen, aber auch auf ein offenes Aussprechen seiner Irritation und Sorge in bezug auf das, was außerhalb der Behandlungsstunden geschieht; nur so kann er es erreichen, das vom Inhalt der Stunden abgespaltene Geschehen außerhalb der Therapie wieder in die Übertragung hereinzuholen. Besonders wichtige Anhaltspunkte bieten hier manchmal bestimmte Charakterabwehrformen, die immer wieder in den ersten Minuten der therapeutischen Sitzungen erkennbar werden und trotz konsequenter Bearbeitung oft lange Zeit unverändert bestehen bleiben.

So begann zum Beispiel eine Patientin alle Behandlungsstunden mit einer kurzen Schweigeperiode und ging anschließend dazu über, dem Therapeuten Fragen zu stellen, die zwar einen indirekten Bezug zu den für sie wichtigen Problemen aufwiesen, aber so formuliert waren, daß der Therapeut immer erst »raten« mußte, worum es eigentlich ging, und dann »belohnt« wurde, wenn er »richtig« geraten hatte. Dies war nur ein recht subtiles Verhaltensmuster, das aber trotz wiederholter Deutungsversuche des Therapeuten über Monate hin bestehen blieb. Es stellte sich schließlich heraus, daß in diesem Verhalten ein viel allgemeineres und bis dahin unentdeckt gebliebenes Agieren der Patientin zum Ausdruck kam. Ihr eigenartiges Benehmen zu Anfang der Behandlungsstunden war nur eine kleine Stichprobe eines gewohnheitsmäßigen Verhaltensmusters, das die Patientin bis dahin in der Therapie noch gar nicht ausdrücklich problematisiert hatte. Es zeigte sich generell in sozialen Situationen, wo sie sich häufig ostentativ in verstocktes Schweigen zurückzog. Aus dieser Position pflegte sie dann die Aufmerksamkeit von Leuten, an denen ihr lag, für sich zu okkupieren, indem sie ihnen irritierende Fragen stellte und ihnen damit indirekt das Gefühl vermittelte, nur sie allein mit ihrer Intuition seien imstande, ihr zu helfen. Im Endeffekt hatte sie es mit diesem Verhalten erreicht, daß sie eine ganze Anzahl wohlmeinender Angehöriger und Freunde um sich gesammelt hatte, die alle sehr bemüht waren, auf ihre vielen Fragen zu antworten und sie mit ausführlichen Informationen über alles Mögliche zu versorgen, während sie selbst, oft mit geheimnisvollem Lächeln, ihnen das »entnahm«, was sie brauchte, um über alles Wichtige Bescheid zu wissen und die Kontrolle zu behalten, ansonsten aber ihre allgemein distanzierte Haltung beibehalten konnte. Die verstärkte Ausprägung dieses Verhaltens während der Therapie zeigte, daß es zu einem Übertragungswiderstand geworden war. Erst als diese Form von Ausagieren omnipotenter Kontroll- und Beherrschungsbedürfnisse außerhalb der Behandlungsstunden ihr gedeutet worden war, ließ sich dieser Charakterwiderstand auch stärker in die Therapiesituation hereinholen, wo er nun auch gründlicher durchgearbeitet werden konnte.

Solche Probleme sind natürlich nicht nur auf die ersten Behandlungsstunden begrenzt, aber für den Therapeuten sind diese subtilen Formen von Charakterabwehr in den frühen Stadien der Therapie oft leichter zu diagnostizieren, solange er sich noch nicht so sehr daran gewöhnt hat, daß er sie gar nicht mehr bemerkt. Er kennt ja auch den Patienten zu Anfang der Behandlung noch nicht genügend, und deshalb ist es um so wichtiger, schon zu dieser Zeit alle äußeren Interaktionen des Patienten im Auge zu behalten, um späteres destruktives und womöglich unkontrollierbares Agieren rechtzeitig im Voraus zu erkennen und eventuell verhindern zu können.

f) Mißbrauch von Vorinformationen über Psychotherapie und von »psychotherapeutischem Jargon«

Da bei Borderline-Patienten komplizierte, langfristige Behandlungsarrangements erforderlich sind und Behandlungsabbrüche oder Therapeutenwechsel aufgrund von Übertragungsagieren häufig vorkommen, sieht man als Psychotherapeut oft Patienten, die schon von früher her Behandlungserfahrungen mitbringen. Man tut immer gut daran, in der neuen Therapie frühzeitig mit den Patienten ihre Erfahrungen, die sie mit anderen Therapeuten gemacht haben, genau zu besprechen, um einer Wiederholung der Situation, die seinerzeit zum vorzeitigen Behandlungsabbruch geführt hatte, vorzubeugen. Bei Borderline-Patienten tauchen mitunter primitive verzerrte Identifizierungen mit Teilaspekten des früheren Psychotherapeuten in Form von Material auf, das irgendwie unecht oder künstlich anmutet. Dies betrifft besonders die Beschreibung, die diese Patienten von ihren Gefühlen geben, denn häufig kennen Borderline-Patienten ihre Gefühle gar nicht genau und neigen dazu, für ihre Gefühle Bezeichnungen zu verwenden, die sie von ihren früheren Therapeuten gehört haben; die Frage der Echtheit dessen, was der Patient fühlt und wie er darüber spricht, gewinnt unter solchen Umständen eine außerordentliche Bedeutung.

g) Zur vorherrschenden Qualität von Trennungsreaktionen

Die Reaktionen des Patienten auf Trennungen vom Therapeuten lassen wichtige diagnostische, prognostische und therapeutische Schlüsse zu. Trennungen im Zusammenhang mit Wochenenden, Feiertagen, Krankheiten, Ferien etc. sind immer wieder Anlässe, bei denen man abschätzen kann, auf welchem Reaktionsniveau der Patient sich vorwiegend mit solchen Trennungen auseinandersetzt. Man könnte die verschiedenen Reaktionstypen auf Trennungen entlang einem Kontinuum anordnen, das am einen Ende die Trennungsreaktionen mit den ausgeprägtesten Verzerrungen der verinnerlichten Objektbeziehungen zeigt, wohingegen diese am anderen Ende dieser kontinuierlichen Reihe kaum beeinträchtigt sind. Die ominöseste Reaktionsform zeigen diejenigen Patienten, die auf Trennungen vom Therapeuten hin in Wirklichkeit überhaupt keine Gefühlsreaktion erleben können, die aber von anderen Patienten gelernt haben, wie man solche Gefühle imitieren und als Rationalisierung für alle möglichen Formen von Agieren benutzen kann. In diese Gruppe gehören hauptsächlich narzißtische Patienten mit ausgeprägten antisozialen Zügen. Die nächste Reaktionsform in unserer Reihe wäre dann das offene Zugeständnis des Patienten, daß Trennungen vom Therapeuten ihm gar nichts ausmachen; dies ist typisch für die Mehrzahl von Patienten mit narzißtischer Persönlichkeitsstruktur. Manche narzißtischen Patienten mit Borderline-Zügen zeigen einen besonderen Reaktionstyp von heftiger Wut und Entwertung, der zwar im aktuellen Moment als ungünstiges Zeichen zu werten sein mag, aber bei längerdauernder Durcharbeitung sich oft als erstes Anzeichen einer allmählich wachsenden Fähigkeit zu einer intensiveren Gefühlsbeziehung zum Therapeuten herausstellt.

Weniger schlimm hinsichtlich der diagnostischen und prognostischen Implikationen ist eine ausgeprägte und gelegentlich auch die Ichfunktionen beeinträchtigende Trennungsangst, wie man sie bei vielen Borderline-Patienten anläßlich längerer Trennungen vom Therapeuten beobachten kann, besonders typisch bei Patienten mit infantiler Persönlichkeit. In solchen Fällen ist die Angst vor Trennungen vom Therapeuten gewöhnlich nicht nur Ausdruck pathologischer Abhängigkeitsbedürfnisse, sondern auch der Angst, durch die Wut, die die Frustration der Trennung hervorruft, das verinnerlichte [»gute«] Bild vom Therapeuten zu zerstören. Die Deutung der unbewußten

Anteile dieser Trennungsangst ist deshalb von den frühen Behandlungsstadien an wichtig. An nächster Stelle folgen dann in unserer Reihe die pathologisch übersteigerten Trauerreaktionen, charakteristisch für Borderline-Patienten mit besser integrierten inneren Objektbeziehungen und allgemein günstigerer Prognose.

Normale Trauerreaktionen auf Trennungen vom Therapeuten beobachtet man schließlich typischerweise bei Borderline-Patienten in fortgeschritteneren Behandlungsstadien und natürlich allgemein bei Patienten mit leichteren Formen von Charakterstörungen. Da bei Patienten, die längerdauernde Trennungen nicht aushalten, immer die Gefahr eines vorzeitigen Behandlungsabbruchs besteht und überhaupt die Art der Trennungsreaktionen immer wertvolle Aufschlüsse über die Übertragung und die allgemeine Qualität der Objektbeziehungen vermittelt, ist die sorgfältige Beachtung und Klärung solcher Trennungsreaktionen immer sehr wichtig.

h) Die Beziehung zwischen Psychotherapeut und Krankenhauspersonal

Bei Behandlungen von Borderline-Patienten, die – sei es zu Anfang oder in späteren Phasen der Therapie – in Kombination mit einer Klinikunterbringung durchgeführt werden, ist es für den Psychotherapeuten sehr wichtig, mit dem Leiter des therapeutischen Teams der Klinik in engem Kontakt zu bleiben. Daraus ergibt sich eine Reihe von Problemen, die unter anderem Fragen der Diskretion, die Gefahr einer Aufspaltung der Übertragung und die allgemeine Koordination von stationärer Behandlung und psychotherapeutischer Arbeit betreffen.

Meiner eigenen Erfahrung nach ist es für den Psychotherapeuten eine wesentliche Hilfe, wenn er routinemäßig in vollem Umfang über sämtliche Interaktionen des Patienten in der Klinik informiert wird und wenn der Patient davon weiß. Der Psychotherapeut erhält damit die Möglichkeit, wichtige Informationen über das Verhalten des Patienten in der Klinik mit ihm zu besprechen und in die Analyse der Übertragung mit einzubeziehen. Der Psychotherapeut sollte aber gleichzeitig mit dem Patienten vereinbaren, daß er alles, was dieser ihm mitteilt, vertraulich behandeln wird – gegebenenfalls mit Ausnahme bestimmter Probleme, die er unter Umständen mit dem

Klinik-Team besprechen möchte; in solch einem Falle würde er aber vorher immer erst den Patienten um sein Einverständnis fragen. Mit anderen Worten trete ich dafür ein, daß generell Diskretion gewahrt werden sollte, es sei denn, daß der Patient den Psychotherapeuten speziell dazu ermächtigt, bestimmte Dinge mit dem Klinikpersonal zu besprechen. Ein letzter Punkt: Ich informiere meine stationären Patienten ausdrücklich darüber, daß ich mich im Falle einer unmittelbaren Lebensbedrohung – sei es des Patienten oder anderer Menschen – nicht mehr an das Gebot der Vertraulichkeit gebunden fühle, daß ich aber auch unter solchen Umständen zunächst dem Patienten mitteilen würde, was ich mit dem therapeutischen Team der Klinik zu besprechen gedenke.

Der Grundgedanke bei diesem Vorgehen besteht darin, daß, wenn schon während der Psychotherapie eine stationäre Behandlung erforderlich wird, die gesamte Behandlung möglichst in einer Hand integriert werden sollte; meiner Meinung nach lassen sich auf diese Weise auch Spaltungsprozesse, durch die bestimmte Übertragungsanteile im Sinne von Nebenübertragungen auf das Klinikpersonal abgelenkt werden, einschränken oder sogar verhüten.

Im Falle ambulanter Patienten, bei denen soziale Komplikationen etwa in der Form eintreten, daß die Familie Druck ausübt, also Angehörige oder sonstige Bezugspersonen des Patienten direkten Kontakt mit dem Psychotherapeuten aufnehmen wollen, besteht die Möglichkeit, [analog zur stationären Behandlung] eine soziale Institution oder einen psychologisch versierten Sozialarbeiter mit der Aufgabe einer äußeren Strukturierung der Situation zu betrauen, wodurch der Psychotherapeut sich weiterhin aus der äußeren sozialen Umwelt des Patienten heraushalten und dennoch die gesamte Behandlungssituation, die auf diese Weise entstanden ist, im Überblick behalten kann. Auch in solchen Fällen sollte der Psychotherapeut mit dem Sozialarbeiter, der die Familie betreut, in ständigem Kontakt bleiben, aber alles, was er dem Sozialarbeiter an Informationen über den Patienten mitteilen möchte, mit diesem zuvor besprechen.

Ich gehe davon aus, daß die Gefahren unkontrollierten Agierens und einer Aufspaltung der therapeutischen Gesamtsituation gravierender einzuschätzen sind als die Gefahren und Komplikationen, die sich möglicherweise ergeben können, wenn der Psychotherapeut bestimmte Informationen über den Patienten an andere an der Behandlung beteiligte Personen weitergibt. Mitunter können allerdings solche multiplen Behandlungsarrangements die Neutralität des Therapeuten dermaßen beeinträchtigen, daß die Behandlung notgedrungen zu einer stützenden wird; in anderen Fällen wiederum überwiegt der Gewinn einer solchen Vorgehensweise, indem der Therapeut dadurch von der Notwendigkeit, lebensbestimmende Entscheidungen für den Patienten zu treffen, entlastet wird, Gegenübertragungsreaktionen auf ein erträgliches Maß eingeschränkt werden und damit, kurz gesagt, die Neutralität des Psychotherapeuten geschützt wird. Im Einzelfall hängen die Entscheidungen, die jeweils zu treffen sind, von derartig vielen Variablen ab, daß es kaum möglich erscheint, allgemeine Richtlinien anzugeben.

Zusammenfassend möchte ich noch einmal festhalten, daß entscheidend wichtige Aspekte der Behandlungsstrategie und -taktik bei Borderline-Patienten bereits in den Voraussetzungen und Arrangements, die in der Initialphase der Behandlung zu bedenken und festzulegen sind, zum Ausdruck kommen. Die Gesamtstrategie der Initialphase ist darauf ausgerichtet, Voraussetzungen zu schaffen, unter denen eine langfristige psychotherapeutische Arbeit unter günstigen Bedingungen möglich wird. Hierzu gehören Maßnahmen, die den Patienten vor potentiell destruktiven und selbstdestruktiven Folgen seiner Krankheit und den Therapeuten vor Beeinträchtigungen seiner Neutralität und seiner psychotherapeutischen Strategie schützen, die darauf hinauslaufen würden, daß er das für diese Patienten erforderliche interpretative Vorgehen aufgeben und gezwungenermaßen zu einer stützenden Therapieform übergehen müßte. Innerhalb des auf diese Weise abgesteckten Gesamtrahmens wird der Therapeut dann darauf hinarbeiten, mit den Mitteln der Deutung das Verhalten, das subjektive Erleben und die Übertragungsanteile der aktuellen Problematik des Patienten im Sinne einer allmählich sich entwickelnden und vertiefenden echten menschlichen Erfahrung zwischen Patient und Therapeut zu integrieren.

7. Kapitel
Das Empfinden von Leere und Sinnlosigkeit*

Ein integriertes Selbst in Verbindung mit integrierten Konzepten von anderen Personen (integrierten Objektrepräsentanzen) gewährleistet normalerweise ein Gefühl der Kontinuität, das über die Zeit hinweg und unter verschiedensten Lebensumständen beständig bleibt. Eine solche integrierte »Repräsentanzenwelt« ist die Grundlage des Gefühls, in ein umfassendes Netz menschlicher Beziehungen eingebunden zu sein, die dem Leben des einzelnen Sinn vermitteln, und hierin gründet auch unser gewöhnliches »Selbstgefühl« (»self-feeling«, Jacobson 1964), das wir üblicherweise für selbstverständlich nehmen und das normalerweise eigentlich nur unter extremsten, außergewöhnlichen psychosozialen Traumen, etwa in lebensbedrohlichen Situationen, erschüttert werden kann. Edith Jacobson hat darauf hingewiesen, daß dieses »Selbstgefühl«, das auf dem Bewußtsein eines integrierten Selbst beruht, vom sogenannten »Selbstwertgefühl« bzw. der »Selbstachtung« unterschieden werden muß, deren Grundlage die jeweilige libidinöse Besetzung dieses integrierten Selbst bildet (Jacobson 1964).

Wenn nun, aus verschiedensten Gründen, diese normale Beziehung zwischen dem Selbst und der inneren Objektwelt (d. h. den integrierten Objektrepräsentanzen) prekär wird und gewissermaßen eine innere Verlassenheitssituation entsteht, in der das Selbst seine inneren Objekte verloren hat bzw. von ihnen verlassen ist, so treten quälende pathologische Erlebnisweisen auf, insbesondere ein Gefühl der Leere, Nichtigkeit und Sinnlosigkeit des Lebens, eine chronische Rastlosigkeit und Langeweile und ein Verlust der normalen Fähigkeit, Alleinsein auszuhalten und Einsamkeit zu überwinden.

Manche Patienten berichten uns von einer schmerzlichen und beunruhigenden inneren Verfassung, die sie häufig als Leeregefühl beschreiben. In typischen Fällen gewinnt man den Eindruck, als sei

---

* [Anm. d. Übers.: »The Subjective Experience of Emptiness« ist der amerikanische Originaltitel des Kapitels. »Emptiness« wurde hier mit »Leere und Sinnlosigkeit« übersetzt, weil aus dem Text hervorgeht, daß hier nicht nur ein Gefühl innerer Leere gemeint ist, sondern mehr noch: eine durchgehende Sinnentleerung des gesamten inneren und äußeren Erlebens.]

dieses Leeregefühl überhaupt ihre Grunderlebnismodalität, der sie ständig zu entfliehen versuchen, sei es indem sie sich in mannigfache Aktivitäten stürzen oder hektisch in sozialen Kontakten engagieren, sei es durch Einnahme von Drogen oder Alkohol oder durch eine ständige Suche nach Triebbefriedigungen sexueller, aggressiver oder oraler Art und zwanghafte Verhaltensweisen, womit sie sich von ihrem inneren Erleben abzulenken versuchen. Bei anderen dagegen hat es den Anschein, als wehrten sie sich schon gar nicht mehr gegen dieses Empfinden von Leere und Sinnlosigkeit; sie nehmen gewissermaßen einen mechanischen Lebensstil an und erledigen ihren Tagesablauf mit einem alles abtötenden Gefühl von Unwirklichkeit oder in einer allgemeinen Verschwommenheit ihres subjektiven Erlebens, in der sie mit jeder menschlichen oder dinglichen Umgebung, in der sie sich gerade befinden, zusammenzufließen scheinen.

Das subjektive Erleben von Leere und Sinnlosigkeit tritt in verschiedenen Formen auf. Manche Patienten mit chronischer neurotischer Depression oder depressiver Persönlichkeitsstruktur leiden nur zeitweilig darunter und empfinden dieses Leeregefühl als grundverschieden von sonstigen Erlebnismodalitäten. Ihnen zufolge sind die Zeiten, in denen sie sich leer fühlen, hauptsächlich gekennzeichnet durch ein Gefühl des Kontaktverlustes zu anderen Menschen, die jetzt als »weit weg«, unerreichbar oder als leblose Automaten empfunden werden; aber auch sich selbst erleben sie ebenso. Ihr Leben erscheint ihnen als sinnlos; es gibt für sie keine Hoffnung auf künftige Befriedigung oder Glück mehr; es gibt überhaupt nichts mehr, wonach man noch suchen, streben, sich sehnen könnte. Oft haben diese Patienten das Gefühl, niemanden mehr lieben zu können und auch selbst für niemanden mehr liebenswert zu sein; die menschliche Welt erscheint ihnen als entleert von jeglichen sinnvollen persönlichen Beziehungen – zumindest was ihre eigenen Beziehungen zu anderen anbelangt. Dagegen erleben sie die Welt der unbelebten Gegenstände als scharf konturiert, diese Objekte ragen gewissermaßen aus ihrer gewöhnlichen Umgebung überdeutlich heraus und nehmen eine Qualität von Undurchdringlichkeit, Unvertrautheit oder Unerreichbarkeit an. Die früher so geschätzten und geliebten Dinge des täglichen Gebrauchs sind nun fremd und auf schmerzliche Weise sinnlos geworden.

Bei depressiven Patienten steht das Gefühl der Sinnleere in engem Zusammenhang mit ihrem Gefühl der Einsamkeit; nur impliziert Einsamkeit auch noch einen Anteil von Sehnsucht und das Gefühl, daß es irgendwo andere Menschen gibt, die man braucht und deren Liebe man braucht, aber die jetzt unerreichbar geworden sind. Eine psychoanalytische Untersuchung erweist regelmäßig, daß diese Patienten an unbewußten Schuldgefühlen leiden und die »Entleerung« ihres subjektiven Erlebens als Ausdruck ständiger Angriffe ihres Über-Ichs auf das Selbst zu verstehen ist. Die strenge innere Strafe, die das Über-Ich ihnen auferlegt, besteht in dem impliziten Schuldspruch, daß sie es gar nicht mehr verdienen, geliebt und wertgeschätzt zu werden, und daher dazu verurteilt sind, allein zu bleiben. Auf einer tieferen Ebene finden wir bei schwerer Depressiven noch andere innere Phantasien, die unter dem Druck des Über-Ichs entstehen, zum Beispiel die Vorstellung, sie hätten durch ihre Schlechtigkeit alle ihre guten inneren Objekte zerstört und müßten deshalb nun in einer Welt, aus der alle Liebe geschwunden ist, auf immer allein bleiben.

Andere wiederum, nämlich viele Patienten mit schizoider Persönlichkeitsstruktur, empfinden ihre Leere eher als angeborenen Wesenszug, durch den sie »anders« sind als andere Menschen. Im Gegensatz zu anderen können sie nichts fühlen; häufig empfinden sie nur vage Schuldgefühle, weil sie Liebe, Haß, Zärtlichkeit, Sehnsucht, Trauer, die sie bei anderen Menschen beobachten und verstehen, selbst doch nicht zu empfinden vermögen. Für diese schizoiden Persönlichkeiten ist das Erleben von Leere und Sinnlosigkeit womöglich weniger schmerzlich als für depressive Patienten, weil es bei ihnen nicht so sehr diesen Kontrast gibt zwischen Phasen, in denen sie sich leer fühlen, und anderen Zeiten, in denen sie über tiefe Gefühlsbeziehungen zu ihren Mitmenschen verfügen würden. Ein inneres Grundempfinden des Dahintreibens, der Unwirklichkeit des Erlebten, wobei aber gerade von dieser Unwirklichkeit auch etwas Linderndes ausgeht, macht die Leere und Entfremdung des Erlebens für schizoide Patienten erträglicher und ermöglicht es ihnen, nach außen hin eine passiv-abhängige Haltung anzunehmen und damit gegen ihre innere Leere die »Fülle« bewußt erlebten äußeren Geschehens zu setzen.

Das subjektive Erleben des Therapeuten ist in der Beziehung zu depressiven Patienten ganz andersartig als gegenüber Schizoiden. In der Beziehung zu einem Patienten mit depressiver Persönlichkeitsstruktur oder einer chronischen neurotischen Depression hat der Therapeut doch zumeist das Gefühl eines intensiven menschlichen Kontakts und kann sich empathisch einfühlen, wenn er auch zugleich spürt, daß der Patient ihn als reale Person zwar wahrnehmen, aber sein Beziehungsangebot emotional nicht annehmen kann. Die unbewußten Schuldgefühle, die den Depressiven daran hindern, Liebe und Mitgefühl so zu akzeptieren, wie sie ihm angeboten werden, spiegeln sich deutlich in der Übertragung und in der darauf bezogenen Gefühlsreaktion des Therapeuten wider. Dagegen wird es einem Therapeuten im Kontakt mit schizoiden Patienten, die über Leeregefühle, mangelnde gefühlshafte Bedeutung ihrer Beziehungen zu anderen und allgemeine Sinnlosigkeit ihres Lebens klagen, häufig so gehen, daß er selbst im Umgang mit diesen Patienten die gleiche Entfremdung, Distanz und Unerreichbarkeit spürt.

Eine Patientin von mir, die ausgeprägte schizoide Züge aufwies, sagte in einer Sitzung nach mehreren Monaten Therapie, sie sei einfach nicht imstande, irgendwelche Gefühle zu erleben, und meine Deutungen von Gefühlen, die sie mir gegenüber empfände, zeigten ihr nur, wie wenig ich begriffen hätte, daß sie gar nicht in der Lage sei, überhaupt irgend etwas zu fühlen. Sie beschrieb dann einen Besuch im Hause ihrer Cousine, deren Ehemann allgemein als sehr attraktiver Mann galt. Aus der Art und Weise, wie die Patientin die wechselseitigen Beziehungen zwischen ihrer Cousine, deren Mann und anderen Personen aus diesem Kreis schilderte, gewann ich den Eindruck, daß zwischen ihnen allen gewisse sexualisierte Spannungen bestanden. Ich vermochte aber nicht näher zu unterscheiden, wer sich nun eigentlich von wem sexuell angezogen fühlte und was überhaupt alle diese Menschen mit der Patientin selbst zu tun hatten.

Als ich nun der Patientin gegenüber diese Fragen aufwarf, sah es plötzlich so aus, als sei diese ganze Angelegenheit des Besuchs bei ihrer Cousine vollkommen irrelevant; ich konnte aber auch sonst nichts entdecken, was in diesem Moment vielleicht wichtiger erschienen wäre. Ich spürte, wie ich immer zerstreuter wurde und jeglichen Zusammenhang zwischen den verschiedenen Aspekten des Geschehens zu verlieren schien. Nur ein Gedanke blieb mir deutlich bewußt, nämlich daß die Patientin sich anscheinend gegen irgendwelche sexuellen Gefühle mir gegenüber wehrte, aber für diese Annahme hatte ich keinerlei unmittelbare Beweise, und so blieb mir im Augenblick nur das schmerzliche Gefühl, gleichsam mechanisch eine intellektuelle Spekulation angestellt zu haben, auf die ich mich aber niemals hätte verlassen können, um eine Deutung darauf zu gründen.

Die Patientin fuhr nun fort, es sei ja so anstrengend für sie gewesen, dieser Einladung ihrer Cousine Folge zu leisten und sich auch noch

Mühe geben zu müssen, beteiligt und interessiert zu erscheinen, während sie sich doch in Wirklichkeit meilenweit weg von dem Geschehen fühlte und viel lieber einfach an ihrer Arbeit gesessen und irgendwelche mechanischen Tätigkeiten verrichtet hätte, bei denen sie innerlich nichts hätte zu empfinden brauchen. Sie erwähnte auch, daß sie irgendwo etwas über eine Vergewaltigung oder dergleichen gelesen habe, jedenfalls sei es dabei um ein schmerzhaftes sexuelles Erlebnis gegangen. Wieder bemerkte ich, daß ich mit meinen Gedanken abgeschweift war und die Zusammenhänge dessen, wovon sie sprach, aus den Augen verloren hatte. Ich sah die Sonne ins Zimmer hereinscheinen, sah die Konturen und Schatten der Möbel und wurde mir plötzlich schockartig bewußt, daß die Patientin, wie sie da vor mir saß, fast wie ein lebloser Gegenstand erschien, oder genauer: daß sie für mein Empfinden in diesem Moment zu einem unpersönlichen und fremdartigen Wesen wie eine mechanische Puppe geworden war. Mit anderen Worten: sie hatte gerade eben in mir das gleiche Gefühl von Leere und Sinnlosigkeit hervorgerufen, das sie vorher in bezug auf das Verhältnis zu ihrer Cousine und den anderen Leuten bei der erwähnten Einladung geschildert hatte.

An dieser Stelle sagte ich der Patientin, ich hätte den Eindruck, es gebe da in ihr eine Tendenz, die darauf aus sei, alle ihre mitmenschlichen Kontakte zu verflüchtigen und zu zersplittern, so daß die persönliche Bedeutung solcher Beziehungen ihr schließlich ganz verloren ginge und alles sinnlos erscheine. Im Moment sei sie wohl vor ihren sexuellen Phantasien erschrocken, fuhr ich fort; man könnte daher annehmen, daß sie sich mit Hilfe dieser Verflüchtigung und Zersplitterung vor ihren sehr realen sexuellen Gefühlen schützen wolle, die sie dem Ehemann ihrer Cousine gegenüber empfunden habe, und derselbe Vorgang spiele sich vielleicht im Moment auch im Verhältnis mir gegenüber ab. Die Patientin teilte unmittelbar darauf mit, daß sie tatsächlich die Phantasie gehabt habe, mich zu umarmen, von mir väterlich gehalten zu werden und dabei eine sexuelle Erregung zu spüren.

Dieses Beispiel veranschaulicht die teilweise Bewältigung einer Situation, wie sie in der Behandlung schizoider Persönlichkeiten häufig entsteht und über lange Zeit hin therapieresistent und außerordentlich frustrierend sein kann, nämlich eben diese Verflüchtigung und Zersplitterung von Gefühlen in allen mitmenschlichen Beziehungen, die beim Patienten selbst und auch in den Reaktionen des Therapeuten auf solche Patienten ein chronisches Gefühl von Leere und Sinnlosigkeit aufkommen läßt. Die schizoide Form dieses Leeregefühls hat nichts mit dem Gefühl von Einsamkeit zu tun, denn Einsamkeit impliziert ganz wesentlich ein Wissen um die Möglichkeit sinnerfüllter Gefühlsbeziehungen zu anderen Menschen, woran diese schizoiden Patienten über lange Zeit der Behandlung hin ja gerade nicht glauben können.

Es gibt noch eine weitere Gruppe von Patienten, bei denen die Empfindung chronischer Leere und Sinnlosigkeit einen wesentlichen Anteil ihrer Psychopathologie ausmacht, nämlich Patienten mit narzißtischer Persönlichkeitsstruktur, das heißt solche, bei denen es zur Entwicklung eines pathologischen Narzißmus unter Ausbildung eines pathologischen Größen-Selbst mit weitgehender Verkümmerung sämtlicher verinnerlichter Objektbeziehungen gekommen ist. Im Gegensatz zu den vorher erwähnten depressiven und schizoiden Patienten ist bei diesen narzißtischen Persönlichkeiten das Leeregefühl dadurch gekennzeichnet, daß hier starke Anteile von Langeweile und innerer Unruhe hinzukommen. Die Patienten verfügen auch nicht mehr über jene Aspekte mitmenschlicher Beziehungsfähigkeit, die bei Schizoiden (wenn auch eben auf ihre Weise) und erst recht bei Depressiven noch erhalten geblieben sind. Depressive Persönlichkeiten und selbst schizoide Patienten besitzen immer noch die Fähigkeit, sich mit tiefer Empathie in die Gefühle und das Erleben anderer Menschen einzufühlen; sie fühlen sich zwar aus solchen Beziehungen oft in schmerzlicher Weise ausgeschlossen, können aber Liebe und überhaupt Gefühle, soweit sie andere Menschen betreffen, durchaus mitfühlen.

So reagierte zum Beispiel einer meiner depressiven Patienten sehr intensiv auf die Gefühlsinhalte von Romanen, Theaterstücken und Musik und vermochte sich mit literarischen Charakteren tiefreichend zu identifizieren. Die oben erwähnte schizoide Patientin zeigte ein starkes Interesse an bestimmten philosophischen und religiösen Ideen und hatte bei all ihrer Distanziertheit und »frei schwebenden« Wesensart doch einen ausgeprägten Sinn und ein beständiges Interesse für das persönliche Leben ihrer Freunde und ihrer Familie. Sie empfand sich dabei allerdings wie ein Wesen von einem anderen Planeten, das die Menschen auf dieser Erde bei ihrem Tun und Trachten beobachtet.

Im Gegensatz dazu fehlt bei narzißtischen Persönlichkeiten diese Fähigkeit, sich in das Erleben ihrer Mitmenschen tiefer einzufühlen.

Sie mögen zwar durch ihre sozialen Aktivitäten beträchtliche reale oder phantasierte Bestätigungen ihres Bedürfnisses nach Anerkennung und Bewunderung und überdies auch direkte Triebbefriedigungen erlangen und daraus jeweils ein konkretes Gefühl von Sinnhaftigkeit ihres Lebens beziehen, aber das bleibt prekär: Sobald derartige Bestätigungen ausbleiben, gewinnt wieder das Grundgefühl von Leere, Rastlosigkeit und Langeweile die Oberhand, und die Welt wird zum Gefängnis, aus dem nur mehr neue Erregungen, neue Bestätigungen ihrer Großartigkeit oder sonstige Erfahrungen, bei denen es um Beherrschung, Triumph oder um die Bemächtigung und Einverleibung neuer attraktiver Objekte geht, einen möglichen Ausweg bieten. Ein tiefer empfundenes Kunstverständnis, eine echte Verpflichtung gegenüber moralischen Werten oder auch die Hingabe an kreative Aufgaben, sofern diese keinen unmittelbaren narzißtischen Gewinn abwerfen, sind solchen Menschen oft ganz unzugänglich, ja fremd.

In der therapeutischen Beziehung pflegen narzißtische Persönlichkeiten beim Behandler zweierlei sehr gegensätzliche, aber gleichermaßen extreme Gefühlsreaktionen hervorzurufen. Zeitweilig projizieren sie auf ihn ihre eigene Großartigkeit; in solchen Zeiten fühlt sich der Therapeut womöglich als der eigentliche Mittelpunkt im Leben des Patienten, als potentielle Quelle grenzenloser Befriedigungen und einer Weisheit, die dem Patienten endlich die ersehnte Zufriedenheit gibt und ihn zum Leben kommen läßt. Zu anderen Zeiten jedoch – und das kann für einen Anfänger in der Psychotherapie ein ziemlich unerwarteter Schock sein – fühlt er sich plötzlich ganz entleert, hilflos und verloren neben seinem scheinbar völlig selbstbezogenen, sich selbst genügenden, selbstzufriedenen, ja fast allmächtigen Patienten, und dieser Umschwung kann derart abrupt eintreten und dennoch rückblickend schon länger in so schleichender Form vor sich gegangen sein, daß der Therapeut womöglich eine ganze Zeitlang überhaupt nicht gemerkt hat, wie ihm geschah. In diesem Falle empfindet der Therapeut bei seiner Arbeit mit einem narzißtischen Patienten oft ein chronisches Gefühl der Leere und Sinnlosigkeit, der Unwirklichkeit und Langeweile, untermischt mit starken Schuldgefühlen gerade wegen dieser Langeweile, und es dauert manchmal eine ganze Weile, bis er sich darüber klar wird, woher diese Langeweile rührt, nämlich daraus, daß er spürt, daß diese andere Person im Zimmer, der Patient, eigentlich gar nicht richtig anwesend ist und daß hier eine Pseudobeziehung besteht, in der der Therapeut von dem allmächtigen und allwissenden Patienten nur als wertloses Anhängsel behandelt wird. Die Langeweile des Therapeuten spiegelt hier also das Fehlen jeglicher sinnvollen Objektbeziehung in der Therapiesituation wider und schärft seine Wahrnehmung für die viel ausgedehntere chronische Langeweile und Rastlosigkeit des Patienten, die ein Ausdruck seines allgemeinen Mangels an Objektbeziehungen ist.

Als vorübergehendes Phänomen taucht das Empfinden von Leere und Sinnlosigkeit bei vielen Borderline-Fällen auf, aber niemals derart durchgehend wie bei narzißtischen Persönlichkeiten (ob diese nun manifeste Borderline-Merkmale aufweisen oder nicht) und Patienten mit ausgeprägten schizoiden Persönlichkeitszügen. Man sieht manchmal Patienten mit einer Kombination von narzißtischen und paranoiden Zügen, die ständig alternieren zwischen Phasen, die von intensiven Auseinandersetzungen mit irgendwelchen potentiellen Feinden, gegen die sie sich zur Wehr setzen müssen, bestimmt sind, woraus sie aber zumindest ein gewisses Gefühl der Lebendigkeit beziehen, und anderen Phasen, in denen die schmerzliche Empfindung von Leere und Sinnlosigkeit überhand nimmt, nämlich wenn kein unmittelbarer Feind vorhanden ist und die narzißtischen Züge dominieren. Es gibt auch narzißtische Patienten, deren pathologischer Narzißmus im wesentlichen eine Abwehrhaltung gegen primitive paranoide Tendenzen darstellt, wie auch umgekehrt bei manchen paranoiden Patienten der Kampf gegen potentielle Feinde zum Schutz gegen die schmerzliche Empfindung von Leere und Sinnlosigkeit dient. In allen Fällen, wo ein pathologischer Narzißmus im Vordergrund steht, erkennt man, daß das Leeregefühl dieser Patienten den genauen Gegensatz zum Gefühl der Einsamkeit darstellt. Denn narzißtischen Patienten fehlt oft gerade diese Sehnsucht nach – und das Wissen um die Möglichkeit – einer bedeutungsvollen mitmenschlichen Beziehung und das schmerzliche Vermissen einer solchen Beziehung, wie es die Einsamkeit kennzeichnet.

Alles was ich bis jetzt über das Symptom des Leeregefühls ausgeführt habe, läßt sich meines Erachtens folgendermaßen verallgemeinern und vertiefen: Dem subjektiven Empfinden von Leere und Sinnlosigkeit liegt ein zeitweiliger oder dauernder Verlust der normalerweise bestehenden Beziehungen zwischen Selbst und Objektrepräsentanzen zugrunde, also der Beziehungen zu jener Welt innerer Objekte, in der sinnhaltige Erfahrungen mit anderen Menschen ihren intrapsychischen Niederschlag gefunden haben und die eine wesentliche Grundlage der Ich-Identität darstellt. Patienten mit einer normal konstituierten Ich-Identität, das heißt mit integriertem Selbst und einer stabilen und integrierten inneren Objektwelt, also zum Beispiel depressive Persönlichkeitsstrukturen, zeigen diesen Vorgang in solchen Zeiten, wo sie unter schwerem Überichdruck stehen und von ihren inneren Objekten verlassen zu werden drohen, weil sie innerlich das Gefühl haben, sie verdienten es nicht geliebt zu werden. Bei diesen Patienten bleibt aber selbst unter solchen Umständen die Fähigkeit zu normalen Objektbeziehungen stets erhalten und ist an Hand der Übertragung und in ihren sonstigen zwischenmenschlichen Beziehungen immer nachweisbar.

Sind dagegen ein integriertes Selbst und normale Beziehungen zu integrierten inneren Objekten nur mangelhaft ausgebildet worden, so ist die Folge ein tieferreichendes, chronisches Empfinden von Leere und Sinnlosigkeit des Erlebens. Insofern kann man sagen, daß alle Patienten mit dem Syndrom der Identitätsdiffusion (das heißt aber keineswegs alle mit Identitätskrisen) von vornherein auch eine innere Bereitschaft dazu haben, solche Leeregefühle zu entwickeln. Besonders ausgeprägt tritt das Empfinden von Leere und Sinnlosigkeit in solchen Fällen in Erscheinung, wo aktive Dissoziations- bzw. Spaltungsmechanismen als vorherrschende Abwehrform gegen intrapsychische Konflikte eingesetzt werden. Gerade schizoide Persönlichkeiten, bei denen Spaltungsvorgänge besonders stark ausgeprägt sind und dazu führen, daß es im Dienste der Abwehr zu einer Verflüchtigung und Zersplitterung (Fragmentierung) sowohl der Affekte wie überhaupt jeglicher sinnhaltigen inneren und äußeren Objektbeziehungen kommen kann, zeigen in besonders starkem Maße dieses Phänomen des Leeregefühls. Bei narzißtischen Persönlichkeiten, wo an die Stelle normaler Beziehungen zwischen einem integrierten Selbst und integrierten inneren Objekten ein pathologisches Größen-Selbst mit verkümmerten inneren Objektbeziehungen getreten ist, finden wir das Gefühl chronischer Leere und Sinnlosigkeit fast regelmäßig und in ausgeprägtester Form. Bei dieser Kategorie von Patienten bilden die Symptome Leeregefühl, Rastlosigkeit und Langeweile gewissermaßen ein typisches Basissyndrom pathologisch-narzißtischen Erlebens. Das Leeregefühl stellt also, kurz gesagt, einen komplexen Affektzustand dar, dem eine Zerreißung der normalen Polarität zwischen Selbst und Objekten (der Grundkonstellationen aller verinnerlichten Objektbeziehungen) zugrunde liegt. Das Leeregefühl wäre sozusagen auf der Mitte einzuordnen zwischen dem Gefühl der Sehnsucht und Traurigkeit, das immer noch ein Element von Hoffnung auf eine Wiederherstellung sinnvoller Objektbeziehungen enthält, und andererseits der regressiven psychotischen Verschmelzung von »total guten« Selbst- und Objektimagines (die in den Fällen eintritt, wo der Verlust einer guten Beziehung zum Objekt überhaupt nicht ertragen werden kann).

In der Übertragung spiegelt sich das Leere- und Sinnlosigkeitsgefühl dieser Patienten in den Schicksalen der Beziehung zwischen ihnen und dem Therapeuten wider, der vermittels der Analyse der Übertragungs-Gegenübertragungs-Situation zu erkennen vermag, welche Art von Pathologie verinnerlichter Objektbeziehungen dem Leeregefühl jeweils zugrunde liegt. Solch eine Analyse führt zu wichtigen diagnostischen und therapeutischen Schlüssen und gestattet eine genaue Abklärung der Frage, um welche Art von struktureller intrapsychischer Störung es sich vorwiegend handelt und welche Abwehrformen dabei im Spiel sind. Da Borderline- und narzißtisch gestörte Patienten allesamt eine schwere Pathologie des Selbst und der inneren Objektbeziehungen aufweisen, bedarf es bei ihnen einer besonderen therapeutischen Gesamtstrategie im Umgang mit ihrer Übertragung.

Im folgenden möchte ich diese Strategie kurz umreißen. Als erstes muß der Therapeut überhaupt auf die Möglichkeit achten, daß Leere und Sinnlosigkeit als eine Grunderfahrung des Patienten wie auch des Therapeuten in den Behandlungsstunden vorherrschend werden können; diese Entmenschlichung der therapeutischen Beziehung muß unter dem Aspekt der beteiligten Abwehrmechanismen (seien diese nun überwiegend Spaltungsvorgänge, primitive Allmachtsphantasien, unbewußte Schuldgefühle oder unbewußter Neid auf den Therapeuten etc.) diagnostiziert und als Abwehr gegen das Aufkommen einer bedeutungsvollen Objektbeziehung in der Übertragung mitsamt den dafür maßgeblichen Motiven dem Patienten gedeutet werden.

In einem zweiten Schritt gilt es dann die nach Durcharbeitung dieser Abwehr auftauchende primitive Objektbeziehung daraufhin einzuschätzen, welches Selbstbild und welche damit verbundenen Objektvorstellungen darin zum Ausdruck kommen; der Therapeut kann zum Beispiel im Erleben des Patienten einen dissoziierten Selbstanteil oder auch bestimmte Anteile primitiver Objektrepräsentanzen vertreten, wobei die Rollenpositionen – die Verkörperung entweder des Selbst- oder des Objektanteils – noch dazu rasch wechseln können. Diese Anteile von Selbst- und Objektrepräsentanzen müssen ebenfalls analysiert und die dazugehörige Beziehungsform in der Übertragung herausgearbeitet werden.

Als dritter Schritt gilt es nun diese bestimmte »Teilobjektbeziehung«, die hier in der Übertragung wiederbelebt wurde, mit anderen, davon dissoziierten »Teilobjektbeziehungen« zu vermitteln, wobei das Ziel in einer Integration und Konsolidierung sowohl des wirklichen Selbst als auch der Objektrepräsentanzen des Patienten besteht. Diese drei Schritte bilden im wesentlichen die typische Abfolge, um die es beim Durcharbeiten primitiver Übertragungsentwicklungen bei Borderline- und narzißtischen Patienten immer wieder geht.

Die psychoanalytische Arbeit mit Patienten, die mittels Alkohol oder Drogen ihrem Empfinden von Leere und Sinnlosigkeit zu entfliehen versuchen, liefert uns noch weitere Gesichtspunkte hinsichtlich der intrapsychischen Strukturmerkmale, die hier relevant sind. Die psychische Wirkung von Drogen und Alkohol ist im Einzelfall verschieden, je nachdem welche intrapsychische Struktur dem Abusus jeweils zugrunde liegt.

Patienten mit depressiver Persönlichkeitsstruktur erleben zum Beispiel unter Alkoholeinfluß oft ein subjektives Wohlbefinden und Hochgefühl, das unbewußt als Versöhnung und Wiedervereinigung mit einer verlorenen, verurteilenden aber jetzt doch verzeihenden Elternimago erscheint, die das unbewußte Schuldgefühl und die Depression hervorgerufen hatte. Die Verbindung von Hochstimmung und Depression, von expansivem Aus-sich-Herausgehen und Trauern bei depressiven Persönlichkeiten könnte so zu interpretieren sein, daß hier in der Phantasie eine Auseinandersetzung mit tiefen Schuldgefühlen stattfindet, wobei ein Bedürfnis besteht, die belastete Beziehung zum Objekt wiedergutzumachen, und schließlich die Versöhnung und Wiedervereinigung mit dem (wieder guten) Objekt gefeiert wird. Im Gegensatz dazu bewirkt Alkohol- und Drogeneinnahme bei vielen Borderline-Patienten ein Gefühl des Wohlbefindens und Gutseins, das aber hier eher einer Aktivierung abgespaltener »nur guter« Selbst- und Objektvorstellungen unter Verleugnung der »nur bösen« bzw. »nur schlechten« verinnerlichten Objektbeziehungen entspricht, also eine Flucht vor unerträglichen Schuldgefühlen oder einem Gefühl innerer Verfolgung darstellt. Bei narzißtischen Persönlichkeiten schließlich wird die Alkohol- oder Drogeneinnahme mitunter zu einem vorherrschenden Mechanismus, um das pathologische Größen-Selbst »wieder aufzutanken« und sich dessen Omnipotenz und Schutzfunktion gegenüber einer überwiegend als frustrierend und feindlich erlebten Umwelt, die nicht mehr genug an Befriedigung und Bewunderung zu bieten hat, zu versichern.

Die Suchtgefahr ist meines Erachtens am größten bei narzißtischen Persönlichkeitsstrukturen, und die Prognose für Behandlungen von Suchtzuständen bei narzißtischen Persönlichkeiten ist wesentlich schlechter als bei süchtigen Borderline-Patienten ohne narzißtische Züge oder erst recht bei weniger regredierten Strukturen wie zum Beispiel depressiven Persönlichkeiten. Allgemein gilt also, daß die psychischen Funktionen von Alkohol oder Drogen in starkem Maße von der Art der verinnerlichten Objektbeziehungen, die sich in der psychischen Struktur niedergeschlagen haben, abhängt.

Ein weiteres wichtiges Problem, das in den letzten Jahren des öfteren aufgeworfen worden ist, betrifft den Zusammenhang zwischen dem [immer häufiger zu beobachtenden] subjektiven Empfinden von Leere und Sinnlosigkeit und einem rapide um sich greifenden Verlust (oder jedenfalls einschneidenden Veränderungen) von sozialer Stabilität und hergebrachten kulturellen Werten. Man hat die Frage gestellt, ob die sozialen und kulturellen Veränderungen in unserer Zeit sich nicht auch auf die gängigen Muster von Objektbeziehungen auswirken. Auf der Basis der Analysen, die meinen bisherigen Ausführungen zugrunde liegen, glaube ich eigentlich nicht, daß die zeitgenössischen soziokulturellen Veränderungen die Grundmuster von Objektbeziehungen beeinflussen – sofern man »Objektbeziehungen« nicht einfach nur in Begriffen von realen äußeren zwischenmenschlichen Interaktionen definiert, sondern im Hinblick auf die intrapsychischen Strukturen, die diese Interaktionen bestimmen, und die innere Fähigkeit, tieferreichende Gefühlsbeziehungen zu anderen Menschen auszubilden. Zahlreiche Autoren haben von unserem sogenannten »Zeitalter der Entfremdung« gesprochen und in diesem Zusammenhang die Auffassung vertreten, durch soziale und kulturelle Entfremdung werde eine Desintegration dieser Fähigkeit zu tiefen menschlichen Bindungen gefördert.

Keniston (1968, 1970) hat beim Vergleich zwischen Jugendlichen der Protestbewegung und »entfremdeten« Jugendlichen wichtige soziologische Belege für seine These gefunden, daß ein allgemeiner Rückzug aus mitmenschlichen Beziehungen und eine Unfähigkeit zu tiefen, dauerhaften Bindungen nicht unmittelbar als Ausdruck der heutigen Jugendlichen-Subkultur aufzufassen, sondern vielmehr auf frühkindliche Konflikte und pathologisch gestörte Familienverhältnisse zurückzuführen seien. Genauso glaube ich auch nicht, daß Veränderungen der zeitgenössischen Moral etwas an dem Bedürfnis und der Fähigkeit zur Intimität in verschiedensten Formen geändert haben. Dies soll nicht heißen, daß derartige Veränderungen in den Grundformen von Intimität nicht doch über Zeitspannen von mehreren Generationen hin zustande kommen könnten, nämlich wenn kulturelle Grundmuster die Familienstrukturen auf die Dauer dermaßen veränderten, daß dadurch auch die frühe Kindheitsentwicklung beeinflußt würde. Man muß eben, wie mir scheint, sorgfältig unterscheiden zwischen den Auswirkungen sozialer Desintegration, zerrütteter Familienstrukturen und traumatischer Schädigungen der frühkindlichen Entwicklung (die allesamt ohne Zweifel die Persönlichkeitsentwicklung ganz erheblich beeinflussen) und andererseits den möglichen Auswirkungen des raschen kulturellen Wandels, wie er sich in Veränderungen der sozialen und sexuellen Sitten und Umgangsformen niederschlägt: Diese zuletzt genannten Faktoren bringen als solche meines Erachtens noch keineswegs das beschriebene Empfinden von chronischer Leere und Sinnlosigkeit hervor, sofern nicht gleichzeitig schwere Störungen der verinnerlichten Objektbeziehungen bestehen, deren Ursachen bis in die frühe und früheste Kindheit zurückreichen.

Zweiter Teil
Narzißtische Persönlichkeitsstörungen

8. Kapitel
Die Behandlung narzißtischer Persönlichkeiten

In diesem Kapitel möchte ich die Ätiologie, Diagnose, Prognose sowie einige Besonderheiten der Behandlung von Patienten mit narzißtischer Persönlichkeitsstruktur erörtern. Ich habe mir von vornherein nicht vorgenommen, das Thema erschöpfend abzuhandeln, hoffe aber doch auf bestimmte Aspekte ein neues Licht werfen zu können. Es geht in diesem Kapitel zur Hauptsache um den Narzißmus als klinisches Problem; soweit metapsychologische Überlegungen auftauchen, beziehen sie sich nur auf die Ätiologie des pathologischen Narzißmus. Das umfassendere Problem der Narzißmustheorie innerhalb der Psychoanalyse wird erst im 10. Kapitel aufgenommen werden.

1. Deskriptive Merkmale narzisstischer Persönlichkeiten

Wie schon im 1. Kapitel erwähnt, ist das Wort »narzißtisch« als deskriptiver Terminus vielfach mißbraucht, nämlich in unzutreffender Weise und vor allem zu pauschal verwendet worden. Nichtsdestoweniger gibt es eine Gruppe von Patienten, deren Hauptproblem in einer Störung ihres Selbstwertgefühls im Zusammenhang mit spezifischen Störungen in ihren Objektbeziehungen zu bestehen scheint und bei denen man geradezu von einem pathologischen Narzißmus in Reinkultur sprechen könnte. Für diese Kategorie von Patienten sollte meines Erachtens der Begriff »narzißtische Persönlichkeit« vorbehalten bleiben. Bei oberflächlicher Betrachtung weisen sie eventuell gar keine schwereren Verhaltensstörungen auf; etliche unter ihnen sind sogar sozial sehr gut angepaßt und funktionstüchtig, und ihre Impulskontrolle ist in der Regel wesentlich besser ausgebildet als etwa bei infantilen Persönlichkeiten.

Narzißtische Persönlichkeiten fallen auf durch ein ungewöhnliches Maß an Selbstbezogenheit im Umgang mit anderen Menschen, durch ihr starkes Bedürfnis, von anderen geliebt und bewundert zu werden, und durch den eigenartigen (wenn auch nur scheinbaren) Widerspruch zwischen einem aufgeblähten Selbstkonzept und gleichzeitig einem maßlosen Bedürfnis nach Bestätigung durch andere. Ihr Gefühlsleben ist seicht; sie empfinden wenig Empathie für die Gefühle anderer und haben – mit Ausnahme von Selbstbestätigungen durch andere Menschen oder eigene Größenphantasien – im Grunde sehr wenig Freude am Leben; sie werden rastlos und leiden unter Langeweile, sobald die äußere Fassade ihren Glanz verliert und momentan keine neuen Quellen der Selbstbestätigung mehr zur Verfügung stehen. Man beobachtet auch einen starken Neid auf andere und die Neigung, manche Menschen, von denen narzißtische Gratifikationen zu erwarten sind, sehr zu idealisieren, wohingegen andere, von denen nichts (oder nichts mehr) zu erwarten ist – häufig die früheren Idole –, entwertet und mit Verachtung gestraft werden. Die mitmenschlichen Beziehungen solcher Patienten haben im allgemeinen einen eindeutig ausbeuterischen und zuweilen sogar parasitären Charakter; narzißtische Persönlichkeiten nehmen gewissermaßen für sich das Recht in Anspruch, über andere Menschen ohne jegliche Schuldgefühle zu verfügen, sie zu beherrschen und auszunutzen; hinter einer oft recht charmanten und gewinnenden Fassade spürt man etwas Kaltes, Unerbittliches. Häufig werden solche Patienten als »sehr abhängig« angesehen, weil sie so stark auf Bewunderung und Bestätigungen durch andere angewiesen sind, aber im Grunde sind sie völlig außerstande, eine echte Abhängigkeit zu entwickeln, d. h. sich auf einen anderen Menschen wirklich zu verlassen und zu vertrauen, weil sie zutiefst mißtrauisch sind und andere verachten.

In der analytischen Untersuchung erweist sich die arrogante, grandiose und herrschsüchtige Attitüde sehr häufig als Abwehr gegen paranoide Tendenzen, die mit der Projektion oraler Wut zusammenhängen, welche überhaupt bei dieser psychopathologischen Konstellation eine zentrale Rolle spielt. Oberflächlich besehen fällt das scheinbar völlige Fehlen von Objektbeziehungen auf; eine tieferreichende Analyse ergibt jedoch ein ganz anderes Bild: In den scheinbar beziehungslosen Interaktionen dieser Patienten spiegeln sich sehr intensive primitive verinnerlichte Objektbeziehungen von bedrohlichem Charakter und gleichzeitig das Unvermögen, sich auf gute verinnerlichte Objekte zu verlassen. Die antisoziale Persönlichkeit ist ebenfalls als eine Variante der narzißtischen Persönlichkeit anzusehen, denn man findet hier dieselbe allgemeine Konstellation von Charakterzügen, nur kommt außerdem noch eine schwere Überich-Störung dazu.

Die Hauptkennzeichen narzißtischer Persönlichkeiten sind also Größenideen, eine extrem egozentrische Einstellung und ein auffälliger Mangel an Einfühlung und Interesse für ihre Mitmenschen, so sehr sie doch andererseits nach deren Bewunderung und Anerkennung gieren. Sie empfinden starken Neid auf andere, die etwas haben, was sie nicht haben, und sei es einfach Freude am Leben. Es mangelt diesen Patienten nicht nur an Gefühlstiefe und an der Fähigkeit, komplexere Gefühle anderer Menschen zu verstehen, sondern ihr Gefühlsleben ist auch nur mangelhaft differenziert, die Emotionen flackern rasch auf und flauen gleich wieder ab. Was besonders auffällt, ist das Fehlen echter Gefühle von Traurigkeit, Sehnsucht, Bedauern; das Unvermögen zu echten depressiven Reaktionen ist ein Grundzug narzißtischer Persönlichkeiten. Von anderen verlassen oder enttäuscht, können sie wohl in einen Zustand geraten, der äußerlich wie eine Depression erscheint; bei genauerer Untersuchung erweist sich jedoch, daß Wut, Empörung und Rachebedürfnisse dabei die Hauptrolle spielen und gar nicht so sehr eine echte Traurigkeit über den Verlust eines geschätzten Menschen.

Manche narzißtischen Persönlichkeiten präsentieren sich als Patienten, die bewußt unter starken Unsicherheits- und Minderwertigkeitsgefühlen leiden. Mitunter alternieren solche Unterlegenheits- und Minderwertigkeitsgefühle mit Größenphantasien und Omnipotenzgefühlen (A. Reich 1960 b). Bei anderen wiederum lassen sich unbewußte Allmachtsphantasien und narzißtischer Größenwahn erst nach längerer analytischer Arbeit aufdecken. Die Entdeckung der extremen Widersprüche im Selbsterleben dieser Patienten ist häufig der erste klinische Hinweis auf die schwere Störung in ihrem Ich und Über-Ich, die so wirksam hinter einer Fassade von glatter und erfolgreicher sozialer Anpassung verborgen ist.

Die Abwehrorganisation narzißtischer Persönlichkeiten entspricht weitgehend derjenigen, wie wir sie für die Borderline-Persönlichkeitsstruktur allgemein beschrieben haben. Man stellt also überwiegend primitive Abwehrmechanismen fest wie z. B. Spaltung, Verleugnung, projektive Identifizierung, Allmachtsphantasien, primitive Idealisierung und Entwertung. Auch die für Borderline-Patienten so charakteristische Intensität und primitive Qualität oral-aggressiver Konflikte findet sich hier wieder. Im Unterschied zu den üblichen Borderline-Patienten verfügen jedoch viele narzißtische Persönlichkeiten über eine relativ gute soziale Anpassung und Funktionstüchtigkeit, eine bessere Impulskontrolle und ein Potential von – sagen wir:

»Pseudosublimierungen«, nämlich eine Befähigung zu sehr aktiver und beharrlicher Arbeit in bestimmten Bereichen, die ihnen eine teilweise Erfüllung ihrer Größenambitionen ermöglicht und Bewunderung von anderen verschafft. Hochintelligente Menschen mit dieser Persönlichkeitsstruktur können sogar auf ihrem Gebiet als recht kreativ erscheinen; man findet zum Beispiel oft narzißtische Persönlichkeiten in führenden Positionen in Industrieunternehmen oder akademischen Institutionen; auch in bestimmten künstlerischen Bereichen können sie gelegentlich Hervorragendes leisten. Betrachtet man jedoch ihre Produktivität genauer und über einen längeren Zeitraum hin, so stößt man auf Anzeichen von Oberflächlichkeit und Flüchtigkeit in ihrer Arbeit und auf einen Mangel an Tiefe, so daß die Leere und Substanzlosigkeit hinter der glänzenden Fassade schließlich nicht mehr zu übersehen sind. Oft handelt es sich um »vielversprechende« Talente, die später durch die Banalität ihrer weiteren Entwicklung überraschen. Solche Menschen weisen in angsterregenden Situationen oft ein erstaunliches Maß an Selbstbeherrschung auf, so daß auf den ersten Blick leicht der Eindruck einer sehr gut entwickelten Angsttoleranz entsteht; bei genauerer analytischer Untersuchung zeigt sich jedoch, daß diese Angsttoleranz nur um den Preis gesteigerter narzißtischer Größenphantasien und eines Rückzugs in eine Art von »splendid isolation« aufrechterhalten werden kann und jedenfalls nicht als Ausdruck einer authentischen Fähigkeit zur Meisterung realer Gefahrensituationen anzusehen ist.

Kurz gesagt: Narzißtische Persönlichkeiten verfügen oberflächlich über eine weitaus bessere Funktionsfähigkeit als ein durchschnittlicher Borderline-Patient; um so überraschter ist mancher Analytiker dann in der Behandlung über ihre tiefe Regressionsneigung, die unter den Bedingungen einer Analyse unter Umständen bis auf das Niveau der Psychose reichen kann.

2. Ätiologische und psychodynamische Aspekte

Der frühe Versuch Freuds (1931), den narzißtischen Charakter unter den libidinösen Typen als besondere Form einzureihen, fand keine allgemeine Anerkennung; Fenichel (1945) hat die Gründe hierfür genannt. Eine entscheidende Klärung in bezug auf das Problem des sogenannten »pathologischen Narzißmus« verdanken wir van der

Waals (1965), der gezeigt hat, daß eine ausgesprochen narzißtische Charakterprägung nicht einfach als Ausdruck einer Fixierung auf frühen narzißtischen Entwicklungsstufen und einer nicht vollzogenen Weiterentwicklung zur Objektliebe hin verstanden werden kann, sondern daß es sich dabei um eine doppelte Fehlentwicklung handelt, nämlich um die Entwicklung pathologischer Formen von Selbstliebe und gleichzeitig die Entwicklung pathologischer Formen von Objektliebe. Van der Waals zufolge entwickelt sich ein normaler Narzißmus simultan mit normalen Objektbeziehungen und ein pathologischer Narzißmus simultan mit pathologischen Objektbeziehungen. Van der Waals weist übrigens auch darauf hin, daß ein vertieftes Verständnis des pathologischen Narzißmus unter anderem dadurch behindert worden sei, daß in der psychoanalytischen Literatur die klinischen Probleme des Narzißmus immer wieder mit dem Narzißmus als einem metapsychologischen Konzept vermengt worden seien.

Edith Jacobson (1964) hat sich um eine Klärung der Zusammenhänge zwischen psychotischer Regression einerseits und Wiederverschmelzung früher Selbst- und Objektrepräsentanzen aus Abwehrgründen andererseits bemüht. Nach den Vorstellungen dieser Autorin kann es in den frühesten Stadien der Persönlichkeitsentwicklung, wenn Selbst- und Objektimagines allmählich voneinander differenziert werden und damit die Entwicklung der Realitätsprüfung und der Ichgrenzen ermöglicht wird, infolge schwerer Frustrationen in der Beziehung zu den signifikanten Primärobjekten zu einer Wiederverschmelzung von Selbst- und Objektimagines kommen, wodurch ein gefährlicher Mechanismus gebahnt wird, der ein Ausweichen vor dem Konflikt zwischen dem Bedürfnis nach dem äußeren Objekt und der tiefen Angst vor diesem Objekt ermöglicht. In derartigen Konfliktsituationen kann es [auch später immer wieder] zu einem Verschwimmen der Ichgrenzen, zum Verlust der Realitätsprüfung, kurzum: zu einer psychotischen Regression kommen. Bei den narzißtischen Persönlichkeiten tritt solch eine Entwicklung nicht ein; ihre Ichgrenzen sind stabil, und die Realitätsprüfung bleibt erhalten. Annie Reich (1960 b) nimmt an, daß bei narzißtischen Persönlichkeiten eine regressive Verschmelzung des Selbst mit einem primitiven Ich-Ideal stattfindet.

Meine eigene Hypothese geht dahin, daß wir es auch bei narzißtischen Persönlichkeiten mit einer Wiederverschmelzung verinnerlichter Selbst- und Objektimagines zu tun haben, die aber hier auf einer

Entwicklungsstufe eintritt, auf der die Ichgrenzen bereits stabilisiert sind. Es kommt dabei zur Verschmelzung von Idealselbst-, Idealobjekt- und Realselbstrepräsentanzen als Abwehr gegen unerträgliche reale Gegebenheiten im zwischenmenschlichen Beziehungsfeld, wobei dieser Prozeß gleichzeitig verbunden ist mit einer Entwertung und Zerstörung innerer Objektimagines und äußerer Objekte. In der Phantasie identifizieren sich diese Patienten mit ihrem eigenen Idealselbstbild und versuchen auf diese Weise die normale Abhängigkeit von äußeren Objekten und von den verinnerlichten Repräsentanzen solcher äußeren Objekte zu verleugnen. Ihre Einstellung läßt sich folgendermaßen umschreiben: »Ich brauche ja gar nicht zu fürchten, abgelehnt zu werden, weil ich meinem Idealbild nicht so entspreche, wie ich es müßte, um von der Idealperson, an deren Liebe mir liegt, überhaupt geliebt werden zu können. Nein, diese ideale Person und mein eigenes Ideal und mein wirkliches Selbst sind ein und dasselbe; ich bin selbst mein Ideal, und damit bin ich viel besser als diese Idealperson, die mich hätte lieben sollen, und brauche niemanden.« Oder anders formuliert: Die normalerweise bestehende Spannung zwischen Real-Selbst einerseits, Ideal-Selbst und Ideal-Objekt andererseits wird aufgehoben, indem ein aufgeblähtes Selbstkonzept durch Verschmelzung von Realselbst-, Idealselbst- und Idealobjektrepräsentanzen errichtet wird, innerhalb dessen diese einzelnen Anteile nicht mehr voneinander zu unterscheiden sind. Inakzeptable Selbstanteile, die sich in dieses grandiose Selbstkonzept nicht einschmelzen lassen, werden verdrängt und zum Teil auf äußere Objekte projiziert, die dafür entwertet werden. Der ganze Vorgang steht in ausgesprochenem Kontrast zu der normalerweise stattfindenden Differenzierung zwischen einerseits Idealselbst- und andererseits Idealobjektimagines, die ja insgesamt sowohl die verinnerlichten Ansprüche und Erwartungen der Objekte als auch deren Lob und Bestätigung im Falle, daß man ihre Erwartungen erfüllt, repräsentieren. Im Über-Ich [oder genauer: im Ich-Ideal als einer Substruktur des Über-Ichs] werden dann normalerweise diese Idealselbst- und Idealobjektimagines integriert; aus der Spannung zwischen Realselbstrepräsentanzen und solchen idealen Repräsentanzen wird so die Spannung zwischen Ich und Über-Ich. Bei narzißtisch gestörten Patienten verhindert jedoch die pathologische Verschmelzung zwischen Idealselbst-, Idealobjekt- und Realselbstrepräsentanzen eine derartige Integration des Über-Ichs, weil die Idealisierungen hier so hochgradig realitätsfremd sind, daß eine

Synthese dieser Idealbilder mit den tatsächlichen Forderungen der Eltern und mit den aggressiv bestimmten Überich-Vorläufern gar nicht möglich ist. Zudem ist es ja, wie beschrieben, zu einer pathologischen Verschmelzung zwischen Realselbstrepräsentanzen – die einen Teil der Ichstruktur ausmachen – und Überich-Vorläufern gekommen, wodurch wiederum die normalerweise bestehende Differenzierung zwischen Ich und Über-Ich beeinträchtigt worden ist. Es werden zwar gewisse Überichanteile – zum Beispiel von den Eltern gesetzte Verbote und Tabus – verinnerlicht, aber diese behalten immer eine primitive, aggressiv-entstellte Qualität, eben weil sie nicht mit liebevolleren Überichaspekten integriert werden konnten, die sich normalerweise aus Idealselbst- und Idealobjektimagines herleiten, aber bei diesen Patienten fehlen (Schafer 1960). Dies ist auch der Grund dafür, daß Anteile dieses durchwegs aggressiven und primitiven Über-Ichs in Form paranoider Projektionen leicht wieder externalisiert werden. Ich möchte übrigens hervorheben, daß der primitive und aggressive Charakter dieses Über-Ichs letztlich auf starke oral-aggressive Fixierungen zurückgeht. Narzißtische Persönlichkeiten passen sich typischerweise an die moralischen Maßstäbe ihrer Umwelt konformistisch an, und zwar hauptsächlich aus Angst vor den Angriffen, denen sie sich sonst aussetzen müßten, aber auch weil sie dieses Maß an Unterwerfung gerne leisten, wenn ihnen dafür Ruhm und Anerkennung winkt. Dennoch fühlen sich solche Menschen – auch wenn sie sich in Wirklichkeit nie manifest antisozial verhalten haben – häufig als Schwindler und halten es für möglich, daß sie durchaus auch ein Verbrechen begehen könnten, »wenn sie nur sicher wären, damit durchzukommen«. Es verwundert daher gar nicht, daß sie auch andere Menschen im Grunde nicht für anständig und vertrauenswürdig halten können; wenn jemand doch verläßlich erscheint, so nur, weil er durch äußeren Druck dazu gezwungen ist. Eine solche Sicht ihrer eigenen Person und anderer Menschen wird natürlich auch in der Übertragungsbeziehung zum Therapeuten sehr bedeutsam.

Eine weitere Auswirkung der pathologischen Verschmelzung zwischen Idealselbst-, Idealobjekt- und Realselbstrepräsentanzen besteht in dem, was man als Entwertung und Auslöschung von Objekten – und zwar nicht nur äußeren Objekten, sondern auch verinnerlichten Objektimagines – beschreiben könnte. Allerdings reicht dieser Prozeß niemals so weit, daß es überhaupt keine inneren Repräsentanzen äußerer Objekte mehr gäbe; unter derartigen Umständen wäre ein Mensch wahrscheinlich gar nicht mehr lebensfähig. Solange man noch von anderen bewundert und geliebt werden möchte, müssen diese anderen als äußere oder innere Objekte zumindest noch »ein bißchen lebendig« erlebt werden können. Die verbliebenen Reste verinnerlichter Objektrepräsentanzen zeigen Merkmale realer Personen, die aber leblos und schattenhaft wirken. Dieses Phänomen, daß andere Menschen – soweit sie nicht gerade idealisiert werden – überwiegend wie leblose Schatten oder Marionetten erlebt werden, kann für narzißtische Persönlichkeiten als typisch gelten. Daneben gibt es in ihrem Erleben aber auch idealisierte Gestalten, Menschen, die ihnen außerordentlich wichtig erscheinen, deren Bedeutung sich aber regelmäßig darauf zurückführen läßt, daß sie der Projektion eigener überhöhter Selbstbilder entstammt. Außer solchen idealisierten »Stellvertretern« der eigenen Person, ein paar schattenhaften anderen Personen und – wie wir noch sehen werden – gefürchteten Feindbildern, scheint es in der inneren Welt dieser Menschen keine anderen Objekte zu geben. Narzißtische Patienten erleben ihre Beziehungen zu anderen häufig als reines Ausnutzungsverhältnis – »wie man eine Zitrone ausquetscht und den Rest wegwirft«. Das heißt: andere Menschen gehören entweder zur Kategorie derer, die noch etwas an »Nahrung« zu enthalten scheinen, was man aus ihnen herausquetschen kann, oder sie sind bereits ausgequetscht und daher wertlos. Manchmal jedoch scheinen diese nur mehr schattenhaften äußeren Objekte plötzlich sehr mächtige und bedrohliche Züge anzunehmen, nämlich dann, wenn der Patient auf andere Personen die primitiven Züge seines Über-Ichs und seine eigenen ausbeuterischen Tendenzen projiziert. Seine Einstellung anderen Menschen gegenüber ist also von zweierlei Art: entweder verächtlich – er hat die anderen ausgenutzt, soweit er sie brauchte, und jetzt sind sie ihm nur noch lästig – oder aber ängstlich: die anderen könnten ihn angreifen, ausnutzen, ihn mit Gewalt von sich abhängig machen wollen. Am Grunde dieser beiden Beziehungsversionen liegt, tief abgewehrt, noch eine andere Vorstellung von Beziehungen, nämlich genau diejenige, gegen die der Patient alle diese anderen pathologischen Beziehungsstrukturen hat aufrichten müssen: es ist das Bild eines ausgehungerten, wütenden, innerlich leeren Selbst in seinem ohnmächtigen Zorn über die ihm zugefügten Frustrationen und in ständiger Furcht vor der Welt der anderen, die der Patient als genauso haßerfüllt und rachsüchtig empfindet wie sich selbst.

An diese tiefste Ebene des Selbsterlebens narzißtischer Persönlichkeiten kommt man aber im allgemeinen erst spät im Verlaufe einer langen analytischen Behandlung heran, es sei denn, es handle sich um narzißtische Patienten mit manifesten Borderline-Zügen, die ein solches Selbstbild manchmal schon früh zu erkennen geben. Englische Psychoanalytiker, die Patienten mit dieser Charakterstruktur analysiert haben, schildern ebenfalls die zentrale Bedeutung dieser tiefen Angst vor Angriffen und Zerstörung. Bei den manifest weniger gestörten Patienten, d. h. narzißtischen Persönlichkeiten mit relativ stärkerem Ich, kann man beobachten, wie die Übertragung schließlich paranoide Züge annimmt und Gefühle von innerer Leere, Wut und Angst vor Angriffen auftauchen. Auf einer weniger regressiven Stufe begegnet man Abkömmlingen derartiger Selbstvorstellungen in der Form, daß der Patient sich als wertlos, verarmt und leer schildert, als jemanden der »immer draußen bleibt«, verzehrt von seinem Neid auf alle, die das haben, was er so entbehrt: Nahrung, Glück und Ruhm. Häufig ist die im Bewußtsein auftauchende Version von Abkömmlingen solcher primitiven Selbstbilder kaum zu unterscheiden von den schon beschriebenen schattenhaften, entwerteten Objektvorstellungen. Ein derart entwertetes Selbstkonzept läßt sich besonders bei narzißtischen Patienten beobachten, die die Menschheit in zwei Kategorien aufteilen: einerseits die berühmten, reichen, bedeutenden Menschen und auf der anderen Seite der verächtliche und wertlose »Durchschnitt«, das »Mittelmaß«. Solche Patienten sind ständig darum bemüht, selber auch zu den Großen, Reichen und Mächtigen zu gehören, und fürchten dauernd, es könnte sich herausstellen, daß sie auch nur »mittelmäßig« sind, was für sie nicht nur »durchschnittlich« im üblichen Sinne heißt, sondern praktisch gleichbedeutend ist mit einer wertlosen und verächtlichen Existenz. Ein Patient entdeckte nach jahrelanger Analyse, wie sehr er sich danach sehnte, selber »normal« und »durchschnittlich« zu werden, d. h. er wollte sich endlich daran freuen können, ein ganz gewöhnlicher Mensch zu sein, ohne den ständigen Zwang, etwas Besonderes, Großes, Bedeutendes darstellen zu müssen, um damit sein inneres Gefühl von Wertlosigkeit und Unterlegenheit zu dementieren.

Warum kommt es nun zu der so entscheidenden pathologischen Verschmelzung von Idealselbst-, Idealobjekt- und Realselbstrepräsentanzen? Man findet bei diesen Patienten eine pathologisch verstärkte Ausprägung oraler Aggression, wobei schwer zu entscheiden ist, inwieweit diese Entwicklung auf einem konstitutionell bedingten übermäßig starken Aggressionstrieb, auf einer konstitutionell bedingten zu geringen Angsttoleranz in bezug auf aggressive Impulse oder schließlich auf realen schweren Frustrationen in den ersten Lebensjahren beruht.

Was den Familienhintergrund dieser Patienten anbetrifft, so stößt man sehr häufig auf kaltherzige Elternfiguren mit einem starken Maß an verdeckter Aggression. Auf Grund einer Reihe derartiger Fälle, die ich selbst untersucht oder über längere Zeit behandelt habe, habe ich den Eindruck gewonnen, daß es in solchen Familien ziemlich regelmäßig eine Elternfigur gibt, und zwar meist die Mutter oder eine andere Mutterfunktionen ausübende Person, die äußerlich gesehen »gut funktioniert« und für »geordnete Verhältnisse« sorgt, aber alles mit einem gewissen Zug von Härte, Indifferenz und unausgesprochener mürrischer Aggression. Wenn nun beim Kind, das in einer solchen Umwelt aufwächst, allmählich ein starkes Gefühl von oraler Frustration, Groll und Aggression aufkommt, so ist damit bereits der erste Grund dafür gelegt, daß solche Menschen ständig ein Übermaß an Neid und Haß abwehren müssen. Hinzu kommen einige spezifische Besonderheiten, worin die narzißtischen Persönlichkeiten sich von anderen Borderline-Patienten unterscheiden. So findet man regelmäßig in der Vorgeschichte dieser Patienten, daß sie alle irgendeine bestimmte Eigenschaft gehabt haben, die objektiv dazu geeignet war, bei anderen Bewunderung, aber auch Neid zu erwecken. Eine außergewöhnliche körperliche Attraktivität zum Beispiel oder irgendeine besondere Begabung wurden auf diese Weise zu kompensatorischen Lebenstechniken ausgebaut, mit deren Hilfe man dem Gefühl, im Grunde ungeliebt zu sein und allenthalben nur auf Rachsucht, Neid und Haß zu stoßen, zu entgehen hoffte. In manchen Fällen gingen solche Entwicklungen überwiegend von einer kalten feindseligen Mutter aus, die ihr Kind zu eigenen narzißtischen Zwecken mißbrauchte, indem sie immer »etwas Besonderes« aus ihm machen wollte, die Sucht nach Größe und Bewunderung in ihm weckte und die typische charakterliche Abwehrhaltung einer verächtlichen Entwertung anderer unterstützte. Ich denke da zum Beispiel an zwei Patienten, die von ihren Müttern quasi zu einer Art von »Kunstwerken« gemacht wurden, d. h. sie wurden in einer fast grotesken Weise herausgeputzt und öffentlich zur Bewunderung ausgestellt, so daß Macht- und Größenphantasien in Verbindung mit exhibitionistischen Tendenzen bald eine zentrale kompensatorische Funktion in ihrem Abwehrkampf gegen orale Wut und Neid erhielten. Häufig haben diese Patienten innerhalb ihrer Familienstruktur eine Schlüsselposition innegehabt, zum Beispiel als einziges Kind der Familie, oder als einziges »begabtes« Kind oder als dasjenige, von dem man erwartete, daß es eines Tages die ehrgeizigen Ambitionen der Familie erfüllen würde; viele narzißtische Persönlichkeiten haben als Kind in ihrer Familie die Rolle des »Genies« gespielt.

Ich bin nicht sicher, ob diese empirischen Fakten als Erklärung hinreichen. Fest steht jedenfalls: wenn der oben beschriebene Mechanismus – nämlich die Verschmelzung von Idealselbst-, Idealobjekt- und Realselbstrepräsentanzen als Abwehrform – erst einmal in Gang gekommen ist, so perpetuiert er äußerst wirksam den Circulus vitiosus von Selbstbewunderung, Geringschätzung anderer und Meidung jeder wirklichen Abhängigkeit. Die größte Angst dieser Patienten ist es, von irgendeinem anderen Menschen abhängig zu sein, denn Abhängigkeit bedeutet Haß, Neid und die Gefahr, vom anderen ausgenutzt, rücksichtslos behandelt und frustriert zu werden. In der Behandlung solcher Patienten richtet sich ebenfalls die hauptsächliche Abwehr gegen eine mögliche Abhängigkeit vom Analytiker, denn sobald der Patient wirklich fühlt, daß er überhaupt einen anderen Menschen braucht, ist er wieder mit der bedrohlichen Grundsituation seiner Kindheit konfrontiert (Rosenfeld 1964).

Daß sie Abhängigkeit von anderen nicht ertragen können, ist überhaupt ein ganz zentrales Kennzeichen narzißtischer Persönlichkeiten. Sie haben zwar häufig irgendein Idol oder sonst eine herausragende Persönlichkeit, die sie bewundern und zu der sie in einem Verhältnis stehen, das bei oberflächlicher Betrachtung wie eine Abhängigkeitsbeziehung erscheinen mag; in Wirklichkeit aber erleben sie sich selbst als Teil dieser bewunderten Person bzw. sie erleben diese Person nur als eine Erweiterung ihrer selbst, wie die Analyse regelmäßig erweist. Erfahren sie dann von dieser Person eine Zurückweisung, so reagieren sie mit Haß, Furcht und Entwertung des früheren Idols. Sobald die bewunderte Person verschwindet oder aus irgendeinem Grunde »entthront« wird, wird sie sofort fallengelassen. Kurz gesagt: zu diesen bewunderten Personen besteht gar keine wirkliche Objektbeziehung, sondern sie werden einfach nur narzißtisch benutzt. Wenn narzißtische Persönlichkeiten selber objektiv bedeutende Positionen – etwa leitende Stellungen in politischen Institutionen oder in irgendeiner sozialen Gruppe – innehaben, so umgeben sie sich gern mit Bewunderern, an denen sie so lange interessiert bleiben, als die Bewunderung noch frisch ist. Sobald die benötigte Bewunderung »ausgesogen« und mehr nicht zu erwarten ist, werden die eben noch hofierten Anhänger wieder zu »schattenhaften Existenzen«, die ausgenutzt und rücksichtslos behandelt werden. Versucht aber einer dieser »Sklaven« sich etwa zu befreien, so reagiert der Narzißt aufs äußerste beleidigt. Auch in der analytischen Situation stellen sich immer wieder derartige Verhältnisse her. Ein narzißtischer Patient wird zeitweilig seinen Analytiker idealisieren und davon überzeugt sein, daß dieser der größte Analytiker der Welt sei. Gleichzeitig fühlt er sich insgeheim als der einzige Patient dieses Analytikers; ich habe von mehreren narzißtischen Patienten erfahren, daß sie buchstäblich die Phantasie hatten, der Analytiker sei in den Zeiten, wo der Patient nicht bei ihm ist, verschwunden oder gestorben oder zumindest nicht mehr so »brillant« wie in den Sitzungen mit dem Patienten. Typisch ist auch, daß sie über das Wochenende oder während der Urlaubszeiten ihren Analytiker völlig vergessen und sich keinerlei Trauerreaktionen zugestehen, wie sie sonst bei neurotischen Patienten im Zusammenhang mit Trennungen vom Analytiker doch üblicherweise zu beobachten sind. Kurzum, der idealisierte Analytiker wird vom narzißtischen Patienten nur als Erweiterung der eigenen Person erlebt – oder der Patient erlebt sich als Erweiterung des idealisierten Analytikers; beides kommt im Grunde auf dasselbe hinaus. Diese »Nähe« zum Analytiker, die der Patient so genießt, verführt leicht dazu, solche Patienten für sehr abhängig zu halten. Um so überraschter ist dann mancher Therapeut, wenn ein Patient, der jahrelang glücklich und zufrieden zu seinen Sitzungen kam und ihm unermüdlich Lob und Bewunderung spendete, plötzlich imstande ist, aus geringstem Anlaß, meist nach einer scheinbar unerheblichen Enttäuschung, diese Beziehung ohne weiteres aufzugeben.

Gefühle von innerer Leere und Langeweile, worüber diese Patienten häufig klagen, hängen wesentlich mit ihrer verkümmerten Ichentwicklung zusammen, vor allem mit ihrer Unfähigkeit, Depression zu erleben. Viele Autoren haben bereits darauf hingewiesen, daß die Fähigkeit, Depression zu ertragen – die ja eng verbunden ist mit der Fähigkeit, über den Verlust eines guten Objekts oder auch eines Idealselbstanteils zu trauern –, eine wichtige Voraussetzung für die emotionale Entwicklung und besonders für die Verbreiterung und

Vertiefung des Gefühlslebens darstellt. Hinzu kommt die Entwertung äußerer und innerer Objekte, die bei diesen Patienten mit pathologischem Narzißmus ständig alle Beziehungen ihrer Bedeutung entleert und damit das innere Leeregefühl noch verstärkt. Sie müssen alles entwerten, was sie von anderen bekommen, um nur ja nicht neidisch zu werden. Das ist eben die Tragik dieser Menschen, daß sie so bedürftig sind und so viel von anderen brauchen, aber das, was sie bekommen, gar nicht anerkennen können, weil es sie sonst zu neidisch machen würde; deshalb fühlen wir uns ja immer von ihnen so ausgewrungen und entleert. Ein narzißtischer Patient verliebte sich in eine Frau, die er als sehr schön, begabt und warmherzig, kurzum als völlig befriedigend empfand. Eine kurze Zeitlang war ihm sogar bewußt, wie sehr er sie gerade wegen ihrer Vollkommenheit haßte, aber dann zeigte auch sie sich von ihm angezogen, und sie entschlossen sich zu heiraten. Schon bald danach langweilte er sich, wenn er mit ihr zusammen war, und empfand schließlich nur noch Gleichgültigkeit ihr gegenüber. Im Verlauf seiner Analyse lernte er zu verstehen, daß er auch den Analytiker ähnlich behandelte wie seine Frau: Er mußte alles, was er von ihm bekam, abwerten und geringschätzen, um bloß nicht seinen Haß und Neid hervorkommen zu lassen. Danach entwickkelte er allmählich ein starkes Mißtrauen und Haß auf seine Frau, die seinem Gefühl nach alles besaß, was ihm selbst fehlte, und er fürchtete nun, sie könnte ihn verlassen, dann bliebe er mit noch weniger zurück. Zur gleichen Zeit aber vermochte er zum erstenmal die Anzeichen ihrer Liebe und Zärtlichkeit, die sie für ihn empfand, wahrzunehmen und sich davon anrühren zu lassen. In dem Maße, wie es ihm bewußter wurde, daß er seine Frau und seinen Analytiker immer wieder aggressiv abwertete, und er zunehmend die Fähigkeit entwickelte, seinen Haß zu ertragen, ohne ihn ständig durch Zerstörung dessen, was andere ihm bedeuteten, abwehren zu müssen, wurden allmählich sowohl seine Frau als auch sein Analytiker für ihn zu lebendigen, realen, unabhängig von ihm existierenden Menschen, denen gegenüber er jetzt nicht mehr nur Haß, sondern auch Liebe empfinden konnte.

Die deskriptiven Merkmale narzißtischer Persönlichkeiten gestatten in der Regel bereits deren Abgrenzung gegenüber anderen Formen von Charakterstörungen mit narzißtischen Abwehrhaltungen. Im Grunde haben sämtliche charakterlichen Abwehrhaltungen neben anderen Funktionen immer auch eine narzißtische zu erfüllen, indem sie das Selbstwertgefühl schützen sollen. Darüber hinaus gibt es Patienten mit allen möglichen Formen von Charakterstörungen, die sehr ausgeprägte Charakterabwehrhaltungen speziell zu diesem Zweck, nämlich zum Schutz oder zur Erhöhung ihres Selbstwertgefühls, ausgebildet haben. In solchen Fällen haben wir es also mit einer »narzißtischen Charakterabwehr« bei einer ansonsten im wesentlichen nichtnarzißtischen Persönlichkeitsstruktur zu tun, die deshalb von der narzißtischen Persönlichkeit im engeren Sinne, wie wir sie hier verstehen wollen, abgegrenzt werden muß. So hat zum Beispiel die Sturheit und der trotzige Eigensinn mancher Zwangscharaktere oft eine durchaus narzißtische Note; aber die zwischenmenschlichen Beziehungen zwanghafter Persönlichkeiten weisen doch wesentlich mehr Stabilität und Tiefe auf als die Beziehungen narzißtischer Persönlichkeiten, obschon beide nach außen hin manchmal recht »kühl« erscheinen. Außerdem sind narzißtische Persönlichkeiten in bezug auf ihre Werteinstellungen im allgemeinen bestechlich, sehr im Gegensatz zur starren Moral des Zwangscharakters.

Auch gegenüber hysterischen Charakterstrukturen ist die Differentialdiagnose nicht allzu schwierig. Eine Betonung narzißtischer Charakterzüge in Verbindung mit exhibitionistischen Tendenzen findet sich recht häufig bei hysterischen Persönlichkeiten; deren Bedürfnis, bewundert zu werden und stets im Mittelpunkt der Aufmerksamkeit zu stehen, (meist eine narzißtische Reaktionsbildung gegen den Penisneid) geht jedoch durchaus einher mit einer Fähigkeit zu tiefen und dauerhaften Bindungen an andere Menschen. Frauen mit narzißtischer Charakterstruktur wirken in ihrer herausfordernd-kokettierenden und exhibitionistischen Art auf den ersten Blick manchmal ziemlich »hysterisch«; man erkennt jedoch bald an ihrem verführerischen Verhalten einen kalt-berechnenden Zug, der von der viel gefühlswärmeren, emotional engagierteren Pseudohypersexualität hysterischer Frauen wohl zu unterscheiden ist.

Annie Reich (1953) hat narzißtische Typen von Objektwahl bei

Frauen, wie Freud sie in seiner klassischen Arbeit *Zur Einführung des Narzißmus* (1914) beschrieben hatte, noch eingehender analytisch untersucht und dabei zwei unterschiedliche Typen narzißtischer Objektwahl bei Frauen gefunden, die im großen ganzen unserer Unterscheidung zwischen narzißtischen Charakterabwehrformen bei hysterischen Frauen und andererseits bei narzißtischen Persönlichkeiten im engeren Sinne entsprechen. Beim ersten Typus handelt es sich nach Annie Reich um Frauen, die eine extreme Unterwürfigkeit, ja Hörigkeit Männern gegenüber entwickeln, die ihr eigenes infantiles grandioses Ich-Ideal repräsentieren; sie scheinen mit solchen idealisierten Männern verschmelzen zu wollen, um auf diese Weise ihr defektes Selbsterleben als kastrierte Wesen zu überwinden. Dabei sind sie aber durchaus fähig, sinnvolle Objektbeziehungen zu Männern einzugehen; ihre Idealisierung des Partners und ihre Verschmelzungswünsche beruhen immer noch auf einer einigermaßen realistischen und unterscheidungsfähigen Wahrnehmung der Objekte. Der zweite Frauentypus, den A. Reich beschreibt, entspricht der sogenannten »Als-ob«-Persönlichkeit; solche Frauen haben wechselnde Männerbeziehungen von der Art flüchtiger Pseudoverliebtheiten, die als Ausdruck einer primitiveren narzißtischen Verschmelzung mit rasch wieder entwerteten und kaum differenziert wahrgenommenen Objekten anzusehen sind. Diese zuletzt erwähnte Form von Objektwahl ist nach A. Reich ein Indiz für eine schwerere Störung und mangelhafte Differenzierung des Ich-Ideals in Verbindung mit einem ungenügend entwickelten Über-Ich und einem »Übergewicht von Aggression gegenüber den Objekten, auf denen das Ich-Ideal beruht« (A. Reich 1953).

In diagnostischer und prognostischer Hinsicht ist es außerordentlich wichtig darauf zu achten, in welcher Richtung sich die Übertragung im Anschluß an Deutungen narzißtischer Übertragungswiderstände weiter entwickelt. Mit Hilfe einer sorgfältigen Diagnostik unter Einschluß struktureller Erwägungen sollte die Differentialdiagnose zwischen narzißtischen Persönlichkeiten und anderen Charakterstrukturen mit narzißtischen Zügen im allgemeinen schon zu entscheiden sein. In Fällen wo die Diagnose der Charakterstruktur zunächst noch zweifelhaft bleibt, läßt sie sich in der Regel an Hand der Reaktion der Patienten auf konsequente Deutungen ihrer narzißtischen Übertragungswiderstände klären. So besteht zum Beispiel bei Zwangsneurotikern zu Beginn der Analyse oft eine massive narzißtische Abwehrhaltung gegen ödipale Ängste oder gegen sadomasochistische Tendenzen; auch hysterische Frauen entwickeln mitunter eine starke narzißtische Abwehr gegen die ödipale Übertragungsbeziehung zum Analytiker und besonders gegen ihren Penisneid. In diesen Fällen fördert die analytische Bearbeitung der narzißtischen Charakterabwehr relativ rasch die darunterliegenden Übertragungsdispositionen zutage, wohingegen bei Patienten mit narzißtischer Persönlichkeit die narzißtische Abwehrhaltung auf solche Deutungen hin nicht verschwindet und anderen Übertragungskonstellationen Platz macht, sondern starr bestehen bleibt und Züge primitiver oral-aggressiver Triebabkömmlinge und entsprechend primitiver Abwehrmechanismen erkennen läßt. Die Übertragungsformen alternieren hier zwischen narzißtischer Großartigkeit und Unnahbarkeit einerseits und primitiven, vorwiegend paranoiden Tendenzen andererseits. Eine über Monate und Jahre analytischer Arbeit hinaus fortbestehende Unfähigkeit, den Analytiker als eigenständiges Objekt wahrzunehmen, ist charakteristisch für narzißtische Persönlichkeiten, wohingegen die Übertragungsentwicklung bei anderen, nicht-narzißtischen Formen von Charakterstörungen eine Abfolge von hochspezifischen Konflikten unterschiedlicher psychosexueller Entwicklungsstufen konstelliert, wobei diese Patienten den Analytiker immer sehr differenziert als unabhängig existierendes Objekt wahrnehmen.

Vom strukturellen Gesichtspunkt her liegt die Hauptdifferenz zwischen narzißtischen Persönlichkeiten und anderen Typen von Charakterstörungen in der unterschiedlichen Struktur und Funktion des Ich-Ideals. Normalerweise entsteht das Ich-Ideal (Jacobson 1964) zunächst als Niederschlag idealisierter Elternimagines und idealisierter Selbstimagines und wird dann im weiteren Verlaufe der Entwicklung modifiziert durch Einschluß und Integration realistischer wahrgenommener Forderungen der Eltern, sadistischer Überichvorläufer und reiferer verbietender Überichanteile. Ein derart »gemäßigtes«, weniger grandioses und dafür erreichbareres Ich-Ideal ist normalerweise eine Quelle narzißtischer Befriedigung, insofern man sich mit den verinnerlichten idealisierten Elternimagines im Einklang fühlt, und diese narzißtische Gratifikation stärkt wiederum das Selbstwertgefühl, die Zuversicht, selber im Grunde gut zu sein, und das Vertrauen auf befriedigende Objektbeziehungen. Bei den nicht-narzißtischen Typen von Charakterstörungen beruht die Entwicklung narzißtischer Charakterhaltungen auf einer Hypertrophie des frühkindlichen Ich-Ideals zur Abwehr von Angst und Schuldgefühlen auf Grund von Konflikten verschiedenster Art. So erweist sich zum Beispiel das Streben vieler hysterischer Patientinnen nach einem phantasierten Ideal von Schönheit und Macht als ein Schutz vor Minderwertigkeitsgefühlen, die ihrerseits in Penisneid und Kastrationsängsten wurzeln. Einem Zwangscharakter kann die Orientierung an primitiven Vollkommenheits- und Sauberkeitsidealen einen höchst wirksamen Schutz vor anal-sadistischen Konflikten und Schuldgefühlen bieten. In allen derartigen Fällen ist aber die Hypertrophie des infantilen Ich-Ideals bzw. die Fixierung an solch ein Ideal nicht mit einer primitiven Verschmelzung des Selbstkonzepts mit dem Ich-Ideal und ebensowenig mit einer Entwertung äußerer Objekte und ihrer inneren Repräsentanzen verbunden. Eben diese Prozesse – Verschmelzung des Selbstkonzepts mit dem Ich-Ideal, Entwertung äußerer und innerer Objekte – findet man aber typischerweise bei narzißtischen Persönlichkeiten, wo ihre Funktion darin besteht, das Selbst vor primitiven oralen Konflikten und Frustrationen zu schützen. Hier haben wir es nicht mehr mit Fixierungen auf der Stufe des normalen infantilen Narzißmus zu tun, die in jedem Falle auch pathologisch sind, sondern mit einer gravierenderen Störung: einer pathologischen Deformierung sämtlicher verinnerlichten Objektbeziehungen.

Die folgenden beiden Fallbeispiele veranschaulichen das Vorkommen narzißtischer Charakterabwehrformen bei nicht-narzißtischen Persönlichkeiten. Bei der ersten Patientin handelt es sich um eine Frau mit hysterischem Charakter, die entgegen ihrer bewußten Einstellung, in der sie ihren Körper und ihr Genitale als häßlich und ekelhaft empfand, zugleich – unbewußt und tief verdrängt – an der Überzeugung festhielt, den Körper einer einzigartigen, hinreißend schönen Frau zu besitzen, der kein Mann seine Bewunderung versagen könne. Auf dieser tieferen, unbewußten Ebene war sie in ihrer Phantasie die begehrenswerteste Frau der Welt, eine »Mutter-Königin-Göttin« mit einer vollkommenen Liebesbeziehung zu einem idealen, großartigen »Vater-Ehegemahl-Sohn«. In der Übertragung wollte sie ihre Liebe dem Analytiker/Vater um den Preis geben, daß er dafür ihr Idealbild, das sie von sich hatte, bestätigen, sie also grenzenlos bewundern und niemals ihre Ganzheit und Vollkommenheit in Frage stellen sollte. Die Patientin empfand die Deutungen des Analytikers als Bedrohung dieses idealen Selbstbildes, als schweren

Angriff auf ihr Selbstwertgefühl und als vernichtende Kritik, die ein erhebliche Depression bei ihr auslöste. Als der Analytiker sie auf ihr überhebliche und geringschätzige Einstellung ihm gegenüber an sprach, die ihre narzißtischen Größenphantasien erkennen ließ, wur de sie wütend und depressiv und erlebte den Analytiker jetzt als ein narzißtische und egozentrische grandiose Vaterfigur. Diese Reaktion war zum Teil identisch mit der Weise, wie sie tatsächlich als Kind au dem Höhepunkt der ödipalen Phase ihren Vater erlebt hatte. Sie wa tief enttäuscht über die (von ihr so empfundenen) »Angriffe« de Analytikers/Vaters und fühlte sich nun ganz verloren, vom ideali sierten Vater abgelehnt und anderen idealisierten Frauen/Mütter in der Rivalität um den Vater hoffnungslos unterlegen. Die Patientin entwickelte also jetzt eine blühende ödipale Übertragung, die abe erst zutage trat, nachdem ihre narzißtische Charakterabwehr analy siert worden war, die ihrerseits im Penisneid gründete. Zu keine Zeit kam es bei dieser Patientin zu einer völligen Entwertung de Übertragungsobjekts oder zu einem Pendeln zwischen primitiven paranoiden Übertragungsentstellungen oraler Herkunft und narziß tischem Rückzug in eine primitivere Selbstidealisierung. Und eben deshalb, weil solche Elemente bei ihr fehlten, war auch der Schluß erlaubt, daß ihre narzißtischen Übertragungswiderstände nicht als Ausdruck einer narzißtischen Persönlichkeitsstruktur im engeren Sinne zu gelten hatten.

Das zweite Beispiel einer narzißtischen Charakterabwehr betrifft einen männlichen Patienten mit einem Zwangscharakter. Er behan delte den Analytiker lange Zeit recht geringschätzig, schwelgte in eigenen Deutungen seiner Einfälle und betrachtete den Analytiker lediglich als eine Figur im Hintergrund, deren Funktion im wesentli chen darin bestehen sollte, diese großartigen Deutungen und Einsich ten zu bewundern und zu applaudieren. Als diese Abwehrhaltung jedoch systematisch untersucht und der Patient damit immer wieder konfrontiert wurde, trat eine neue, tieferliegende Übertragungskon stellation in den Vordergrund: Der Patient erlebte jetzt den Analy tiker als eine kalte, gleichgültige, lieblose Mutterfigur und empfand eine tiefe Traurigkeit und Einsamkeit, in der seine Sehnsucht nach der frühen idealisierten Mutter zum Ausdruck kam. Auch in diesem zwei ten Fallbeispiel tauchten nach dem Zusammenbruch der narzißtischen Charakterabwehr andere Übertragungsmuster auf, in denen der Patient eine differenzierte Objektbeziehung konstellierte, ohne das

Objekt zu entwerten und ohne sich auf ein idealisiertes Selbstbild zu-
ückzuziehen. Zusammengefaßt haben also beide Patienten nach Auf-
ebung ihrer narzißtischen Charakterabwehr neue, differenzierte
Übertragungsbeziehungen ausgebildet, wohingegen die wirklich nar-
ißtischen Patienten den Analytiker nicht als getrenntes, eigenstän-
iges Objekt anerkennen können, sondern ihn unablässig nur als Erweiterung ihres eigenen Selbst erleben, obschon die Regressionstiefe
nnerhalb dieser narzißtischen Übertragungskonstellation Schwankungen zeigt.

4. Zur Behandlungstechnik

Viele erfahrene Kliniker halten narzißtische Persönlichkeiten für
kaum analysefähig, fügen aber gleichzeitig hinzu, für andere Behandlungsverfahren als eine Psychoanalyse seien diese Patienten erst
recht als hoffnungslose Fälle anzusehen. Gegen diese extrem zurück-
haltende Prognose hat Stone (1954) in bezug auf die Analysierbar-
keit solcher Patienten einen etwas optimistischeren Standpunkt
vertreten. E. Ticho (1966) hat angesichts der Probleme und Heraus-
forderungen, die diese Fälle bieten, die narzißtischen Persönlichkeiten
zu den »heroischen Indikationen für eine Psychoanalyse« gezählt.
Nach meiner eigenen Auffassung ist es eine Tatsache, daß bei manchen dieser Patienten im Verlaufe einer psychoanalytischen Behandlung nicht nur eine Besserung, sondern zum Teil geradezu dramatische
Besserungen eintreten, so daß weitere Bemühungen um die Aufklärung der behandlungstechnischen und prognostischen Besonderheiten
dieser Fälle gerechtfertigt erscheinen.
Jones (1913) hat bereits im Jahre 1913 eine Studie über pathologische
narzißtische Charakterzüge veröffentlicht. Bald darauf schrieb dann
Abraham (1919) die erste Arbeit über die Übertragungswiderstände
solcher Patienten, wobei er besonders auf die deletären Auswirkungen der narzißtischen Charakterabwehr auf den psychoanalytischen
Prozeß aufmerksam machte. Er hält es deshalb für erforderlich, diesen Patienten ihre Tendenz, den Analytiker geringschätzig zu behandeln und ihn als Publikum für ihre eigene »analytische« Bestätigung
zu mißbrauchen, konsequent immer wieder zu deuten. Joan Riviere
(1936) beschreibt in ihrem klassischen Aufsatz über die negative therapeutische Reaktion Patienten, die den analytischen Prozeß schei-

tern lassen müssen, weil sie keine Besserung ihres Zustandes ertragen, denn eine Besserung zuzugeben hieße ja: anerkennen müssen, daß man von jemand anderem Hilfe bekommen hat. J. Riviere zufolge können diese Patienten nichts Gutes vom Analytiker annehmen, weil sie wegen ihrer tiefen Aggression unerträgliche Schuldgefühle haben. Rosenfeld (1964) betont ebenfalls die zentrale Bedeutung dieser Unfähigkeit, Abhängigkeit zu ertragen, bei Patienten mit narzißtischer Persönlichkeitsstruktur. Und Kohut (1968) hat an Hand eines Fallbeispiels dargestellt, wie ein Patient mit narzißtischer Persönlichkeitsstruktur es nicht ertragen konnte, den Analytiker als andere, von ihm verschiedene, eigenständige Person wahrzunehmen. In allen zitierten Arbeiten werden die schweren Übertragungswiderstände narzißtischer Patienten hervorgehoben.

Ich möchte dieses Problem des Übertragungswiderstandes an einem Fallbeispiel verdeutlichen. Ein Patient mit narzißtischem Charakter verbrachte über Monate hin eine Sitzung nach der anderen damit, daß er mir immer wieder darstellte, wie monoton und langweilig die Analyse für ihn geworden sei, in seinen Assoziationen fielen ihm immer wieder dieselben Dinge ein und die Behandlung sei definitiv ein hoffnungsloses Unterfangen. Gleichzeitig war aber zu vernehmen, daß es ihm in seinem Leben außerhalb der Analysestunden relativ gut ging und seine Insuffizienz- und Unsicherheitsgefühle etwas nachgelassen hatten; nur konnte er überhaupt nicht verstehen, warum es ihm besser ging. Ich machte ihn darauf aufmerksam, daß in seiner Beschreibung der Analyse ja auch ein bestimmtes Bild meiner Funktion als Analytiker enthalten sei, nämlich indem ich hier als jemand erschien, der ihn mit einer nutzlosen und idiotischen Behandlung traktiert. Der Patient wollte das zunächst nicht wahrhaben und betonte, es liege einzig und allein an ihm, nicht an mir, daß die Analyse in seinem Fall nichts nütze. Ich erinnerte ihn nun daran, daß er zu Anfang seiner Analyse doch meine anderen Patienten, die schon so viel mehr von mir bekommen hatten als er, enorm beneidet hatte; es wäre doch verwunderlich, wenn er jetzt plötzlich gar keinen Neid mehr auf die anderen Patienten empfände, zumal er gerade gemeint habe, es liege nur an ihm selbst, wenn er von der Analyse nicht profitieren könne. Ich machte ihn auch darauf aufmerksam, daß sein früherer starker Neid auf mich mittlerweile völlig verschwunden war und daß die Gründe hierfür eigentlich auch noch nicht klar seien. An dieser Stelle wurde dem Patienten plötzlich bewußt, daß er im Grunle davon überzeugt war, das »Scheitern« seiner Analyse liege ausschließlich an meinem Versagen. Er wunderte sich nur, warum er dann eigentlich immer noch – und zwar gern – zur Behandlung herkam, wenn er mich doch für derart untauglich hielt. Ich wies ihn darauf hin, daß es für ihn doch eine große Genugtuung bedeuten müsse, mich als Versager und sich dagegen als erfolgreichen Menschen zu erleben; früher sei es ihm ja gerade umgekehrt erschienen. Daraufhin wurde er plötzlich sehr ängstlich und äußerte Befürchtungen wie: ich könnte ihn hassen und mich an ihm rächen wollen. Es tauchten jetzt Phantasien auf, in denen er sich vorstellte, ich würde seinen Vorgesetzten und der Polizei bestimmte Vorkommnisse anzeigen, deren er sich sehr schämte. Ich wies ihn nun darauf hin, daß ja gerade diese Angst vor feindlichen Machenschaften und Angriffen meinerseits ihn daran hinderte, sich in der Analyse wirklich mit sich selbst auseinanderzusetzen; statt dessen beruhigte er sich mit dem Gedanken, er sei ja in Wirklichkeit gar kein Patient, denn hier in den Sitzungen geschehe ja nichts. Daraufhin äußerte der Patient Bewunderung mir gegenüber, weil ich mich von seinen dauernden Klagen, die Analyse tauge nichts, sie sei gescheitert etc., nicht hätte irre machen und entmutigen lassen. Im nächsten Moment jedoch schlug sein Gefühl um; er meinte jetzt, ich sei doch sehr clever und wisse offenbar gut Bescheid, wie man »mit diesen typischen Analytikertricks die Patienten immer wieder unterkriegt«. Dann fiel ihm aber ein, daß er selbst eine ganz ähnliche Technik anzuwenden pflegte, wenn jemand ihn »von oben herab« zu behandeln versuchte. Ich machte ihn an Hand des eben Geschehenen auf einen typischen Ablauf aufmerksam: Sobald er eine »gute« und von ihm als hilfreich erlebte Deutung bekam, empfand er sofort wegen seiner Angriffe auf mich starke Schuldgefühle sowie auch Neid auf dieses »Gute« an mir. Er mußte deshalb meine Deutungen »stehlen«, sie anderen gegenüber als Eigenes ausgeben und mich damit abwerten, denn auf diese Weise brauchte er ja nicht anzuerkennen, daß an mir wohl doch noch etwas Gutes geblieben war, und brauchte er mir auch nicht dankbar zu sein. Auf diese Deutung hin wurde der Patient einen Moment lang ziemlich ängstlich und anschließend für den Rest der Stunde völlig »gedankenleer«. Als er zur nächsten Sitzung kam, hatte er gegen die emotionale Bedeutung dessen, was in der vorangegangenen Stunde geschehen war, längst wieder eine blande Verleugnung aufgebaut, und so begann der ganze Zyklus wieder von neuem mit ständig wiederholten Bekundungen seiner Langeweile und Klagen über die Unwirksamkeit der Analyse.

Es ist manchmal kaum vorstellbar, wie häufig und wie stereotyp derartige Interaktionen ablaufen, die sich manchmal über zwei, drei Jahre der Analyse hin ständig wiederholen; man ermißt an diesem Widerstand gegen die Behandlung das enorme Bedürfnis narzißtischer Patienten, jede Abhängigkeit von anderen zu verleugnen. Von daher leuchtet wohl ein, daß eine konsequente Bearbeitung der negativen Übertragung bei diesen Patienten womöglich noch entscheidender ist als bei anderen Analyse-Patienten. Denn narzißtische Persönlichkeiten versuchen immer wieder den analytischen Prozeß zu entwerten, die Realität ihres eigenen emotionalen Erlebens zu verleugnen und die Phantasie aufrechtzuerhalten, der Analytiker sei eigentlich keine selbständige, unabhängig von ihnen existierende Person. In einem neueren Film von Ingmar Bergman, *Persona*, wird Schritt für Schritt der Zusammenbruch einer zwar unreifen, aber von Grund auf moralisch integren jungen Frau gezeigt, die als Krankenschwester mit der Pflege einer psychisch schwer kranken Frau betraut ist, bei der es sich nach unserem Verständnis um eine typische narzißtische Persönlichkeit handelt. Die Krankenschwester wird von ihr derart gefühlsmäßig kalt und skrupellos ausgenutzt, daß sie dieser Patientin allmählich nicht mehr gewachsen ist. Sie vermag nicht zu begreifen, daß die andere, die kranke Frau, ihr für ihre Liebe immer nur Haß zurückgibt und völlig unfähig ist, irgendein liebevolles oder überhaupt ein menschliches Gefühl, das ihr von anderen entgegengebracht wird, anzuerkennen. Es scheint sogar, als könnte die Kranke überhaupt nur leben, indem sie das, was in anderen Menschen wertvoll ist, zerstört, obwohl sie dabei letztlich auch sich selbst als menschliches Wesen zerstört. Es kommt zu einer dramatischen Zuspitzung, indem bei der Pflegerin ein immer stärkerer Haß auf die Kranke entsteht, so daß sie sie einmal sogar recht grausam behandelt. In diesem Moment hat es den Anschein, als sei der ganze Haß der Kranken auf die Pflegerin übergegangen, die dadurch als helfende Person gleichsam von innen her zerstört wird.

Dieser Film gibt in einer aufs Wesentliche konzentrierten Form die typischen Übertragungs-Gegenübertragungs-Situationen wieder, wie sie sich auch in Behandlungen schwer narzißtisch gestörter Patienten zu entwickeln pflegen. Alle Bemühungen dieser Patienten scheinen nur darauf ausgerichtet zu sein, den Analytiker scheitern zu lassen, die Analyse zu einem belanglosen Spiel zu machen und was immer sie an ihrem Analytiker als gut und wertvoll erleben, systematisch zu zerstören. Wenn man monate- und jahrelang von solch einem Patienten immer nur als dessen »Anhängsel« behandelt wird (was oft auf derart subtile Weise geschieht, daß man es unter Umständen eine ganze Zeitlang gar nicht merkt), so kann es schon passieren, daß man sich allmählich wirklich »wertlos« fühlt, zumindest was die analytische Arbeit mit diesem Patienten anbelangt. Alle Bemerkungen und Interventionen des Therapeuten scheinen sich in Sinnlosigkeit zu verflüchtigen, und jegliche Sympathie, die er für den Patienten empfunden haben mochte, wird von diesem systematisch zerstört. Im Verlaufe einer über längere Zeit erfolglosen Behandlung kann beim Analytiker schließlich eine defensive Entwertung des Patienten einsetzen, die diesen wiederum in seinem Verdacht bestärkt, daß auch der Analytiker letztlich nicht anders sei als andere bedrohliche Objekte, von denen er sich schon früher zurückgezogen hat; manchmal gibt auch irgendeine geringfügige Frustration den Anlaß dafür, daß der Patient sich plötzlich darüber klar wird, daß er den Analytiker nicht mehr unter seiner Kontrolle hat. In so einem Moment kann es leicht zum Abbruch der Behandlung kommen; damit flieht der Patient vor seinem gehaßten und enttäuschenden Übertragungsobjekt und reduziert es wieder zu einer »schattenhaften« Existenz; dementsprechend stellt auch der Analytiker nach so einem Behandlungsabbruch in seiner Gegenübertragung oft nur ein Gefühl der »Leere« fest, so als hätte der Patient für ihn niemals wirklich existiert.

Aus all dem ergeben sich verschiedene behandlungstechnische Konsequenzen. So muß der Analytiker vor allem ständig sein Augenmerk auf die besondere Qualität der Übertragung richten und immer wieder konsequent allen Bemühungen des Patienten entgegentreten, die darauf abzielen, ihn omnipotent zu beherrschen, zu kontrollieren und zu entwerten. Weiterhin gilt es auch die langfristige Entwicklung der Gegenübertragung sorgfältig zu beachten. Der Analytiker soll seine Gegenübertragung in den analytischen Prozeß mit einbringen – nicht in der Weise, daß er dem Patienten seine Gefühle mitteilt, sondern indem er systematisch seine Gegenübertragung benutzt, um daran die verborgenen Intentionen im Verhalten des Patienten zu erkennen. Um ein Beispiel zu geben: Wenn ein Patient über längere Zeit hin sämtliche Deutungen ablehnt, so wird der Analytiker bald spüren, wie er darauf mit Impotenzgefühlen reagiert; nun kann er dem Pa-

tienten zeigen, daß dieser ihn so behandelt, als wolle er damit errei
chen, daß der Analytiker sich als gescheitert und als Versager fühlt
Oder wenn ein Patient antisoziale Verhaltensweisen zeigt und de
Analytiker sich wegen der eventuellen Folgen dieses Verhaltens meh
Sorgen macht als der Patient selbst, so wird man ihn darauf hinwei
sen, daß er wohl seinen Analytiker besorgt machen möchte, weil e
selbst solche Gefühle nicht ertragen kann. Da diese Patienten ihre
Analytiker als Erweiterung ihrer selbst oder umgekehrt: sich selbst al
einen Teil des Analytikers behandeln, spiegelt sich im Gefühlserlebe
des Analytikers hier noch deutlicher als bei anders gelagerten Fäller
das wider, womit der Patient selbst sich innerlich auseinandersetzt
insofern ist die systematische Nutzung der Gegenübertragungsreak
tionen bei der Behandlung narzißtischer Persönlichkeiten besonders
aufschlußreich.

Ein besonders schwierig zu handhabendes technisches Problem ergibt
sich daraus, daß diese Patienten manchmal ganz plötzlich ihre Ge
fühle gewissermaßen »abschalten«. Dies geschieht insbesondere im
Anschluß an Momente, in denen gerade ein gewisses Verständnis er
reicht oder eine deutliche Erleichterung bewirkt worden ist; die Pa
tienten möchten nun lieber die ganze Angelegenheit auf sich beruhen
lassen und das Thema wechseln, als dem Analytiker für seine Hilfe
dankbar sein zu müssen oder die Motivation für ein tieferes Verste
hen des betreffenden Problems aufzubringen. Die schon erwähnte
Tendenz zur Entwertung des Analytikers spielt hier ebenso eine Rolle
wie der Versuch, den Analytiker heimlich seiner Deutungen zu be
rauben; man muß deshalb auf dieses Phänomen – daß ein Thema,
das noch wenige Minuten zuvor oder noch in der vorigen Sitzung als
wichtiges Problem erschienen war, plötzlich »verschwunden« ist –
sehr genau achten.

Ein letztes Wort zur Behandlungstechnik: Es empfiehlt sich, nicht zu
viele solcher Patienten gleichzeitig zu behandeln, da sie enorm an
spruchsvoll und belastend sind. Man sollte sich auch immer darüber
im klaren sein, daß gerade bei dieser Kategorie von Patienten die
längsten Analysen notwendig sind, wenn die in der Übertragung mo
bilisierte pathologische Charakterstruktur durchbrochen werden soll.

In der Vergangenheit waren viele Therapeuten der Meinung, diese
Patienten entwickelten überhaupt keine Übertragung, sondern be
wahrten dem Analytiker gegenüber durchwegs ein »narzißtisches
Desinteresse«, das jede analytische Arbeit verhindere. In Wirklichkeit

entwickelt sich aber bei diesen Patienten eine sehr intensive Übertragung von der Art, wie ich sie oben bereits beschrieben habe; was hier oberflächlich besehen als Distanziertheit und Desinteresse erscheint, erweist sich bei eingehenderer Analyse als ein aktiver Prozeß ständiger Entwertung und Zerstörung der Beziehung. Gelingt es, diesen Übertragungswiderstand zu überwinden, so treten typischerweise starke paranoide Tendenzen, Mißtrauen, Haß und Neid in den Vordergrund. Erst nach vielen Monaten, oft sogar erst nach jahrelanger Behandlung, tauchen Schuldgefühle und echte Depression auf; der Patient wird sich allmählich seiner Aggression gegen den Analytiker bewußt und kann sich deswegen schuldig fühlen; er entwickelt Rücksichtnahme und menschliches Mitgefühl gegenüber dem Analytiker als eigenständiger Person, und gleichzeitig nimmt seine Toleranz gegenüber Schuldgefühlen und Depression allgemein zu. Dies ist bei der Behandlung derartiger Patienten ein ganz entscheidender Moment und stellt zugleich einen wichtigen prognostischen Faktor dar. Verfügt ein narzißtischer Patient schon zu Beginn der Behandlung wenigstens über eine gewisse Toleranz für Schuldgefühle und Depression, so wird er mehr von der Behandlung profitieren können als andere, die solche Gefühle bei sich überhaupt nicht zulassen können. Dies leitet aber bereits zum nächsten Punkt über, nämlich zur Frage der Prognose psychoanalytischer Behandlungen bei solchen Patienten.

5. Prognostische Erwägungen

Die Prognose ist bei narzißtischen Persönlichkeiten insgesamt sehr zurückhaltend zu beurteilen. Denn diese Charakterstruktur zeichnet sich durch Rigidität und eine glatte Funktionstüchtigkeit aus, beides Eigenschaften, die einem Fortschritt in der Analyse hinderlich entgegenstehen. Und was den Krankheitsgewinn anbelangt, so bringt die komplette charakterliche »Isolierung«, mit der sie sich vor jeder bedeutungsvollen zwischenmenschlichen Beziehung schützen, Vorteile mit sich, die sie nur schwer aufzugeben bereit sind. Narzißtische Persönlichkeiten vermögen sich innerlich genau so wirksam aus allen Beziehungen herauszuhalten wie schizoide Charaktere. Und dennoch hat man von ihnen zumeist den Eindruck, daß sie mitten im Leben stehen und es mit Geschick fertig bringen, sich narzißtische Bestätigungen zu verschaffen und zugleich auf subtile Weise vor den schmerzlichen Erfahrungen, wie tiefere Gefühlsbeziehungen sie mit sich bringen, zu schützen.

Wie schon im 3. Kapitel erwähnt, ähneln narzißtische Persönlichkeiten zwar in bezug auf ihre Abwehrorganisation weitgehend den Borderline-Persönlichkeiten, profitieren aber nur wenig von Behandlungsverfahren (im Sinne einer aufdeckenden, analytisch orientierten Psychotherapie), wie sie für letztere entwickelt worden sind; für narzißtische Persönlichkeiten ist eine Analyse die Therapie der Wahl. Manche von ihnen tolerieren nicht nur die analytische Situation ohne übermäßige Regression, sondern erweisen sich als derart resistent gegen alle Versuche, ihre pathologischen Charakterabwehrhaltungen zu lockern, daß selbst eine Analyse ihnen nichts anhaben kann. Bei narzißtischen Persönlichkeiten mit manifesten Borderline-Zügen (zum Beispiel einer entsprechend bunten Symptomatik, schweren »unspezifischen« Anzeichen von Ichschwäche, Regression auf primärprozeßhafte Denkformen) ist eine Analyse kontraindiziert, weil man damit rechnen muß, daß sie die für eine analytische Behandlung erforderliche tiefe Regression und Wiederbelebung sehr früher pathogener Konflikte in der Übertragung nicht aushalten und psychotisch dekompensieren können. Für solche Fälle scheint eine vorwiegend stützende Form von Psychotherapie das beste zu sein. Soweit es sich aber um narzißtische Persönlichkeiten handelt, die für eine Analyse in Frage kommen, haben sich nach meiner Erfahrung folgende prognostische Faktoren im Einzelfall als nützlich erwiesen.

a) Toleranz für Depression und Trauer

Die Prognose ist günstiger bei solchen Patienten, die eine gewisse Fähigkeit zur Depression und Trauer bewahrt haben, zumal wenn ihre depressiven Verstimmungen Ansätze von Schuldgefühlen enthalten. Ein narzißtischer Patient zum Beispiel sprach gleich zu Beginn seiner Behandlung davon, wie sehr er es bereute, daß er eine Beziehung zu einer Frau mit drei kleinen Kindern aufgenommen hatte, die sehr in ihn verliebt war. Auch die Kinder mochten ihn sehr, und so kam es, daß er sich in dieser Atmosphäre von Freundlichkeit und Liebe plötzlich »eingekreist« fühlte und nicht mehr wie in seinen früheren Frauenbeziehungen einfach »abspringen« konnte, sobald er die Frau »erobert« hatte. Der Übertragungsbezug dieser Gefühle wurde erst in einem späteren Behandlungsabschnitt aufgegriffen. Jedenfalls hat dieser Patient im Verlaufe einer mehrjährigen Analyse eine erhebliche Besserung erreicht.

An Hand zweier Episoden aus der Behandlung dieses Patienten läßt sich seine allmählich zunehmende Toleranz für Schuldgefühle und Depression gut belegen. Nachdem das erste Jahr der Analyse vorüber war und der ausbeuterische Charakter seiner Beziehungen zu Frauen ihm bewußt geworden war, heiratete der Patient ziemlich impulsiv die schon erwähnte Frau und unterbrach für mehrere Monate die Analyse; er erklärte dies später damit, daß er gefürchtet habe, der Analytiker könne ihn womöglich in seinem Entschluß zu heiraten verunsichern. Seine Heirat zu diesem Zeitpunkt war sowohl als Abwehr gegen seine zunehmenden Schuldgefühle als auch als ein Ausagieren dieser Schuldgefühle zu verstehen. Zwei Jahre später untersuchten wir in der Analyse eine Episode, die in gleicher Form schon öfter vorgefallen war. Der Patient kam auf Grund seiner Berufstätigkeit häufig in andere Städte, wo er dann kurze Verhältnisse mit Frauen einging, die er aber von dem Moment an, da er die Stadt wieder verließ, sofort und vollständig wieder vergaß. Nachdem er nun bereits zwei Jahre in Analyse war, mußte er eines Tages wieder in eine bestimmte Stadt fahren, wo eine junge Frau wohnte, mit der er viele Jahre lang befreundet gewesen war; diesmal aber entschloß er sich, sie nicht zu besuchen. Sie hielt es immer noch für möglich, daß er sie doch irgendwann heiraten würde; seine Besuche schienen sie immer wieder glücklich zu machen, und er hatte den Eindruck, sie würde sich an keinen anderen Mann binden können, solange er in ihrem Leben noch eine Rolle spielte. In der Analyse war der Ausnutzungscharakter seiner Beziehung zu ihr zur Sprache gekommen, und wir waren auch schon darauf gestoßen, daß er Schuldgefühle dieser Frau gegenüber empfand, die er aber stark abwehrte. Nachdem er nun in seinem Hotel in dieser Stadt angekommen war, überfiel ihn plötzlich ein äußerst schmerzliches Gefühl, als er sich vorstellte, wie enttäuscht sie wohl sein würde, wenn er sie nach einem kurzen Besuch doch wieder verließe. Gleichzeitig spürte er ein intensives sexuelles Verlangen, das ihn drängte, sie doch wieder zu besuchen. Mehrere Stunden lang kämpfte er mit sich, bis schließlich sein Gefühl von Schmerz und Trauer – um sich selbst wie auch um die Frau – überhandnahm und er von einem Weinkrampf geschüttelt wurde. Ihm war klargeworden, daß er mit einem Wiedersehen nur wieder falsche Hoffnungen in ihr wecken würde, womit er sowohl ihr wie auch dem besseren Teil seiner selbst nur geschadet hätte. Er wußte auch, daß sein sexuelles Verlangen dem Wunsch entsprang, seine Schuldgefühle ihr gegenüber zu verringern, indem er sie sexuell befriedigte, daß er aber damit dem ganzen Problem nur wieder ausgewichen wäre. Als er sich nun entschlossen hatte, sie doch nicht wiederzusehen, fühlte er stärker als zuvor seine Liebe und Dankbarkeit dieser Frau gegenüber, vermischt mit Wehmut und Trauer über den Verlust eines guten Objekts, da er einsah, daß es nun endgültig zu spät war, noch einmal ein neues Leben mit ihr anzufangen. Ich möchte betonen, daß ich zu keiner Zeit den Patienten daran zu hindern versucht habe, seine Freundin wiederzusehen; sein Entschluß, sie nicht wieder zu besuchen, war also nicht als Unterwerfung unter meinen Willen zu verstehen. Nach diesem Erlebnis wurde der Patient viel toleranter gegenüber anderen Menschen, die auf Grund starker Gefühlskonflikte handlungsunfähig waren; solche Menschen hatte er früher immer verachtet.

b) Sekundärer Krankheitsgewinn aus der analytischen Behandlung

Leider gibt es bestimmte soziale und berufliche Voraussetzungen, unter denen es manchen Analysanden gelingt, gerade aus dem »Erlernen« der analytischen Methode einen beträchtlichen sekundären Krankheitsgewinn zu ziehen. In derartigen »Ausbildungs«-Analysen besteht immer die Gefahr, daß besonders *ein* Abwehrvorgang enorm gefördert wird, nämlich der, daß der Analysand seinem Analytiker das Gute, was dieser zu geben vermag, »raubt«, um seinen Neid abzuwehren und seine Abhängigkeit von ihm nicht anerkennen zu müssen. So war zum Beispiel ein Geistlicher, dem wegen seines promiskuösen Sexualverhaltens eine analytische Behandlung empfohlen worden war, sehr glücklich über die Aussicht auf eine Analyse, weil er sich davon Vorteile in seinem Beruf versprach, wo er Ausbildungsaufgaben zu versehen hatte. Gerade diese Vorteile erwiesen sich aber als unbehebbarer Widerstand, denn die Gratifikationen, die er aus dem »Erlernen« der Analyse bezog, verdeckten höchst wirksam seine versteckte Entwertung des Analytikers und seine Unfähigkeit, sich selbst als Patient zu akzeptieren. Es ist daher zu fordern, daß Bewerber für eine psychoanalytische Ausbildung keine narzißtische Persönlichkeitsstruktur aufweisen sollten (Sachs 1947); aber manchmal gelingt es eben doch einem solchen Bewerber, zur Ausbildung zugelassen zu werden, zumal gerade intellektuell begabte narzißtische Persönlichkeiten oft durch eine Aura von Originalität und geistiger Aufgeschlossenheit einen bestechenden Eindruck machen (Tartakoff 1966). Solche Kandidaten halten trotz der Gefühlsleere, die sich in ihrer Analyse entwickelt, an ihr fest und bringen es manchmal sogar fertig, ihre Ausbildung abzuschließen, ohne daß sich an ihren narzißtischen Charakterzügen auch nur das Geringste geändert hätte. Die hoffnungsvolle Aussicht darauf, eines Tages selber Psychoanalytiker zu werden, genügt ihnen bereits als Kompensation und Abwehr gegen den tiefen Neid und Haß auf den »gebenden« Analytiker, während ihre Unfähigkeit, eine wirkliche Abhängigkeitsbeziehung zum Analytiker einzugehen und eine echte Übertragungsneurose auf der Ebene ihrer oral-aggressiven Konflikte zu entwickeln, oft unbemerkt bleibt. Es fällt jedoch auf, daß solche Kandidaten mit narzißtischer Persönlichkeitsstruktur – falls sie überhaupt ihre Ausbildung zu Ende bringen – früher oder später meist doch davon ablassen, analytische Behandlungen durchzuführen, da die Psychoanalyse ihnen auf Grund ihres mangelnden emotionalen Engagements und Interesses an Patienten auf die Dauer zu langweilig wird.

c) Übertragungspotential für Schuldgefühle und Übertragungspotential für paranoide Wut

Joan Riviere (1936) hat betont, daß diese Patienten wegen ihrer tief abgewehrten und doch stets gegenwärtigen unbewußten Schuldgefühle nicht imstande seien, eine Abhängigkeitsbeziehung zum Analytiker auszuhalten. Rosenfeld (1964) dagegen sieht die Grundlage dieser Intoleranz gegenüber Abhängigkeit vor allem in latenten paranoiden Tendenzen und einer stark oral-sadistischen Übertragung. Nach meiner Erfahrung sind beide Übertragungsdispositionen bei narzißtischen Patienten zu beobachten. Sobald es gelungen ist, die typischen narzißtischen Übertragungswiderstände – vor allem die magische narzißtische Verschmelzung mit dem Analytiker, dessen Entwertung als eigenständige Person und den damit verbundenen Kampf gegen jede reale Abhängigkeit vom Analytiker – abzubauen, entwickeln manche Patienten in der Übertragung starke paranoide Tendenzen, wohingegen andere offenbar imstande sind, zumindest ein gewisses

Maß an Schuldgefühlen und Bedauern über das, was sie mit dem Analytiker machen, zu empfinden. Selbst wenn ihre Vorgeschichte keinerlei Anhaltspunkte für bewußte Schuldgefühle ergeben hat, gilt doch für diese zweite Gruppe (die dem von Riviere beschriebenen Typus in etwa entspricht) eine günstigere Prognose als für die erste Gruppe narzißtischer Patienten, die eine rein paranoide Übertragung ausbilden.

d) Die Qualität des Sublimierungspotentials

Patienten, die in einem bestimmten Lebensbereich irgendeine wirklich kreative Entwicklung aufweisen können, haben eine bessere Prognose als diejenigen, denen solche Fähigkeiten ganz abgehen. Gewiß ist dieser Faktor mitunter schwer zu beurteilen, aber eine sorgfältige Beachtung der Interessen und Zielsetzungen unserer Patienten liefert uns diesbezüglich schon eine Menge von Anhaltspunkten. So hatte zum Beispiel ein Patient immer wieder lebhafte Phantasien und Pläne, sich eine Antiquitätensammlung zuzulegen, und war überaus neidisch auf alle, die alte Keramik oder sonstige Kunstgegenstände besaßen. Dabei war er überhaupt nicht in der Lage, zwischen Wertvollem und drittklassigen Imitationen zu unterscheiden, und konnte oder wollte sich auch gar nicht auf irgendeine sinnvolle Weise über die Kriterien für Qualität informieren. Im Grunde wollte er nur sein Haus in gleicher Weise ausstatten wie andere Leute, die Antiquitäten sammelten und die er darum beneidete. Obwohl das Sammeln von Antiquitäten in seinen Vorstellungen von Wohlstand sein höchstes Ziel ausmachte, handelte es sich dennoch bei ihm um ein oberflächliches Interesse. Ein anderer Patient war an Existenzphilosophie interessiert und sprach sehr viel darüber; erst nach monatelanger Behandlung stellte sich heraus, daß er nur ein paar populärwissenschaftliche Darstellungen dieser philosophischen Richtung gelesen hatte. Ein dritter Patient hatte zwar ein Berufsziel erreicht, das eine Menge an Lektüre und formaler Bildung erforderte, aber er hatte nie etwas anderes als den Examensstoff gelesen und war auch nach bestandenem Examen nicht mehr in der Lage, sich auf irgendeine Weise weiterzubilden. In diesem zuletzt genannten Fall konnte jedoch das Problem seines Neides auf das, was andere wußten und ihm zu bieten vermochten, in der Analyse durchgearbeitet werden, was zur Folge hatte, daß er nun doch lesen und aus dem Gelesenen etwas für sich lernen konnte – und daß er jetzt auch aus seiner eigenen Analyse mehr und besser zu lernen vermochte.

In allen drei Fällen handelte es sich um Patienten mit einem geringen Sublimierungspotential – obwohl sie alle irgendein besonderes Talent oder Interesse aufzuweisen hatten. Ich möchte jetzt noch ein paar Beispiele von Patienten mit höherem Sublimierungspotential und entsprechend günstigerer Prognose anführen. Zu dieser Kategorie gehört zum Beispiel der weiter oben schon erwähnte Patient, der im Anfangsstadium seiner Analyse impulsiv geheiratet hatte, ein Kaufmann mit einem Interesse an Geschichte. Bei ihm hatte man den Eindruck, daß dieses Interesse echt war und ihm eine Quelle wirklicher Befriedigung bedeutete; er hatte sich auch sehr eingehend mit diesem Gebiet befaßt, nur mußte er seine eigenen Errungenschaften immer wieder entwerten, weil er unbewußt fürchtete, jeder offen gezeigte Triumph würde vom Neid der anderen zunichte gemacht werden. Ein anderer Patient war Amateurmusiker; er sprach in der Anfangszeit der Analyse öfter davon, daß er das Gefühl habe, beim Klavierspielen komme das einzig Gute an ihm heraus. Für ihn war die Musik so etwas wie ein idealer, geheimnisvoller Begleiter, und immer wenn er mit einem tiefen Glücksgefühl Musik hörte oder selbst spielte, fand er darin die Bestätigung eines vage empfundenen Vertrauens auf etwas Gutes und Wertvolles in ihm.

e) Art und Ausmaß der Integration des Über-Ichs

Ich erwähnte bereits, daß die Integration des Über-Ichs bei narzißtischen Persönlichkeiten recht dürftig ist und daß diese Instanz in solchen Fällen hauptsächlich Abkömmlinge primitiver, aggressionsgeladener, verzerrter Elternimagines enthält, ohne daß es – wie normalerweise zu erwarten – zu einer Integration aggressiver Überich-Vorläufer mit Idealselbst- und Idealobjektrepräsentanzen und später zur Depersonifikation und Abstraktion des Über-Ichs gekommen wäre. Bei manchen dieser Patienten findet man jedoch in bestimmten Bereichen durchaus auch Anzeichen für eine depersonifizierte und abstrahierte Überichstruktur, so etwa darin, daß sie beispielsweise in Geldangelegenheiten, im Einhalten von Versprechen und Vereinbarungen und überhaupt in ihren emotional nicht allzu belasteten Alltagsbeziehungen zu anderen Menschen ehrlich und zuverlässig sind, oder auch daß sie zwar keine echten Schuldgefühle, aber doch Schamgefühle empfinden, wenn sie im Umgang mit anderen gewisse formelle Konventionen mißachtet haben. Solche Patienten sind prognostisch günstiger einzuschätzen als diejenigen, denen selbst so eine »mindere Moral« noch abgeht. Patienten, die über lange Zeiten hin ihren Analytiker belügen, wie sie es auch mit anderen tun, oder die sonstige antisoziale Verhaltensweisen erkennen lassen, haben eine schlechte Prognose. So versteht es sich auch fast von selbst, daß der antisozialen Persönlichkeitsstruktur als Extremform solch einer mangelnden Überich-Entwicklung die ungünstigste Prognose zuzuordnen ist. Die absolut hoffnungslose Prognose einer analytischen Behandlung antisozialer Persönlichkeiten ist ja an sich nichts Neues, aber was ich hier hervorheben möchte, ist eben das Kontinuum zwischen den narzißtischen und den antisozialen Persönlichkeiten, die ich als Extremform eines pathologischen Narzißmus bei völligem Fehlen eines integrierten Über-Ichs (neben anderen Besonderheiten) ansehe. Im Gegensatz dazu ist für narzißtische Persönlichkeiten mit zwanghaften Zügen eine günstigere Prognose anzunehmen. Bei der diagnostischen Feststellung zwanghafter Charakterzüge ist Vorsicht geboten, da narzißtische Persönlichkeiten leicht fälschlich als Zwangscharaktere eingeschätzt werden; besonders wenn es sich um hochkultivierte Intellektuelle handelt, geschieht es leicht, daß man eine Qualität von Glätte und Kühle in ihren Denkabläufen bei gleichzeitigem Fehlen gemüthafter Reaktionen als zwanghafte Charakterzüge verkennt. Beim echten Zwangscharakter beobachten wir jedoch durchaus starke und tief empfundene Gefühlsreaktionen, sobald bestimmte angstbesetzte Themen berührt werden, in denen sich über Verschiebungsmechanismen ihre emotionalen Konflikte konzentriert haben. So gibt es beispielsweise zwanghafte Persönlichkeiten mit einem starken emotionalen Engagement in bezug auf soziale, kulturelle oder politische Angelegenheiten, und man staunt manchmal, welches Maß an tiefreichendem gefühlshaftem Verständnis für andere Menschen diese nur scheinbar so »kühlen« Zwangscharaktere aufbringen können. Narzißtische Persönlichkeiten zeigen dagegen nur oberflächliche und flüchtige Affekte, die sich kaum aus einer Grundverfassung von emotionaler Leere und Gleichgültigkeit herausheben.

f) Lebensumstände von außergewöhnlichem narzißtischem Befriedigungswert

Verfügt ein Patient zum Beispiel über reichlich Gelegenheiten, Macht- und Geltungsbedürfnisse auszuagieren, so beeinträchtigt das die Prognose erheblich. Denn er hat womöglich in seinem Beruf und seinen sozialen Beziehungen bereits eine derartige Machtposition erreicht, daß ihm seine Haltung als »völlig normal« erscheint und es von daher außerordentlich schwierig wird, diese Form »chronischen Agierens« analytisch überhaupt noch in Frage zu stellen. So wie psychoanalytische Ausbildungskandidaten ihre Analyse als Stufenleiter zum Erwerb eines beruflichen Status mißbrauchen können, so geschieht es auch, daß unsere Patienten alle vorhandenen Möglichkeiten zur Gratifikation pathologischer narzißtischer Bedürfnisse außerhalb der analytischen Situation nutzen und sich damit für die in der Analyse erlittenen Frustrationen entschädigen, wodurch die Analyse notgedrungen stagniert.

g) Impulskontrolle und Angsttoleranz

Narzißtische Patienten verfügen oft über eine relativ gute Impulskontrolle mit Ausnahme bestimmter Bereiche, wo es zu einer Kompromißbildung gekommen ist, die eine Befriedigung pathologischer narzißtischer Bedürfnisse gestattet. Als Beispiel möchte ich einen Patienten erwähnen, der seine Triebimpulse im allgemeinen sehr gut unter Kontrolle hatte; nur kam es gelegentlich zu Episoden homosexuellen Agierens, wobei er derart impulsiv irgendeinen Gelegenheitspartner ansprach, daß er damit seine soziale Stellung gefährdete und mit dem Gesetz in Konflikt zu geraten drohte. Es zeigte sich, daß dieser Patient seine homosexuellen Eskapaden brauchte, um seiner enormen Wut zu entgehen, die jede Frustration von seiten seiner Freundin in ihm auslöste. Sobald sie ihn in irgendeiner Weise kritisierte, fuhr er mit seinem Auto los, sprach in irgendeiner Gaststätte einen Mann an, brachte diesen dazu, daß er Fellatio an ihm ausübte, schickte ihn anschließend mit einem Gefühl von Ekel und Abscheu fort und fuhr erleichtert heim. In der Behandlung stellte sich allmählich heraus, daß er beim homosexuellen Verkehr die Phantasie hatte, der an seinem Penis saugende Partner sei völlig auf ihn angewiesen,

während er selbst über alle Liebe und Erfüllung verfügte, die das Er
lebnis für beide enthielte. Er vermochte dem anderen diese Liebe zu
geben und sich damit zu beweisen, daß er der »Vermögende« war
Wenn er dann anschließend seinen Partner abrupt fallenließ und
verächtlich entwertete, so identifizierte er sich dabei mit seiner feind
seligen und geringschätzigen Mutter, die er beneidet und gehaßt
hatte, zugleich aber auch mit seiner Freundin, die er in solchen Momenten wie seine Mutter erlebte. Mit seinen homosexuellen Eskapa
den konnte er sich an seiner Freundin/Mutter rächen, indem er sich
damit bestätigte, daß er sie sexuell nicht brauchte. Was in diesem Fal
auf den ersten Blick nur als lückenhafte Impulskontrolle erschien
erwies sich als eine spezifische Abwehrorganisation, die analytisch
verstanden und aufgelöst werden konnte. Die Prognose ist bei solchen
Patienten günstiger als bei denjenigen mit global mangelhafter oder
praktisch fehlender Impulskontrolle, die nur agieren können – der
sogenannten »chaotischen« oder »triebhaften Charakteren« –, oder
auch denjenigen, die irgendeine Form von sexueller Perversion in
Verbindung mit einer Impulsneurose (Alkoholismus, Drogenabhän
gigkeit etc.) aufweisen. Ebenso ist die Prognose auch bei solchen Patienten sehr zurückhaltend zu stellen, die unter Angstdruck sofort mi
generalisiertem Agieren oder einer ausgeprägten Symptomverstär-
kung reagieren, bei denen also, kurz gesagt, die Angsttoleranz sehr
gering ist.

h) Regression zu primärprozeßhaften Denkvorgängen

Ich erwähnte bereits, daß beim Vorliegen manifester Borderline
Merkmale in Verbindung mit einer narzißtischen Persönlichkeits
struktur eine Analyse im allgemeinen kontraindiziert ist. Es gibt tatsächlich narzißtische Patienten mit nur geringfügiger Symptomatik
guter Impulskontrolle und nicht allzu geringer Angsttoleranz, be
denen dennoch eine überraschend starke Tendenz zu formalen Denk
störungen im Sinne primärprozeßhafter Denkvorgänge besteht. Ich
denke da zum Beispiel an einen Patienten, der in allen Lebensbereichen recht gut funktionierte, aber seit Jahren die Phantasie entwickel
hatte, es sei etwas »Christus-Ähnliches« an seiner Person; er gab sich
mit Vorliebe Spekulationen darüber hin, welche Eigenschaften er mi
Christus gemeinsam habe. Er schätzte diese Phantasien selber ganz

korrekt als realitätsfremd ein, empfand sie aber zugleich als außerordentlich lustvoll. In der Anfangsphase der Behandlung steigerten sich diese Phantasien bis zu dem Grade, daß er unsicher wurde, ob er nicht vielleicht doch Christus sei; danach regredierte er ganz akut in eine schizophrene Episode, die wahrscheinlich zu diesem Zeitpunkt nicht eingetreten wäre, hätte man ihm keine aufdeckende Psychotherapie angeboten.

Noch ein Hinweis in bezug auf die Regressionsneigung narzißtischer Patienten: Manifeste Borderline-Merkmale, insbesondere eine mangelhafte Impulskontrolle, fehlende Angsttoleranz und eine Tendenz zu primärprozeßhaften Denkvorgängen, stellen in jedem Falle eine Kontraindikation gegen eine Analyse dar, auch wenn Schuldgefühle und ein gewisses Potential zum Erleben von Depression vorhanden sind, denn in solchen Fällen kann die Depression, die sich notwendigerweise im Verlaufe der Behandlung entwickelt, sehr leicht die Tiefe einer psychotischen Depression erreichen und womöglich zu ernsthaften Suizidversuchen führen. Jede erfolgreiche Behandlung eines narzißtischen Charakters setzt voraus, daß im Verlaufe der Therapie Phasen von schwerer Depression mit Selbstmordgedanken durchlaufen werden, und wenn der Patient nicht über genügend Ichstärke verfügt, um solche Krisen durchzustehen, ist sein Leben ernstlich gefährdet. Deshalb ist bei ichschwachen Patienten eine stützende Psychotherapie angezeigt. Im Psychotherapie-Forschungsprojekt der Menninger-Stiftung hat sich erwiesen, daß Patienten mit ausgeprägt narzißtischer Charakterstruktur und manifesten Borderline-Merkmalen recht erfolgreich mit rein stützenden Verfahren behandelt werden konnten.

i) Die Motivation zur Behandlung

Die wirkliche Behandlungsmotivation dieser Patienten läßt sich in der Regel erst nach einer gewissen Zeit der Analyse beurteilen. Die üblichen Motive zur Behandlung, wie etwa der Wunsch, störende Symptome loszuwerden, erweisen sich bei Patienten mit narzißtischer Persönlichkeit oft als trügerisch, zum Beispiel wenn sich schließlich herausstellt, daß der Patient im Grunde ein Vollkommenheitsideal anstrebt und diese Erwartung das eigentliche Motiv dafür ist, daß er eine Analyse begonnen hat. Die Frage, ob »Vollkommenheit« für diesen Patienten bedeutet, durch Befreiung von seinen Symptomen allen anderen Menschen überlegen zu werden, oder ob dieses [pathologisch-narzißtische] Ziel durch den Wunsch ersetzt werden kann, sich aus seiner verkrüppelten Emotionalität zu befreien, läßt sich zu Beginn der Behandlung oft noch gar nicht sicher beantworten. Es gilt jedenfalls, daß die Prognose um so besser ist, je stärker der Patient den ernstgemeinten Wunsch hat, seine Gefühle von innerer Leere, seine Schwierigkeiten, sich in andere einzufühlen, und seine innere Kälte zu überwinden.

6. Eine entscheidende Phase der Behandlung

In dem Maße, wie der Patient die Abwehrformation seines pathologischen Narzißmus durcharbeitet, treten regelmäßig seine primitiven oralen Konflikte zutage. Starke Haß- und Angstgefühle gegenüber einer bedrohlichen aggressiven Mutterimago werden auf den Analytiker wie auch auf andere bedeutsame Bezugspersonen projiziert. Der Patient muß an den Punkt gelangen, wo er erkennt, daß seine Angst vor der Überwältigung durch die archaische Mutter eine Projektion seiner eigenen Aggression darstellt, eben der enormen Wut, die die Frustrationen durch seine Mutter in ihm ausgelöst haben. Er muß weiter erkennen, daß die Idealvorstellung, die er sich von seiner eigenen Person gemacht hat, ein Phantasiegebilde ist, mit dessen Hilfe er sich vor derart bedrohlichen Beziehungen zu anderen Menschen zu schützen versucht, wobei dieses ideale Selbstkonzept gleichzeitig seine hoffnungslose Liebe und Sehnsucht nach einer idealen Mutter enthält, die ihn erretten soll. Der tiefe Wunsch nach einer solchen idealen Mutter und der Haß auf die aggressiv verzerrte bedrohliche Mutter müssen an irgendeinem Punkt in der Übertragung schließlich zusammentreffen, und der Patient muß erkennen, daß der gefürchtete und gehaßte Analytiker/Mutter mit dem ersehnten idealen Analytiker/Mutter in Wirklichkeit identisch ist.

In diesem entscheidenden Moment entsteht für den Patienten eine außerordentlich schwierige emotionale Situation: Er muß jetzt die realen guten Anteile des Analytikers / der Mutter, die er bislang verleugnet und entwertet hatte, anerkennen und sich damit einem überwältigenden Schuldgefühl wegen seiner früheren Aggression gegen den Analytiker aussetzen. Mancher Patient gerät in Verzweiflung darüber, daß er seinen Analytiker und überhaupt alle Menschen, die in seinem Leben für ihn bedeutsam geworden sind, immer wieder mißachtet und rücksichtslos behandelt hat; manchmal steigert sich dieses Gefühl sogar zu der Überzeugung, alle diejenigen, die er hätte lieben können und die ihn hätten lieben können, wirklich zerstört zu haben. In solchen Momenten treten oft starke Selbstmordgedanken oder gar Selbstmordabsichten auf; aber wenn der Patient aufgrund seiner guten Ichstärke zur Analyse ausgewählt worden ist, kann er diesen Konflikt durcharbeiten, ohne daß der Analytiker vorzeitig mit stützenden Maßnahmen eingreifen müßte. In dem Maße, wie ein narzißtischer Patient diese entscheidende Phase der Analyse durcharbeitet, gelangt er dahin, daß er den Analytiker als eigenständige Person anerkennt, der gegenüber er Liebe und Dankbarkeit empfinden kann. Gleichzeitig beginnt er auch die Eigenständigkeit und Besonderheit anderer Menschen in seinem Lebenskreis wahrzunehmen. Er entwickelt womöglich zum erstenmal echte Neugier, Interesse und Befriedigung daran, was in anderen Menschen vorgeht. Es ist, als würden die Menschen in der äußeren Lebenswelt des Patienten und in seiner inneren Welt von Objekten und Selbsterfahrungen, seiner »Repräsentanzenwelt« (Sandler und Rosenblatt 1962), erst jetzt zu lebendigen Personen. Dieses Stadium der Analyse steht in auffallendem Kontrast zu der bis dahin vorherrschenden Leere und Flachheit im Phantasie- und Gefühlsleben narzißtischer Patienten.

Bei der normalen Regression im Dienste des Ichs gibt es einen besonderen Aspekt: die Wiederbelebung früherer innerer Objektbeziehungen als Zuflucht und Quelle innerer Stärkung in Zeiten der Krise und Einsamkeit und beim Verlust äußerer Unterstützungen. Normalerweise verfügt der Mensch über einen emotionalen Reichtum, der in früheren glücklichen Beziehungserfahrungen beschlossen liegt und der ihm nicht nur ermöglicht, in seinen Beziehungen zu anderen an deren Glück empathisch teilzuhaben, sondern auch als Quelle inneren Trostes zur Verfügung steht, wenn die Realität das Selbstwertgefühl bedroht. Narzißtische Patienten sind nicht imstande, in dieser Weise auf ihre eigene Vergangenheit zurückzugreifen. In einer erfolgreichen Behandlung können sie aber dahin gelangen, ein tieferreichendes und sinnvolleres Leben zu realisieren und in ihrer neu sich entwickelnden Welt verinnerlichter Objektbeziehungen Quellen von Stärke und Kreativität zu erschließen.

Das folgende Fallbeispiel soll diese entscheidende Behandlungsphase veranschaulichen. Dieser Patient war an einem bestimmten Punkt seiner Analyse zu der Einsicht gelangt, daß er den Analytiker bisher immer als ein »Spiegelbild« seiner selbst wahrgenommen und ihn zu einer Art mächtigem Sklaven aufgebaut hatte, der ihm völlig zu Diensten stand, ähnlich dem Geist im Märchen von Aladins Wunderlampe. Es wurde ihm jetzt bewußt, daß der Analytiker seinem Gefühl nach während seiner Abwesenheit zwischen den Sitzungen zu einer nur mehr potentiellen Existenz zusammenschrumpfte, so wie der Geist sich in eine Flasche einsperren und beiseite stellen ließ. In diesem Moment zeigte der Patient – zum erstenmal nach jahrelanger Analyse – Neugier in bezug auf die Person des Analytikers und Neid auf dessen Privatleben. Zorn und Trauer über die Wochenendtrennungen vom Analytiker wurden ihm jetzt erstmals bewußt, aber er konnte jetzt auch Dankbarkeit gegenüber seinem Analytiker fühlen, der trotz seiner andauernden Geringschätzung die ganze Zeit über »zu ihm gehalten« hatte.

Dieser Patient hatte Literatur und insbesondere Dichtung, wie überhaupt alles, was sich nicht auf »harte, kalte, nützliche Fakten« bezog, immer verachtet. Nun erinnerte er sich eines Tages wieder an ein Märchen, das ihn als Kind stark beeindruckt hatte, das er aber seitdem völlig vergessen hatte. Es handelte sich um Andersens Märchen von der Nachtigall. Der Patient war bisher nie besonders phantasiebegabt erschienen; nun aber beschäftigte er sich über mehrere Sitzungen sehr intensiv mit diesem Märchen und entwickelte über Assoziationen und Träume spontan seine eigene Deutung der Geschichte. Er verstand, daß der Kaiser von China im Märchen eigentlich er selbst war, denn er empfand die gleiche Menschenverachtung wie er. China im Märchen war wie die Phantasiewelt des Patienten, wo ebenfalls jeder jeden verachtete. Die Nachtigall (und zwar die echte, lebendige Nachtigall) war das einzige warmherzig fühlende und liebevolle Wesen, das es in dieser Welt gab, aber der Kaiser vermochte sie nicht zu lieben. Er ergötzte sich zwar an ihrem Gesang, aber ließ sie ohne Reue davonfliegen, als er die goldglänzende und mit Edelsteinen geschmückte mechanische Nachbildung des Vogels zum Geschenk bekam. Die mit Gold und Edelsteinen besetzte künstliche Nachtigall stellte das leblose, automatenhafte eigene Selbst des Kaisers (des Patienten) dar. Als der Kaiser eines Tages schwer erkrankte und sich nach dem Gesang der Nachtigall sehnte, der allein ihn würde heilen können, zerbrach der künstliche Vogel und konnte nicht mehr singen, weil der Kaiser selbst, wie der Patient es empfand, alles um sich herum zerstört hatte. Eines Nachts, als der Kaiser schon im Sterben lag, kamen ihm alle guten und schlechten Taten seines Lebens wieder in den Sinn, und er litt sehr. Für den Patienten kam hierin zum Ausdruck, wie der Kaiser sich endlich seiner schlechten Seiten bewußt wurde und daran verzweifelte, daß er all das Böse, was er getan hatte, niemals mehr würde wiedergutmachen können. Der Patient war tief erschüttert von der Vorstellung, daß die echte Nachtigall schließlich doch noch zurückkam, am Fenster des sterbenden Kaisers sang und ihm damit das Leben rettete. Tief bewegt fügte er hinzu, er verstehe jetzt, warum dieses Märchen ihn als Kind oft zu Tränen gerührt hatte; auch jetzt mußte er wieder weinen. Daß die echte, gute Nachtigall im Märchen am Leben geblieben war, bestärkte ihn im Glauben an die Existenz eines guten Wesens, das sich immer noch in erreichbarer Nähe befand, also trotz aller destruktiven Allmacht und Gier des Kaisers (und des Patienten) doch nicht zerstört worden war. Der Kaiser konnte gerettet werden, weil er in seinem Innern solch ein gutes und verzeihendes Objekt bewahrt hatte. Die Nachtigall bedeutete auch den guten Analytiker, der die Destruktivität des Patienten überlebt hatte.

Das Beispiel zeigt nicht nur, wie dieser Patient zum Verständnis seines zentralen Problems gelangte, sondern auch wie sich damit seine Wahrnehmung der Gefühlswelt allgemein vertiefte; er vermochte zum erstenmal eine Form von Literatur anzuerkennen, die er bis dahin verachtet hatte. Für den Analytiker bedeutet es eine zutiefst befriedigende Erfahrung zu sehen, wie ein Patient im Verlaufe der analytischen Behandlung lebendig wird und zum erstenmal echtes Mitgefühl und Interesse an anderen Menschen und an seinem eigenen Innenleben zu entwickeln beginnt. Solche Entwicklungen entschädigen ihn für die monate- und jahrelange Leere und Sinnlosigkeit, die bei der Arbeit mit solchen Patienten immer wieder die analytische Situation zu beherrschen droht.

Die in diesem Kapitel dargestellten prognostischen Erwägungen lassen die enormen Schwierigkeiten und Einschränkungen einer psychoanalytischen Behandlung narzißtischer Persönlichkeitsstörungen erkennen. Wenn wir auch viele dieser Patienten nicht erfolgreich behandeln können, so gewinnen wir doch aus solchen Analysen Erfahrungen, aufgrund deren wir narzißtische Abwehrformationen bei Patienten mit insgesamt weniger ausgeprägter Charakterpathologie besser verstehen und analytisch auflösen können. Ich bin überzeugt, daß eine sorgfältige Selektion dieser Fälle ermutigendere Behandlungsresultate auch bei solchen Patienten verbürgen könnte, die zunächst als hoffnungslose Fälle erscheinen und daher unbehandelt bleiben oder umgekehrt: die unter der falschen Voraussetzung, sie gehörten zur Kategorie der gewöhnlichen Charakterneurosen, in Analyse genommen werden und dann nach mehrjähriger Arbeit dem Analytiker Enttäuschungen bereiten.

ZUSAMMENFASSUNG

In diesem Kapitel wurde eine allgemeine Hypothese zur Ätiologie der narzißtischen Persönlichkeitsstruktur dargestellt, wobei besonders die Beziehungen zwischen pathologischem Narzißmus und pathologischen Objektbeziehungen hervorgehoben wurden. Weiterhin wurden technische Probleme bei der Behandlung narzißtischer Persönlichkeiten – insbesondere die für sie typischen Übertragungswiderstände – besprochen und prognostische Kriterien kurz umrissen.

9. Kapitel
Zur klinischen Problematik
narzißtischer Persönlichkeiten

Dieses Kapitel setzt frühere Studien über die Diagnose und psycho-analytische Behandlung der spezifischen pathologischen Charakter-konstellation narzißtischer Persönlichkeiten fort (siehe Kap. 1, 4 und 8). Während der letzten Jahre hat sich in bezug auf die Definition dieser pathologischen Charakterstruktur und die Indikation zur Ana-lyse als Therapie der Wahl allmählich ein Konsensus herausgebildet (Jacobson 1964, Kernberg 1971; Kohut 1966, 1968 und 1971; Ro-senfeld 1964; Tartakoff 1966; E. Ticho 1970; Van der Waals 1965). Trotz zunehmender Übereinstimmung über die deskriptiven klini-schen Merkmale dieser Charakterkonstellation gehen jedoch mittler-weile die Ansichten über die zugrundeliegenden metapsychologischen Verhältnisse und die optimale Behandlungstechnik innerhalb des psychoanalytischen Theorierahmens weit auseinander. Besonders Ko-huts Konzept der psychoanalytischen Behandlung narzißtischer Per-sönlichkeitsstörungen (Kohut 1971) weicht erheblich von meinem eigenen Ansatz ab, den ich in einer früheren Arbeit (Kap. 8 dieses Buches) dargestellt habe und der den Auffassungen von Abraham (1919), Jacobson (1964), Riviere (1936), Rosenfeld (1964), Tartakoff (1966) und van der Waals (1965) nähersteht. Ich möchte deshalb im folgenden versuchen, besonders jene Aspekte meines Ansatzes zur Auffassung und Behandlung narzißtischer Persönlichkeiten hervor-zuheben, in denen ich mit Kohuts Konzept entweder übereinstimme oder von ihm abweiche.

1. Klinische Merkmale narzisstischer Persönlichkeiten als eines spezifischen Typus von Charakterstörungen

Hinsichtlich der klinischen Merkmale besteht volle Übereinstimmung zwischen Kohuts Ansichten und denen der anderen oben erwähnten Autoren einschließlich meiner selbst, die, wie gesagt, ansonsten eine andere Auffassung vertreten. Für mich sind narzißtische Persönlich-keiten gekennzeichnet durch ein außergewöhnliches Maß an Selbstbezogenheit, wobei sie zwar gewöhnlich eine oberflächlich glatte und sehr effektive soziale Anpassung zustande gebracht haben, aber in ihren inneren Beziehungen zu anderen Menschen schwer gestört sind. In wechselnder Zusammensetzung finden wir Anzeichen von starkem Ehrgeiz, Größenphantasien, Minderwertigkeitsgefühlen und übermäßigem Angewiesensein auf Bewunderung und Bestätigung durch andere. Neben Gefühlen von Leere und Langeweile und einer ständigen Suche nach Befriedigung ihres Strebens nach glänzenden Erfolgen, Geltung, Reichtum, Macht und Schönheit bestehen gleichzeitig schwere Mängel bezüglich der Fähigkeit zu lieben und zur mitfühlenden Rücksichtnahme auf andere. Diese Unfähigkeit zu empathischem Verstehen ihrer Mitmenschen wirkt oft überraschend in Anbetracht der oberflächlich gut funktionierenden sozialen Anpassung dieser Patienten. Eine chronische Unsicherheit und Unzufriedenheit mit sich selbst und eine bewußte oder unbewußte opportunistische, ausnutzende, rücksichtslose Einstellung anderen gegenüber sind weitere Merkmale narzißtischer Persönlichkeiten. Meine Charakterisierung dieser Patienten unterscheidet sich vielleicht nur in einem Punkt von der Kohuts, nämlich darin, daß ich den pathologischen Charakter ihrer verinnerlichten Objektbeziehungen betone – ungeachtet des oberflächlich wohlangepaßten Verhaltens vieler dieser Patienten. Darüber hinaus möchte ich auch den chronischen heftigen Neid und die dagegen entwickelten Abwehrformen – besonders Entwertungstendenzen, omnipotente Kontrolle und narzißtischer Rückzug – als Hauptmerkmale ihres Gefühlslebens hervorheben.

2. DIE BEZIEHUNGEN ZWISCHEN NARZISSTISCHEN PERSÖNLICHKEITEN, BORDERLINE-STÖRUNGEN UND PSYCHOSEN

Was diesen Punkt anbelangt, so gibt es wesentliche Unterschiede zwischen Kohuts und meinem Konzept. Kohut differenziert zwar zwischen narzißtischen Persönlichkeitsstörungen einerseits und den Psychosen und Borderline-Zuständen andererseits, aber es fehlt bei ihm eine klare Abgrenzung zwischen »Borderline-Fällen« und schizophrenen Psychosen (Kohut 1971, S. 35). Nach meiner Auffassung weist jedoch die Abwehrorganisation narzißtischer Persönlichkeiten sowohl auffallende Ähnlichkeiten als auch spezifische Unterschiede zur Borderline-Persönlichkeitsstruktur auf, wie ich weiter unten noch zeigen werde. Andererseits sehe ich im Gegensatz zu Kohut wesentliche Strukturunterschiede zwischen Borderline- und psychotischen Strukturen und würde auch nicht prinzipiell ausschließen, daß eine Analyse als Therapie der Wahl bei manchen Borderline-Patienten indiziert sein kann.

Die Ähnlichkeiten in der Abwehrorganisation von narzißtischen Persönlichkeiten und Borderline-Störungen bestehen unter anderem im Vorherrschen von Spaltungs- oder primitiven Dissoziationsmechanismen, die immer dann anzunehmen sind, wenn sich wechselseitig voneinander dissoziierte, abgespaltene Ichzustände nachweisen lassen. So können zum Beispiel arrogant-grandiose Einstellungen neben Schüchternheit und Minderwertigkeitsgefühlen bestehen, ohne miteinander in Widerspruch zu geraten. Diese Spaltungsvorgänge werden ihrerseits unterstützt und verstärkt durch primitive Formen von Projektion, insbesondere projektive Identifizierung, durch primitive und pathologische Idealisierungen, omnipotente Kontroll- und Bemächtigungstendenzen, narzißtischen Rückzug und Entwertung. Vom dynamischen Gesichtspunkt findet man eine pathologische Verschränkung von genitalen und prägenitalen Triebanteilen unter Vorherrschaft prägenitaler (vor allem oraler) Aggression als gemeinsames Merkmal sowohl narzißtischer Persönlichkeiten als auch der Borderline-Persönlichkeitsstruktur in ihren verschiedenen Varianten.

In diesem Zusammenhang ist von Interesse, daß Kohut (1971, S. 207) selbst das Vorhandensein von »bewußten, aber abgespaltenen Aspekten der Größenphantasie« anerkennt; er beschreibt auch im Detail das »Nebeneinanderbestehen unvereinbarer, tiefreichender Persönlichkeitseinstellungen« (a. a. O., S. 212 [Übersetzung geringfügig verändert]) und die Notwendigkeit, in der Analyse den zentralen Sektor der Persönlichkeit mit dem abgespaltenen Sektor zu integrieren. In der Praxis geht also auch Kohut von der Annahme einer Abwehrorganisation aus, die überwiegend auf Spaltungsmechanismen beruht, obwohl er diese nicht mit besonderen Schicksalen der strukturellen Entwicklung des Ichs in Beziehung setzt.

Der Unterschied zwischen der narzißtischen Persönlichkeitsstruktur und der Borderline-Persönlichkeitsstruktur besteht darin, daß bei narzißtischen Persönlichkeiten ein integriertes, wenn auch hochgradig pathologisches Größen-Selbst vorhanden ist; dieses stellt nach meiner Auffassung ein pathologisches Verschmelzungsprodukt dar aus bestimmten Aspekten des Real-Selbst (»jemand Besonderes« zu sein, was schon durch frühe Kindheitserfahrungen bestärkt wurde), dem Ideal-Selbst (Phantasien und Selbstvorstellungen von Macht, Reichtum, Allwissenheit und Schönheit, die vom kleinen Kind kompensatorisch gegen Erfahrungen von schwerer oraler Frustration, Wut und Neid entwickelt worden sind) und Ideal-Objekten (Phantasien von einer unablässig gebenden, grenzenlos liebenden und akzeptierenden Elternfigur – im Gegensatz zu den wirklichen Eltern, wie das Kind sie erlebte; Ersetzung eines entwerteten realen Elternteils durch ein entsprechendes Wunschbild). Ich übernehme hierfür den von Kohut vorgeschlagenen Ausdruck »grandioses Selbst« oder »Größen-Selbst«, weil er meines Erachtens die klinischen Implikationen dieses Selbstanteils, der von mir schon früher als »pathologische Selbst-Struktur« und von Rosenfeld (1964) als »omnipotentes verrücktes Selbst« beschrieben worden ist, noch am besten wiedergibt. Die Integration dieses pathologischen Größen-Selbst schafft einen kompensatorischen Ausgleich für die mangelhafte Integration des normalen Selbstkonzepts, die ihrerseits zur tieferen Störungsebene narzißtischer Persönlichkeiten gehört, die einer Borderline-Persönlichkeitsstruktur entspricht; so erklärt sich das Paradox, daß diese Patienten relativ gute Ichfunktionen und eine scheinbar gelungene oberflächliche Anpassung aufweisen und trotzdem Spaltungsmechanismen und andere ähnlich primitive Abwehrformen überwiegen und auch ihre Objektrepräsentanzen nur sehr mangelhaft integriert sind. Das pathologische Größen-Selbst ist an klinischen Merkmalen zu erkennen, die von allen erwähnten Autoren, wie schon gesagt, auf Grund ihrer Beobachtungen weitgehend übereinstimmend beschrieben werden. Es gibt jedoch eine grundsätzliche Meinungsverschiedenheit zwischen Kohut und mir, die den Ursprung dieses Größen-Selbst betrifft und insbesondere die Frage, ob es sich dabei um eine Fixierung auf der Stufe eines archaischen, aber »normalen« infantilen Selbst handelt (so Kohuts Ansicht) oder ob wir es hier mit einer pathologischen Struktur zu tun haben, die sich eindeutig vom normalen kindlichen Narzißmus unterscheiden läßt (so meine Auffassung).

Bevor ich auf diese unterschiedlichen Auffassungen näher eingehe, muß ich noch eine besondere Gruppe von Patienten erwähnen, die meiner Ansicht nach das aufschlußreichste Beispiel für den engen Zusammenhang zwischen der Borderline-Persönlichkeitsstruktur und der Ausbildung eines pathologischen Größen-Selbst darstellen. Und zwar meine ich hier eine Untergruppe von narzißtischen Persönlichkeiten, die trotz eindeutiger narzißtischer Persönlichkeitsstruktur mit ihren Ichfunktionen auf einem manifesten Borderline-Niveau rangieren [function on an overt borderline level], wie ich das genannt habe, die also – neben der schon erwähnten, für narzißtische und Borderline-Patienten gleichermaßen typischen Abwehrkonstellation – auch die für die Borderline-Persönlichkeitsstruktur charakteristischen unspezifischen Anzeichen von Ichschwäche aufweisen: Sie zeigen in ausgeprägtem Maße eine mangelhafte Angsttoleranz, eine durchgehend mangelhafte Impulskontrolle, ein eklatantes Fehlen jeglicher Triebkanalisierung durch Sublimierungen, in psychologischen Tests deutlich nachweisbare Zeichen von primärprozeßhaften Denkabläufen sowie in der Therapie eine Neigung zur Ausbildung einer Übertragungspsychose. Bei solchen Patienten gewährleistet die pathologische narzißtische Struktur keine ausreichende Integration für eine effektiv funktionierende soziale Anpassung, und eine Analyse ist bei diesen Patienten in der Regel kontraindiziert; häufig kommt sogar das modifizierte psychoanalytische Verfahren, das ich für die meisten Borderline-Patienten als Therapie der Wahl ansehe, nicht in Frage. Kennzeichnend für diese Patienten sind chronisch-wiederholte heftige Wutausbrüche in Verbindung mit einer rücksichtslos fordernden Haltung und entwertenden Angriffen gegen den Therapeuten, kurzum was wir als »narzißtische Wut« bezeichnen. Man beobachtet solche heftigen Wutausbrüche auch bei Borderline-Patienten, und zwar gewöhnlich im Zusammenhang mit der alternierenden Wiederbelebung »nur guter« und »nur böser/schlechter« verinnerlichter Objektbeziehungen in der Übertragung. Bei den narzißtischen Borderline-Patienten führt jedoch die unablässige Heftigkeit dieser Wut und ihre so entwertende Qualität, die die ganze Beziehung zum Therapeuten zu vergiften scheint, schließlich zu einer völligen Entwertung und Zerstörung aller potentiell guten Anteile der therapeutischen Beziehung, die derart dauerhaft werden kann, daß schließlich die Fortsetzung der Therapie gefährdet ist.

Das folgende Fallbeispiel illustriert eine derartige Entwicklung. Eine Patientin mit ziemlich typischer narzißtischer Persönlichkeit, Anfang zwanzig, unverheiratet, wurde in eine psychiatrische Klinik aufgenommen, nachdem es zu einem allmählichen Zusammenbruch ihrer schulischen Leistungen und ihrer sozialen Beziehungen und zu sexueller Promiskuität gekommen war, die dadurch gekennzeichnet war, daß sie jeden Mann, den sie nicht völlig unter ihrer Kontrolle halten konnte, sofort fallen ließ. Ihre Eltern waren beide ziemlich narzißtisch und zurückgezogen und wiesen gewisse leicht antisoziale Züge auf. Eine ältere Schwester der Patientin war wegen antisozialer Tendenzen in Behandlung. Ihr Mangel an bedeutungsvollen emotionalen Kontakten wurde bereits im Kindergartenalter offenbar, wurde aber später überdeckt durch Bemühungen, im Verein mit ihrer Mutter ihre soziale Umwelt zu dominieren und zu manipulieren, und gipfelte schließlich in dem kompletten Chaos ihrer sozialen und sexuellen Beziehungen und ihrer Arbeit. Nachdem die Behandlung zwei Monate gelaufen war und in dieser Zeit besonders eine Haltung von gelinder Verachtung gegenüber dem Therapeuten und dem gesamten Behandlungsteam und ständige Versuche, das Team zu manipulieren und gegeneinander auszuspielen, aufgefallen waren, mußte der Therapeut für eine Woche fort. Die Patientin änderte daraufhin ihre bislang noch unter Kontrolle gehaltene verächtliche Einstellung zu offenen Wut- und Haßausbrüchen und brachte es fertig, entgegen den Bemühungen des gesamten Teams ihre Eltern davon zu überzeugen, daß es für sie besser sei, diese Behandlung abzubrechen, was dann zwei Monate später auch geschah. Während dieser Zeit waren die psychotherapeutischen Sitzungen gekennzeichnet durch ständige entwertende Angriffe gegen den Therapeuten, kurzum durch narzißtische Wut, und zwar von derartigem Ausmaß, daß ein aufdeckender, konfliktbearbeitender Therapieansatz hier völlig unwirksam war.

Bei narzißtischen Persönlichkeiten, deren Abwehr gegen die Wiederbelebung primitiver Objektbeziehungen mit oral-aggressiven Konflikten in der Analyse bereits ein ganzes Stück weit durchgearbeitet wurde, beobachtet man solche Wutausbrüche in der Übertragung manchmal in fortgeschritteneren Stadien der Behandlung. Es kann einen schon sehr betroffen machen, wenn ein bislang überwiegend gleichgültiger, affektleerer, scheinbar so beherrschter narzißtischer Patient sich derart in einen offen wütenden Choleriker verwandelt. Solche Zustände lassen sich jedoch in fortgeschritteneren Behandlungsstadien gewöhnlich durcharbeiten und können dann im ganzen gesehen einen wichtigen Fortschritt bedeuten. In diesem Zusammenhang erweist eine sorgfältige Analyse der Vorgeschichte solcher Patienten häufig, daß auch früher schon in Reaktion auf Frustrationen derartige Wutausbrüche vorgekommen waren, und zwar besonders in Situationen, wo die Patienten sich ohnmächtig fühlten und entgegen ihrer Erwartung die Situation nicht sicher unter Kontrolle hatten bzw. später in ihrem Leben vor allem dann, wenn sie ihre Wut aus einer Position der Überlegenheit und Herrschaft an anderen auslassen konnten.

Die Situation ist also unterschiedlich zu beurteilen je nachdem, ob narzißtische Wut gleich zu Anfang als ein Bestandteil des klinischen Bildes erscheint (so bei narzißtischen Persönlichkeiten mit manifesten Borderline-Zügen) oder ob sie erst im Zuge der Auflösung eines pathologischen Narzißmus in späteren Behandlungsstadien hervortritt. Frühzeitige manifeste Ausbrüche von narzißtischer Wut stellen ein ernst zu nehmendes Risiko für die Behandlung dar. Dies gilt besonders für narzißtische Persönlichkeiten auf Borderline-Niveau mit manifesten antisozialen Zügen oder einer sexuellen Perversion mit starken sadistischen Anteilen, z. B. offener Gewaltanwendung gegenüber ihren Sexualpartnern. Auch Jugendliche mit narzißtischer Persönlichkeitsstruktur und antisozialem Verhalten zeigen häufig solche Wutreaktionen.

Bei narzißtischen Persönlichkeiten mit manifesten Borderline-Zügen, besonders bei den eben erwähnten prognostisch ungünstigeren Fällen mit narzißtischen Wutausbrüchen, erscheint oft eine stützende Psychotherapie als Behandlungsverfahren der Wahl. In günstigeren Fällen wird der Behandlungsmodus immer mehr auf das von mir allgemein für Borderline-Patienten empfohlene Verfahren hinauslaufen, das heißt also: konsequente Deutungsarbeit (wobei nicht nur die Ursprünge der narzißtischen Wut aufzudecken sind, sondern auch der Sekundärgewinn aus dem Ausagieren dieser Wut in der Übertragung herausgearbeitet werden muß) und eventuell auch Festsetzung von Grenzen, falls solche Sekundärgewinne nicht mehr allein mit interpretativen Mitteln einzudämmen sind. Läßt sich der äußere Lebensrahmen der Patienten so weit strukturieren, daß ein Ausagieren von narzißtischer Wut unter Kontrolle gehalten und die Behandlungssituation geschützt wird, der Analytiker also relativ neutral bleiben kann, so wird man versuchen, auch die Abwehrfunktionen derartiger Wutausbrüche gegen den Analytiker systematisch zu deuten; auf diese Weise kann es gelingen, die narzißtische Wut schließlich aufzulösen. Diese Wutausbrüche stellen nämlich nicht nur eine direkte Abfuhr von primitiver Aggression dar, sondern haben darüber hinaus oft auch eine Abwehrfunktion, beispielsweise zum Schutz vor archaischen Ängsten dem Analytiker gegenüber, vor überwältigenden Schuldgefühlen oder auch vor Trennungsangst.

Im Falle narzißtischer Persönlichkeiten, bei denen die narzißtische Wut erst in späteren Behandlungsstadien in Erscheinung tritt, ist es gewöhnlich nicht mehr ganz so schwierig, den Ursprung und die Funktion dieser Wut in der Übertragung zu analysieren. Solche Wutausbrüche anläßlich geringfügiger realer oder phantasierter Versagungen von seiten des Analytikers stellen oft schon einen wichtigen Fortschritt dar gegenüber der vorherigen subtilen Entwertung des Analytikers, wie sie für narzißtische Widerstandsformen so charakteristisch ist. In typischen Fällen dieser Art besteht ein wesentliches Ziel dieser Wutausbrüche in der aggressiven Herabsetzung des Analytikers, um ihn als wichtiges Objekt zu eliminieren, weil man ihn sonst fürchten und beneiden müßte oder weil man ihn als verläßliche Person zu verzweifelt nötig braucht. Die innere Selbstsicherheit des Analytikers und seine Überzeugung vom Wert dessen, was er dem Patienten realistisch zu bieten hat, sind hier besonders wichtige Voraussetzungen, um dem Patienten ein Stück Sicherheit gegen seine Phantasien von der überwältigenden Destruktivität seiner Aggression vermitteln zu können.

Zusammenfassend läßt sich also festhalten, daß das pathologische Größen-Selbst dieser Patienten die global »ich-schwächenden« Auswirkungen der primitiven Abwehrorganisation, wie sie für narzißtische Persönlichkeiten und Borderline-Patienten gleichermaßen charakteristisch ist, zu kompensieren vermag; so erklärt sich auch, daß narzißtische Persönlichkeiten in bezug auf ihre manifesten Ichfunktionen auf der ganzen Skala zwischen dem Borderline-Niveau und dem Funktionsniveau besser integrierter Charakterstörungen rangieren können. Die differentialdiagnostische Abgrenzung narzißtischer Persönlichkeiten gegenüber anderen Formen von Charakterstörungen gelingt meistens über eine sorgfältige Analyse der klinischen Merkmale; die Differentialdiagnose zwischen narzißtischen Persönlichkeiten, hysterischen Charaktertypen, infantilen Persönlichkeiten und dem Zwangscharakter wurde bereits an anderer Stelle (im 1. und 8. Kapitel sowie bei Kernberg 1970) besprochen. Bleiben diagnostische Zweifel bestehen bzw. läßt sich die Diagnose nicht vor Behandlungsbeginn entscheiden, so bringt spätestens die charakteristische Entwicklung einer narzißtischen Übertragung, die sich eindeutig von der üblichen Übertragungsneurose anderer Charakterstörungen unterscheidet, Klarheit über die Diagnose einer narzißtischen Persönlichkeit. In diesem Punkt stimme ich wohl mit Kohut überein.

3. NORMALER UND PATHOLOGISCHER NARZISSMUS

a) Entwicklungshemmung oder pathologische Entwicklung?

Kohut (1971) glaubt, daß narzißtische Persönlichkeiten »an archaische Größen-Selbst-Konfigurationen und/oder an archaisch überbewertete, narzißtisch besetzte Objekte fixiert geblieben sind« (S. 19). In seiner Tabelle (S. 26) unterstellt er eine Kontinuität vom pathologischen zum normalen Narzißmus, wobei das Größen-Selbst eine archaische Vorstufe darstellt, aus der sich normalerweise oder während eines erfolgreichen Behandlungsverlaufs das normale Selbst kontinuierlich entwickelt. Seine Analyse konzentriert sich fast ausschließlich auf die Entwicklungsschicksale der libidinösen Besetzungen, so daß seine Analyse des pathologischen Narzißmus völlig ohne Beziehung zu jeder Untersuchung der Schicksale der Aggression bleibt. In Kohuts Worten (1971, S. 15): »Insbesondere konzentriert sich diese Untersuchung fast ausschließlich auf die Rolle der libidinösen Kräfte bei der Analyse narzißtischer Persönlichkeiten; die Rolle der Aggression soll gesondert diskutiert werden.« Hinzu kommt, daß Kohut den Narzißmus derart überwiegend vom Aspekt der Qualität der Triebbesetzungen her untersucht, daß man den Eindruck gewinnt, es gäbe nach seiner Auffassung zwei gänzlich verschiedene Arten von libidinösen Trieben, nämlich narzißtische und objektgerichtete, die sich vor allem durch ihre Qualität und nicht so sehr durch die Zielrichtung der Objektbesetzung (nämlich zum Selbst oder zum Objekt hin) unterscheiden. So heißt es auf S. 45: »Narzißmus wird in meiner Betrachtungsweise nicht durch das Ziel der Triebbesetzung bestimmt (sei dies die Person selbst oder andere), sondern durch die Natur oder Qualität dieser Besetzung.« Die gleiche Auffassung wiederholt er an späterer Stelle noch einmal (Fußnote S. 58–59). Er hält die Entwicklung der Objektliebe für weitgehend unabhängig von der Entwicklung, die von niederen zu höheren Formen des Narzißmus führt (Kohut 1971, S. 251, 260, 334 f.). Insgesamt gewinnt man den Eindruck, daß Kohut die Schicksale des normalen und pathologischen Narzißmus sowie der normalen und pathologischen Objektbeziehungen hauptsächlich in ihrer Abhängigkeit von der Qualität der libidinösen Besetzungen analysiert und nicht so sehr in ihrer Beziehung zu den Schicksalen der verinnerlichten Objektbeziehungen.

Hiervon abweichend und in Anlehnung an die Arbeiten von Jacobson

(1964), Mahler (1968) und van der Waals (1965) meine ich, daß man das Studium des normalen und pathologischen Narzißmus weder von den Schicksalen der libidinösen und aggressiven Triebabkömmlinge noch von der Entwicklung der Strukturderivate verinnerlichter Objektbeziehungen abtrennen kann (Kernberg 1971, 1972). Im folgenden möchte ich versuchen, klinisches Material und theoretische Überlegungen anzuführen, um folgende Thesen zu untermauern:

1. Die narzißtischen Widerstände von Patienten mit narzißtischer Persönlichkeitsstruktur spiegeln einen pathologischen Narzißmus wider, der sich sowohl vom gewöhnlichen Narzißmus des Erwachsenen als auch von der Fixierung auf den (oder der Regression zum) normalen kindlichen Narzißmus unterscheidet. Daraus folgt, daß die narzißtischen Widerstände, die im Verlauf von Deutungen der Charakterabwehr bei anderen Patienten ohne narzißtische Persönlichkeit auftreten, andersartig sind, eine unterschiedliche Technik erfordern und auch prognostisch anders zu bewerten sind als die narzißtischen Widerstände von Patienten mit pathologischem Narzißmus.

2. Pathologischer Narzißmus kann nur mit Hilfe einer kombinierten Analyse der Schicksale libidinöser und aggressiver Triebabkömmlinge verstanden werden. Denn ein pathologischer Narzißmus spiegelt nicht nur die libidinöse Besetzung des Selbst im Gegensatz zur libidinösen Besetzung der Objekte wider, sondern bedeutet vor allem libidinöse Besetzung einer pathologischen Selbststruktur. Diese wiederum erfüllt Abwehrfunktionen gegen tieferliegende libidinös und aggressiv besetzte primitive Selbst- und Objektimagines, die in heftige, vorwiegend prägenitale, um Liebe und Haß kreisende Konflikte verwickelt sind.

3. Die Strukturmerkmale narzißtischer Persönlichkeiten lassen sich nicht einfach als Fixierung auf einer frühen Entwicklungsstufe oder als Entwicklungsmangel gewisser intrapsychischer Strukturen verstehen, sondern sind als Ergebnis einer pathologischen (also nicht normalen) Differenzierung und Integration der Ich- und Überichstrukturen anzusehen, die sich in solchen Fällen von pathologischen (also nicht von normalen) Objektbeziehungen ableiten.

Diese drei Gesichtspunkte könnte man folgendermaßen zusammenfassen: Narzißtische Besetzungen (das heißt: die Besetzung des Selbst) und Objektbesetzungen (also Besetzungen der subjektiven Vorstellungen von anderen und Besetzungen realer anderer Menschen) geschehen simultan und beeinflussen sich gegenseitig, so daß man die Schicksale des Narzißmus gar nicht losgelöst von den Schicksalen der Objektbeziehungen untersuchen kann und umgekehrt beim Studium der Schicksale des normalen und des pathologischen Narzißmus stets auch die Entwicklung der relevanten verinnerlichten Objektbeziehungen berücksichtigen und mit den betreffenden libidinösen und aggressiven Triebabkömmlingen im Zusammenhang sehen muß.

*b) Qualitative Unterschiede zwischen infantilem
und pathologischem Narzißmus*

Zunächst einige einschlägige klinische Beobachtungen. Die Differentialdiagnose zwischen (relativ funktionstüchtigen) narzißtischen Persönlichkeiten und Patienten mit andersartigen Charakterstörungen, etwa zwanghaften, depressiv-masochistischen oder hysterischen Charakterstrukturen, zeigt ganz klar, daß narzißtische Patienten nicht nur sich selbst übermäßig zu lieben scheinen, sondern auch daß sie dies in einer ziemlich dürftigen und oft eher selbsterniedrigenden Weise tun, so daß man zu dem Schluß kommen muß, sie behandelten sich selbst auch nicht besser als ihre Bezugspersonen (van der Waals 1965). Ihre Überzeugung, »unecht« zu sein, ihr tiefverwurzelter Mangel an Vertrauen darauf, daß eine aufrichtige Selbsterforschung etwas grundlegend Gutes und Wertvolles in ihnen zutage bringen könnte, und ihre gelegentlich überraschende Gleichgültigkeit, ja Mißachtung in bezug auf ihr öffentliches Ansehen, was ihre Ehrlichkeit, ihren Takt und ihre Wertmaßstäbe betrifft, sind in der Tat dürftige Zeugnisse ihrer Eigenliebe.

Der pathologische Narzißmus unserer Patienten unterscheidet sich in folgenden Merkmalen vom normalen Narzißmus kleiner Kinder:

1. Die Größenphantasien normaler Kleinkinder, ihre wütenden Anstrengungen, die Mutter unter Kontrolle zu behalten und im Mittelpunkt der Aufmerksamkeit aller zu bleiben, sind bei weitem realitätsgerechter, als dies bei narzißtischen Persönlichkeiten der Fall ist.

2. Neben überschießenden Reaktionen auf Kritik, Mißerfolg und Schuld findet man bei kleinen Kindern immer gleichzeitig auch Äußerungen von echter Liebe, Dankbarkeit und Interesse für andere Menschen, sobald die Kinder nicht unter dem Druck von Versagungen

stehen, und vor allem eine bemerkenswerte Fähigkeit, sich vertrauensvoll von wichtigen Objekten abhängig fühlen zu können. Die Fähigkeit eines 2¹/₂jährigen Kindes, die libidinöse Besetzung der Mutter während vorübergehender Trennungen aufrechtzuerhalten, steht in auffallendem Gegensatz zur Unfähigkeit narzißtischer Patienten, über die unmittelbare Bedürfnisbefriedigung hinaus von anderen Menschen (auch vom Analytiker) abhängig zu sein.

3. Normaler infantiler Narzißmus zeigt sich in der Anspruchshaltung des Kindes, die sich auf reale Bedürfnisse bezieht, während der pathologische Narzißmus sich in übermäßigen und unerfüllbaren Ansprüchen ausdrückt, die sich regelmäßig als Folge einer inneren Zerstörung der von außen erhaltenen Zufuhr erweisen.

4. Die Kälte und die abweisende Haltung von Patienten mit pathologischem Narzißmus, sobald sie ihren Charme nicht zur Geltung bringen können, ihre Tendenz zur Mißachtung anderer Menschen – sofern diese nicht gerade als potentielle Quellen narzißtischer Zufuhr vorübergehend idealisiert werden – und die in den meisten ihrer Beziehungen so überwiegende Verachtung und Entwertung des Objekts stehen in ausgeprägtem Gegensatz zur lustvollen Selbstbezogenheit eines kleinen Kindes. Verfolgt man diese Beobachtung während der Analyse narzißtischer Patienten in ihre Vorgeschichte zurück, so entdeckt man bei ihnen schon vom zweiten oder dritten Lebensjahr an einen auffallenden Mangel an normaler Wärme und Verbindlichkeit im Umgang mit anderen und eine leicht aufflammende Zerstörungswut und Unbarmherzigkeit, die bereits als pathologisch gelten müssen.

5. Die normalen infantilen narzißtischen Phantasien von Macht, Reichtum und Schönheit, die aus der präödipalen Phase stammen, beinhalten keinen ausschließlichen Besitzanspruch auf alles Wertvolle und Beneidenswerte, und normalerweise würde ein Kind auch nicht darauf bestehen, von allen als alleiniger Besitzer solcher Schätze bewundert zu werden, was eine charakteristische Phantasie narzißtischer Persönlichkeiten ist. Die Phantasien von narzißtischem Triumph oder von Großartigkeit sind beim normalen infantilen Narzißmus mit dem Wunsch vermischt, durch den Erwerb solcher Werte liebenswert und akzeptabel für diejenigen zu werden, die das Kind liebt und von denen es geliebt werden möchte.

Aus dem Gesagten geht wohl zur Genüge hervor, daß der pathologische Narzißmus in erheblichem Maße vom normalen abweicht.

c) Äußerungsformen des pathologischen Narzißmus in der analytischen Situation

In der Übertragung narzißtischer Persönlichkeiten dienen die narzißtischen Widerstände hauptsächlich dazu, die Existenz des Analytikers
als unabhängiges und autonomes menschliches Wesen zu verleugnen, aber ohne daß es dabei gleichzeitig zu einer Verschmelzung im
Übertragungserleben käme, wie man sie bei tiefer regredierten Patienten beobachtet. Man gewinnt vielmehr den Eindruck, als ob der
Analytiker monate- oder auch jahrelang in einer Art von »Satelli-
tenexistenz« geduldet wird, wobei es öfter zum Rollentausch in der
Arzt-Patient-Beziehung kommt, ohne daß sich die gesamte Übertragungskonstellation als solche grundlegend änderte. Das Größen-
Selbst ermöglicht es dem Patienten, seine Abhängigkeit vom Analytiker zu verleugnen. Gelingt es jedoch, diese Abwehrkonstellation
durchzuarbeiten, so stellt sich regelmäßig heraus, daß die Abhängigkeit vom Analytiker nicht deswegen verleugnet wurde, weil dem
Patienten verinnerlichte Objektbeziehungen oder überhaupt die Fähigkeit zur Objektbesetzung fehlten, sondern daß es sich hier um
eine rigide Abwehr gegen primitivere pathologische Objektbeziehungen handelt, die um narzißtische Wut und Neid zentriert sind, um
Angst und Schuldgefühle wegen dieser Wut bei gleichzeitiger ver-
zweifelter Sehnsucht nach einer liebevollen Beziehung, die nicht vom
Haß zerstört werden muß. Diese Abwehrkonstellation unterscheidet
sich erheblich von der Wiederbelebung narzißtischer Abwehrformen
bei anderen Arten von Charakterstörungen.

Verstimmungen über den Analytiker, Enttäuschungsreaktionen, Gefühle von Scham und Erniedrigung sind im Verlauf von Charak-
teranalysen nicht-narzißtischer Patienten eher vorübergehend und
weniger ausgeprägt; sie sind auch verbunden mit der deutlichen Fähigkeit, sich vom Analytiker abhängig zu fühlen, erkennbar an Tren-
nungsängsten und Trauerreaktionen in der Übertragung. Dagegen
herrschen bei narzißtischen Persönlichkeiten allgemeine Entwertung
und Verachtung des Analytikers, oft als »Enttäuschung« rationalisiert, vor, wobei Trennungsangst oder Trauerreaktionen an Wochenenden, bei Ferien oder Krankheit des Analytikers beharrlich ausbleiben, so daß sogar zu Zeiten offensichtlicher Idealisierung des Analytikers der Unterschied zwischen solcher Idealisierung und der bei
anderen Übertragungen deutlich ins Auge springt.

Der Ausdruck von Ärger und Wut im Verlaufe einer vorwiegend negativen Übertragung bei der Analyse der Charakterabwehr nicht-narzißtischer Patienten pflegt nicht mit so einer massiven Entwertung des Analytikers einherzugehen, wie sie bei narzißtischen Patienten üblich ist. Die für nicht-narzißtische Patienten charakteristische Übertragung erhält, wenn die Patienten wütend sind, durch abwechselnd vorgebrachte kindliche Forderungen und Manifestationen von Liebe, Dankbarkeit und schuldbedingter Idealisierung einen ganz anderen Charakter. Bei narzißtischen Persönlichkeiten fehlt oft monate- oder jahrelang jegliche Neugier in bezug auf das Leben des Analytikers, soweit es nicht unmittelbar die Bedürfnisse des Patienten betrifft. Die Tatsache, daß bei diesen Patienten eine an der Oberfläche normal erscheinende, obzwar kindliche Idealisierung mit einer fast völligen Vergeßlichkeit gegenüber dem Analytiker einhergeht, gemahnt uns daran, daß wir zwischen normaler und pathologischer Idealisierung unterscheiden müssen. Die Unfähigkeit der narzißtischen Persönlichkeiten, abhängig zu sein, im Gegensatz zur anklammernden Abhängigkeit und zur beständigen Fähigkeit von Borderline-Patienten, breitgestreute Objektbeziehungen einzugehen, ist ein entscheidendes differentialdiagnostisches Merkmal zwischen narzißtischen Persönlichkeiten auf Borderline-Funktionsniveau und gewöhnlichen Borderline-Patienten. Weitere differentialdiagnostische Kriterien sind die bei narzißtischen Persönlichkeiten vorhandene spezifische Art der pathologischen Idealisierung, das Vorherrschen von omnipotenter Kontrolle und besonders von Verachtung und Entwertung, sowie ihre Tendenz zu narzißtischem Rückzug. Auch hier gibt es aus Analysen reichlich klinisches Beweismaterial, das den fundamentalen Unterschied zwischen dem normalen Narzißmus, der für Patienten mit anderen, nicht-narzißtischen Charakterstörungen typischen Fixierung auf den infantilen Narzißmus und schließlich dem pathologischen Narzißmus narzißtischer Persönlichkeiten verdeutlicht.

d) Zur Genese des pathologischen Narzißmus

Dieser Unterschied tritt noch deutlicher hervor, wenn es im Verlaufe einer analytischen Behandlung gelingt, zur Analyse der ursprünglich determinierenden Faktoren für die narzißtischen Widerstände und andere damit zusammenhängende Charakterabwehrformen dieser Patienten vorzudringen. Eine derartige genetische Analyse erweist, daß wir es bei narzißtischen Persönlichkeiten nicht nur mit einer Fixierung auf infantil-narzißtischen Entwicklungsstufen in direktem Zusammenhang mit Versagungen und Enttäuschungen von seiten der bemutternden Person und anderer wichtiger Objekte des Kindes zu tun haben; sondern was diese Patienten in der Übertragung wiederholen, sind frühe Entwertungen wichtiger äußerer Objekte und ihrer intrapsychischen Repräsentanzen als sekundäre Verarbeitung und Abwehr gegen tieferliegende Konflikte im Umkreis von oraler Wut und Neid. Sie müssen alles, was ihnen Liebe und Befriedigung spenden könnte, zerstören, um die Anlässe für ihren Neid und ihre projizierte Wut zu beseitigen; statt dessen ziehen sie sich auf ihr Größen-Selbst zurück, das eine primitive Wiederverschmelzung von idealisierten Elternimagines und idealisierten Selbstvorstellungen darstellt, um auf diese Weise dem Teufelskreis von Wut, Frustration und destruktiver Entwertung potentieller Befriedigungsquellen zu entrinnen, was aber nur um den Preis einer schweren Schädigung der verinnerlichten Objektbeziehungen gelingt. Kurzum, solche Entwertungsprozesse in der Übertragung, die häufig als »Enttäuschungsreaktionen« rationalisiert werden, wiederholen frühere pathologische Entwertungen der Elternimagines, während die Abwehrstruktur des Größen-Selbst auf einer pathologischen Verdichtung idealisierter Selbst- und Objektanteile beruht, die aus hochgradig konflikthaften Objektbeziehungen der beschriebenen Art stammen.

Ich erwähnte bereits (im 8. Kapitel), daß noch offen steht, in welchem Umfang eine konstitutionell bedingte übermäßige Stärke des Aggressionstriebes zu diesem Krankheitsbild beiträgt; der wichtigste ätiologische Faktor in der Psychogenese dieser Störung scheint aber doch der Einfluß dominierender, kalter, narzißtischer und zugleich überfürsorglicher Mutterfiguren zu sein. Diese Mütter schließen das Kind während bestimmter Phasen seiner frühen Entwicklung in ihre narzißtische Welt mit ein, umgeben es mit einer Aura des »Besonderen« und schaffen damit die Grundlage für grandiose Phantasien, aus denen das Größen-Selbst sich herauskristallisiert. Die narzißtische Charakterabwehr schützt den Patienten nicht nur vor der Heftigkeit seiner narzißtischen Wut, sondern verdeckt auch seine tiefen Unwertgefühle und seine erschreckenden Vorstellungen von einer Welt, in der es keine Nahrung und keine Liebe mehr gibt und wo er selbst wie ein hungriger Wolf nur noch auszieht, um zu töten, zu fressen und ums Überleben zu kämpfen. Alle diese Ängste werden in der Übertragung wiederbelebt, sobald der Patient allmählich fähig wird, sich auf eine Abhängigkeit vom Analytiker einzulassen. Denn jetzt bekommt er Angst vor seinem destruktiven Neid auf den Analytiker und wird unsicher, ob sein Bedürfnis nach Liebe doch noch überleben und sich als stärker erweisen wird als seine aggressiven Angriffe gegen den Analytiker. Hieraus entwickelt sich eine außerordentlich ambivalente und angsterregende Übertragungssituation, die im weiteren Verlauf der Analyse durchgearbeitet werden muß.

e) Formen der Idealisierung und die Beziehung der narzißtischen Idealisierung zum Größen-Selbst

Als ich die Abwehrformen beim pathologischen Narzißmus beschrieb, wies ich bereits darauf hin, daß die Idealisierung des Analytikers bei diesen Patienten gänzlich verschieden ist sowohl von der primitiven Idealisierung der Borderline-Fälle als auch von der anders gearteten Idealisierung, die man bei Patienten mit beispielsweise neurotischen Charakterstörungen beobachtet. Borderline-Strukturen sind gekennzeichnet durch die sogenannte »primitive Idealisierung«, nämlich ein unrealistisches, »total gutes« Bild vom Analytiker als einem primitiven guten, mächtigen, Bedürfnisse befriedigenden Objekt, das als Schutz gebraucht wird gegen die »Beschmutzung« des Analytikers durch paranoide Projektionen eines »total schlechten«, sadistischen primitiven Objekts. Anders ausgedrückt, Idealisierungen sind auf dieser primitiven Stufe an das Vorherrschen von Spaltungsmechanismen gebunden. Dagegen beruht die Idealisierung des Analytikers zu einer guten, liebenden, vergebenden Elternimago bei Patienten mit nicht-narzißtischen Charakterstörungen und Symptomneurosen auf ihrer Ambivalenz, ihrer Schuld und Besorgnis darüber, daß sie gleichzeitig intensive Liebe und Haß gegenüber dem Analytiker empfinden. Auf dieser höheren Ebene der Idealisierung wird der Analytiker als eine Elternfigur gesehen, die alles versteht, alles verzeiht und den Patienten trotz seiner Schlechtigkeit liebt. Es gibt schließlich noch eine reifere Form der Idealisierung, bei der die idealisierten Objekte projektiv als Repräsentanten höherer Überichfunktionen im Sinne von abstrakten, depersonifizierten Wertsystemen erlebt werden; hier handelt es sich im wesentlichen um ein normales Phänomen, wie wir es besonders in der Adoleszenz und beim Verliebtsein sehen.

Man kann sich diese verschiedenen Formen der Idealisierung auf einem Kontinuum situiert denken, das sich von normalen, primitiven bis zu den normalen reifen Stadien erstreckt. Aber sie alle unterscheiden sich deutlich von der Idealisierung narzißtischer Persönlichkeiten, die die Projektion des eigenen Größen-Selbst auf den Analytiker widerspiegelt. Der narzißtische Patient empfindet den Analytiker als eine Erweiterung des eigenen Größen-Selbst und spricht somit, während er in Anwesenheit des Analytikers anscheinend frei assoziiert, eigentlich zu sich selbst als jener grandiosen »selbstbeobachtenden« Gestalt, zu deren Anhängsel oder Satellit er zeitweilig wird. Es muß betont werden, daß hier keine echte Verschmelzung stattfindet, denn der Patient zieht am Ende der Stunde die Idealisierung zurück, und dann zeigt sich das völlige Fehlen einer realen Abhängigkeit. Dies verdeutlicht den Unterschied dieser Reaktion zur primitiveren Selbst-Objekt-Verschmelzung, die Jacobson (1964) als psychotische Identifizierung und Mahler (1968) als symbiotische Entwicklungsphase beschrieben haben. Die Realitätsprüfung im strengen Sinne bleibt während der Stunden erhalten, und es entsteht keine Übertragungspsychose wie bei der Verschmelzung von Selbst- und Objektimago, die einer Regression auf eine sehr frühe Entwicklungsstufe entspricht, auf der die Ichgrenzen noch nicht stabil sind.

Insofern die Idealisierung des Analytikers nicht mit intensiver Projektion, die ihn als ein »schlechtes Objekt« erscheinen läßt, abwechselt (wie es bei Borderline-Fällen üblich ist) und insofern Schuld und Wiedergutmachung dabei keine Rolle spielen (wie bei normalen infantilen Formen der Idealisierung während der Übertragungsneurose) ist die narzißtische Idealisierung ein andersartiger Prozeß, der keinem normalen Entwicklungsstadium entspricht, sondern in den pathologischen Bereich fällt. Die Ursprünge dieser Störung müssen wahrscheinlich irgendwo zwischen dem Stadium der Selbst-Objekt-Differenzierung (der Entwicklungsstufe, auf welche die Psychosen regredieren) und dem Stadium der normalen Integration von Selbstimagines zu einer kohärenten Selbststruktur und von Objektimagines zu integrierten Objektrepräsentanzen (wo also die von Objektbeziehungen abgeleiteten Strukturen ausgebildet werden, die den üblichen

Symptom- und Charakterneurosen zugrundeliegen) lokalisiert werden. Insofern ein narzißtischer Patient sein pathologisches Größen-Selbst auf den Analytiker projiziert und gleichzeitig »empathisch« mit diesem projizierten Selbstanteil in Verbindung bleibt – indem er unablässig den Analytiker unter Kontrolle zu halten versucht, damit dieser alles tut, um die Projektion des Patienten aufrechtzuerhalten, und bloß nicht als unabhängiges, autonomes Objekt in Erscheinung tritt –, handelt es sich bei dieser ganzen Abwehroperation im Grunde um denselben Vorgang, den ich schon im 1. Kapitel (unter Verwendung von Melanie Kleins Terminus, aber in einer operationalen Neuformulierung) als »projektive Identifizierung« beschrieben habe – ein weiterer für Borderline-Patienten und narzißtische Persönlichkeiten sehr charakteristischer Mechanismus. In den praktischen Auswirkungen entspricht dieses beharrliche Bemühen des Patienten, den Analytiker dazu zu zwingen, daß er sich genau so verhält, wie der Patient ihn haben möchte, weitgehend Kohuts Beschreibung der von ihm sogenannten »Spiegelübertragung«. Ich möchte jedoch noch einmal die besondere Eigenart dieser pathologisch-narzißtischen Konstellation hervorheben, die so deutlich im Gegensatz zu den narzißtischen Entwicklungen im Rahmen anderer Formen von Charakterstörungen steht.

Kohuts Überlegungen zur narzißtischen Idealisierung gehen in eine andere Richtung. Er ist der Ansicht, daß narzißtische Persönlichkeiten an einem Mangel an optimaler Verinnerlichung des archaischen, rudimentären Selbst-Objekts, der idealisierten Elternimago leiden (Kohut 1971, S. 57–69). Er betont, daß die Idealisierungen des Kleinkindes entwicklungsgemäß und dynamisch gesehen zum narzißtischen Bereich gehören. Diese Vorstellung ist nur sinnvoll im Zusammenhang mit Kohuts Annahme, daß die Qualität der libidinösen Besetzung und nicht das Triebziel den Ausschlag dafür gibt, ob eine Verinnerlichung im narzißtischen oder im objektbezogenen Sinne erfolgt. Erleidet das Kind traumatische Verluste oder traumatische Enttäuschungen an den idealisierten Objekten, so wird die optimale Verinnerlichung verhindert, und es tritt eine Situation ein, die Kohut folgendermaßen beschreibt:

»Die Intensität der Suche nach und die Abhängigkeit von diesen Objekten kommt daher, daß sie als Ersatz für fehlende Segmente der psychischen Struktur gesucht werden. Sie sind nicht Objekte (im psychoanalytischen Sinne), da sie nicht wegen ihrer Eigenschaften geliebt oder bewundert werden, und ihre tatsächlichen Merkmale und ihre Handlungen werden nur dunkel wahrgenommen. Sie werden nicht ersehnt, sondern gebraucht, um die Funktionen eines Sektors des psychischen Apparats zu ersetzen, der in der Kindheit nicht gebildet werden konnte« (Kohut 1971, S. 66).

Kurz gesagt entspricht daher nach Kohuts Auffassung die idealisierende Übertragung narzißtischer Persönlichkeiten einer Fixierung auf einer archaischen Ebene der normalen Entwicklung.

Meiner Ansicht nach stellt die idealisierende Übertragung eine pathologische Idealisierungsform dar und entspricht der massiven Wiederbelebung des Größen-Selbst in der Übertragung. Was Kohut als Spiegelübertragung bezeichnet, nämlich die Wiederbelebung des Größen-Selbst, und was er idealisierende Übertragung nennt, entspricht nach meinem Konzept der abwechselnden Wiederbelebung von Anteilen eines verdichteten pathologischen Selbst, das, wie ich oben sagte, aus einer Verschmelzung bestimmter Aspekte des realen Selbst, des Ideal-Selbst und des Ideal-Objekts stammt; es stellt also eine pathologische Formation und nicht eine einfache Fixierung an eine frühe Entwicklungsstufe dar. Kohut selbst verweist bei seiner Beschreibung der idealisierten Elternimago auf ein archaisches rudimentäres »Selbst-Objekt« und beschreibt typische regressive Schwankungen während der Analyse von Patienten mit narzißtischen Persönlichkeitsstörungen (1971, Tabelle 2, S. 121), die deutlich zeigen, wie Übergänge von der idealisierenden Übertragung zur Spiegelübertragung mit Wiederbelebung des Größen-Selbst und umgekehrt stattfinden können. Ich sehe in der abwechselnden Projektion des Größen-Selbst auf den einen oder den anderen Partner der analytischen Beziehung, wobei jeweils der andere den Überrest des Real-Selbst verkörpert, das in einer Art von magischer Einheit mit dem idealisierten Partner verbunden ist, ein regelmäßiges und typisches Merkmal narzißtischer Widerstände.

In meiner Sicht ist die frühe Idealisierung des Analytikers in der Übertragung überhaupt nicht wesensverschieden von der Projektion des Größen-Selbst auf ihn, denn sie enthält oft viele Wesensmerkmale des Größen-Selbst. Außerdem dient die Idealisierung des Analytikers in den Anfangsstadien der Analyse dazu, auch mit ihm eine Beziehung von der Art herzustellen, wie sie für diese Patienten überhaupt typisch ist: Diese Beziehungsform ist gekennzeichnet durch die Einverleibung potentieller Befriedigungsquellen, wobei die Idealisierung dieser Befriedigungsspender mit der lustvollen Phantasie verbunden ist, daß die anderen – zum Beispiel der Analytiker – etwas Wertvolles besitzen, was dem Patienten bisher noch fehlt und was er sich derart auf dem Wege der Einverleibung zu eigen machen möchte. Die frühzeitige Idealisierung ist zugleich eine Abwehr gegen das Auftauchen von heftigem Neid und Entwertungstendenzen gegenüber dem Analytiker. Die Entwertung wiederum mag den Patienten zwar vor seinem Neid schützen, sie zerstört aber gleichzeitig auch seine Hoffnung, vom Analytiker etwas Neues und Gutes zu bekommen, und bestärkt auf einer tieferen Ebene seine Befürchtungen, daß er niemals imstande sein wird, eine beiderseits befriedigende und liebevolle Beziehung aufzubauen.

So entwickeln narzißtische Patienten in den Anfangsstadien ihrer Analyse typische Phantasien wie zum Beispiel die, daß ihr Analytiker der beste Analytiker sei, den es gibt, und daß sie daher andere Patienten, die bei anderen Analytikern in Behandlung sind, überhaupt nicht zu beneiden brauchen, – oder der Patient phantasiert, er sei der einzige Patient seines Analytikers oder zumindest der interessanteste, der allen anderen vorgezogen wird etc. Während dem Analytiker vorerst noch relativ konventionelle Idealeigenschaften unterstellt werden, ändert sich dies bald in der Richtung, daß das Idealbild immer deutlicher die besonderen Züge des Größen-Selbst des Patienten erkennen läßt. Während dieses ganzen Vorgangs gibt es immer wieder Umschwünge, wo plötzlich nicht mehr der Analytiker so ideal ist, sondern dieser sich glücklich schätzen kann, so einen außergewöhnlichen Patienten behandeln zu dürfen, so daß der Patient sich seines ungeteilten Interesses sicher sein kann, da ja kein anderer Patient diesem oder sonst irgendeinem Analytiker eine derart befriedigende analytische Erfahrung vermittelt etc. Solche plötzlichen Umschwünge von Perioden, in denen der Analytiker als vollkommenes, gottähnliches Wesen erscheint, zu völliger Entwertung des Analytikers bei gleichzeitiger Selbstidealisierung des Patienten, die aber kurz darauf wieder in eine augenscheinliche Idealisierung des Analytikers umschlägt, von dem jetzt der Patient nur noch ein Teil zu sein scheint, zeigen deutlich den engen Zusammenhang zwischen den verschiedenen Anteilen dieser verdichteten Struktur – eben des Größen-Selbst –, die das Kennzeichen narzißtischer Widerstandsformen ist. Die Analyse all der verschiedenen Anteile dieser pathologischen Struktur erweist deren Abwehrfunktion gegen das Auftauchen von direkter oraler Wut und Neid, gegen paranoide Ängste, die aus der Projektion sadistischer Tendenzen auf den Analytiker stammen (der hier eine primitive, gehaßte und als sadistisch erlebte Mutterimago repräsentiert), und gegen tief verwurzelte Gefühle von schrecklicher Einsamkeit, Hunger nach Liebe und Schuld wegen der den versagenden Elternimagines geltenden Aggression.

Ein Patient, der selbst Psychotherapeut war und sich bei einem Kollegen in Behandlung befand, war in den Anfangsstadien seiner Analyse der Überzeugung, sein Analytiker verfüge über eine perfekte Deutungstechnik. Aus Informationen von anderer Seite und aus eigenen Beobachtungen an seinem Analytiker hatte er sich von diesem die Vorstellung eines überaus gründlichen, peinlich genauen, etwas kühlen und distanzierten, aber perfektionistischen Technikers gebildet, der gewiß sorgfältig darauf achten würde, daß sämtliche Abwehrformen und Konflikte seiner Patienten systematisch in der richtigen Reihenfolge durchgearbeitet und aufgelöst würden. Nach und nach arbeitete der Patient diese Vision von seinem Analytiker noch weiter aus, bis schließlich das Bild eines Mannes von absoluter Selbstsicherheit entstand, unbestechlich, unnachgiebig, vollkommen stabil und verläßlich, der sich von keinerlei Emotionen beirren ließe und den Patienten mit wissenschaftlicher Präzision immer nur dann unterbrechen würde, wenn es wirklich erforderlich wäre. Dieses Bild eines vollkommenen Analytikers trug wesentlich zu seinem Gefühl von Sicherheit in der Analyse bei, und man hätte ohne weiteres annehmen können, daß es sich bei dieser Übertragungsform um eine Idealisierung des Analytikers als äußeres Objekt handelte. Nach und nach stellte sich jedoch heraus, daß der Patient ein Buch über analytische Behandlungstechnik von einem führenden Psychoanalytiker aus einer anderen Stadt gelesen hatte und die feste Absicht hatte, zu diesem anderen Analytiker überzuwechseln, sobald er an seinem jetzigen Analytiker irgendwelche Mängel entdecken würde. Er versuchte also auf subtile Weise seinen Analytiker dazu zu zwingen, mit seiner Vorstellung von einer perfekten Analysiermaschine übereinzustimmen, die wesentlich durch Eigenschaften von Kälte, Distanziertheit und olympische Unnahbarkeit gekennzeichnet war. Der Patient wies selbst von seinem Charakter her Einstellungen auf, die denen seines Phantasie-Analytikers weitgehend entsprachen; besonders seinen eigenen Patienten gegenüber nahm er eine distanzierte und gefühllose Haltung ein und versuchte die Technik seines Analytikers zu kopieren. Er war sehr stolz auf sein sorgfältiges, genaues, intellek-

tuelles Vorgehen und zeigte sich andererseits außerordentlich irritiert
sobald irgend jemand in seinen persönlichen Bereich (sowohl im
räumlichen wie im zeitlichen Sinne) eindrang. Er war auch jedesmal
tief enttäuscht, wenn der Analytiker seinem Selbstbild nicht entsprach oder andere Wesenszüge zu erkennen gab, als der Patient sie
kannte und gut an ihm verstehen konnte, sobald also der Analytiker
als unabhängige und eigenständige Person präsent zu werden drohte.
Dieser Fall ist ein anschauliches Beispiel für den engen Zusammenhang zwischen der Idealisierung des Analytikers, sofern er einen
Anteil des eigenen Größen-Selbst des Patienten darstellt, und dem
damit verbundenen pathologischen Charakter dieser Idealisierung.

f) Strukturelle Merkmale und Ursprünge des Größen-Selbst

Welche strukturellen Ursprünge und welche Funktionen hat nun das
pathologisch verdichtete Größen-Selbst? Meines Erachtens werden die
idealisierten Objektimagines, die normalerweise in das Ich-Ideal und
damit auch in das Über-Ich integriert werden, bei diesen Patienten
statt dessen mit dem Selbstbild legiert. Daraus ergibt sich, daß keine
normale Überich-Integration zustandekommt, die Ich-Überich-
Grenzen in gewissen Bereichen verwischt sind und inakzeptable Anteile des realen Selbst abgespalten und/oder verdrängt werden,
während äußere Objekte und ihre inneren Repräsentanzen in weitem
Umfange einem verheerenden Entwertungsprozeß anheimfallen. So
wird schließlich die intrapsychische Welt dieser Patienten nur noch
bevölkert von ihrem eigenen Größen-Selbst, von entwerteten, sche-
menhaften Bildern der eigenen Person und anderer sowie von potentiellen Verfolgern, die nicht-integrierten sadistischen Überich-
Vorläufern und primitiven, verzerrten Objektimagines entsprechen,
die durch Projektion heftiger oral-sadistischer Triebimpulse so bedrohlich geworden sind. Ich muß nochmals betonen, daß diese pathologische Entwicklung erst an einem Punkt einsetzt, wo Selbst- und
Objektimagines bereits hinreichend voneinander differenziert und
damit auch genügend stabile Ichgrenzen schon gewährleistet sind, das
heißt: die pathologische Strukturverdichtung im Größen-Selbst
kommt erst zustande, nachdem das Entwicklungsstadium, in welchem
die psychotischen Strukturen abzweigen, bereits erfolgreich abgeschlossen ist. Die Ausbildung eines pathologischen Größen-Selbst

ermöglicht ein gewisses Maß an Ich-Integration mit einer funktions-tüchtigeren allgemeinen sozialen Anpassung, als Borderline-Patienten sie durchschnittlich erreichen. Die für Borderline-Patienten so kenn-zeichnende Spaltung des Selbst wird also hier kompensiert, aber nur um den Preis einer weiterreichenden Verschlechterung der Objektbe-ziehungen unter Verlust der Fähigkeit, sich als von anderen abhängig zu erleben; statt dessen wird die ominöse Fähigkeit ausgebaut, sich vor emotionalen Konflikten mit anderen durch Rückzug in eine gran-dios-überlegene Isolierung zu schützen, die ein Spezifikum der nar-zißtischen Persönlichkeitsorganisation ausmacht.

Eine weitere Folge dieser Entwicklung besteht darin, daß Überich-und Ichanteile zum Teil in das Größen-Selbst mit eingebaut werden und insofern nicht für eine normale Überich-Integration zur Verfü-gung stehen; dies gilt insbesondere für die normalen Komponenten des Ich-Ideals. Unter solchen Umständen gewinnen die sadistischen Überich-Vorläufer die Oberhand, deren Integration in einer einheit-lichen Überich-Instanz eine enorme Gefahr für das Ich darstellen würde, insofern dieses dadurch unter den Druck eines sadistischen, primitiven Über-Ichs geriete. Da aber auch eine normale Integration des Ich-Ideals mit anderen Überichstrukturen nicht zustandekommt, fehlen die Grundlagen für eine spätere Ausdifferenzierung von Wert-systemen und für die Verinnerlichung späterer Zuschüsse zur Über-ichbildung, insbesondere der aus den ödipalen Konflikten hervorge-gangenen realitätsgerechteren Elternbilder, die ja normalerweise entscheidend zur Stabilisierung und Integration des Über-Ichs bei-tragen (Jacobson 1964). Die Entwertung der Eltern (oft als Enttäu-schung über sie rationalisiert) wird sicher auch durch diese lücken-hafte Entwicklung reiferer Überichfunktionen begünstigt und stört ihrerseits den normalen Aufbau von Wertsystemen als festem Be-standteil der Gesamtpersönlichkeit und damit zusammenhängend auch die Entwicklung von Sublimierungen.

Eine letzte, vielleicht die entscheidendste Konsequenz der Entwick-lung eines solchen pathologischen Größen-Selbst ist noch zu erwähnen, nämlich die Zerreißung der normalen Polarität zwischen Selbst- und Objektrepräsentanzen als Bestandteilen verinnerlichter Beziehungs-konfigurationen, in denen befriedigende mitmenschliche Beziehungs-erfahrungen fixiert und damit auch reproduzierbar sind. Das Grö-ßen-Selbst ermöglicht eine Verleugnung der Abhängigkeit von an-deren, es schützt die betreffende Person vor narzißtischer Wut und

Neid, schafft die Voraussetzungen für eine ständige Geringschätzung und Entwertung anderer und trägt damit zur fortwährenden Verzerrung sowohl der narzißtischen als auch der Objektbesetzungen dieser Patienten bei.

Aus allen diesen Gründen läßt sich die Auffassung des pathologischen Narzißmus als einer bloßen Fixierung auf der Stufe des normalen infantilen Narzißmus nicht halten. Der normale Narzißmus hat seinen Ursprung in der libidinösen Besetzung einer zunächst noch undifferenzierten Selbst-Objekt-Imago, aus welcher sich später libidinös besetzte Selbst- und Objektimagines herausdifferenzieren. Diese entwickeln sich schließlich zu einem integrierten Selbst, das libidinös-bestimmte und aggressiv-bestimmte Selbstimagines unter Vorherrschaft der libidinös-bestimmten in sich vereint; das integrierte Selbst ist von integrierten Objektrepräsentanzen umgeben, die ihrerseits aus der Integration früherer libidinös-besetzter und aggressiv-besetzter Objektimagines – wiederum unter Vorherrschaft der libidinös-bestimmten Objektimagines – entstanden sind. Beim pathologischen Narzißmus hingegen ist diese normale »Repräsentanzenwelt« (Sandler und Rosenblatt 1962) durch eine pathologische Konstellation verinnerlichter Objektbeziehungen ersetzt.

Somit halte ich diese Fälle im Gegensatz zu Kohuts Auffassung zur Art der Überich-Störung bei narzißtischen Persönlichkeiten nicht einfach für eine Entwicklungshemmung der idealisierten Vorläufer des Über-Ichs (bzw. seiner Ichideal-Anteile), sondern für eine pathologische Verdichtung dieser Vorläufer mit Ichanteilen, so daß die normalen Ich-Überich-Grenzen verwischt sind und die Integration der primitiven Überichstrukturen zu einem gereiften, normalen Über-Ich gestört ist. Es handelt sich hier also nicht einfach um eine »fehlende« Verinnerlichung gewisser normaler, idealisierter Überich-Vorläufer, sondern um eine aktive Verzerrung solcher idealisierten Überich-Vorläufer in Verbindung mit pathologischen Entwertungsvorgängen in bezug auf die äußeren Objekte. Allgemeiner ausgedrückt handelt es sich nicht um ein einfaches Fehlen gewisser Strukturen, sondern um eine pathologische Entwicklung ihrer Vorläufer, so daß sich auch die späteren reiferen Strukturen nicht mehr in normaler Weise entwickeln können.

4. Psychoanalytische Technik und narzißtische Übertragung

Wenn ich Kohut richtig verstanden habe, zielt sein technisches Vorgehen darauf ab, die Herstellung einer vollen narzißtischen Übertragung, insbesondere die Entfaltung der Spiegelübertragung zu gestatten, die ja die Wiederbelebung des Größen-Selbst darstellt, weil er davon ausgeht, daß diese Entwicklung der Übertragung einen normalen Prozeß, der einst aufgehalten wurde, vollendet, nämlich den der Verinnerlichung des idealen Selbst-Objekts in das Über-Ich und die damit verbundene Entwicklung von primitiven zu reifen Narzißmusformen. Kohut meint denn auch, daß es »in jenen Phasen der Analysen narzißtischer Charakterstörungen, in denen eine idealisierende Übertragung zu keimen beginnt, nur eine richtige analytische Haltung gibt: die Bewunderung anzunehmen« (1971, S. 300). Der Analytiker, so fügt er hinzu,

»deutet die Widerstände des Patienten gegen die Mitteilung seiner Größenphantasien, und er zeigt dem Patienten nicht nur, daß seine Größenvorstellungen und sein Exhibitionismus einst eine phasenadäquate Aufgabe hatten, sondern daß ihnen jetzt Zugang zum Bewußtsein gewährt werden muß. In langen Abschnitten der Analyse ist es jedoch fast immer gefährlich, die Irrationalität der Größenphantasien des Patienten zu betonen oder darauf zu bestehen, daß es im Hinblick auf die Realität notwendig für ihn sei, seine exhibitionistischen Forderungen zu zügeln. Die realistische Integration der kindlichen Größenvorstellungen und des Exhibitionismus des Patienten vollzieht sich in der Tat ruhig und spontan (wenn auch sehr langsam), wenn der Patient unter dem Schutz des einfühlenden Verständnisses des Analytikers für die Spiegelübertragung fähig ist, das Größen-Selbst zugänglich zu erhalten und sein Ich dessen Forderungen auszusetzen« (Kohut 1971, S. 309).

Kohut gibt zu: »Beim ersten Hinhören könnte man meinen, daß ich sagen wollte, der Analytiker müsse bei Fällen dieser Art einem Übertragungswunsch des Analysanden stattgeben; oder genauer gesagt, daß die Patientin nicht den notwendigen affektiven Widerhall oder die Bestätigung von ihrer depressiven Mutter bekommen hätte und daß der Analytiker ihr dies nun geben müsse, um ihr eine ›korrektive emotionale Erfahrung‹ zu ermöglichen« (1971, S. 328). Kohut widerspricht aber dieser Interpretation seiner Auffassung, indem er betont: »Obwohl der Analytiker aus taktischen Gründen (zum Beispiel, um sich der Mitarbeit eines Sektors des Patienten zu versichern) in solchen Fällen vorübergehend etwas geben muß, was man *widerstrebendes Eingehen auf den Kindheitswunsch* nennen könnte, ist doch das eigentliche analytische Ziel nicht Wunscherfüllung, sondern Ich-Herrschaft auf der Grundlage von Einsicht, die im Rahmen (erträglicher) analytischer Abstinenz erworben wurde« (S. 329).

Bei der Erörterung der therapeutischen Ergebnisse seines Vorgehens stellt er fest: »Die primären und entscheidenden Ergebnisse der psychoanalytischen Behandlung narzißtischer Persönlichkeiten liegen im narzißtischen Bereich, und die hierbei erreichten Veränderungen sind in der Regel therapeutisch ausschlaggebend« (S. 336). Die Zunahme und Ausweitung der Fähigkeit des Patienten zur Objektliebe betrachtet er dagegen »als wichtiges, aber unspezifisches und sekundäres Ergebnis der Behandlung« und fügt hinzu: »Daher bedeutet die wachsende Zugänglichkeit objektlibidinöser Triebenergien im Verlaufe der Analyse im allgemeinen nicht, daß freigesetzter Narzißmus in Objektliebe verwandelt worden ist; sie ist vielmehr Folge einer Freisetzung von vorher verdrängter Objektlibido; das heißt, sie ist das Ergebnis eines Therapieerfolges in Bereichen sekundärer psychischer Störungen (Übertragungsneurose) bei einem Patienten, der primär an einer narzißtischen Persönlichkeitsstörung leidet« (a. a. O., S. 334).

Meiner Ansicht nach vernachlässigt Kohuts Ansatz die enge Beziehung zwischen Narzißmus und objektbezogenen Konflikten sowie die entscheidende Rolle aggressiver Konflikte in der Psychopathologie narzißtischer Persönlichkeitsstörungen. Ich stimme voll mit ihm überein, daß es wichtig ist, die Übertragung sich voll entfalten zu lassen, anstatt sie vorzeitig durch Deutungen zu stören, und daß der Analytiker – wie in jeder Analyse – jegliche moralisierende Einstellung im Hinblick auf die unangemessenen Größenphantasien des Patienten vermeiden muß. Aber Kohuts Vorgehen mag ungewollt eine Störung der vollen Entfaltung negativer Übertragungsanteile begünstigen, die unbewußte Angst des Patienten vor seinen Neid- und Haßgefühlen aufrechterhalten und damit die Durcharbeitung des pathologischen Größen-Selbst verhindern. Kohut geht davon aus, daß die Spiegelübertragung, die die Wiederbelebung des Größen-Selbst ist, zugelassen werden muß, damit das Größen-Selbst zu seiner vollen Entfaltung kommt, da sonst die narzißtische Grandiosität unbewußt bleiben muß. Mir scheint, daß die systematische Analyse der positiven und negativen Aspekte der Grandiosität des Patienten von ganz neutraler Warte aus das Ziel der vollen Entfaltung der narzißtischen Übertragung besser erreicht.

Ich stimme mit Kohut darin überein, daß im Mittelpunkt der psychoanalytischen Behandlung narzißtischer Persönlichkeitsstörungen die Wiederbelebung des Größen-Selbst stehen muß, sowie die für den Patienten notwendige Hilfe, sich des Größen-Selbst in einer neutralen, analytischen Situation voll bewußt zu werden. Doch glaube ich, daß das ausschließliche Augenmerk auf die libidinösen Konflikte bei den narzißtischen Widerständen unter fast völliger Vernachlässigung der Schicksale der Aggression bei diesen Fällen die systematische Deutung der Abwehrfunktionen des Größen-Selbst unmöglich macht. Meines Erachtens müssen beide Aspekte, die primitive Idealisierung und die omnipotente Kontrolle über den Analytiker, systematisch gedeutet werden. Der Patient muß sich – natürlich in einer kritikfreien Atmosphäre – seines Dranges bewußt werden, den Analytiker als ein unabhängiges Objekt zu entwerten und herabzusetzen, um sich selbst vor der Wiederbelebung der darunterliegenden oralen Wut- und Neidgefühle und der damit verbundenen Angst vor Vergeltungsmaßnahmen des Analytikers zu schützen. Vergeltungsangst (entstanden aufgrund projizierter sadistischer Regungen, die durch reale oder vermeintliche Frustrationen des Analytikers ausgelöst wurden) und Schuldangst (aufgrund von Angriffen auf den Analytiker als primitives gutes, spendendes Objekt) sind die vorherrschenden Motive des Patienten, gegen die narzißtische Widerstände aufgebaut werden; gerade diese müssen herausgearbeitet und systematisch gedeutet werden, bevor die Übertragung in eine gewöhnliche Übertragungsneurose übergehen kann. Die Bemühungen des Patienten, sein Größen-Selbst aufrechtzuerhalten und nicht erkennen zu müssen, daß der Analytiker ein unabhängiges, autonomes Wesen ist, erweisen sich regelmäßig als Abwehr gegen den heftigen Neid, gegen die furchteinflößende Beziehung zur gehaßten und als sadistisch empfundenen Mutter-Imago und gegen die Furcht vor einer leeren Einsamkeit in einer sinnlos gewordenen Welt.

Im Verlaufe der analytischen Arbeit stellt sich regelmäßig heraus, daß hinter den bewußt erinnerten oder erst in der Analyse wiederentdeckten »Enttäuschungen«, die diese Patienten von seiten ihrer Eltern erlebt haben, eine weit zurückreichende Entwertung der Elternimagines und der realen Elternfiguren steht, die der Vermeidung von Konflikten mit ihnen dienen sollte. Dementsprechend beziehen sich auch die Enttäuschungen der Patienten über ihren Analytiker nicht nur auf phantasierte oder reale Frustrationen in der Übertragung; sie veranschaulichen auch dramatisch die völlige Entwertung des Übertragungsobjektes beim geringsten Anlaß und somit die heftige, überwältigende Art der Aggression gegen das Objekt. Offene Wut aus Anlaß von Frustrationen ist viel eher eine normale, wenn auch übertriebene Reaktion. Die Forderung »entweder du bist so, wie ich dich haben will, oder du hörst auf zu existieren« bedeutet ein Agieren der unbewußten Wünsche nach totaler Objektkontrolle und zeigt die Abwehr der Aggression. »Enttäuschungsreaktionen« bedeuten bei diesen Patienten Konflikte mit Aggression wie auch mit libidinösen Tendenzen und noch direkter einen Schutz gegen die Wiederbelebung oral-aggressiver Konflikte. Anders ausgedrückt: die narzißtische Übertragung reaktiviert zuerst frühere Abwehrformen gegen tiefere Beziehungen mit den Eltern und erst später die reale frühere Beziehung zu ihnen. Wie bei so manchen Borderline-Patienten haben diese Eltern ihre Kinder tatsächlich enttäuscht, aber auf Gebieten und in einer Weise, die die narzißtischen Patienten gewöhnlich nicht vermuten und die erst in den späteren Phasen der Behandlung ans Licht kommt. Kurz gesagt: Enttäuschungen am Analytiker, seine unrealistische Idealisierung, hinter der sich verbirgt, daß der Patient ihn nicht als unabhängiges Objekt anerkennen will, und die komplexen Motivationen für den narzißtischen Rückzug müssen sorgfältig im Hinblick auf die darunterliegende Verachtung und Entwertung geprüft werden. Diese technische Forderung unterscheidet sich erheblich von der Analyse infantiler narzißtischer Reaktionen im Rahmen anderer Charakterstörungen.

Technisch entscheidend ist es ferner, das Augenmerk auf die diesen Patienten verbliebene Fähigkeit zu Liebe und Objektbeziehung sowie zur realistischen Einschätzung der Bemühungen des Analytikers zu richten, um zu vermeiden, daß der Patient fälschlicherweise meint, das starke Interesse des Analytikers für die negative Übertragung bedeute, daß dieser ihn für durch und durch schlecht hält. Kurz gesagt: der Analytiker muß sein Augenmerk gleichermaßen auf die positive wie auf die negative Übertragung richten. In diesem Zusammenhang zitiert mich Kohut so, als sei ich der Meinung, daß Ich-Deformierungen (ego distortions) »vorübergehend ein Stück pädagogischen Druckes erfordern« (Kohut 1971, S. 207), was ein Mißverständnis meiner Auffassung ist. Denn erzieherischen Druck oder eine moralisierende Haltung sollte man als Analytiker sicherlich vermeiden, und das erreicht man am besten, indem man die Motive analysiert, die narzißtischen Abwehrformen im Kontext der Wiederbelebung des Größen-Selbst zugrundeliegen. Eine Hauptursache, warum diese Patienten es nicht ertragen können, ihre Gefühle von Haß und Neid wahrzunehmen, ist ihre Angst, dadurch den Analytiker zu zerstören und ihre Hoffnung auf eine gute Beziehung zu ihm und auf seine Hilfestellung zunichte zu machen. Auf einer tieferen Ebene fürchten diese Patienten, daß ihre Aggression nicht nur das potentiell liebende und spendende Objekt zerstören wird, sondern ebenso ihre eigene Fähigkeit, Liebe zu geben und zu empfangen. Narzißtische Patienten versuchen auch die Gefahr ihrer eigenen Zerstörungswut zu verleugnen und sich in der Illusion zu wiegen, sie könnten jederzeit wieder »ganz von vorn anfangen«, indem sie die Realität der emotionalen Beziehung zum Analytiker verleugnen. Das wird deutlich an gewissen Arten von sexuell promiskuösem narzißtischem Verhalten, bei dem eine Funktion der Promiskuität darin besteht, die Hoffnung auf eine bessere Beziehung mit neuen Objekten zu bewahren und die sexuell begehrten Objekte vor den eigenen Destruktionsimpulsen zu schützen. Oft kann sich die Angst des Patienten vor seiner eigenen Aggression und Zerstörungswut steigern, wenn man die Deutung der negativen Übertragungsanteile vernachlässigt, wodurch die narzißtischen Widerstände notgedrungen verstärkt werden müssen. Kurzum, die optimale Technik zur Auflösung narzißtischer Widerstände besteht in der systematischen Analyse sowohl der positiven wie der negativen Übertragungsaspekte, nicht aber in einer ausschließlichen Bearbeitung der libidinösen Anteile, wie es ebenso ein Mißverständnis wäre zu meinen, daß die Deutungsarbeit an den latenten negativen Übertragungswiderständen gleichbedeutend wäre mit einer Beschränkung auf die Bearbeitung der Aggression.

Es ist wichtig, sich vor Augen zu halten, daß außer in den schwersten Fällen narzißtischer Persönlichkeitsstörungen gewisse normale Ichfunktionen aufrechterhalten bleiben und auch gewisse realistische Aspekte des Selbstkonzepts weiterhin mit dem Größen-Selbst koexistieren. Diese bilden nämlich die Grundlage für den Aufbau des Arbeitsbündnisses und die damit verbundene Fähigkeit, dem Analytiker wirklich zuzuhören und sich mit ihm in der psychologischen Erforschung der eigenen Person zu identifizieren. Diese normalen Selbstanteile können erkannt, erhalten und erweitert werden, indem man den Patienten auf seine Neigung aufmerksam macht, gerade solche Funktionen in sich abzuspalten oder zu entwerten. Man könnte sagen, daß der realistische Wunsch, mit dem Analytiker eine gute Beziehung aufrechtzuerhalten und sich von ihm helfen zu lassen, der Ausgangspunkt für die Stärkung einer normalen, zunächst infantil geprägten und schließlich reifen Abhängigkeit und Selbsteinschätzung ist. Insofern narzißtische Widerstände gegen das volle Bewußtwerden der tiefen Wut und Verachtung auch dazu dienen, die gute Beziehung zum Analytiker aufrechtzuerhalten, kann die Deutung dieser Doppelfunktion des narzißtischen Widerstandes dem Patienten dazu verhelfen, sich Verachtung und Neid, deren Existenz er nicht wahrhaben wollte, zum Bewußtsein zu bringen. Kurz, die Deutung der negativen Übertragungsanteile, ohne dadurch Kritik am Patienten zu üben, kann ihm helfen, seine Furcht vor der eigenen Zerstörungswut und seine Zweifel, ob überhaupt etwas Gutes an ihm sei, zu mildern.

Es gibt jedoch auch Fälle, wo die narzißtischen Widerstände sich nicht durcharbeiten lassen und der Patient nach längeren Phasen der Stagnation es schließlich vorzieht, die Behandlung zu beenden, oder der Analytiker zu dem Schluß kommt, daß er dem Patienten auch nicht mehr weiterhelfen kann. Unter solchen Umständen mag sich ein Wechsel der Behandlungsform in Richtung einer mehr stützenden Therapie von der Art, wie sie meines Erachtens in Kohuts Vorgehensweise impliziert (wenn auch nicht beabsichtigt) ist, als sehr hilfreich erweisen. Das gilt besonders für Patienten mit einer relativ funktionstüchtigen sozialen Anpassung, die den Analytiker wegen eines störenden Symptoms aufgesucht hatten, das sich aber dann im Verlaufe der Analyse gebessert hat, bevor die grundlegenden narzißtischen Charakterwiderstände durchgearbeitet werden konnten. Und ebenso gilt es auch für solche Fälle, bei denen ein erheblicher sekundärer Krankheitsgewinn besteht, das heißt: wo mit der pathologischen Charakterstruktur bedeutende narzißtische Gratifikationen verbunden sind, auf die der Patient nicht zugunsten der mühsamen und schmerzlichen analytischen Arbeit verzichten will. Daneben gibt es auch Patienten mit einer ausgeprägten negativen therapeutischen Reaktion, die eine gewisse Besserung nur um den Preis akzeptieren können, daß sie gleichzeitig den Analytiker in allen seinen Bemühungen, weitere Veränderungen zu erreichen, scheitern lassen müssen.

In zahlreichen Fällen dieser Art muß die Behandlungsstrategie über kurz oder lang abgeändert und auf eine stützende Toleranz gegenüber der narzißtischen Charakterkonstellation in Verbindung mit der Vorbereitung auf das Ende der Behandlung ausgerichtet werden.

Die unter solchen Umständen erreichten Veränderungen unterscheiden sich jedoch ganz erheblich von den therapeutischen Veränderungen, die über ein systematisches Durcharbeiten des pathologischen Narzißmus zu erzielen sind. Läßt sich der pathologische Narzißmus nicht durcharbeiten und muß dementsprechend die analytische Vorgehensweise einer stützenden Therapieform weichen, so bessert sich zwar in der Regel die soziale Funktionsfähigkeit des Patienten merklich, und auch seine Beziehungen zu anderen und zu sich selbst bessern sich in dem Maße, wie er besser zu verstehen lernt, was in anderen Menschen und in seinem Umgang mit ihnen vorgeht. Seine Ambitionen werden realistischer, und die Mittel und Wege, wie er sie zu realisieren versucht, stehen allmählich besser im Einklang mit seiner realen Lebenssituation und seinen allgemeinen Lebenszielen; auch die für narzißtische Persönlichkeiten so charakteristischen Gefühle von Rastlosigkeit und Langeweile erscheinen in der Regel dem Patienten erträglicher. Was jedoch gewöhnlich bestehen bleibt, ist die mangelnde Fähigkeit zu tieferem mitfühlendem Verstehen anderer Menschen und zur vollen Entwicklung von Liebesbeziehungen. Auch in bezug auf die Einstellung zur Arbeit zeigt sich häufig, daß diese Patienten irgendein Spezialinteresse verfolgen oder irgendeinen begrenzten Sektor hoch besetzt haben – sei es im beruflichen Bereich, im Studium, in ihren Hobbies oder Sammlungen –, wo sie ein Gefühl von Beherrschung, Kontrolle und Überlegenheit bewahren können, während sie sich von dem größeren Zusammenhang, in den dieses spezialisierte Interessengebiet als ein Teil gehört, weitgehend isoliert haben.

Paradoxerweise findet man bei denjenigen narzißtischen Persönlichkeiten, die relativ dürftige Ichfunktionen mit manifesten Borderline-Merkmalen aufweisen und bei denen eine stützende Psychotherapie durchgeführt worden ist, manchmal eindrucksvollere Besserungen als bei denen, die von vornherein besser zurechtkamen und intelligenter, kreativer und ehrgeiziger waren. Die andauernden Leeregefühle der Borderline-narzißtischen Persönlichkeiten und ihr Empfinden, in bezug auf ihre früheren grandiosen Interessen und ehrgeizigen Ziele mittlerweilig »ausgebrannt« zu sein, machen sie bereiter dazu, ihr

Auskommen schließlich in ziemlich konventionellen, oft sogar über-
angepaßten Lebensweisen zu suchen und anstelle der früheren hoch-
fliegenden Pläne ihre Befriedigung jetzt darin zu finden, daß sie ihr
Leben und ihre unmittelbaren Bedürfnisse einigermaßen stabil und
unter Kontrolle halten können. Im Gegensatz dazu geht es hochbe-
gabten, glänzend leistungsfähigen narzißtischen Persönlichkeiten
nach einer psychoanalytischen Behandlung, die an ihrer narzißtischen
Persönlichkeitsstruktur nichts Wesentliches zu ändern vermochte, oft
so, daß sie mit sich selbst und ihrem Leben eher unzufriedener geworden sind, als sie vorher waren. Denn sie können einerseits an ihren
alten Größenideen nicht mehr festhalten, andererseits können sie sich
aber auch mit der »Mittelmäßigkeit« des gewöhnlichen Lebens nicht
abfinden.

An psychoanalytischen Ausbildungskandidaten (ob sie nun ihre Ausbildung abgeschlossen haben oder nicht), in deren Lehranalyse die
narzißtischen Charakterwiderstände nicht ausreichend systematisch
durchanalysiert und aufgelöst wurden (und zwar meist in Verbindung mit einer unzureichenden Aufklärung negativer Übertragungseinstellungen), lassen sich solche Entwicklungen oft sehr anschaulich
verfolgen. Man findet bei ihnen eine Reihe von typischen Zügen, die
zusammengenommen ein charakteristisches Bild ergeben: eine allmähliche Enttäuschung in bezug auf die intensive psychotherapeutische
Arbeit mit Patienten, ein Gefühl der Langeweile im Hinblick auf die
Perspektive langfristiger Behandlungen einzelner Patienten über
Monate und Jahre hin – kurzum, ein schwindendes Interesse an
klinischer Arbeit, das oft mit abstrakter Kritik an der psychoanalytischen Theorie oder Technik zu rationalisieren versucht wird. Oft
begeben sich diese früheren Ausbildungskandidaten oder Analytiker
mit Eifer an die Erprobung neuer Behandlungsmethoden, vor allem
solcher, die auf eine unmittelbare Mobilisierung intensiver Gefühle
und regressiven Erlebens zielen. Sie fühlen sich wohler mit Behandlungsmethoden, die eine »direkte Intimität« undifferenzierter Art
herstellen, als mit der Analyse, wo es um die langwierige und komplexe Entwicklung tiefreichender persönlicher Beziehungen geht. In-
telligente und begabte Therapeuten mit einer derartigen Charakterkonstellation verfügen manchmal über ein sehr feines Gespür für
»kleine und komplexe Probleme« in der Behandlung; sie verlieren
aber den umfassenden emotionalen Zusammenhang dessen, was zwischen ihnen und den Patienten geschieht, leicht aus dem Blick. Es ist

auch interessant zu beobachten, wie Patienten mit narzißtischer Persönlichkeit, deren narzißtische Charakterwiderstände nicht systematisch durchgearbeitet worden sind, nach Abschluß ihrer Analyse den Analytiker noch eine Zeitlang weiter idealisieren, bis dann diese Idealisierung allmählich einer tiefen Gleichgültigkeit weicht. Im Rückblick schätzen sie ihre Analyse zwar als eine sehr hilfreiche Erfahrung ein, haben aber nicht das Gefühl, dabei etwas wirklich Neues über sich selbst gelernt zu haben.

Im folgenden Beispiel geht es um einen Fall der schon erwähnten Art, nämlich um einen Patienten, der vorzeitig auf einen Abschluß der Behandlung drängte, so daß infolgedessen auf eine eher stützende Therapieform übergegangen werden mußte. Dieser Patient, ein Geschäftsmann von Anfang vierzig mit einer typischen narzißtischen Persönlichkeitsstruktur, kam wegen seiner Homosexualität. Im Verlaufe einer vierjährigen Analyse besserte sich sein Zustand insoweit, daß seine homosexuellen Impulse und sein Agieren solcher Impulse verschwanden und er mit seinem Familienleben und seiner Arbeit allgemein wesentlich besser zurecht kam. Damit hatte er nach seinem Gefühl das wichtigste Ziel, um dessentwillen er die Behandlung begonnen hatte, erreicht und war mit seinem jetzigen Leben zufrieden, obgleich er noch immer eine chronische Langeweile empfand, ein mitfühlendes Verständnis für andere ihm schwer fiel und seine beschränkte Fähigkeit, sich um andere zu kümmern, ihm bewußt war. Seine chronischen Neidkonflikte hatten sich gelegt, zum Teil wohl auch deswegen, weil sein Streben nach Reichtum und Prestige inzwischen weitgehend befriedigt war. Nachdem er über einen längeren Zeitraum meine Deutungsbemühungen immer wieder damit gekontert hatte, daß er doch alles erreicht habe, was er sich von der Analyse erwartet hatte, kamen wir schließlich überein, eine Beendigung der Analyse ins Auge zu fassen. In den letzten sechs Monaten vor dem Abschluß der Behandlung, nachdem der Zeitpunkt hierfür bereits feststand, war seine Hauptangst, ich könnte über seinen Entschluß verärgert oder enttäuscht sein; auf einer tieferen Ebene empfand er die Beendigung der Analyse als Flucht vor einem perfektionistischen und nie zu befriedigenden Analytiker, der insoweit die Mutter repräsentierte. An dieser Stelle richtete ich mein Hauptaugenmerk auf die Angst des Patienten vor meiner möglichen Ablehnung, ohne – wie ich es vorher immer wieder versucht hatte – auf die zugrundeliegenden Konflikte näher einzugehen (vor allem auf seine paranoide Furcht davor, von mir als einer sadistisch sich entziehenden Mutter verraten, fallengelassen und bestraft zu werden). Was ich ihm jedoch aufzuzeigen versuchte, war seine Angst, ich könnte seinen Entschluß, mit der Analyse aufzuhören, so auffassen, als wolle er mir eine weitere Fortführung der analytischen Arbeit sadistisch vorenthalten, womit er mir eigentlich das gleiche Mißtrauen unterstellte, wie er es zuvor mir gegenüber empfunden hatte. Ich ging auch auf seine Angst ein, ich könnte ihn womöglich nicht als eigenständige Person akzeptieren, wenn er nicht irgendwelchen perfekten Maßstäben genügte – womit er wiederum nur auf mich sein eigenes, hochgradig unrealistisches Perfektionsstreben projiziert hatte, das wir schon früher in der Analyse kennengelernt hatten. Im Verlaufe dieses Prozesses festigte sich seine Erfahrung, daß er sich auf mich als idealisierten Therapeuten, der ihn so, wie er war, als selbständige Person akzeptierte, verlassen konnte, was ihm eine wichtige Unterstützung bedeutete und ihm dazu verhalf, seine ehrgeizigen narzißtischen Ziele auf ein realistisches Maß herunterzuschrauben und seine Beziehungen sowohl zu seiner Familie als auch zu sich selbst noch weiter zu verbessern. Der Patient machte im letzten Abschnitt seiner Analyse keinen voll entwickelten Trauerprozeß durch, und auch nach Abschluß der Behandlung erlebte er – wie ich aus katamnestischen Informationen einige Jahre später erfuhr – keine derartige Trauerreaktion. Seine allgemeine Symptomverbesserung hat aber über die Jahre hin angehalten, und auch die verbliebenen Einschränkungen seines Gefühlslebens hat er allmählich akzeptieren können. Dieser Fall veranschaulicht, um es kurz zusammenzufassen, wie die Erhaltung der narzißtischen Abwehrstruktur während der Beendigung der Behandlung nützlich und hilfreich sein kann, sofern eine vollständige Auflösung des pathologischen Narzißmus nicht möglich ist.

Dennoch sollte man nach Möglichkeit versuchen, diese schwere Charakterstörung therapeutisch anzugehen, um eine grundsätzliche Veränderung der inneren Beziehungen des Patienten zu sich selbst und seinen Mitmenschen zu erreichen – eine Veränderung vom pathologischen Narzißmus und pathologischen Objektbeziehungen zu einem normalen Narzißmus und normalen Beziehungen zu anderen.

Die folgenden Fallskizzen veranschaulichen unterschiedliche Aspekte narzißtischer Übertragungsformen.

1. Episode

Ein Patient reagierte auf die Mitteilung, daß ich einen späteren Termin in der gleichen Woche würde ausfallen lassen müssen, zunächst mit Wut; im weiteren Verlauf der Stunde fühlte er sich dann sehr distanziert und leer und zog sich auf eine monotone Wiedergabe zusammenhangloser Gedanken, die ihm gerade durch den Kopf gingen, zurück. Als ich auf seine Wut näher einging, stellte sich heraus, daß er über die Plötzlichkeit der Ankündigung schockiert war, die so gar nicht in das gewohnte vorhersehbare Muster paßte (normalerweise pflegte ich ihn schon Wochen vorher zu informieren, wenn ich ihn zu den üblichen Terminen nicht würde sehen können, oder meine Sekretärin sagte ihm im Falle unvorhersehbarer Ereignisse, z. B. wenn ich krank war, Bescheid). Dieser Patient ließ im übrigen keinerlei Reaktion auf Wochenendtrennungen erkennen und nahm nach Urlaubsunterbrechungen die Analyse immer so wieder auf, als habe die letzte Sitzung gerade gestern stattgefunden. Wir hatten bereits früher seine Wut anläßlich minimaler Frustrationen, die er von mir erfuhr, bis in eine gewisse Tiefe aufgeklärt und dabei auch gefunden, daß er dazu neigte, mich völlig zu vergessen (in seiner Phantasie hörte ich zwischen den Sitzungen tatsächlich auf zu existieren), solange ich mich seinem Gefühl nach ganz gleichmäßig und vorhersehbar verhielt (solange also z. B. meine Bemerkungen ganz mit seinen eigenen Wahrnehmungen übereinstimmten und ich somit, wie es schien, nicht mehr und nicht weniger über ihn wußte als er selbst). In dieser Sitzung nun brachten ihn seine Einfälle über seine Wut auf die Phantasie, daß wohl eines meiner Kinder erkrankt sei und ich deshalb meine Termine ausfallen ließe, weil ich mich um das Kind kümmern wolle. Von daher kam er auf die Phantasie, ich hätte wahrscheinlich besonders kluge oder besonders hübsche und sympathische Kinder, und er überlegte sich nun, wie ich wohl meine Freizeit mit meiner Familie verbringe. Im Verlaufe dieser Kette von Einfällen wurde zunehmend klar, daß er mich als jemanden erlebte, der ihm Liebe und Zuwendung würde geben können, die ich ihm aber jetzt auf aggressive Weise vorenthielt und mich statt dessen um meine Kinder kümmerte, auf die er sehr eifersüchtig war. In diesem Moment wurde er traurig und fand es jetzt eigentlich nur zu verständlich, daß ich mich lieber mit meinen Kindern beschäftigen würde als mit so einem anspruchsvollen Egoisten, wie er es sei. Darauf schlug seine Stimmung plötzlich um in Ärger über mich, verbunden mit dem Gefühl, ich hätte ihn in eine Falle gelockt. Er meinte jetzt, *ich* sei eigentlich anspruchsvoll und egoistisch, indem ich die Behandlungsstunden ganz nach meinem Belieben festsetzte oder ausfallen ließe, ohne dabei auf ihn Rücksicht zu nehmen. Das sei so eine typische Analytiker-Manipulation, ihn über seine Motive nachdenken zu lassen, wo doch der Fehler offensichtlich bei mir liege. Daraufhin konzentrierten sich seine Einfälle auf andere Seiten meiner Person, die ihm zu bestätigen schienen, daß ich einen egozentrischen und manipulativen Charakter hätte und mich in Wirklichkeit überhaupt nicht um ihn kümmerte. Seiner Meinung nach hätte ich seine Stunde einfach ausfallen lassen, nur um meinen Stundenplan nicht ändern zu müssen.

Was ich an dieser Episode hervorheben möchte, ist der plötzliche Umschlag in der emotionalen Beziehung des Patienten zu mir: Sehr im Gegensatz zu den vielen vorangegangenen Stunden, in denen er seine »Ruhe«, d. h. seine narzißtische Selbstbeherrschung bewahrt hatte, zeigte er hier eine kurzdauernd turbulente und rasch wechselnde Gefühlsreaktion, in der sich anschaulich seine Verwendung narzißtischer Abwehrformen gegen das Gefühl, von einer scheinheiligen und »falschen« Mutter im Grunde abgelehnt zu werden, aber auch gegen seine Schuld- und Unwertgefühle wegen seiner vermeintlich übergroßen Ansprüchlichkeit ihr gegenüber darstellte. Darüber hinaus zeigt seine Reaktion die Projektion seiner Ansprüchlichkeit und seines Egoismus auf die Mutter und die darauffolgende Enttäuschung und Entwertung dieser Mutterimago in der Übertragung, wodurch das narzißtische Gleichgewicht wiederhergestellt wird.

Bei diesem Patienten gab es reichliche Belege dafür, daß seine Mutter tatsächlich überaus egozentrisch war und ihn über Schuldgefühle zu manipulieren pflegte; seine Gefühle des Verlassenseins und Unwerts waren aber deshalb so unerträglich für ihn, weil sie sich mit Schuldgefühlen wegen seiner Wut auf die Mutter und mit Projektionen seiner eigenen zornigen und rachsüchtigen Gefühle auf sie durchmischten.

Die plötzliche Traurigkeit des Patienten hing mit einem vorübergehenden Gewahrwerden seines wütend fordernden Verhaltens mir gegenüber – und seiner Mutter gegenüber – zusammen. Mit seiner Traurigkeit gab er aber auch zu erkennen, daß ich – trotz der Versagung, die er eben von mir erfahren hatte – immer noch die Person war, die ihm Liebe und Zuwendung würde geben können. Und zugleich war es eine Traurigkeit darüber, daß er seinem Gefühl nach gar nicht imstande war, auf mich – das heißt: auf seine Mutterimago – liebevoll einzugehen. Ich versuchte dem Patienten zu zeigen, daß einer der Gründe, warum es ihm so schwer zu fallen schien, seinen Zorn, seine Verlassenheitsgefühle und seine Sehnsucht nach einer guten Beziehung zum Analytiker (zu seiner Mutter) auszuhalten, wohl die Verzweiflung über seine »Schlechtigkeit« sei, so als brächte er sich mit seinen aggressiven Gefühlen und Phantasien um das Recht, überhaupt noch eine liebevolle Beziehung erwarten zu dürfen, und so als zerstörte er damit zugleich auch sein Vertrauen auf seine eigene Fähigkeit, anderen Liebe geben zu können. Auch in diesem Falle ging es also wieder um eine systematische Analyse sowohl der positiven wie der negativen Übertragungsgefühle und deren Abwehr mittels pathologischer narzißtischer Widerstandsformen, die dem Patienten schließlich dazu verhalf, Liebe und Haß und damit letztlich auch die widersprüchlichen und abgespaltenen Selbst- und Objektbilder, die einen Teil der primitiven Ich-Organisation dieses Patienten ausmachten, miteinander zu integrieren.

2. Episode

Eine College-Studentin von Anfang zwanzig war empört, weil ich ihr mitgeteilt hatte, daß ich nächstens für eine Woche wegfahren müsse, und brachte wütend ihre Enttäuschung über meine (von ihr so erlebte) Härte und Rücksichtslosigkeit zum Ausdruck. Sie drohte mit dem Abbruch der Behandlung und wollte mich für alles, was während meiner Abwesenheit mit ihr geschehen könnte, verantwortlich machen. Ich deutete ihr die Wut darüber, daß ich sie verlassen würde, sowie auch ihre Projektion dieser Wut auf mich, die mein Fortgehen als so bedrohlichen und sadistischen Akt erscheinen ließ. Ich wies sie weiter darauf hin, daß sie in ihrer Wut über die bevorstehende Trennung nicht nur mich als Analytiker total entwertet, sondern sogar ihr inneres Bild von mir gewissermaßen zerfetzte, so daß an dessen Stelle in ihr nichts als blanke Leere übrig blieb und mein Fortgehen dadurch für sie um so schlimmer wurde. In früheren Stunden hatte sie bereits von ihren Phantasien gesprochen, ich ginge wohl auf eine Vortragsreise, um mich vor großem Publikum mit meinen Behandlungserfolgen zu brüsten; sie hatte sich meine Reise als eine fortwährende Reihe von Festen vorgestellt, die jeweils mit einer Lobrede auf meine Großartigkeit begännen und anschließend in gigantische Gelage übergingen, bei denen ich gierig die erlesensten Delikatessen verschlänge, wie sie normalerweise nur wenigen Auserwählten vorbehalten sind. Alternierend mit solchen Phantasien, die übrigens in einem Tonfall heftiger Wut geäußert wurden, waren Perioden von verachtungsvoller Ruhe zu beobachten, in denen die Patientin betont gleichgültig und gelangweilt erschien. Ich erinnerte sie nun an ihre Phantasien und meinte dazu, ihre heftige Wut ziele wohl unter anderem darauf ab, mich als Objekt ihres grenzenlosen Neides auszulöschen. An dieser Stelle wurde sie trotz ihrer immer noch bestehenden Wut nachdenklich und rief aus, sie sei in der Tat neidisch auf mich, und zwar vor allem darauf, daß ich so mit mir selbst zufrieden sein konnte, daß ich nicht unter den Schuldgefühlen, die sie mir machen wollte, zusammenbrach und daß ich solche Schuldgefühle auszuhalten vermochte, ohne mich darin beirren zu lassen, das zu tun, was ich für richtig hielt. Dieselbe Patientin sagte bei einer anderen Gelegenheit, als sie wieder erwog, die Behandlung abzubrechen: Sie wisse zwar, daß sie eine weitere Behandlung dringend nötig habe, aber der Gedanke, mir den Behandlungserfolg vorenthalten zu können, würde ihr sicherlich das Leben auch ohne Behandlung eine ganze Zeitlang angenehmer machen.

3. Episode

Ein weiterer Patient, der viele Monate lang nach außen hin sehr distanziert erschienen war, bot immer wieder Hinweise darauf, daß er sich unentwegt gegen seinen Neid absichern mußte. Es handelte sich um einen jungen College-Professor, der ständig die Leistungen und Erfolge anderer mit seinen eigenen verglich und eine grenzenlose Befriedigung verspürte, wenn er wieder einmal feststellen konnte, daß er schon viel mehr erreicht hatte als irgendeiner seiner Altersgenossen. Er war dauernd am Kalkulieren, überschlug beispielsweise das Verhältnis zwischen dem Einkommen und dem Alter seiner Freunde, zwischen der Größe von Häusern und dem Alter ihrer Besitzer, zwischen der Anzahl beruflicher Ehrungen und Publikationen anderer Kollegen und dem, was er selbst im gleichen Alter bereits erreicht hatte etc. Er vermochte zwar intellektuell darüber zu spekulieren, daß seine völlige Gleichgültigkeit mir gegenüber etwas mit der Angst zu tun haben könnte, auch mir gegenüber die gleiche Einstellung anzunehmen und durch seine Überlegenheit eventuell meinen Neid und Haß zu provozieren, aber es bedurfte noch vieler Monate, bis dieser Gedanke auch zu seiner emotionalen Realität geworden war. Schließlich gelangte er an den Punkt, wo er sich der schmerzlichen und demütigenden Einsicht aussetzen konnte, daß, sobald er wirklich fühlte, wie sehr er mich brauchte, er mich gerade deshalb auch beneiden mußte. Denn wenn ich ihm wirklich ein Verständnis zu bieten vermochte, das er aus sich selbst heraus nicht besaß, versetzte alles, was ihm solchermaßen meine Überlegenheit bestätigte, ihm sofort einen Stich von Neid.

4. Episode

Ein weiterer Patient, ein Industrieller von Mitte dreißig, kam in die Analyse mit der Erwartung, hier einer »Gehirnwäsche« unterzogen zu werden mit dem Ziel, ihn in einen Zustand von Selbstzufriedenheit zu versetzen, und dazu ein eindeutiges System von Wertvorstellungen und Verhaltensanweisungen vorgesetzt zu bekommen, das an die Stelle seiner chronischen Gefühle von Unsicherheit, Wertlosigkeit, Unechtheit und »Pseudo«-Leben treten sollte. Seine mühevollen Anstrengungen, in jüngeren Jahren über die Religion auf magische Weise Hilfe zu erlangen, waren fehlgeschlagen und hatten nur ein Gefühl der Desillusionierung hinterlassen; er war sich aber durchaus darüber im klaren, daß er diese religiöse Suche nun auf andere Weise in der Psychoanalyse fortsetzen wollte. In den Anfangsstadien der Analyse erlebte er mich als einen starr dogmatischen, aber tief gläubigen Hohepriester der Psychoanalyse. Diese ambivalente Idealisierung stellte sich bald als eine Abwehrkonstruktion heraus, hinter welcher nun ein anderes Bild von mir sichtbar wurde: sein Analytiker als Scheinheiliger, der sinnlose Rituale praktizierte, nur um seinen Geldbeutel zu füllen – kurzum, genau so ein »pseudo«hafter Mensch, wie der Patient sich selbst erlebte. Er reagierte sehr betroffen, als ich ihm aufzeigte, daß es für ihn anscheinend nur drei Möglichkeiten gab, wie er mich wahrnahm: Entweder erschien ich ihm als ein überzeugter, dogmatischer und selbstherrlicher »Gehirnwäscher«, der ihn sadistisch zur Unterwerfung unter das psychoanalytische Dogma zwingen wollte, oder ich war eher ein zynischer Manipulierer, der es darauf anlegte, ihn finanziell auszubeuten, oder noch schlimmer: ein impotenter Idiot, der tatsächlich an so eine »pseudo«-wissenschaftliche Theorie und Methode wie die Psychoanalyse zu glauben schien. Der Patient brauchte viele Monate, bis er erkannte, daß er unter seinen drei Alternativen gerade die Möglichkeit ausgeschlossen hatte, daß ich als Psychoanalytiker ihm etwas sehr Reales und Konkretes zu bieten haben könnte und daß eben darin auch meine Überzeugungen gründeten. Er konnte nicht davon ablassen, die »magischen« Mittel der Psychoanalyse erwerben zu wollen, um mit deren Hilfe selber sein Glück zu machen, statt in Zusammenarbeit mit dem Analytiker realistisch an seinen Problemen zu arbeiten, wobei die Angst vor seinem eigenen Neid sicher eine nicht geringe Rolle spielte.

Eines Tages entdeckte er, daß er regelmäßig zu Beginn der Sitzungen meinen Behandlungsraum mit einem kurzen raschen Blick überflog, um sich zu vergewissern, daß alles noch unverändert so war wie beim vorigenmal. Es stellte sich nun heraus, daß er immer ängstlich darauf achtete, ob nicht irgendwelche neuen Gegenstände, Bücher oder Manuskripte auf meinem Schreibtisch auftauchten, die ihm neue Errungenschaften, Erwerbungen oder Ehrungen, die ich erhalten hätte, signalisierten; er war jedesmal sehr erleichtert, wenn er feststellen konnte, daß es nichts Neues gab, worüber er sich hätte aufregen können. Es wurde ihm nun auch bewußt, daß er immer, wenn er bei mir etwas Neues entdeckte, sofort von dem Gedanken überfallen wurde, ich sei Jude, und Juden seien eben überaus raffgierig; deshalb bestätigten solche Neuerwerbungen, die bei mir auftauchten, eigentlich nur, daß ich eben einer hungrigen, habgierigen, ausbeuterischen Rasse zugehörte. Es bereitete dem Patienten große Angst, diesen Phantasien über mich weiter nachzugehen, da er fürchtete, meine Selbstachtung könnte unter seinen »giftigen« Attacken zunichte werden, und dann hätte er keine Chance mehr, durch die Analyse noch Erleichterung und Hilfe zu erlangen. Meine systematischen Deutungen seiner Angst vor seiner Aggression, wobei ich darauf bedacht war, als wesentlichen Anteil der gesamten Übertragungsreaktion immer auch seinen Wunsch implizit mit anzuerkennen, mich als heile und potentiell gute und hilfreiche Person zu erhalten, ermöglichten schließlich ein allmähliches Durcharbeiten seiner Konflikte im Zusammenhang mit seiner Verachtung, seiner Gier und seinem Haß, gegen die seine narzißtische Abwehrhaltung aufgebaut worden war.

Kohut (1971, S. 298 f.) nimmt an, daß unbewältigte narzißtische Störungen des Analytikers diesem Unbehagen bereiten können, wenn er vom Patienten idealisiert wird, und somit eine subtile Tendenz zur Ablehnung solcher Idealisierungen begünstigen. Ich will ihm darin gern zustimmen, daß eigene unbewältigte narzißtische Konflikte den Analytiker dazu veranlassen können, auf Idealisierungen von seiten seiner Patienten pathologisch zu reagieren; ich bin aber auch überzeugt, daß aus solchen Problemen des Analytikers ebensowohl eine übermäßige Annahme wie auch eine Ablehnung der Idealisierung des Patienten entstehen kann. Leider neigen Analytiker, die solche Patienten behandeln, manchmal dazu, deren Idealisierung zu gewissen Teilen allzu unkritisch zu akzeptieren. Die Bewunderung einfach anzunehmen, erscheint mir genauso als ein Aufgeben der analytischen Neutralität wie eine Haltung von kritisierender »Überobjektivität«. Narzißtische Patienten reagieren ja sehr leicht auf Deutungen so, als handle es sich um Vorwürfe; wenn nun der Analytiker die Bewunderung des Patienten einfach annimmt und damit seine neutrale, verstehende und deutende Position verläßt, so besteht die Gefahr, daß er sich vom Patienten in eine Situation hineinmanövrieren läßt, die dieser dann leicht – und manchmal auch ganz zu Recht – als gelungene Verführung des Analytikers interpretieren kann. Ich bin oft davon beeindruckt gewesen, wie geschickt manche narzißtischen Patienten mit ihrer Idealisierung genau die narzißtischen »schwachen Stellen« des Analytikers erspüren.

Das »Unbehagen des Analytikers« bezüglich der Idealisierung narzißtischer Patienten kann schließlich auch von der ganz eigentümlichen Qualität dieser Idealisierung herrühren, die oft mit kontrollierenden Elementen durchsetzt ist und einen Charakter von »An- und Abschaltbarkeit« aufweist. Mit anderen Worten: was der Analytiker hier spürt, sind nicht nur die positiven, sondern auch die negativen Übertragungsanteile.

Meiner Erfahrung nach ergibt sich das Hauptproblem in bezug auf die Gegenübertragung in der Arbeit mit narzißtischen Patienten aus deren ständigem Bemühen, die Existenz des Analytikers als eigenständiger Person zu verleugnen. In dieser Hinsicht stimme ich mit Kohuts Beschreibung der Reaktion des Analytikers auf primitive

Formen der Spiegelübertragung voll überein. Wenn auch der Analytiker, meint Kohut, sich »bedrängt fühlen mag durch die unbestimmten und stummen Forderungen des Patienten, die angesichts der Verschmelzungsübertragung bis zu vollkommener Versklavung gehen –, so erschwert das Fehlen objekt-triebhafter Besetzungen ihm häufig die Aufrechterhaltung seiner Aufmerksamkeit für längere Zeit« (Kohut 1971, S. 313). Ich kann aber Kohuts Erklärung, daß diese Schwierigkeit etwas mit der Art der Besetzung zu tun haben soll, nicht akzeptieren, denn mir scheint, daß es hier eher um etwas anderes geht, nämlich um die Auswirkungen unbewußter Beherrschungs- und Entwertungstendenzen vermittels primitiver Formen von Projektion, die mit dem Größen-Selbst zusammenhängen.

Eine sorgfältige Lektüre von Kohuts Fallskizze der Patientin Frl. F. (Kohut 1971, S. 320–333) zeigt, daß auch dieser Fall sich zwanglos im Sinne meiner Auffassungen, wie ich sie in diesem Kapitel entwickelt habe, deuten läßt. Von einem bestimmten Punkt der Behandlung an konnte die Patientin »schrittweise Verbindungen herstellen zwischen der Wut gegen mich, wenn ich ihre Forderungen nicht verstand, und den Gefühlen, die sie als Reaktion auf die narzißtische Versagung in ihrer Kindheit hatte« (a. a. O., S. 331). Wie Kohut beschreibt, »konnte ich ihr schließlich sagen, daß ihr Zorn auf mich narzißtisch war, daß sie mich in der Übertragung mit ihrer depressiven Mutter verwechselte, die die Aufmerksamkeit von den narzißtischen Bedürfnissen des Kindes ab- und auf sich selbst gezogen hatte. Diesen Deutungen folgte die Erinnerung an aufeinanderfolgende Ereignisse, die eine Phase depressiver Selbstbezogenheit der Mutter in späteren Lebensabschnitten der Patientin betrafen« (a. a. O., S. 330). Unter Berücksichtigung der gesamten Information, die Kohut über diese Patientin mitteilt, möchte ich die Frage aufwerfen, ob der Analytiker, indem er diese Deutung gibt, hier nicht doch mehr oder weniger direkt die Wut der Patientin deren Mutter anlastet und damit die Patientin vor einer vollen Offenlegung der komplexen Ursprünge ihrer Wut schützt. Allgemeiner ausgedrückt sehe ich die Gefahr, daß man sich von diesen Patienten verführen läßt, wenn man ihre Idealisierung unbefragt annimmt, die negative Übertragung jedoch direkt auf das ursprüngliche Objekt dieser Gefühle rückbezieht, ohne in vollem Umfange auch den Eigenanteil des Patienten an der Entwicklung seiner pathologischen Wut im Hier-und-Jetzt der Übertragung zu klären.

Ich erwähnte bereits, daß die subtilen unbewußten Bemühungen narzißtischer Patienten, jegliche Bedeutung, die die analytische Beziehung für sie gewinnen könnte, zu verleugnen (was wiederum beim Analytiker ein chronisches Gefühl von Frustration, Hilflosigkeit, Langeweile und Nichtverstehen hervorruft), für den Analytiker viel schwerer zu ertragen sind als ihre unrealistische, primitive Idealisierung, die sich schon auf Grund ihrer besonderen Qualität als überwiegend narzißtischen Funktionen dienend ausweist. Es stimmt zwar auch, daß Analytiker mit ungelösten Konflikten in bezug auf ihren eigenen Narzißmus leicht mit Angst und Ablehnung oder umgekehrt mit unkritischer Annahme der Idealisierung des Patienten reagieren, aber die Hauptgefahr besteht meines Erachtens darin, daß der Analytiker solche Patienten innerlich ablehnt, weil sie ihn unentwegt entwerten. Der Analytiker fühlt sich zeitweilig nahe daran, der Überzeugung des Patienten zu erliegen, so als gäbe es so etwas wie inneres Erleben gar nicht, als wären psychologische Sachverhalte im Grunde unverständlich und sinnlos und als hätte die gesamte analytische Situation überhaupt etwas Fremdartiges, Unlebendiges und Künstliches an sich. Bei anderer Gelegenheit hat der Analytiker vielleicht das Gefühl, etwas verstanden zu haben, fühlt sich aber gleichzeitig völlig gelähmt, so als wäre ihm seine Fähigkeit abhanden gekommen zu entscheiden, wann und in bezug worauf er mit einer Deutung intervenieren könnte, als fände er einfach keinen Zugang zu den emotionalen Zusammenhängen zwischen den verschiedenen Aspekten des vom Patienten gebotenen Materials. Manchmal spürt der Analytiker eine starke Versuchung, sich einfach zurückzulehnen und die Dinge ihren Lauf nehmen zu lassen, in der Hoffnung, später wieder zu einem intuitiven Verständnis des Patienten zurückzufinden. Wenn er aber diese Entwicklung aufmerksam verfolgt hat und dadurch in der Lage ist, die objektiven Hinweise in den verbalen und averbalen Mitteilungen des Patienten richtig einzuordnen – nämlich als Anzeichen dafür, daß der Patient ihn als nicht-existent behandelt –, kann die Übertragung rasch umschlagen und die analytische Beziehung sich plötzlich beleben. Das Gefühl einer alles abtötenden Monotonie in der analytischen Situation ist oft in ganz spezifischen Aspekten der Einfälle und des averbalen Verhaltens der Patienten begründet, die erkannt und gedeutet werden müssen.

Während einer Sitzung etwa in der Mitte seiner Analyse sagte ich einem narzißtischen Patienten, es irritiere mich, wie er über offenbar wichtige Kindheitserinnerungen derart monoton und gedämpft rede, daß ich ihm kaum folgen könne; ich wies ihn auf die augenscheinliche Diskrepanz zwischen dem, was er erzählte, und der Art und Weise, wie er es vorbrachte, hin. Der Patient erschrak, als ich ihn unterbrach, und als ich nun ausgeredet hatte, sagte er, er habe mir soeben nicht richtig zuhören können, aber es sei ihm plötzlich bewußt geworden, daß ich auch noch da sei. Als ich ihn daraufhin anregte, zu seinem plötzlichen Erschrecken zu assoziieren, wurde ihm bewußt, daß er sich beim Nachdenken über seine Vergangenheit sehr wohl gefühlt hatte; er sagte, er habe seine Gedanken in alle Richtungen schweifen lassen, sie gleichsam ausgeworfen in eine riesige erwartungsvolle Weite, eine offene aufnahmebereite Welt, wo alles, was er aus sich entließ, sich wie von selbst ordnete und ihm ganz durchsichtig und verständlich in sein Bewußtsein zurückgespiegelt wurde, verbunden mit dem Gefühl einer fortwährenden Bereicherung seines emotionalen Erfahrungsschatzes. Er hatte sich über meine eindringliche Intervention geärgert und dazu die Phantasie gehabt, ich sei womöglich frustriert und fühle mich inkompetent, weil er seine analytische Arbeit ganz allein verrichten könne. Zu einem späteren Zeitpunkt der Sitzung bemerkte er mit einem Lächeln, er könne sich jetzt denken, warum er mir vorhin nicht richtig zuhören konnte: Hätte ich wirklich etwas zu sagen gehabt, was für ihn neu und wichtig gewesen wäre, so hätte ihn das aus seinem Gefühl, alles allein machen zu können, wohl ziemlich abrupt herausgerissen.

Im Verlauf der Durcharbeitung narzißtischer Widerstände erlebt der Analytiker in seinem Gefühl lähmender Stagnation zeitweilige Schwankungen: Er wird zum Beispiel plötzlich einer flüchtigen Stimmung von Verlassenheit gewahr, spürt Angst vor Sinnlosigkeit oder Liebesverlust, Furcht vor bedrohlichen Angriffen oder Ablehnung. Solche Gefühle des Analytikers spiegeln die abgespaltenen, verdrängten und/oder projizierten Selbst- und Objektimagines des Patienten wider, die allmählich in der Übertragung wieder lebendig werden. Diese »blitzartigen« regressiven Gefühlsreaktionen oder manchmal auch eine stetigere Änderung der Gefühlseinstellung des Analytikers gegenüber den Versuchen des Patienten, die emotionale Bedeutung der Analyse zu verleugnen, sind wichtige Indikatoren für Fortschritte in der Durcharbeitung narzißtischer Widerstände. Zuweilen kündigt sich die Veränderung im Übertragungs-Gegenübertragungs-Gleichgewicht dadurch an, daß der Analytiker plötzlich

»hellwach« bestimmte Aspekte des Materials im Zusammenhang wahrnimmt, die bis dahin keinen Sinn ergeben hatten. Insofern solche Patienten bereitwillig jede Art von intellektueller Erklärung annehmen, die sie »lernen« und in ihre »Selbstanalyse« einbauen können, akzeptieren sie gern die Deutungen des Analytikers; häufiger jedoch treffen Deutungen, die sich auf die vom Patienten induzierten flüchtigen Stimmungen des Analytikers, auf seine gefühlshaften Wahrnehmungen abgespaltener und in der Analyse jetzt wiederbelebter Selbst- und Objektimagines des Patienten beziehen, auf dessen erbitterten Widerstand und erfordern vom Analytiker eine wache Aufmerksamkeit für seine eigenen Gefühle. Der Analytiker wird in diesem Stadium gewissermaßen zum Bewahrer der differenzierten Selbst- und Objektimagines des Patienten, die mit Gefühlen von Verlassenheit, Einsamkeit, Versagung und Hoffnungslosigkeit verbunden sind, gegen die der Patient seine narzißtische Abwehrfront errichten mußte. Der Analytiker erlebt jetzt sozusagen jenen normalen kindlichen Selbstanteil, den der Patient nicht ertragen konnte, sondern abspalten oder verdrängen und durch sein pathologisches Größen-Selbst ersetzen mußte.

Ein narzißtischer Patient, der sich gerade in diesem Entwicklungsstadium seiner Analyse befand, fuhr eines Tages an einem Bürgersteig vorbei, auf dem eine tote Katze lag, die offensichtlich von einem anderen Auto überfahren und dort hingeworfen worden war. Etwas an seiner Schilderung der toten Katze, in deren eingefrorener Haltung totales Elend und Verlassenheit zum Ausdruck kam, rührte mich eigentümlich an, aber bevor ich noch Zeit hatte, dem weiter nachzugehen, schien die Gefühlsbedeutung dieses Erlebnisses schon wieder durch andere Themen ausgelöscht worden zu sein. Ein paar Tage später erwähnte der Patient, daß seine Kinder irgendwo eine hungrige Katze gefunden und mit nach Hause gebracht hatten, und erzählte, wie gierig sie das angebotene Futter verschlang, ständig auf dem Sprung, um vor möglichen Schlägen oder Angriffen davonzulaufen. Als ich ihn nach weiteren Einfällen hierzu fragte, fielen ihm sogleich kräftige verwilderte Katzen ein, die nachts durch die Straßen streifen und ihre Rivalen bei der Futtersuche an Abfallbehältern vertreiben, wobei mir der Übergang von der hungrigen, verschreckten, einsamen Katze zu den kräftigen, aggressiven, »gefühllosen« Großstadtkatzen stark auffiel. Das Thema tauchte später noch einmal kurz auf, als er die Phantasie von einem einsamen Kätzchen hatte, das in einer dunklen Regennacht unter Mühen nach einem Unterschlupf suchte.

Was in dieser kurzen Fallskizze so schwer wiederzugeben ist, ist die wechselseitige Isolierung dieser versprengten und im einzelnen recht spezifischen Teilaspekte eines bestimmten Gefühlszustandes, den der Patient offenbar bei sich selbst schwer ertragen konnte. Denn was ansonsten in diesem Stadium weitaus überwog, war seine arrogante Selbstgerechtigkeit, sein mächtiges Überlegenheitsgefühl als Angehöriger einer sozialen Gruppe, die über eine besondere angeborene Widerstandskraft verfügte und tief im Lande verwurzelt war und die sich damit von Leuten abhob, die er nur mit Geringschätzung betrachten konnte, zum Beispiel Ausländer und vor allem verfolgungsgeschädigte Flüchtlinge. Die Übertragung hatte in dieser Zeit einen überwiegend narzißtisch-grandiosen Charakter, und in der analytischen Arbeit ging es ständig um seine Neigung, meine Beiträge zu mißachten und zu vergessen, mich als nicht existent zu behandeln und seine Analyse allein durchführen zu wollen. Mein eigenes Erleben in dieser Analyse hatte sich jedoch verändert: Hatte ich zuvor oft das Gefühl gehabt, angesichts der emotional flachen Mitteilungen des Patienten in der Rolle eines eher zufälligen und unbedeutenden Zuhörers zu sein, so erlebte ich jetzt eigenartigerweise gelegentlich Momente einer starken Empathie mit seinen flüchtig und isoliert auftauchenden Vorstellungen beispielsweise von der ausgehungerten Katze oder der toten Katze auf dem Bürgersteig. Erst jetzt begriff ich den Zusammenhang zwischen der Phantasievorstellung vom einsamen Kätzchen in einer Regennacht und den verfolgungsgeschädigten Flüchtlingen. Es war als hätte der Patient tief in mir selbst bestimmte Erlebnisse aus meiner eigenen Vergangenheit wieder aufgerührt, die verbunden waren mit einem Gefühl absoluter Einsamkeit und quälender Verzweiflung darüber, niemanden zu haben, dem gegenüber man Bedürfnisse nach Liebe und Schutz hätte äußern können. Aber auch dies waren wieder nur flüchtige Stimmungen, die in den Stunden mit diesem Patienten auftauchten und die ich zunächst noch nicht so recht mit dem Material des Patienten in Beziehung zu setzen vermochte.

Es fiel mir jedoch bald auf, daß solche Erlebnisse, Phantasien und Erinnerungen an eigene frühere Träume, die sich auf meine Vergangenheit bezogen, nur immer in den Stunden mit diesem einen Patienten auftauchten, und so kam es, daß ich allmählich ihre Verbindung mit den eigenen Katzen-Phantasien, die regelmäßig solche Stimmungen bei mir auslösten, verstand. Ich konnte dem Patienten schließlich deuten, daß er hier offenbar ein Bild von sich selbst auf mich projizierte, nämlich Erlebnisse aus seiner Kindheit, in der er sich zutiefst ungeliebt gefühlt hatte. Anhand der Katzen-Phantasien und auf dem Hintergrund des allgemeinen Erkenntnisstandes, den wir bis dahin erreicht hatten, rekonstruierte ich nun mit ihm gemeinsam die Familienumwelt seiner Kindheit, in deren Kontext er diese Erfahrungen gemacht hatte. Retrospektiv gesehen lag die Verbindung zwischen den Katzen-Phantasien und seiner Vergangenheit eigentlich auf der Hand, und dennoch möchte ich betonen, wie schwer diese Zusammenhänge aus den isolierten Assoziationen des Patienten zu entnehmen waren, der sich zu der Zeit in einem Stadium der Analyse befand, in dem er aus Abwehrgründen immer wieder jede sinnvolle Kommunikation zerstören mußte und in dem die Wiederbelebung abgespaltener und projizierter Reste seines wirklichen kindlichen Selbst über viele Behandlungsstunden hin nur in Form versprengter Fragmente in der Gegenübertragung geschah.

Versuchen diese Patienten den Analytiker ständig unter ihre omnipotente Kontrolle zu bringen, so kann es geschehen, daß dieser seine Gegenübertragung in Form »erzieherischer« Anstrengungen ausagiert, etwa indem er dem Patienten vorhält, er »untergrabe« den analytischen Prozeß, halte sich »nur zum Schein« an die Grundregel etc. Der Analytiker mag in solchen Phasen leicht der Versuchung erliegen, moralisierend auf den Patienten einwirken zu wollen oder ständig über die langfristige Prognose des Falles nachzugrübeln, statt sich zu fragen, worin seine Schwierigkeiten in bezug auf ein empathisches Verstehen der gegenwärtigen Übertragungsentwicklung begründet sind. Analytiker mit erheblichen eigenen unbewältigten narzißtischen Konflikten reagieren auf die anhaltende Entwertung eines narzißtischen Patienten leicht mit plötzlicher Ablehnung des Patienten, den sie bis dahin womöglich außerordentlich interessant und »lohnend« fanden (besonders solange die Projektion des Größen-Selbst auf den Analytiker noch dessen eigenen narzißtischen Bedürfnissen entgegenkam).

Einen allgemeinen Punkt möchte ich noch einmal hervorheben, nämlich daß hinter der narzißtischen Abwehrfront bedeutsame primitive verinnerlichte Objektbeziehungen existieren, die in der Übertragung wiederbelebt und mit dem Durcharbeiten der narzißtischen Widerstände allmählich erkennbar werden. Klinische Erfahrung belegt überzeugend die theoretische Annahme, daß Narzißmus und Objektbeziehungen immer Hand in Hand gehen, wie es besonders van der Waals (1965) sehr einleuchtend dargestellt hat.

Anhand des folgenden Fallbeispiels möchte ich einmal summarisch die Abfolge von Übertragungskonstellationen beschreiben, die über einen Zeitraum von etwa zwei Jahren hin in der bereits fortgeschrittenen Behandlung einer narzißtischen Persönlichkeit zu beobachten waren. Bei dem Patienten handelte es sich um einen erfolgreichen Architekten von Ende dreißig, der als Seniorchef ein großes Architekturbüro leitete. Die Übertragung dieses Patienten bewegte sich über drei Jahre lang nur auf der Ebene einer typischen narzißtischen Übertragungsform. Nach anfänglicher Idealisierung des Analytikers, die im wesentlichen als Reaktionsbildung gegen durchgehende Entwertungstendenzen erschien, spielte sich eine Situation ein, die man am ehesten als oszillierende Übertragung bezeichnen könnte und die durch ein Alternieren zwischen dem pathologischen Größen-Selbst und der Projektion dieses Größen-Selbst auf den Analytiker gekennzeichnet war. Die allmähliche Durcharbeitung dieser Übertragungskonstellation brachte heftigen primitiven Neid und Rivalität auf der Grundlage oralen Neides (und nicht so sehr ödipaler Strebungen) ans Licht und führte schließlich zu offeneren Äußerungen von Ambivalenz, wobei die zornige orale Ansprüchlichkeit des Patienten bald in Sehnsucht nach verläßlicher Abhängigkeit von einer liebevollen, schützenden Vater-Mutter-Imago überging, verbunden mit starken Schuldgefühlen wegen seiner Angriffe auf den Analytiker. Diese Übertragungsform wurde wiederum von einer stabileren Abhängigkeitsbeziehung zu einem liebevollen, schutzgebenden Vaterbild in der Übertragung abgelöst, so daß der Patient jetzt nach mehr als drei Jahren Analyse erstmals eine wirkliche Abhängigkeit vom Analytiker entwickelte, die unter anderem in neurotischen Trauerreaktionen auf Trennungen vom Analytiker und im Auftauchen von konflikthaftem Material aus verschiedenen Entwicklungsstufen seiner Kindheit erkennbar wurde. Im Anschluß an dieses Stadium kam es aber erneut zu einem emotionalen Rückzug, und es entstand nun eine allgemeine Gefühlsleere in den Stunden, die bei oberflächlicher Sicht wie eine Neuauflage des früheren Stadiums narzißtischer Widerstände erscheinen mochte. Die Reaktion des Patienten hatte jedoch nun eine andere Qualität; sie entsprach eher einem mürrischen, mißtrauischen Zurückhalten von Einfällen, verbunden mit dem offensichtlich unbewußten Versuch, den Analytiker schläfrig zu machen oder ihn jedenfalls durch monotone Wiederholungen in einem Zustrand chronischer Frustration zu halten. Der Patient kam während dieser Zeit häufig auf die sadistisch-vorenthaltende Art seiner Mutter zu sprechen und wurde schließlich gewahr, daß er sich selbst mit einem solchen Mutterbild identifiziert und gleichzeitig sein eigenes frustriertes kindliches Selbst auf den Analytiker projiziert hatte.

Diese Identifizierung mit dem Aggressor unterschied sich deutlich von dem früher in der Übertragung zu beobachtenden narzißtischen Rückzug, und die Deutung dieses Übertragungsmusters bewirkte denn auch eine unmittelbare Veränderung des affektiven Klimas und eine weitere Vertiefung der Abhängigkeitsbeziehung zum Analytiker. Der Patient erlebte ihn jetzt als schutzbietende, liebevolle Vaterfigur, an die er sich mit seinen kindlichen Abhängigkeitsbedürfnissen wenden konnte, und fühlte, daß er sich nun der analytischen Situation überlassen – »sich darauf verlassen« – konnte. Er war tief bewegt von dieser für ihn neuen Erfahrung, die sich auch auf die Beziehung zu seiner Frau und seinen Kindern auswirkte, indem er deren Abhängigkeitsbedürfnisse jetzt besser verstand und zugleich seine eigenen Gefühlsbindungen an seine Familie sich vertieften. Dem Patienten wurde überhaupt erst jetzt bewußt, wie sehr seine ganze Einstellung dem Analytiker gegenüber bisher von der grundsätzlichen Überzeugung bestimmt war, es könne zwischen ihm und dem Analytiker nie eine wirkliche Beziehung geben. Er hatte zum Beispiel lange Zeit die Phantasie gehabt, daß allenfalls nach Abschluß der Analyse eine freundlich-distanzierte Beziehung möglich sei, wohingegen während der Analyse eine insgeheime Übereinkunft zwischen ihm und dem Analytiker bestünde, daß die analytische Beziehung in Wirklichkeit gar nichts mit den heftigen Gefühlskonflikten, die angeblich in solch einer Behandlung auftauchen sollten, zu tun habe.

Der Patient wurde sich jetzt auch bewußt, daß es in ihm eine innere Erlebniswelt gab, die nicht seiner bewußten Kontrolle unterstand, und spürte, welche Erregung und Angst es ihm bereitete, in seiner Analyse dieser inneren Welt zu begegnen.* Noch ein Jahr später

---

* Es bedurfte also wohlgemerkt einer über drei Jahre dauernden Analyse der narzißtischen Widerstände, bis eine Übertragungssituation entstand, wie sie bei weniger schweren Charakterstörungen bereits in den frühen Stadien der Behandlung sich entwickelte.

tauchte die ganze Palette ödipaler Konflikte in der Übertragung auf, und die Analyse nahm jetzt den Charakter einer üblichen Übertragungsneurose mit den dazugehörigen Konflikten und Widerstandsformen an.

Allgemein läßt sich feststellen, daß in Zeiten erhöhten Widerstands frühere, bereits aufgegebene narzißtische Widerstandsformen erneut wiederaufleben können; auch andere schon überwunden geglaubte Charakterabwehrhaltungen können in solchen Übergangsphasen zu neuen Widerstandsfronten vorübergehend reaktiviert werden. Man erkennt jedoch am Kontext, in dem diese Reaktivierung narzißtischer Abwehrformen geschieht, und an der Differenziertheit der mit solchen Widerständen verbundenen verinnerlichten Objektbeziehungen, welche erheblichen strukturellen Veränderungen beim Patienten mittlerweile erreicht worden sind.

6. Zur Prognose behandelter und unbehandelter narzisstischer Persönlichkeitsstörungen

Ich bin auf prognostische Faktoren bei der psychoanalytischen Behandlung narzißtischer Persönlichkeiten schon an früherer Stelle (vgl. 4. und 8. Kapitel dieses Buches) eingegangen und möchte mich hier darauf beschränken, diese Faktoren noch einmal kurz aufzuzählen und dabei teilweise meine früheren Ausführungen zu modifizieren und zu ergänzen.

Sekundärer Krankheitsgewinn, wenn zum Beispiel die Lebensumstände einem Patienten mit sozial effizienter narzißtischer Persönlichkeitsstruktur ein ungewöhnliches Maß an narzißtischer Selbstbestätigung gewähren, kann das größte Hindernis bei der Auflösung narzißtischer Widerstände sein. Das gleiche gilt auch, wenn der sekundäre Gewinn in der analytischen Behandlung selbst liegt – wie zum Beispiel bei Kandidaten in der psychoanalytischen Ausbildung, die eine narzißtische Persönlichkeit haben. Man könnte sich sogar fragen, ob ein ungewöhnliches Maß an Befriedigungen, das begabten Patienten mit narzißtischer Persönlichkeit im frühen Erwachsenenalter zuteil wird, nicht generell gegen die Behandlung solcher Patienten spricht und ob nicht bei manchen eine Psychoanalyse erst im mittleren und höheren Lebensalter mehr Aussicht auf Erfolg hat.

Wichtig für die Prognose ist außerdem das Ausmaß, in welchem sich negative therapeutische Reaktionen entwickeln, die typischerweise mit besonders schweren verdrängten oder abgespaltenen Neidkonflikten verbunden sind. Diese Art der negativen therapeutischen Reaktion stammt nicht von Überichfaktoren her und ist gravierender als bei depressiv-masochistischen Patienten mit einem sadistischen, aber integrierten Über-Ich. Gute prognostische Aussichten bestehen bei einer relativ hohen Qualität der Überichfunktionen, die sich in der Fähigkeit zeigt, sich auch über narzißtische Interessen hinaus für echte Werte einzusetzen. Im Gegensatz hierzu stehen die Fälle, bei denen man zwar kein ausgeprägtes antisoziales Verhalten (dessen Bestehen die Prognose tatsächlich sehr ungünstig ausfallen läßt), wohl aber subtile Manipulation und vereinzelte antisoziale Verhaltensweisen findet. Einfach ausgedrückt ist Ehrlichkeit im täglichen Leben ein günstiger prognostischer Faktor für die Analyse narzißtischer Persönlichkeitsstörungen. Insofern eine günstige Entwicklung von Sublimierungsmechanismen eng verbunden ist mit der Fähigkeit, sich über rein narzißtische Bedürfnisse hinaus für Werte einzusetzen, wird auch das Sublimierungspotential des Patienten prognostisch bedeutsam.

Im Gegensatz zur großen Bedeutung der bisher erwähnten prognostischen Faktoren kommt anderen Faktoren — etwa der Toleranz für Depression und Trauer oder dem Überwiegen eines Übertragungspotentials für Schuldgefühle gegenüber dem Potential für paranoide Wut — eher ein minderer Stellenwert zu. Noch geringer ist die prognostische Relevanz etwaiger unspezifischer Anzeichen von Ichschwäche — mangelhafte Impulskontrolle, mangelhafte Angsttoleranz, selbst eine Tendenz zur Regression auf primärprozeßhafte Denkweisen —, sofern der Patient nicht mit seinen Ichfunktionen insgesamt auf manifestem Borderline-Niveau rangiert. Hierin sehen wir die generelle Beschränkung der psychoanalytischen Standardmethode bei der Behandlung narzißtischer Persönlichkeiten; sie ist dadurch gegeben, daß eine Analyse bei narzißtischen Patienten mit manifesten Borderline-Zügen einen desorganisierenden Effekt haben kann. Für solche Fälle halte ich deshalb eine Analyse für prinzipiell kontraindiziert.

Besonders schwierig wird die prognostische Einschätzung bei Bewerbern um die psychoanalytische Ausbildung, die eine narzißtische Persönlichkeitsstruktur haben, das heißt, wirklich problematisch wird es eigentlich erst dann, wenn es sich dabei um relativ gut angepaßte narzißtische Persönlichkeiten handelt, die sozial und beruflich ausgezeichnet zurechtkommen, eine hohe Intelligenz und zusätzlich besondere Begabungen aufweisen und gelegentlich sogar einen besonders vielversprechenden Eindruck machen. Bei der Auswertung einer Reihe von Fällen, bei denen man rückblickend annehmen konnte, daß die Zulassung oder Ablehnung der betreffenden Bewerber möglicherweise eine Fehlentscheidung war, stellten sich hauptsächlich zwei prognostische Faktoren als besonders bedeutsam heraus, nämlich einerseits die Qualität der Objektbeziehungen und zum anderen die Integrität und Tiefe der Wertsysteme und der Überichfunktionen. Es sollte vielleicht hier noch einmal betont werden, daß ich den Begriff »Qualität der Objektbeziehungen« im Sinne der Qualität verinnerlichter Objektbeziehungen verwende, das heißt, es geht hier um die Tiefe der inneren Beziehungen des Patienten zu anderen Menschen und nicht so sehr um die Frage, in welchem Umfang er sich nach außen hin in sozialen Beziehungen engagiert. Diese Klarstellung ist vielleicht gerade bei einer Auseinandersetzung mit Kohuts Arbeiten wichtig, denn er neigt dazu, den Begriff »Objektbeziehungen« eher im verhaltensbezogenen Sinne zu gebrauchen und nicht in der Weise, wie ich ihn verwende. So schreibt er beispielsweise: »Die Antithese zum Narzißmus ist nicht die Objektbeziehung, sondern die Objektliebe. Was einem Beobachter des sozialen Feldes als Fülle der Objektbeziehungen eines Menschen vorkommen mag, kann dessen rein narzißtisches Erleben der Objektwelt verhüllen; umgekehrt können bei einem Menschen, der in scheinbarer Isolierung und Einsamkeit lebt, die reichsten Objektbesetzungen bestehen« (Kohut 1971, S. 260). Und an anderer Stelle (a. a. O., S. 321): »Die Patientin ging Objektbeziehungen nicht in erster Linie ein, weil sie sich zu Menschen hingezogen fühlte, sondern mehr in dem Versuch, bedrängenden narzißtischen Spannungen zu entgehen.« Nach meiner Auffassung geht der Narzißmus (Besetzung des Selbst) mit den Objektbeziehungen (Besetzungen signifikanter Objekte und ihrer inneren Repräsentanzen) Hand in Hand, und deren Tiefe hängt nicht allein von den Schicksalen der libidinösen Besetzungen ab, sondern, wie ich immer wieder betont habe, auch von den aggressiven Besetzungen. In der Praxis nehmen wir an, daß jemand über tiefe Objektbeziehungen verfügt, wenn er nicht nur gut lieben, sondern auch gut hassen kann und wenn er vor allem unterschiedliche Verbindungen von liebevollen und Haßgefühlen in abgestuften Mischungsverhältnissen gegenüber ein und demselben Objekt und gegenüber sich selbst erleben und ertragen kann. Normale Objektbeziehungen ebenso wie normaler Narzißmus sind nur auf der Grundlage tiefreichend integrierter Vorstellungen von anderen und von der eigenen Person möglich. Dies alles steht im Gegensatz zu der Unverbindlichkeit und vordergründigen Freundlichkeit, der mangelnden Bindung an andere Menschen oder auch an eigene Überzeugungen, wie man sie häufig bei narzißtischen Persönlichkeiten feststellt. Paradoxerweise ergibt sich aus solch einem Mangel an tieferen Gefühlen und Verbindlichkeiten unter Umständen sogar eine bessere soziale Funktionsfähigkeit, so etwa in bestimmten politischen und bürokratischen Organisationen, wo gerade das Fehlen tieferer Bindungen das Überleben sichert und Zugang zu den Spitzenpositionen verschafft.

Wenden wir diese Überlegungen nun auf den speziellen Fall von Bewerbern zur psychoanalytischen Ausbildung an, so gewinnen wir aus einer systematischen Einschätzung solcher Gesichtspunkte, wie zum Beispiel: wie real und lebendig andere Menschen in den Schilderungen des Bewerbers werden und wie tief er sich selbst als Person beschreibt, wichtige Hinweise auf die Qualität seiner Objektbeziehungen, die neben anderen, beobachtungsnäheren Kriterien für die Stabilität, die Tiefe und den Reichtum seiner Beziehungen zu anderen Menschen und zu sich selbst berücksichtigt werden müssen. Die Frage, inwieweit echte menschliche Wärme und Tiefe vorhanden ist, mag gewiß schwer zu beurteilen sein, ist aber eigentlich noch wichtiger als die andere Frage, inwieweit der Bewerber sich ethischen, intellektuellen, kulturellen oder ästhetischen Werten verpflichtet fühlt, die ebenfalls ein bedeutsames prognostisches Kriterium in solchen Fällen darstellt. Daß es auch Ausbildungskandidaten gibt, die zunächst als künftige Analytiker höchst fragwürdig erschienen sind, sich aber dann im Verlaufe ihrer Ausbildung sehr positiv entwickelten, gemahnt uns, in jedem Einzelfall alle diese Gesichtspunkte sorgfältig abzuwägen; es ist anzunehmen, daß der Anteil solcher günstigen Entwicklungen mit der Verbesserung unserer therapeutischen Techniken sich in Zukunft noch vergrößern wird.

Kohut geht in seinen Arbeiten, soweit ich sehe, an keiner Stelle speziell auf prognostische Unterschiede bei der Anwendung seines Verfahrens auf narzißtische Persönlichkeiten mit unterschiedlichem Niveau der Ich- und Überich-Integration ein, aber er vermittelt den Eindruck, daß er die Besserungsaussichten generell optimistisch einschätzt. In bezug auf die Behandlungsergebnisse mit seiner Methode sagt er: »Die wichtigste unspezifische Veränderung ist eine größere Fähigkeit zur Objektliebe; die spezifischen Veränderungen vollziehen sich im Bereich des Narzißmus selbst« (1971, S. 334). Im einzelnen beschreibt Kohut als Ergebnis seines therapeutischen Vorgehens die Verinnerlichung der idealisierten Elternimago (bzw. ihrer frühen präödipalen, noch archaischen Aspekte) in die Basisstruktur des Ichs und (der späten präödipalen und ödipalen Aspekte der idealisierten Elternimago) in das Über-Ich, wodurch eine Verbesserung der Überichfunktionen erreicht wird (a. a. O., S. 336 f.). Im Hinblick auf das Größen-Selbst stellt er fest: »Die infantilen Größenvorstellungen werden allmählich den Erwartungen und Zielvorstellungen der Persönlichkeit eingefügt und verleihen den reifen Bestrebungen eines Menschen nicht nur Kraft, sondern auch ein anhaltendes, positives Gefühl des Rechtes auf Erfolg« (S. 337). Meiner Ansicht nach führt Kohuts Ansatz, wie er in seinen bisher veröffentlichten Arbeiten dargestellt wird, zu einer reiferen Funktionsfähigkeit und besseren Anpassung des Größen-Selbst, indem der Patient im Verlaufe der Analyse von primitiveren zu angepaßteren Stufen der Spiegelübertragung voranschreitet, ohne daß aber das von mir als pathologische Struktur angesehene Größen-Selbst von Grund auf durchgearbeitet und aufgelöst würde. Dies mag wohl der Grund dafür sein, daß es für Kohut keinen direkten, spezifischen Zusammenhang zwischen den Veränderungen im Narzißmus der Patienten und in ihren Objektbeziehungen gibt. Mir scheint, daß vielleicht nicht seine Zielsetzungen und seine Technik, wohl aber die Auswirkungen seines Behandlungsverfahrens erzieherische Elemente enthalten, die den Patienten dazu bringen, seine Größenideen auf angepaßtere Weise zu verwenden. Eine wichtige Frage, die hier notgedrungen offen bleiben muß, betrifft die langfristigen Auswirkungen solch eines Behandlungsverfahrens – mit anderen Worten: wie wirkt sich Kohuts Vorgehen im Vergleich zu meinem Ansatz auf längere Sicht beim Patienten aus? Ein entscheidendes Kriterium für die Wirksamkeit der Behandlung narzißtischer Persönlichkeiten ist sicher die Art und Weise, wie diese Patienten mit dem Streß und den Krisen, denen sie in späteren Lebensabschnitten unvermeidlich ausgesetzt sind, fertig werden. Wir brauchen also sorgfältige Langzeitkatamnesen, um die kurzfristigen Veränderungen durch die Behandlung besser von den längerfristigen Auswirkungen auf die Persönlichkeit und das innerseelische und soziale Leben der Patienten abgrenzen zu können. Dies bringt mich auf den letzten Punkt, den ich in diesem Kapitel noch besprechen möchte, nämlich die Prognose unbehandelter narzißtischer Persönlichkeitsstörungen.

Ich stimme völlig mit Kohut darin überein, daß man narzißtische Persönlichkeitsstörungen wann immer möglich analytisch behandeln sollte. Selbst wenn es sich um Patienten handelt, die von einigen relativ geringfügigen Symptomen abgesehen recht erfolgreich ihr Leben meistern und bei denen eine günstige Verbindung von Intelligenz, Begabung, Glück und Erfolg ein hinreichendes Maß an Gratifikationen gewährleistet, um die tieferreichende Leere und Langeweile zu kompensieren, darf man doch nicht vergessen, welche verheerenden Auswirkungen ein unbewältigter pathologischer Narzißmus oft erst in der zweiten Lebenshälfte nach sich zieht. Wenn eine psychoanalytische Behandlung sich durchführen und erfolgreich abschließen läßt, so bedeutet die erreichte Besserung meiner Ansicht nach eine Überwindung des pathologischen Narzißmus, verbunden mit der Entwicklung eines normalen kindlichen und erwachsenen Narzißmus im Verein mit normalen tiefgegründeten Objektbeziehungen, was oft eine enorme Bereicherung des Lebens mit sich bringt. Im Gegensatz dazu hat der pathologische Narzißmus auf lange Sicht prognostisch unselige Folgen, selbst bei relativ jungen Patienten mit ausgezeichneter Oberflächen-Anpassung und sehr schwachem Krankheits- und Leidensbewußtsein. Wenn wir bedenken, daß einem im Laufe eines normalen Lebens die meisten narzißtischen Bestätigungen in der Jugend und im frühen Erwachsenenalter zuteil werden und daß das Individuum, selbst wenn es fast während des gesamten Erwachsenenlebens eine Kette narzißtischer Triumphe und Befriedigungen genossen hat, schließlich doch den grundlegenden Konflikten im Zusammenhang mit dem Altern, chronischer Krankheit, körperlichen und seelischen Einschränkungen und vor allem Trennungen, Verlusten und Einsamkeit ins Auge sehen muß, dann erkennen wir, daß die schließliche Konfrontation des Größen-Selbst mit der zerbrechlichen begrenzten sterblichen Natur des Menschen letzten Endes unvermeidlich ist.

Es ist eindrucksvoll, wie stark solche narzißtischen Persönlichkeiten diese langfristig nicht zu umgehende Wirklichkeit verleugnen können, solange sie unter dem Einfluß eines pathologischen Größen-Selbst unbewußt (manchmal auch bewußt) von ihrer ewigen Jugend, Schönheit, Macht, Reichtum und immerwährenden Bestätigung, Bewunderung und Sicherheit überzeugt sind. Zuzulassen, daß ihre Illusion von Grandiosität zerbricht, bedeutet für sie, sich abzufinden mit dem gefährlichen, sich nur zögernd vollziehenden Bewußtwerden jener anderen, abgelehnten und entwerteten Seite ihres Selbst: einem hungrigen, leeren, einsamen, primitiven Selbst inmitten einer Welt bedrohlicher, sadistisch frustrierender und rachsüchtiger Objekte. Fragt man sich, was das Entsetzlichste ist, was diese narzißtische Persönlichkeiten ständig abwehren, schließlich aber doch einmal aushalten müssen, so ist es wahrscheinlich die Erfahrung einer sinnentleerten Umwelt ohne Liebe und menschlichen Kontakt, einer entmenschlichten Welt, in der die lebendigen und die unbelebten Objekte gleichermaßen ihre frühere magisch befriedigende Qualität verloren haben.

Ein Patient, ein landesweit bekannter Politiker, war körperlich schwer erkrankt, wodurch er seine Position einbüßte. Er wurde depressiv und fühlte sich zutiefst gescheitert und gedemütigt, wobei er Phantasien hatte, in denen seine politischen Gegner sich genüßlich an seiner Niederlage weideten. Er erholte sich von seiner Depression, ging in den Ruhestand und begann nun, jene Bereiche der Politik abzuwerten, in denen er einst Experte gewesen war. Das war eine narzißtische Entwertung eines Gebietes, auf dem er nicht mehr triumphieren konnte, in deren Folge es nun zu einem allgemeinen Verlust seines Interesses für berufliche, kulturelle und geistige Dinge kam, da diese ihm nicht mehr wie früher anregend erschienen, sondern ihn im Gegenteil immer wieder an sein Versagen erinnerten. Die Tatsache, daß er jetzt von Frau und Kindern abhängig war, die er vorher, solange er all seine Energie seinem Berufsleben gewidmet hatte, kaum beachtet hatte, erbitterte ihn zutiefst und ließ ihn fürchten, von seiner Familie geringgeschätzt zu werden, was ihn wiederum dazu brachte, immer wieder Bestätigung und Respekt zu fordern. Neidisch auf den beruflichen Erfolg seiner Kinder und unfähig, Befriedigung über deren Erfolg zu empfinden, indem er sich mit ihnen empathisch identifiziert hätte, überfiel ihn ein wachsendes Entfremdungsgefühl, das schließlich zum Rückfall in eine nun schwere Depression führte mit dem typischen Merkmal, daß in dieser Depression nicht eigentlich Trauer, sondern ohnmächtige Wut dominierte.

Das erschreckende Gefühl von Nutzlosigkeit und Leere, ja Panik angesichts einer zunehmend sich ausbreitenden Sinnentleerung der unmittelbaren persönlichen Umwelt, wie es so eindringlich in den

Stücken von Samuel Beckett oder auch in Eugène Ionescos *Die Stühle* und *Der König stirbt* beschworen wird, verdeutlicht wohl zur Genüge die verheerenden konflikthaften Auswirkungen des Alterns bei Menschen mit narzißtischer Persönlichkeit. Die normale Reaktion auf Verlust, Verlassenwerden und Versagen besteht in der Wiederbelebung verinnerlichter Quellen von Liebe und Selbstwert, ist also aufs engste an die verinnerlichten Objektbeziehungen gebunden und verdeutlicht die Schutzfunktion sogenannter »guter innerer Objekte«. Die »Regression im Dienste des Ichs« geschieht häufig in Form einer Regression zu solchen wiederbelebten verinnerlichten schützenden Objektbeziehungen, wodurch die Fähigkeit des Patienten zu sinnvollen Beziehungen zu anderen Menschen, zur Menschheit insgesamt und zu übergreifenden Werten neu belebt, gefestigt und erweitert wird. Die Fähigkeit, Trauerarbeit zu leisten, zu lieben, Mitgefühl und tiefe Befriedigung in der Identifizierung mit geliebten Menschen und bestimmten Werten zu empfinden, hängt ebenso wie das Gefühl der Transzendenz, der Kontinuität geschichtlicher Abläufe und der Zugehörigkeit zu einer umfassenderen sozialen oder kulturellen Gruppe wiederum aufs engste mit der normalen Verfügbarkeit verinnerlichter Objektbeziehungen zusammen, auf die in Zeiten von Verlusten, Versagen und Einsamkeit zurückgegriffen werden kann.

Bei narzißtischen Persönlichkeiten dagegen wird durch narzißtische Verluste eher ein Circulus vitiosus in Gang gesetzt, wobei abwehrende Entwertung, primitiver Neid und panische Verarmungsgefühle das Scheitern und den narzißtischen Verlust noch verschlimmern. Besonders deutlich erkennt man das an der Unfähigkeit narzißtischer Patienten, mit dem Altern fertig zu werden und die Tatsache hinzunehmen, daß inzwischen eine jüngere Generation die Befriedigung genießt, die Schönheit, Reichtum, Macht und besonders Kreativität zu bieten vermögen, eine Befriedigung, die ihnen früher so viel bedeutet hatte. Das Leben genießen zu können in einem Prozeß, der eine zunehmende Identifizierung mit dem Glück und den Leistungen anderer mit einschließt, übersteigt tragischerweise das Vermögen narzißtischer Persönlichkeiten. Daher kann eine Behandlung, die dem pathologischen Narzißmus radikal entgegentritt, dem Patienten für die gesamte ihm verbleibende Lebensspanne vollen Nutzen bringen.

Die klinische Betrachtung narzißtischer Persönlichkeiten erweist, daß die Beziehungen, die ein Mensch zu sich selbst und zu seiner menschlichen und dinglichen Umwelt unterhält, von der normalen oder pathologischen Entwicklung seiner verinnerlichten Objektbeziehungen abhängen. Sind in der Innenwelt keine liebenden und geliebten Objekte mehr vorhanden, so verlieren auch das Selbst und die äußere Objektwelt ihren Sinn. Psychotische Depressionen zeigen in vieler Hinsicht ein erschreckendes Extrem jenes Bewußtseins von totalem Liebes- und Sinnverlust, gegen das narzißtische Persönlichkeiten ständig ankämpfen müssen; schizoide Verflüchtigung von Gefühlen oder paranoide (nicht unbedingt psychotische) Umstrukturierung der Erlebniswelt sind weitere mögliche Schutzmaßnahmen gegen die Öde der Depression, aber der Schutz, den sie bieten, wird mit weiterer Entmenschlichung und Leere erkauft. Es erscheint daher trotz der begrenzten Anzahl von Patients, denen wir helfen können, und trotz der außerordentlich langwierigen Analysen, die in solchen Fällen erforderlich sind, dennoch der Mühe wert, solche Behandlungen zu wagen und so viele Anstrengungen auf diese Patienten zu verwenden, die bei oberflächlicher Betrachtung oft den täuschenden Eindruck vermitteln, als hätten wir es mit fast »normalen« Menschen zu tun.

10. Kapitel
Normaler und pathologischer Narzißmus

In früheren Arbeiten (in diesem Buch Kapitel 8 und 9) habe ich die Diagnose und Behandlung narzißtischer Persönlichkeiten untersucht, einer spezifischen Konstellation von Charakterpathologie, die besonderer Modifikationen der psychoanalytischen oder psychotherapeutischen Behandlungstechnik bedarf. In anderen Studien (Kernberg 1971, 1973) gab ich einen Überblick über die metapsychologischen Probleme, die der klinischen Forschung zugrundeliegen. In diesem Kapitel möchte ich nun zusammenfassend die Merkmale des normalen und pathologischen Narzißmus skizzieren, mein Augenmerk dabei insbesondere auf die grundlegenden strukturellen intrapsychischen Bedingungen richten und die diagnostischen und therapeutischen Implikationen aufzeigen. Da der Begriff »Narzißmus« mittlerweile in derart vielfältigen Bedeutungen verwendet worden ist, scheint es mir hilfreich zu sein, zunächst diesen Begriff zu definieren und im Anschluß daran ein Narzißmus-Konzept unter Berücksichtigung der beteiligten intrapsychischen Strukturen zu entwickeln. Eine solche strukturelle Konzeption wird sich als besonders brauchbar erweisen, wenn wir dann auf die Abgrenzung des normalen vom pathologischen Narzißmus zu sprechen kommen.

1. Definition des normalen Narzissmus

Im Anschluß an Hartmann (1964) definiere ich den normalen Narzißmus als die libidinöse Besetzung des Selbst. Das Selbst ist eine intrapsychische Struktur, die sich aus mannigfachen Selbstrepräsentanzen mitsamt den damit verbundenen Affektdispositionen konstituiert. Selbstrepräsentanzen sind affektiv-kognitive Strukturen, die die Selbstwahrnehmung einer Person in ihren realen Interaktionen mit bedeutsamen Bezugspersonen und in phantasierten Interaktionen mit inneren Repräsentanzen dieser anderen Personen, den sogenannten Objektrepräsentanzen, widerspiegeln. Das Selbst ist Bestandteil des Ichs, das daneben noch andere Strukturelemente enthält, nämlich die zuvor erwähnten Objektrepräsentanzen sowie Idealselbst- und

Idealobjektvorstellungen auf verschiedenen Stufen der Depersonifikation, Abstraktion und Integration in allgemeine Ich-Ziele und Ich-Ideale. Das normale Selbst ist ein integriertes Selbst, insofern Teil-Selbstrepräsentanzen dynamisch zu einem Ganzen organisiert sind. Das Selbst steht in Beziehung zu integrierten Objektrepräsentanzen, innerhalb deren die primitiven »guten« und »bösen« bzw. »schlechten« Teil-Objektrepräsentanzen in vertiefte integrale Vorstellungsmodelle von anderen Personen eingegangen sind. Analog hierzu stellt auch das Selbst eine solche Integration widersprüchlicher, gegensätzlicher, »nur guter« und »nur böser/schlechter« Selbstimagines dar, die aus den libidinös und aggressiv besetzten frühen Selbstimagines hervorgegangen sind.

Obschon der normale Narzißmus die libidinöse Besetzung des Selbst widerspiegelt, so ist doch das Selbst eine Struktur, die sowohl libidinös wie aggressiv besetzte Anteile integriert. Einfach ausgedrückt: Integration guter und böser/schlechter Selbstimagines in ein realistisches Selbstkonzept, das die verschiedenen Teil-Repräsentanzen vereinigt (und nicht dissoziiert hält) ist eine Vorbedingung für die libidinöse Besetzung eines normalen Selbst. Daraus erklärt sich auch das Paradox, daß die Integration von Liebe und Haß eine Voraussetzung der normalen Liebesfähigkeit ist.

Diese Bestimmung des Selbst und der integrierten Objektrepräsentanzen entspricht ziemlich genau der Beschreibung der »Repräsentanzenwelt« von Sandler und Rosenblatt (1962) und Eriksons (1956) Definition der »Ich-Identität«. Klinisch gesehen zeigt sich ein integriertes Selbst darin, daß es sowohl lebensgeschichtlich (in der Dauer) wie auch im Querschnitt (durch seine verschiedenen synchron nebeneinander bestehenden psychosozialen Interaktionsbereiche hindurch) Kontinuität der Selbsterfahrung bewahrt. Fehlt ein integriertes Selbst, so spiegelt sich dies klinisch in widersprüchlichen, voneinander dissoziierten oder abgespaltenen Ichzuständen, die einander abwechseln, ohne je integriert zu werden, so daß das Individuum sich zwar an sein konträres Selbsterleben »erinnern« kann, aber nicht in der Lage ist, diese verschiedenen Selbsterfahrungsweisen miteinander zu integrieren. Daß ein integriertes Selbst fehlt, zeigt sich ferner in chronischen Gefühlen von Unwirklichkeit, Verwirrung, Leere oder allgemeinen Störungen des »Selbstgefühls« (Jacobson 1964) sowie in einer ausgeprägten Unfähigkeit, sich selbst realistisch als ganze Person wahrzunehmen. Unter diesen Umständen kann der Patient

»Einsicht« im Sinne bewußter Verfügbarkeit primitiver intrapsychischer Prozesse haben; es gelingt ihm aber nie, solche primitiven kognitiv-affektiven Erfahrungen mit denen einer reiferen Stufe zu vermitteln, und ebensowenig ist er imstande, sein allgemeines subjektives Erleben mit seinem aktuellen Verhalten und dessen Auswirkungen auf andere in Übereinstimmung zu bringen. Sofern ein mangelhaft integriertes Selbst in der Regel mit einer mangelhaften Integration der Objekte einhergeht, sind auch diese nur oberflächliche Zerrbilder »nur guter« oder »nur böser/schlechter« Objekte. Der Patient hat erhebliche Schwierigkeiten, seine Wahrnehmungen anderer Personen zu einem sinnvollen Ganzen zu integrieren; er besitzt keine oder nur eine minimale Fähigkeit zur Einfühlung oder zur realistischen Beurteilung anderer Menschen. Sein Verhalten wird weit mehr durch unmittelbare Eindrücke gesteuert als durch ein konsistentes und dauerhaftes verinnerlichtes Modell von anderen Personen, wie es im Normalfalle dem Selbst zur Verfügung steht.

Kehren wir zur Definition des Narzißmus als libidinöser Besetzung des Selbst zurück. Wir müssen jetzt einen Schritt weitergehen und betonen, daß eine solche libidinöse Besetzung des Selbst nicht allein der Triebquelle libidinöser Energie, sondern auch den vielfältigen Beziehungen zwischen dem Selbst und anderen intrapsychischen Strukturen entspringt. Gemeint sind hier sowohl Strukturen innerhalb des Ichs (intrasystemische Determinanten des Narzißmus) als auch Strukturen anderer psychischer Instanzen: Über-Ich und Es (intersystemische Determinanten des Narzißmus).

E. Jacobson (1964) hat darauf aufmerksam gemacht, daß sich das normale »Selbstgefühl« aus dem Bewußtsein des Menschen von einem integrierten Selbst herleitet, während das »Selbstwertgefühl« von der libidinösen Besetzung eines solchen integrierten Selbst abhängt. Die Intensität bzw. der Pegel des Selbstwertgefühls gibt einen Hinweis darauf, in welchem Maße das Selbst narzißtisch besetzt ist. Das Selbstwertgefühl ist jedoch nicht allein als Widerspiegelung von Triebbesetzungen aufzufassen; es enthält vielmehr stets eine vielfältige Kombination affektiver und kognitiver Komponenten, wobei auf niederen Stufen der Regulation des Selbstwertgefühls diffuse affektive Komponenten überwiegen, wohingegen auf höheren Stufen der Selbstwertregulation kognitive Differenzierungen mit »abgeschwächten« affektiven Implikationen dominieren. Das Selbstwertgefühl bezeichnet also die differenzierteren Ebenen narzißtischer Besetzung, während diffuse Gefühle von Wohlbehagen, Lebenslust, Euphorie oder Befriedigung als primitive Äußerungen des Narzißmus gelten können. So sind zum Beispiel – wie Jacobson (1964) ausgeführt hat – Stimmungsschwankungen das Hauptmerkmal einer relativ primitiven Stufe der vom Über-Ich bestimmten Regulation des Selbstwertgefühls; auf fortgeschritteneren Stufen der Überichfunktion tritt an die Stelle von Stimmungsschwankungen die präziser abgrenzende kognitive Einschätzung oder Kritik des Selbst.

Es ist unerläßlich zu betonen, daß es bei der Besetzung des Selbst in Abhängigkeit von anderen intrapsychischen Strukturen nicht allein um libidinös geprägte affektive und kognitive Besetzungen geht, sondern auch um aggressiv besetzte intrapsychische Interaktionen. Die Regulation des normalen Narzißmus kann daher nur verstanden werden als ein relatives Überwiegen libidinöser über aggressive Besetzungen des Selbst seitens derselben intrapsychischen Strukturen. Einfacher ausgedrückt: Narzißtische und überhaupt libidinöse Besetzungen sind, klinisch gesprochen, nur im Kontext einer gleichzeitigen Analyse der intrapsychischen Schicksale von Libido und Aggression zu erfassen.

Welches sind nun die intrapsychischen Strukturen und die äußeren Faktoren, die die libidinöse Besetzung des Selbst, also den normalen Narzißmus, beeinflussen?

a) Ideal-Selbst und Ich-Ziele

Innerhalb des Ichs bezeichnen die unbewußten, vorbewußten und bewußten Ich-Ziele (die verschiedene Entwicklungsstufen von primitiven Idealselbstimagines bis hin zu reifen Zielen und Absichten des Individuums widerspiegeln) gewissermaßen das Anspruchsniveau, an dem die Wirklichkeit des Selbst gemessen wird. Wie Hartmann (1964) gezeigt hat, gibt es außer der vom Über-Ich ausgehenden Selbstkritik auch selbstkritische Funktionen des Ichs, die ebenfalls zur Regulation des Selbstwertgefühls beitragen. Bibring (1953) hat eine Grundlage der Depression in dem Ich-Erlebnis der Hilflosigkeit und Hoffnungslosigkeit gesehen, wenn ein angestrebter Zustand des Selbst nicht erreicht wird oder verlorengeht. Sandler und Rosenblatt (1962) beschreiben den gleichen Mechanismus, wenn sie vom Spannungsverhältnis zwischen Real- und Ideal-Selbst sprechen.

b) Objektrepräsentanzen

Eine weitere Struktur, die an der Regulation des Selbstwertgefühls beteiligt ist, das heißt als Quelle narzißtischer Zufuhr und libidinöser Besetzung des Selbst in Betracht kommt, ist die Welt innerer Objekte oder Objektrepräsentanzen, die in enger Beziehung zum integrierten Selbst stehen. Ich habe in einer früheren Arbeit (Kernberg 1971) auf die Schutzfunktion der Objektrepräsentanzen in Zeiten von Lebenskrisen und Objektverlust hingewiesen und vorgeschlagen, »Regression im Dienste des Ichs« auch als regressive Aktivierung früher innerer Objektbeziehungen zu verstehen, durch die das Selbst von verinnerlichten »guten« Objektrepräsentanzen Liebe und Bestätigung als Kompensation für Enttäuschungen in der Realität erhält.

c) Überich-Faktoren

Es sind im wesentlichen zwei Substrukturen des Über-Ichs an der Regulation des Selbstwertgefühls beteiligt. Die eine Instanz wird aus denjenigen Überichstrukturen auf verschiedenen Funktionsstufen gebildet, die durch Überich-Forderungen und -Strafen eine kritische Beurteilung des Ichs besorgen. Jacobsons (1964) Analyse der Entwicklungsstufen des Über-Ichs und seiner regulatorischen Wirkungen auf das Selbst durch Funktionen, die von Stimmungen bis hin zu realistischer Selbstkritik reichen, ist in diesem Zusammenhang von Bedeutung. Die kritischen oder strafenden Aspekte des Über-Ichs regulieren das Selbstwertgefühl durch die vorwiegend »negative« Funktion der Kritik am Selbst. Die andere an der Regulation des Selbstwertgefühls beteiligte Substruktur des Über-Ichs ist das Ich-Ideal; es resultiert aus der Integration von Idealobjekt- und Idealselbstimagines, die von der frühesten Kindheit an ins Über-Ich introjiziert wurden, und es erhöht das Selbstwertgefühl, wenn das Selbst seinen Forderungen und Erwartungen entspricht. Schafer (1960) hat diese Schutzfunktion des Über-Ichs im einzelnen dargestellt. Unter klinischen Gesichtspunkten ist es aufschlußreich zu beobachten, wie überaus abhängig manche Patienten von äußeren Quellen der Bewunderung, Liebe und Bestätigung werden, wenn sie unter einem Defekt oder einer unzureichenden Integration dieser Überich-Substruktur leiden.

d) Trieb- und organische Faktoren

Was die mit dem Es verbundenen Strukturen anbelangt, so erhöht sich das Selbstwertgefühl, sobald grundlegenden Triebbedürfnissen entsprochen wird und sofern das Selbst in der Lage ist, in befriedigender Weise zwischen inneren Bedürfnissen und den Anforderungen der Umwelt zu vermitteln. Mit anderen Worten: direkte ich-syntone Impulsäußerung und vor allem sublimierte Äußerung von Triebimpulsen schafft narzißtische Befriedigung. Adäquates Funktionieren und »gute Gesundheit« bestätigen die Integrität und die libidinöse Besetzung des Selbst. Da die ursprünglichen Selbstrepräsentanzen stark durch Körpererfahrungen geprägt werden und die frühesten intrapsychischen Triebbefriedigungen eng mit der Wiederherstellung physiologischer Gleichgewichtszustände gekoppelt sind, beeinflussen körperliche Gesundheit und Krankheit in wesentlichem Maße das Gleichgewicht narzißtischer Besetzung.

e) Äußere Faktoren

Betrachten wir nun die Realitätsfaktoren, die die normale Regulation des Selbstwertgefühls mitbestimmen. Sie lassen sich differenzieren in: 1. von äußeren Objekten stammende libidinöse Befriedigung; 2. Erfüllung von Ich-Zielen und -Strebungen durch soziale Effektivität und Erfolg; 3. in der Umwelt realisierte Befriedigung intellektueller und kultureller Strebungen. Die zuletzt genannten Befriedigungen enthalten Werteelemente und spiegeln ebenso Forderungen des Über-Ichs und des Ichs wie Realitätsfaktoren wider. Sie belegen, welch hohe Bedeutung kulturelle, ethische und ästhetische Wertsysteme neben den früher erwähnten psychosozialen und psychobiologischen Systemen für die Regulierung des Selbstwertgefühls haben.

Zusammenfassend kann man also sagen, daß die libidinöse Besetzung des Selbst erhöht wird durch Liebe oder Befriedigung von seiten äußerer Objekte, durch Erfolg in der Realität, verstärkte Harmonie zwischen Selbst und Überichstrukturen, Wiederbestätigung der Liebe innerer Objekte und durch direkte Triebbefriedigung und körperliche Gesundheit.

Normalerweise hat eine Steigerung der libidinösen Besetzung des Selbst zugleich auch verstärkte libidinöse Objektbesetzungen zur Folge: Ein Selbst mit erhöhter libidinöser Besetzung – sozusagen in Frieden und glücklich mit sich selbst – ist auch in der Lage, äußere Objekte und ihre verinnerlichten Repräsentanzen stärker zu besetzen. Erhöht sich die narzißtische Besetzung, so wächst im allgemeinen zugleich auch die Fähigkeit, zu lieben und zu geben, Dankbarkeit zu empfinden und auszudrücken, Anteilnahme für andere aufzubringen, sexuelle Liebe, Sublimierung und Kreativität zu steigern. Da eine normale libidinöse Besetzung äußerer Objekte und ihrer inneren Repräsentanzen eng verknüpft ist mit der Bewältigung primitiver, voneinander dissoziierter oder abgespaltener Ausdrucksformen von Liebe und Haß gegenüber den Objekten, bestärkt jede Steigerung der libidinösen Selbst-Besetzung auch das Selbst in seiner »Güte« gegenüber den Objekten und festigt die Objektbindungen. Bildlich gesprochen: Das Aufladen der Batterie des Selbst bewirkt sekundär ein Nachladen der Batterie libidinöser Objektbesetzungen.

Umgekehrt verringert sich die libidinöse Besetzung des Selbst beispielsweise bei einem Verlust äußerer Liebesquellen, beim Scheitern in der Erreichung von Ich-Zielen oder in der Erfüllung von Ich-Ansprüchen, unter Überich-Zwängen infolge für das Über-Ich unannehmbarer Triebbedürfnisse, im Gefühl des Unvermögens, den Erwartungen des Ich-Ideals zu genügen oder allgemein bei Frustration von Triebbedürfnissen oder körperlichen Krankheiten. Verlust oder Versagen in jedem einzelnen dieser Bereiche wirkt häufig auf andere Bereiche zurück. Zum Beispiel wird in der pathologischen Trauer die durch äußeren Objektverlust hervorgerufene narzißtische Kränkung noch gesteigert durch eine Verschärfung von Überich-Zwängen als Ausdruck unbewußter Schuldgefühle wegen des Objektverlustes. Hinzu kommt eine sekundäre Schwächung der libidinösen Besetzung des Selbst von den inneren Objektrepräsentanzen her: der Überich-Zwang läßt das Ich glauben, daß es die Liebe seiner inneren ebenso wie seiner äußeren Objekte nicht mehr »verdient«. Die verschiedenartigen, die libidinöse Besetzung des Selbst regulierenden Strukturen können daher nicht voneinander isoliert gesehen werden, sie sind vielmehr im Sinne eines umfassenden dynamischen Gleichgewichts zu verstehen.

Der Prozeß der normalen Trauerarbeit zum Beispiel umfaßt nicht allein die Wiedererrichtung der libidinösen Besetzung des Selbst (über identifikatorische Prozesse, durch die sich das Selbst Wesenszüge und libidinöse Besetzung des verlorenen Objekts aneignet), sondern auch

– und das ist von großer Bedeutung – die Wiederherstellung und Stärkung der Objektrepräsentanzen, die das verlorene Objekt und andere damit verbundene »gute« verinnerlichte Objekte darstellen; die libidinöse Besetzung solcher inneren Objekte stärkt wiederum ihre Verfügbarkeit als potentielle Quellen libidinöser Befriedigung für das Selbst.

Normaler Narzißmus beruht auf der strukturellen Integrität des Selbst und der anderen damit verbundenen intrapsychischen Strukturen. Er hängt weiterhin ab vom Gleichgewicht zwischen libidinösen und aggressiven Triebabkömmlingen, die an den Beziehungen zwischen dem Selbst und diesen anderen Strukturen beteiligt sind; eine überwiegend aggressive Besetzung des Selbst seitens der verschiedenen den Narzißmus regulierenden intrapsychischen Strukturen oder von seiten der äußeren Realität wirkt sich als Herabsetzung des Selbstgefühls aus. Außerdem ist er an das Entwicklungsniveau gebunden, das das Selbst und die zugehörigen intrapsychischen Strukturen hinsichtlich der Qualität und Reife (im Gegensatz zu infantilen Zügen) der Selbst-Ansprüche, Strebungen, Vorbilder und Ideale erreicht haben. So kann zum Beispiel die strukturelle Integrität des Selbst, des Über-Ichs und des Ich-Ideals und auch die Integration verinnerlichter Objektbeziehungen erreicht sein und gleichwohl eine Fixierung auf infantile narzißtische Ziele und Konflikte bestehen: diese Konstellation ist typisch für die Mehrzahl unserer Patienten mit Symptom- und Charakterneurosen.

2. Pathologischer Narzissmus

Generell gilt, daß alle neurotischen Konflikte die optimalen Beziehungen des Selbst zu den erwähnten verschiedenen Instanzen und Strukturen in der einen oder anderen Weise stören. Abnorm strenge Verbote z. B. gegen sexuelle Impulse (wegen unbewältigter ödipaler Implikationen) spiegeln sich in konflikthaften Beziehungen des Selbst zu äußeren Objekten, in exzessiven Überich-Zwängen gegenüber dem Selbst und einer Herabminderung des Sublimierungspotentials des Ichs, wodurch insgesamt die Verfügbarkeit libidinöser Zufuhren für das Selbst eingeschränkt wird. Die Bildung pathologischer Charakterformationen als Abwehr gegen unmittelbare konflikthafte Beziehungen mit anderen und gegen eine direkte Konfrontation mit den verbotenen ödipalen Impulsen schützt zugleich die Funktion des Ichs und das Selbst wie auch das Selbstwertgefühl, das heißt, sie hat eine narzißtische Funktion. Insofern kann man sagen, daß alle Patienten mit Symptom- und Charakterneurosen auch unter »narzißtischen Problemen« leiden, nämlich einer abnormen Verletzlichkeit ihres Selbst, die durch pathologische Charakterzüge abgewehrt wird; deshalb werden narzißtische Frustrationen und Konflikte aktiviert, wenn man solche Charakterhaltungen analytisch in Frage zu stellen und aufzulösen versucht. Im Verlaufe der Analyse entdeckt man, daß in diesen Konfliktbereichen die Ich-Ansprüche, Ideale und Überich-Forderungen auf einer infantilen Stufe verblieben sind, während in konfliktfreien Bereichen des Ichs reifere narzißtische Strebungen und Erwartungen bestehen.

Die Aktivierung von aggressiven Konflikten, die die Verfügbarkeit oder jedenfalls die Vorherrschaft libidinöser Besetzungen des Selbst und der inneren und äußeren Objekte beeinträchtigen, in Verbindung mit einer vorbestehenden Fixierung oder Regression auf neurotische infantile Konflikte, die aber in ein relativ gut integriertes Ich und Selbst eingebettet sind, ist die Grundlage vielfältiger Frustrationen und/oder Verzerrungen des normalen Narzißmus. Dies ist die relativ leichteste Form narzißtischer Störung, die man beobachten kann.

Eine schwerere Form narzißtischer Störung tritt dort auf, wo das Selbst pathologische Identifizierungen in einem derartigen Ausmaß entwickelt hat, daß es überwiegend nach dem Vorbild eines pathogenen verinnerlichten Objekts gebildet ist, während wesentliche Selbstanteile (die sich auf ein solches Objekt beziehen) auf verinnerlichte Objektrepräsentanzen und auf äußere Objekte projiziert sind. Anders ausgedrückt: diese schwerere Form narzißtischer Pathologie gilt für Fälle, in denen das Individuum (in seinen inneren Objektbeziehungen wie auch im äußeren Leben) sich mit einem bestimmten Objekt identifiziert und Objekte liebt, die projektiv für sein (gegenwärtiges oder früheres) eigenes Selbst stehen. Freud (1914) hat darauf aufmerksam gemacht, daß insbesondere die bei Homosexuellen zu beobachtende Wahl von Liebesobjekten, die Aspekte ihres eigenen Selbst repräsentieren, ihn zu seiner Narzißmus-These veranlaßt habe. Er betrachtete die Liebesbeziehung solcher Homosexueller als »narzißtisch«, im Gegensatz zum »anaklitischen« oder Anlehnungstyp der Liebe zu Objekten, die eine bedeutsame Elternfigur repräsentieren. Um diese Verhältnisse noch eingehender klären zu können, möchte ich zunächst noch einmal kurz die libidinösen Implikationen einer normalen Objektbeziehung rekapitulieren.

Die normale Beziehung zu einem Objekt stellt eine optimale Mischung von »objektlibidinösen« und »narzißtischen« Bindungen insofern dar, als die Besetzung der Objekte und die des Selbst in befriedigenden Objektbeziehungen immer Hand in Hand gehen (van der Waals 1965). Im Kontext einer solchen libidinösen Beziehung zwischen Selbst und Objekt kann jedoch die Art der Objektbeziehung mehr oder weniger infantil sein, wobei das Spektrum von rein »anaklitischer« kindlicher Suche nach Liebe (vom Charakter einer Mischung von Abhängigkeit, Ansprüchlichkeit und Dankbarkeit) bis hin zu einer erwachsenen Form von Gegenseitigkeit reicht, in der reife aufgeklärte Selbstliebe verbunden ist mit reifer und tiefer Objektbesetzung. Erwachsener wie infantiler Narzißmus enthalten »Selbstbezogenheit«, aber die Selbst-Besetzung beim normalen erwachsenen Narzißmus impliziert reife Ziele, Ideale und Erwartungen, wohingegen die normale kindliche Selbst-Besetzung infantile exhibitionistische, anspruchsvolle und machtorientierte Strebungen zeigt. Beim erwachsenen wie beim normalen infantilen Narzißmus sind immer auch Objektbesetzungen mit eingeschlossen, wobei wiederum zwischen erwachsener Gegenseitigkeit und infantiler Idealisierung und Abhängigkeitsorientierung unterschieden werden kann. »Anaklitische« Beziehungen weisen daher regressive Züge sowohl in den Selbst- wie in den Objektbesetzungen auf; das heißt, man findet hier eine Regression vom erwachsenen zum infantilen Typ der Mischung von narzißtischen und objektbezogenen Bindungen.

Die jeweils erreichte Entwicklungsstufe des Über-Ichs (besonders des Ich-Ideals) und die Art des Ausgangs der ödipalen Konflikte (etwa eine überwiegende Fixierung und/oder Regression auf prägenitale libidinöse Phasen) sind entscheidend dafür, in welchem Ausmaß die Objektbeziehungen »anaklitisch« geprägt sind im Sinne einer Regression oder Fixierung auf normale infantile Charakteristika, wobei vor allem Abhängigkeitsbedürfnisse den Selbst- und Objektbesetzungen in solchen Beziehungen ihre spezifische Färbung verleihen. Kurz gesagt: Normale Objektbeziehungen enthalten eine Mischung von narzißtischen und Objektbesetzungen; die Art der narzißtischen und objektalen Bindungen variiert je nach dem allgemeinen Niveau der psychischen Entwicklung des Individuums. Freuds »anaklitischer« oder »Anlehnungstyp« der Objektliebe bezieht sich auf die regressiven infantilen Züge, die sowohl die narzißtischen als auch die objektalen Komponenten solcher Beziehungen kennzeichnen.

Wir wollen uns nun wieder dem oben erwähnten Typus der schwereren narzißtischen Störung zuwenden. Erfolgt die libidinöse Besetzung des Selbst unter der Bedingung einer Identifizierung mit einem Objekt, während das Selbst umgekehrt auf ein äußeres Objekt projiziert wird, das geliebt wird, weil es für das Selbst steht, so haben wir es mit einer grundlegend anderen Situation zu tun als bei den zuvor geschilderten normalen Merkmalen des Narzißmus. Dieser Typ der Objektbeziehung, den Freud als erster »narzißtisch« nannte, stellt eine qualitativ andere und schwerere Form narzißtischer Pathologie dar als der minder gestörte Typ, der lediglich eine Regression und/oder Fixierung auf infantile (im Gegensatz zu reiferen) libidinöse Besetzungen von Selbst und Objekten aufweist. Es ist jedoch festzuhalten, daß in dieser pathologischen Beziehung zwischen dem mit einem Objekt (zum Beispiel in manchen Fällen männlicher Homosexualität mit der oral gebenden und schützenden Mutter) identifizierten Selbst und einem mit dem Selbst (dem infantilen, abhängigen Selbst – so bei den erwähnten Fällen männlicher Homosexualität) identifizierten Objekt immer noch eine Objektbeziehung besteht, nämlich eine Beziehung zwischen Selbst und Objekt sowohl intrapsychisch als auch in äußeren Interaktionen.

Es gibt eine noch schwerere Form narzißtischer Störung mit noch tiefer reichender Verschlechterung der Objektbeziehungen, wo die Beziehung gar nicht mehr zwischen Selbst und Objekt besteht, sondern zwischen einem primitiven pathologischen Größen-Selbst und einer zeitweiligen Projektion eben dieses Größen-Selbst auf bestimmte Objekte. (»Größen-Selbst« oder »grandioses Selbst« ist ein von Kohut 1971 vorgeschlagener Terminus, den ich hier im Einklang mit seiner klinischen Deskription, aber mit anderen metapsychologischen Implikationen als Kohut verwende). Hier verläuft die Beziehung nicht mehr von Selbst zu Objekt oder von Objekt zu Selbst, sondern von Selbst zu Selbst. Nur in diesem letzten Falle kann man davon sprechen, daß hier eine Objektbeziehung vollständig durch eine narzißtische Beziehung ersetzt ist.

Diese Situation unterscheidet sich erheblich von derjenigen, die unter normalen Umständen, zum Beispiel in der Adoleszenz, vorkommt, wo zwar gegenseitige Identifizierungen mit anderen Objekten als Repräsentanten des Selbst stattfinden, aber zugleich die Objekte in ihrem Eigensein berücksichtigt werden. Die zeitweilige oder teilweise Projektion eines Ideal-Selbst auf ein dem Selbst ähnlich wahrgenommenes Objekt, wie sie in normalen Freundschaften während der frühen Adoleszenz vorkommt (die auch Abkömmlinge homosexueller Konflikte und infantil-libidinöser Besetzungen enthalten können) geht hier einher mit objektlibidinösen Bindungen an das Objekt und hat eine völlig andere Qualität als die Projektion eines pathologischen Größen-Selbst auf andere Objekte. Ich habe diese Unterschiede bereits in früheren Arbeiten (Kapitel 8 und 9 in diesem Buch) im Detail dargestellt.

Die Beziehung eines pathologischen Größen-Selbst zu einem zeitweilig projizierten pathologischen Größen-Selbst ist charakteristisch für die narzißtische Persönlichkeit, eine spezifische Form von Charakterstörung, die als schwerstgestörter Typus des pathologischen Narzißmus anzusehen ist.

Die bisher dargestellten drei Stufen der Pathologie des Narzißmus – nämlich 1. Regression vom normalen erwachsenen zum normalen infantilen Narzißmus; 2. Beziehung zu einem Objekt, das für das Selbst steht, während gleichzeitig das Selbst mit diesem Objekt identifiziert ist; 3. die Beziehung eines pathologischen Größen-Selbst zu einem zeitweilig projizierten Größen-Selbst – sind allesamt durch eine integrierte Struktur des Selbst gekennzeichnet, sei dies nun ein regrediertes oder infantil fixiertes, ein auf Grund überwiegender Identifizierung mit einem Objekt verzerrtes oder aber ein pathologisches grandioses Selbst (wie bei den narzißtischen Persönlichkeiten). Im Gegensatz hierzu gibt es nun Patienten, die durch ein mangelhaft integriertes Selbst oder allgemeiner: durch dissoziierte oder abgespaltene Selbst- und Objektrepräsentanzen gekennzeichnet sind, nämlich Patienten mit einer Borderline-Persönlichkeitsstruktur (soweit sie nicht, wie narzißtische Persönlichkeiten, die aus verschiedenen Anteilen verdichtete Struktur eines pathologischen Größen-Selbst ausgebildet haben). Bei Borderline-Patienten beobachtet man einen raschen Wechsel von Phasen der Identifizierung mit einer bestimmten Selbstrepräsentanz bei gleichzeitiger Projektion einer bestimmten Objektrepräsentanz auf das äußere Objekt zu anderen Phasen, in denen das Individuum sich mit einer bestimmten Objektrepräsentanz identifiziert, während eine bestimmte Selbstrepräsentanz auf das äußere Objekt projiziert wird. Bei solchen Patienten sind die Objektbeziehungen veränderlich und unbeständig, und man beobachtet verschiedene Formen narzißtischer Störungen in chaotischem Wechsel. Ich ziehe es vor, diese Kategorie von Patienten nicht nur unter dem Aspekt einer besonderen Pathologie des Narzißmus zu sehen, sondern eher unter dem einer allgemeinen Pathologie der verinnerlichten Objektbeziehungen. Schließlich gibt es Fälle, die durch überwiegend mangelhafte oder ganz fehlende Differenzierung zwischen Selbst- und Objektrepräsentanzen bestimmt sind, nämlich Patienten mit psychotischen Identifizierungen (Jacobson 1954 a, 1964). Hier überwiegen psychotische Konflikte und Abwehrvorgänge gegenüber narzißtischen und objektlibidinösen Besetzungen vom Typ differenzierter Objektbeziehungen. Unter solchen Umständen wird es irrelevant, zwischen Selbst- und Objektbesetzungen noch unterscheiden zu wollen, da Selbst und Objekt hier noch (oder wieder) miteinander verschmolzen sind.

Aus dem bisher Gesagten ergibt sich für die klinische Theorie des Narzißmus eine allgemeine Folgerung: Ökonomische Erwägungen allein (das heißt: solche über die Intensität oder das Ausmaß narzißtischer Besetzung) sagen über den normalen oder pathologischen Charakter des Narzißmus nicht viel aus, denn sie reflektieren ja nur gewissermaßen die Intensität des Stoffwechsels verinnerlichter Objektbeziehungen. Außerdem steht die libidinöse Besetzung von Selbst und Objekten in enger Verbindung mit den aggressiven Besetzungen und wird von deren Veränderungen mit beeinflußt; ökonomische Erwägungen müssen daher stets eine kombinierte Analyse der aggressiven und libidinösen Bindungen mit einschließen. Eine weitere Implikation unserer Analyse ist, daß die ganz spezifischen Momente der psychoanalytischen Auffassung des normalen und des pathologischen Narzißmus verlorengingen und an ihre Stelle ein vereinfachtes psychosoziales Modell entlang der Linie »Introversion« – »Extraversion« träte, wenn die Abgrenzung von narzißtischen gegenüber objektbezogenen Besetzungen äußerer Objekte überwiegend an interpersonellen Beobachtungen über die Art der manifesten Beziehung festgemacht würde. Das Wesen des normalen und pathologischen Narzißmus läßt sich nur ermitteln durch psychoanalytische Erforschung der intrapsychischen Objektbeziehungen (zusätzlich zu den äußeren) und durch eine strukturelle Analyse dieser verinnerlichten Objektbeziehungen (zusätzlich zur Untersuchung der sie beeinflussenden ökonomischen Faktoren).

Ein wichtiges praktisches Problem stellt die Abgrenzung zwischen
normalen und pathologischen Entwicklungen in der Adoleszenz dar.
Deutsch (1944) und Jacobson (1964) haben darauf hingewiesen, daß
es während der Adoleszenz verstärkt zu narzißtischen Manifestationen kommt. Mir scheint, daß dies nicht nur quantitativ verstanden
werden muß, sondern vor allem auch qualitativ, nämlich in bezug
auf das erwähnte Spektrum von Konstellationen der Selbst- und
Objektbesetzung, die in der intrapsychischen Struktur des Adoleszenten entstehen.

Der erste und normalste Typus des erhöhten Narzißmus beim Adoleszenten zeigt sich in einer gesteigerten libidinösen Besetzung des
Selbst mit den Merkmalen verstärkter Beschäftigung mit sich selbst
und grandioser exhibitionistischer oder machtorientierter Phantasien,
in denen sowohl eine quantitative Verschiebung libidinöser Besetzung
von Objekt- auf Selbstrepräsentanzen als auch ein qualitatives regressives Überwechseln auf infantilere Beziehungsformen zwischen
Selbst und Objekt (zum Beispiel mit dem infantilen Wunsch, von der
Mutter geliebt und bewundert zu werden) sichtbar wird.

Ein zweiter und schon eher pathologischer Typus des verstärkten
Narzißmus in der Adoleszenz ist gekennzeichnet durch pathologische
Identifizierungen des Selbst mit infantilen Objekten und eine Suche
nach Objekten, die das infantile Selbst verkörpern. Ich erwähnte
bereits, daß diese Konstellation wohl zu unterscheiden ist von manchen Freundschaften in der frühen Adoleszenz, wo das Objekt starke
Ähnlichkeiten mit dem Selbst aufweist, aber gleichzeitig auch mit
echtem Interesse besetzt und als andere Person geliebt wird, wo also
narzißtische und objektgerichtete Besetzungen miteinander legiert
sind. Bei pathologischeren narzißtischen Entwicklungen dagegen wird
durch die Projektion des Selbst auf das Objekt die eigentliche Objekt-
bindung geradezu ersetzt, während das Selbst in der Interaktion mit
einem solchen Objekt seinerseits das Objekt der wiederbelebten verinnerlichten infantilen Objektbeziehung repräsentiert. Manche homosexuellen Entwicklungen in der Adoleszenz können zu diesem Typus
narzißtischer Regression gerechnet werden.

Drittens – noch stärker pathologisch – findet man bei manchen
Adoleszenten Beziehungsformen, die bei psychoanalytischer Unter-

suchung Züge von Projektion eines primitiven pathologischen Grö-ßen-Selbst auf das Objekt erkennen lassen, während der Patient zugleich auch selbst noch an seinem Größen-Selbst festhält; wir haben es also hier mit der schon erwähnten »Selbst-zu-Selbst«-Beziehung zu tun. Dies ist der Fall bei narzißtischen Persönlichkeitsstrukturen; sie stellen die schwerste Form narzißtischer Pathologie in der Adoleszenz wie auch im Erwachsenenalter dar. Für diese adoleszenten Patienten sind Größenideen, Verachtung anderer, mangelnde Fähigkeit zur fei-neren Wahrnehmung realistischer Aspekte anderer Menschen, Selbst-gerechtigkeit und ausnutzende oder sogar parasitäre Tendenzen charakteristisch; sie schwanken zwischen gesteigertem Engagement in Aktivitäten oder Beziehungen, die ihnen Triumph, Bewunderung oder unmittelbare Bedürfnisbefriedigung einbringen, und jäher Preis-gabe solcher Aufgaben, Beziehungen und Aktivitäten, sobald diese ihren grandiosen Narzißmus nicht länger unterstützen, unter rigoro-ser Distanzierung von der sozialen Realität und deren Entwertung zum Schutz vor Mißerfolg.

Allgemein läßt sich sagen: Je normaler die Steigerung narzißtischer Besetzung in der Adoleszenz verläuft, desto eher läßt sich die Si-tuation in quantitativen Begriffen beschreiben – obschon eine quali-tative Dimension dabei auch immer eine Rolle spielt. Je pathologi-scher aber die narzißtischen Verschiebungen sind, desto weniger lassen sie sich allein in quantitativen Begriffen erfassen, und desto eher bedarf es einer strukturellen Analyse der Situation, bei welcher insbesondere die Art der beteiligten pathologischen Objektbeziehun-gen zu klären ist.

Als weiterer Anwendungsbereich dieser strukturellen Analyse des Narzißmus möchte ich jetzt die verschiedenen Typen männlicher Ho-mosexualität betrachten. Sie lassen sich nach dem Schweregrad der Pathologie verinnerlichter Objektbeziehungen wieder in einer Reihe ordnen. So gibt es erstens Fälle von Homosexualität, bei denen geni-tale, ödipale Faktoren im Vordergrund stehen und wo die homo-sexuelle Beziehung eine sexuelle Unterwerfung unter den gleichge-schlechtlichen Elternteil als Abwehr ödipaler Rivalität zum Ausdruck bringt. Diese Fälle stellen den extrem neurotischen und gehemmten Typus homosexueller Patienten dar und haben in einer psychoanaly-tischen Behandlung gewöhnlich die beste Prognose. Das infantile, unterwürfige ödipale Selbst geht hier eine Beziehung zum dominie-renden, verbietenden ödipalen Vater ein; vorausgegangen ist zumeist eine Verdrängung heterosexueller Strebungen infolge des Verzichts auf sexuelle Wünsche gegenüber der tabuierten ödipalen Mutter.

Bei der zweiten und schwerer pathologischen Form männlicher Homosexualität besteht eine konflikthafte Identifizierung des Patienten mit einem Bild seiner Mutter, während er seine homosexuellen Objekte als Vertretungen seines eigenen infantilen Selbst erlebt. Diese Fälle sind Beispiele für die von Freud (1914) in seiner Studie über den Narzißmus beschriebenen Form narzißtischer Objektwahl. Hier ist die Besetzung des äußeren homosexuellen Objekts in der Tat eine »narzißtische« in dem Sinne, daß das Objekt für das Selbst steht. Obgleich aber dieser Typus der Homosexualität stärker narzißtisch ist als der zuvor geschilderte, muß doch betont werden, daß auch hier noch eine Objektbeziehung besteht, nämlich die zwischen Mutter und Kind, wie sie in der homosexuellen Bindung repräsentiert ist. Verglichen mit dem zuerst angeführten Typus von Homosexualität ist hier die Prognose ungünstiger zu beurteilen, denn bei diesem Typus finden wir in der Regel eine Dominanz prägenitaler gegenüber genitalen Konflikten und gravierendere Störungen der Objektbeziehungen. Man findet diesen Typus von Homosexualität in Verbindung mit verschiedenen Formen schwerer Charakterstörungen. Dennoch sind diese Patienten imstande, ihre Objekte innig, wenn auch neurotisch, zu lieben, und manchmal enthält ihre geradezu mütterliche Sorge für ihre homosexuellen Partner Elemente elterlicher Identifizierungen, die sublimatorische Funktionen haben und der Beziehung zum Objekt Tiefe verleihen, so daß in solchen homosexuellen Beziehungen neben narzißtischen durchaus auch objektbezogene Züge festzustellen sind.

Bei einem dritten Typus homosexueller Beziehung wird der homosexuelle Partner »geliebt« als eine Erweiterung des eigenen pathologischen Größen-Selbst; wir haben es hier also nicht mit einer Beziehung von Selbst zu Objekt, nicht von Objekt zu Selbst, sondern von (pathologischem Größen-)Selbst zu Selbst zu tun. Diese schwerstgestörte Form homosexueller Beziehung ist typisch für Homosexualität im Kontext der narzißtischen Persönlichkeitsstruktur und stellt den prognostisch ungünstigsten Typus der Homosexualität dar. Da Patienten mit narzißtischer Persönlichkeitsstruktur und einem pathologischen Größen-Selbst nach außen hin oft besser »funktionieren« als andere mit weniger schwerwiegenden Formen von Charakterstörung (vgl. Kap. 8), sind manche sozial »funktionstüchtigeren« Homosexuellen paradoxerweise in Wirklichkeit die schwerst gestörten. In diesen Fällen ist die Besetzung der Objekte, die das projizierte Größen-Selbst repräsentieren, meist oberflächlich und ephemer; es besteht ein Mangel an Empathie und tieferer Wahrnehmung der Objekte der einer mangelhaften Integration sowohl der Objektrepräsentanzen als auch des Selbst – des realen im Gegensatz zum pathologischen grandiosen Selbst – entspricht.

In der Praxis hat deshalb die Definition des Narzißmus im Sinne des beschriebenen Spektrums vom normalen erwachsenen Narzißmus bis hin zur schwerst pathologischen »Selbst-zu-Selbst«-Beziehung eine eminente Bedeutung für Diagnose, Prognose und Therapie. Patienten mit Symptomneurosen und leichteren Charakterstörungen »auf höherem Niveau« (Kernberg 1970) weisen zumeist auch eine mehr oder weniger ausgeprägte Fixierung und/oder Regression auf die Stufe des normalen infantilen Narzißmus auf – erkennbar an einer Zunahme von Phantasien und Idealen, die verschiedenen Formen kindlicher Größenideen, Ansprüchlichkeit und Exhibitionismus entsprechen –, aber bei diesen Fällen ergeben sich aus dieser Regression im narzißtischen Bereich keine besonderen diagnostischen, prognostischen oder therapeutischen Konsequenzen. Man muß jedoch stets beachten, daß in allen solchen Fällen die pathologischen Charakterzüge unter anderem die Funktion haben, das Selbstwertgefühl zu schützen, und daß daher analytische Bemühungen, die auf eine Modifikation der neurotischen Charakterstruktur abzielen, immer auch die zugrundeliegende narzißtische Verletzung reaktivieren (W. Reich 1933).

In Fällen wo eine pathologische Identifizierung des Selbst mit einem infantilen Objekt vorliegt und die Wahl äußerer Objekte gemäß einer Projektion des Selbst auf solche Objekte stattfindet, werden in der Regel schwerere Formen von Charakterstörungen und gravierende homosexuelle Konflikte erkennbar. Auch wenn hier die narzißtische Färbung der Objektbeziehungen stärker hervortritt, bedarf es auch bei diesen Patienten gewöhnlich keiner besonderen Modifikationen der psychoanalytischen Technik. Selbst Patienten mit manifester oder unterdrückter Homosexualität, die diesem Typus zugehören, haben in bezug auf eine aufdeckende Psychotherapie oder Psychoanalyse keine schlechte Prognose.

Die dritte und schwerwiegendste Form des pathologischen Narzißmus ist typisch für die narzißtischen Persönlichkeiten im eigentlichen Sinne. Ich habe ihre Wesenszüge in früheren Arbeiten (Kapitel 8 und in diesem Band) beschrieben und beschränke mich hier auf eine kurze Schilderung des Syndroms. Diese Patienten sind exzessiv mit ich selbst beschäftigt, neigen zu oberflächlich glatter und wirksamer sozialer Anpassung, aber ihre inneren Beziehungen zu anderen Menschen sind erheblich verzerrt; ihr Verhalten ist (in unterschiedlichen Kombinationen) geprägt von starkem Ehrgeiz, Größenphantasien, Minderwertigkeitsgefühlen und übermäßiger Abhängigkeit von äußerer Bestätigung und Bewunderung. Sie leiden an chronischer Langeweile und Leeregefühlen, suchen ständig nach Befriedigung ihrer Strebungen nach Glanz, Reichtum, Macht und Schönheit und sind kaum in der Lage, andere zu lieben und Anteilnahme zu entwickeln. Andere auffällige Merkmale der Patienten sind: Unfähigkeit, andere einfühlend zu verstehen, chronische Unsicherheit und Unzufriedenheit mit ihrem Leben, bewußte oder unbewußte Ausbeutung anderer, Rücksichtslosigkeit und insbesondere intensiver Neid und Abwehr von Neid. Die Prognose hinsichtlich einer Psychoanalyse ist in solchen Fällen ungünstiger als bei den oben erwähnten, obschon der Fortschritt in der psychoanalytischen Technik ihre Prognose in jüngster Zeit verbessert hat; sexuelle Abweichungen bei Patienten mit dieser Art von Charakterpathologie erweisen sich oft als außerordentlich therapieresistent.

4. Die Behandlung narzißtischer Persönlichkeiten

In der psychoanalytischen Literatur besteht eine ziemliche Verwirrung, was das Verhältnis von narzißtischen Persönlichkeiten und Borderline-Störungen anbelangt. Ich möchte deshalb meine früheren Ausführungen hierzu (vgl. Kapitel 8 und 9) an dieser Stelle noch einmal zusammenfassen. Die Strukturmerkmale des Ichs und die Abwehrorganisation bei narzißtischen Persönlichkeiten weisen sowohl auffallende Ähnlichkeiten als auch spezifische Unterschiede zur Borderline-Persönlichkeitsstruktur auf.

Sie gleichen den Borderline-Störungen insofern, als auch bei ihnen Spaltungs- und primitive Dissoziationsmechanismen vorherrschen, wie man am Nebeneinanderbestehen voneinander dissoziierter oder abgespaltener Ichzustände erkennt. So kommen Züge von arrogantem grandiosem Gebaren, Scheu und Minderwertigkeitsgefühle bei narzißtischen Persönlichkeiten nebeneinander vor, ohne daß diese

Widersprüche als Konflikt empfunden würden. Die Spaltungsmechanismen werden noch verstärkt durch primitive Formen von Projektion und Idealisierung, omnipotente Beherrschungs- und Kontrolltendenzen, narzißtischen Rückzug und Entwertung; alle diese Abwehrformen kennzeichnen sowohl die Borderline-Persönlichkeitsstruktur als auch narzißtische Persönlichkeiten.

Der wesentliche Unterschied zwischen der narzißtischen Persönlichkeitsstruktur und den Borderline-Störungen im engeren Sinne besteht darin, daß narzißtische Persönlichkeiten ein integriertes, wenn auch hochgradig pathologisches »Größen-Selbst« ausgebildet haben; ich übernehme diesen Terminus von Kohut (1971). Meiner Auffassung nach handelt es sich bei diesem Größen-Selbst um eine pathologische Verdichtung von Rudimenten des Real-Selbst, des Ideal-Selbst und der Ideal-Objekte aus früher und frühester Kindheit; es enthält also unter anderem Anteile, die sonst normalerweise ins Über-Ich integriert werden. Infolgedessen ist die Überich-Integration nur lückenhaft gelungen, die Ich- und Überich-Grenzen sind in bestimmen Bereichen verschwommen, und die ganze intrapsychische Welt innerer Objektbeziehungen zeigt eine pathologische Entartung: Sie enthält nur mehr das pathologische Größen-Selbst und entwertete, schattenhafte Selbst- und Objektrepräsentanzen neben potentiell persekutorischen Imagines, die nicht-integrierten sadistischen Überich-Vorläufern entsprechen. Das pathologische Größen-Selbst kompensiert zwar die primitive Dissoziation bzw. Spaltung des Selbst, aber der Preis dafür ist eine pathologische Entartung der Objektbeziehungen, die hier viel ausgeprägter ist als bei nicht-narzißtischen Borderline-Patienten.

Daß narzißtische Patienten über eine relativ gute oberflächliche Funktionstüchtigkeit und soziale Anpassung verfügen und zugleich Anzeichen eines Überwiegens von Spaltungsmechanismen und schwerer Ichstörungen aufweisen, erscheint zunächst paradox, erklärt sich aber durch ihr pathologisches Größen-Selbst. Es gibt indessen auch narzißtische Persönlichkeiten auf manifestem Borderline-Niveau, wie ich das genannt habe, die also die für Borderline-Patienten charakteristischen unspezifischen Anzeichen von Ichschwäche erkennen lassen: mangelhafte Angsttoleranz, global mangelhafte Impulskontrolle, auffallendes Fehlen von Sublimierungen und im psychologischen Test Hinweise auf Primärprozeßdenken.

In der Praxis lassen sich narzißtische Persönlichkeiten nach ihrem

Funktionsniveau in drei Gruppen differenzieren. Es gibt erstens narzißtische Persönlichkeiten mit relativ effektiver äußerer Anpassung sowie Begabungen, Fertigkeiten und/oder hoher Intelligenz, die ihnen außerordentlichen Erfolg in ihrem sozialen Leben garantieren und ein ungewöhnliches Maß an Befriedigungen von außen her in Form von Bewunderung und Erfolg zugänglich machen. Solche Patienten kommen gewöhnlich nicht zum Therapeuten, es sei denn, daß schwere neurotische Symptome auftreten, etwa sexuelle Störungen oder chronische Schwierigkeiten in intimen Beziehungen, zum Beispiel in der Ehe. Man könnte sagen, daß bei ihnen der Krankheitsgewinn oft die Störungen, die sich aus der Pathologie ihrer verinnerlichten Objektbeziehungen ergeben, lange Zeit noch kompensiert. Wegen der verheerenden Auswirkungen des pathologischen Narzißmus auf die Bewältigung späterer Lebensabschnitte sollte man aber diese Patienten trotz ihrer relativ guten äußeren Funktionstüchtigkeit doch behandeln.

Da jedoch die Therapie der Wahl in solchen Fällen eine Psychoanalyse ist, die von vornherein eine bestimmte Motivation voraussetzt, um die in einer analytischen Behandlung unvermeidliche Verschärfung von Angst und Konfliktbewußtsein aushalten zu können, fällt die Entscheidung für oder gegen eine Behandlung manchmal nicht ganz leicht. Zuweilen empfiehlt es sich, dem Patienten für die Dauer einer akuten Krise eine sofortige kurzfristige psychotherapeutische Stützung anzubieten, mit einer Analyse aber vorerst abzuwarten, bis das Konfliktbewußtsein und der Leidensdruck infolge von Enttäuschungen im Leben, die besonders auf diese Patienten früher oder später unvermeidlich zukommen werden, genügend angewachsen sind. Ich bin in jüngster Zeit etwas optimistischer in bezug auf die Behandlungsprognose einiger dieser Patienten geworden, die ihre Analyse erst mit Ende dreißig oder Anfang vierzig begonnen haben, obschon man mit einer langen Behandlungsdauer rechnen muß.

Eine zweite Gruppe von Patienten, zu der die Mehrzahl der behandlungsbedürftigen narzißtischen Persönlichkeiten gehört, ist durch schwere Beziehungsstörungen von der Art, wie sie bereits in der klinischen Beschreibung des Syndroms umrissen wurden, gekennzeichnet. Diese Patienten klagen häufig über zusätzliche neurotische Symptome und sexuelle Probleme und leiden sehr unter ihrer Unfähigkeit, dauerhafte emotionale und sexuelle Beziehungen aufzubauen, und ihren chronischen Leeregefühlen. Die Behandlungsmethode der

Wahl ist für diese Fälle eine Analyse; die Prognose ist auf Grund neuerer Entwicklungen der psychoanalytischen Behandlungstechnik heutzutage wesentlich günstiger geworden (vgl. Kap. 9). Obschon über das technische Vorgehen und dessen theoretische Begründung zwischen Kohut (1971, 1972) einerseits und anderen Autoren (Jacobson 1964, Rosenfeld 1964, van der Waals 1965) einschließlich meiner selbst andererseits eine Kontroverse besteht, möchte ich doch betonen, daß ich meines Erachtens mit Kohut sowohl in der klinischen Beschreibung des Syndroms der narzißtischen Persönlichkeit in diesem mittleren Bereich des Spektrums als auch hinsichtlich der eindeutigen Indikation einer Analyse für diese Patienten grundsätzlich übereinstimme.

Zur dritten Gruppe narzißtischer Persönlichkeiten gehören Patienten, die auf manifestem Borderline-Funktionsniveau liegen und die schon erwähnten unspezifischen Anzeichen von Ichschwäche aufweisen. Ich habe an anderer Stelle (vgl. Kapitel 8 und 9) für diese Gruppe von Patienten eine überwiegend stützende Psychotherapie empfohlen, aber in letzter Zeit habe ich mich mehrfach auf eindrucksvolle Weise davon überzeugen können, daß man sie auch mit einer kombiniert stützenden und aufdeckenden Therapieform behandeln kann. Bei diesem Vorgehen werden die markantesten Abwehrvorgänge in der Übertragung, die auf eine Entwertung des Therapeuten (und unbewußt auf eine Zerstörung der durch ihn vermittelten Einsicht und Hilfe) hinzielen, gedeutet, während man andere Aspekte des Größen-Selbst schont und die Bemühungen im Sinne einer allmählichen »Nacherziehung« darauf richtet, den pathologischen Narzißmus »abzuschwächen« und in Richtung auf eine bessere Anpassung zu modifizieren.

Bei manchen Patienten aus dieser dritten Gruppe, besonders denjenigen mit starken aggressiven Reaktionen vom Typ der »narzißtischen Wut«, ist unter Umständen eine aufdeckende Psychotherapie angebracht; ich habe in letzter Zeit in mehreren Fällen dieser Kategorie eine aufdeckende Psychotherapie von der allgemein für Borderline-Patienten empfohlenen Art (vgl. Kap. 3) anzuwenden versucht. Leider neigen diese Patienten zur Ausbildung schwerer Formen von negativer therapeutischer Reaktion, wodurch es häufig zum vorzeitigen Behandlungsabbruch kommt. Im allgemeinen ist die Prognose dieser Untergruppe von narzißtischen Patienten mit chronischer Wut und manifesten Borderline-Zügen nicht gerade günstig.

schließlich gibt es noch eine Untergruppe von Patienten mit narzißtischer Persönlichkeit auf manifestem Borderline-Niveau, nämlich
diejenigen mit ausgeprägten antisozialen Zügen; bei ihnen ist die
Prognose äußerst dürftig. Am ausgesprochensten gilt dies natürlich
für antisoziale Persönlichkeiten im eigentlichen Sinne, die neben
durchwegs extremen Verzerrungen und Fehlbildungen der Überichfunktionen und Objektbeziehungen typisch narzißtische Abwehrstrukturen aufweisen.

Die psychoanalytische Behandlung narzißtischer Persönlichkeiten habe ich bereits an anderer Stelle (Kapitel 8 und 9) in großen Zügen
umrissen und möchte mich deshalb hier nicht wiederholen. Die allgemeine Behandlungsstrategie, wie ich sie in meiner Erörterung der
Anfangsphase der Behandlung von Borderline-Patienten im 6. Kapitel dargestellt habe, gilt speziell auch für die therapeutische Arbeit
mit narzißtischen Patienten auf manifestem Borderline-Niveau. Es
gibt noch eine Reihe besonderer technischer Schwierigkeiten, mit denen man in einer Psychotherapie (im Gegensatz zur Analyse) narzißtischer Patienten zu rechnen hat und von denen ich hier nur einige
der wichtigsten anführen möchte.

Ein Hauptproblem in der Behandlung solcher Patienten besteht in
der Notwendigkeit, sich auf ein Phänomen einzustellen, das als pathologische oder widersprüchliche Abhängigkeit vom Therapeuten
imponiert. Der Patient scheint den Therapeuten ständig zu bedrän-
gen, doch endlich etwas für ihn zu tun, ihm »mehr« zu geben, »neue
Formulierungen« für seine Probleme anzubieten, während er zur
gleichen Zeit die psychotherapeutische Arbeit und damit alles, was er
tatsächlich vom Therapeuten bekommt, unbewußt entwertet. Die
Psychotherapie wird mehr und mehr zu einer Suche nach »magischer
Nahrung«, aber mit den wirklichen Beiträgen des Therapeuten vermag der Patient nichts anzufangen. Zugrunde liegt diesem Problem
regelmäßig ein unbewußter Neid auf die Fähigkeit und Geschicklich-
keit des Therapeuten, auf sein Wissen, sein Verstehen, seine Überzeugungen, und von daher das Bedürfnis, diese Qualitäten in der
bestehenden psychotherapeutischen Beziehung zu zerstören. Solche
Patienten versuchen die realen Beiträge des Therapeuten durch »magische« zu ersetzen, die sie auf entsprechend magische Weise sich ein-
verleiben könnten, ohne dabei dem Therapeuten dafür Dank schul-
den oder gar ihn darum beneiden zu müssen, daß er wirklich etwas
hat und ihnen geben kann, was sie aus sich selbst nicht haben. Sobald

die »Magie« sich abgenutzt hat bzw. zunichte geworden ist unter der Überzeugung des Patienten, in den Behandlungsstunden lasse sich ja doch keine wirklich sinnvolle Arbeit oder Beziehung herstellen, kommen immer weitergehende Ansprüche an den Therapeuten und gleichzeitig ein unheimliches Gefühl der Leere und Wut wegen der Frustrationen in der Behandlung auf, die ihrerseits den Neid auf den Therapeuten noch verstärken, so daß ein Circulus vitiosus entsteht und schließlich die Fortsetzung der Behandlung überhaupt in Frage gestellt ist.

Ein weiteres Problem, auf das man bei diesen Patienten stößt, ist ihre sehr geringe Frustrationstoleranz, die ebensowohl mit unspezifischen Aspekten von Ichschwäche wie auch mit einer spezifischen narzißtischen Kränkbarkeit zusammenhängt. Sie fühlen sich sehr leicht schon durch geringfügige Versagungen oder Unzulänglichkeiten des Therapeuten verletzt oder abgelehnt. Hat der Therapeut gelernt, auf diese Verletzlichkeit gegenüber narzißtischen Versagungen und die dadurch hervorgerufenen Reaktionen von Wut und/oder defensivem Rückzug in den Beziehungen dieser Patienten außerhalb der Therapie zu achten, so wird er ihnen auch leichter aufzeigen können, wie und weshalb sie es vermeiden, sich in ihrer Arbeit, ihren sozialen Beziehungen oder in ihrer Ehe tiefer einzulassen, und wie dieses Bedürfnis, gefürchteten Versagungen und ihrer Wut hierüber auszuweichen, auch in der Übertragung – in der Überempfindlichkeit dieser Patienten, ihrem narzißtischen Rückzug oder ihrer Wut auf den Therapeuten – zum Ausdruck kommt. Damit verbunden ist auch die Überempfindlichkeit in bezug auf jegliches Versagen, wobei das »Versagen« häufig schon darin besteht, in einer Konkurrenzsituation nicht der erste, der einzige oder der Vorgezogene sein zu können. Gehemmtes Konkurrenzstreben wird bei diesen Patienten oft fälschlich als Ausdruck gehemmter ödipaler Rivalität aufgefaßt, statt den Ursprung dieser Hemmung in der narzißtischen Verletzlichkeit des Größen-Selbst zu erkennen. Man kann oft den Patienten helfen einzusehen, daß sie in jedem Konkurrenzkampf entweder Gewinner sein müssen oder überhaupt nicht teilnehmen können; bei Schulversagen von borderline-narzißtischen Jugendlichen spielt dieser Mechanismus häufig eine Rolle.

Ein weiteres Problem, das besonders bei narzißtischen Männern die Beziehungen zum anderen Geschlecht beeinträchtigt, ist das Bestehen starker paranoider Ängste, sich sexuell auf Frauen einzulassen, die aus einer unbewußten Projektion eigener Feindseligkeit (gegenüber einer primitiven Mutterimago) auf die betreffenden Frauen herrührt. Solche Ängste können eine chronische soziale und sexuelle Isolierung bedingen und in der Therapie zur Stagnation der Übertragungsentwicklung beitragen. Die therapeutische Beziehung erscheint solchen Patienten eher als ungefährlich, weil sie »asexuell« ist; sie wird somit leicht zur einzigen wirklichen Objektbeziehung in ihrem Leben, wodurch das Bemühen, in anderen sozialen Beziehungen besser zurechtzukommen, sich erübrigt. Häufig gelingt es, solche paranoiden Reaktionen zu mindern und die sexuellen Beziehungen der Patienten zu bessern, ohne die zugrundeliegenden Konflikte in vollem Umfang aufzudecken und zu lösen; die übermäßige Ansprüchlichkeit und die arrogante, parasitäre und ausbeuterische Einstellung der Patienten sowohl Frauen gegenüber als auch im Umgang mit anderen Menschen kann man behutsam klären und mit stützenden Interventionen im Sinne einer »Nacherziehung« zu modifizieren versuchen.

Direkte Ermutigung zu einer adaptiveren Nutzung narzißtischer Bedürfnisse und Unterstützung besserer Lösungen, die der Patient für seine Konflikte in bestimmten Lebensbereichen findet, erweisen sich manchmal als sehr wirksam, weil solche direkte Stützung die unbewußte Neigung des Patienten bestärkt, alles sich einzuverleiben, was er am Therapeuten als bedeutsamen Wesenszug wahrnimmt. Auf diese Weise »lernt« der Patient vom Therapeuten, indem er ihm unbewußt »wegnimmt« und »sich aneignet«, was er ihm sonst nur neiden könnte.

Allgemeiner formuliert: Eine narzißtische Identifizierung mit einem idealisierten und beneideten Bild vom Therapeuten – einem teils durch stillschweigende Akzeptierung, teils durch Deutung der Idealisierung allmählich abgeschwächten und realitätsgerechter gewordenen Bild vom Therapeuten – kann sich entwickeln, wenn der Patient dieses Idealbild in sein Größen-Selbst introjiziert, und ermöglicht ihm eine adaptivere Nutzung dieser pathologischen Struktur in seinem Alltagsleben. Dieser Mechanismus (der Projektion und modifizierten Reintrojektion einer primitiven Idealisierung im Kontext des pathologischen Größen-Selbst) spielt nicht nur bei den schwerstgestörten narzißtischen Persönlichkeiten mit manifesten Borderline-Zügen eine wichtige therapeutische Rolle, sondern kann sich auch bei solchen narzißtischen Patienten sehr hilfreich auswirken, die an sich hervorragend »funktionieren« und nur wegen einer momentanen traumatischen Situation zum Psychotherapeuten gekommen sind, dabei aber nicht willens oder auch gar nicht in der Lage sind, ihre tieferliegenden Persönlichkeitsprobleme gründlicher aufzuarbeiten. Eine kurze Krisenintervention stützender Art wirkt bei solchen allgemein gut angepaßten narzißtischen Persönlichkeiten manchmal ausgezeichnet. Ich meine jedoch, daß wir es unseren Patienten schuldig sind, in jedem Falle einer narzißtischen Persönlichkeit sorgfältig zu bedenken, ob eine psychoanalytische Behandlung angezeigt ist oder ob besondere Kontraindikationen dagegen bestehen. Ich habe narzißtische Patienten gesehen, die eine psychoanalytische Behandlung, die ihnen wegen ihrer pathologischen Charakterstruktur angeraten worden war, zunächst abgelehnt hatten, dann aber nach Monaten oder gar Jahren doch zur analytischen Behandlung wiederkamen, durch die ihnen geholfen werden konnte, ihre subtile und dennoch so verheerende Charakterpathologie wesentlich zu modifizieren. Überhaupt ist es für einen Patienten mit narzißtischer Persönlichkeit, der an sich sozial sehr gut zurechtkommt und momentan nur wegen einer akuten Krise einen Psychotherapeuten aufsucht, oft das beste, wenn man ihn unmittelbar mit einer stützenden Kurzpsychotherapie versorgt und für später die Möglichkeit einer längerfristigen psychoanalytischen Behandlung mit ihm bespricht.

Kommen wir jetzt noch einmal auf die Behandlung narzißtischer Persönlichkeiten auf Borderline-Niveau zurück, so wäre noch ein letztes technisches Problem zu erwähnen, nämlich schweres Agieren und besonders das Ausagieren von narzißtischer Wut. Solches Agieren muß natürlich unter Kontrolle gebracht werden, und zwar an erster Stelle mit Hilfe von Deutungen; erst wenn diese nichts nützen, muß man für eine ausreichende Strukturierung der Lebensumstände des Patienten außerhalb der Behandlungssituation sorgen. In Fällen, wo dies erforderlich wird, muß man auch in der Behandlungssituation aggressives Verhalten des Patienten zunächst unter Kontrolle bringen und anschließend deuten, wobei die Deutung auch mit einschließen sollte, wie der Patient die Intervention des Therapeuten erlebt hat. Im übrigen gilt hier die allgemeine Strategie und Technik des Umgangs mit unkontrollierbar agierenden Borderline-Patienten, wie sie im 6. Kapitel beschrieben wurde.

Zusammenfassend können wir festhalten, daß die analytische Psychotherapie von Patienten, die eine narzißtische Persönlichkeit mit manifesten Borderline-Zügen aufweisen, sowohl stützende wie konfliktaufdeckende Elemente enthalten und die allgemeine Behandlungsstrategie für Borderline-Patienten mit speziellen Vorgehensweisen kombinieren sollte, wie sie sich aus neueren Erkenntnissen über die optimale psychoanalytische Behandlungstechnik bei weniger tief regredierten narzißtischen Patienten ergeben haben. Zwar verfügen wir für solche Psychotherapien bislang noch nicht über einen so systematischen Ansatz, wie er für die Behandlung narzißtischer Patienten mit der psychoanalytischen Standardmethode bereits formuliert worden ist; es ist aber zu erwarten, daß mit der rasch fortschreitenden Erweiterung unseres Verständnisses dieser Störungen auch die Effektivität unserer klinischen Arbeit mit der ganzen Bandbreite der Pathologie des Narzißmus noch wesentlich gesteigert werden kann.

5. Einige Probleme der Terminologie und der metapsychologischen Implikationen des Narzissmus

Meine Überlegungen gingen davon aus, daß der Begriff »Narzißmus« für die normalen und pathologischen Schicksale der libidinösen Besetzung des Selbst reserviert werden sollte und daß man deshalb Narzißmus nicht analysieren kann, als handelte es sich dabei um einen Trieb, unabhängig von verinnerlichten Objektbeziehungen. Die Frage, was Narzißmus letztlich sei, führt zu weiteren Fragen nach der Beschaffenheit der Libido als Trieb und nach der normalen und pathologischen Beschaffenheit des Selbst und seiner konstituierenden Elemente; die Art des Selbst ist wiederum eng verbunden mit den normalen und pathologischen Strukturen, die aus verinnerlichten Objektbeziehungen entstehen.

Ich habe hier nicht das Problem der Beschaffenheit der Libido als Trieb berührt – außer in der Feststellung, daß das Selbstwertgefühl nicht einfach als Widerspiegelung von Triebbesetzungen zu verstehen ist, sondern immer eine Kombination von affektiven und kognitiven Anteilen enthält. Hintergrund dieser Formulierungen ist eine allgemeine metapsychologische Konzeption der Beziehungen zwischen Libido als Trieb und Affektdispositionen als den entscheidenden Erscheinungsformen von Triebregungen innerhalb des psychischen Apparates. Darüber habe ich eingehend in einer anderen Arbeit (Kernberg 1973) gesprochen, so daß ich mich hier auf eine kurze Zusammenfassung meiner Thesen beschränken kann:

1. Affekte stellen angeborene Dispositionen für subjektives Erleben in den Dimensionen Lust und Unlust dar;

2. Affekte werden vermittels Erinnerungsspuren in Form primitiver »Affekt-Gedächtnis«-Konstellationen fixiert, die jeweils Selbstanteile, Objektanteile und den zugehörigen Affektzustand selbst umfassen;

3. die weitere Differenzierung von Affekten geschieht im Kontext der Differenzierung verinnerlichter Objektbeziehungen.

Aus meiner Sicht sind Lust- und Unlustaffekte die wesentlichen Organisatoren der Reihe von »guten« und »bösen/schlechten« verinnerlichten Objektbeziehungen und bilden das zentrale Motivations- oder Triebsystem, das intrapsychisches Erleben organisiert. Libido und Aggression sind nicht äußere Zugaben zu dieser Entwicklung, sondern stehen für die umfassende Organisation des Triebsystems im Sinne der Polarität von »Gut« und »Böse« [bzw. »Gut« und »Schlecht«]. Affektzustände bedingen zunächst die Integration von verinnerlichten Objektbeziehungen und globalen Triebsystemen; später signalisieren sie die Aktivierung eines Triebes und repräsentieren diesen Trieb im Kontext der Aktivierung spezifischer verinnerlichter Objektbeziehungen.

Kurz gesagt: Libido und Aggression differenzieren sich aus der dem Ich und dem Es gemeinsam zugrundeliegenden undifferenzierten Matrix. Die weitere Ausformung dieser beiden Triebe vollzieht sich unter dem Einfluß der sich entfaltenden verinnerlichten Objektbeziehungen, die ihrerseits unter dem organisierenden Einfluß der Affekte integriert werden.

Meine Thesen besagen, daß »Besetzungen« in erster Linie »Affektbesetzungen« sind, das heißt, sie sind das quantitative Element, der ökonomische Faktor, der in der Intensität primitiver Affektdispositionen zum Ausdruck kommt, wenn sie im Kontext primitiver verinnerlichter Objektbeziehungs-Konstellationen aktiviert werden; Affekte sind ja die Organisatoren solcher primitiver Konstellationen. Erst allmählich differenzieren sich die Affekte, und ihre quantitativen oder ökonomischen Aspekte verbinden sich aufs engste mit der allgemeinen Organisation der Motivationssysteme oder Triebe zu »Libido«- und »Aggressions«-Reihen. Später übernehmen die Affekte eine weitere entscheidende Funktion, nämlich die jeweils vorherrschende Qualität libidinöser, aggressiver oder kombiniert libidinösaggressiver Motivationssysteme zu signalisieren. Ihre quantitativen

Aspekte oder »Besetzungen« spiegelten ursprünglich direkt den subjektiven, intrapsychischen Einfluß allgemeiner Befriedigung oder Versagung physiologischer Bedürfnisse wider; im Laufe der weiteren Entwicklung wird jedoch immer ausschlaggebender, wie eine Person im ganzen die jeweilige affektive Erregung in ihrer Bedeutung für Selbst und Objekt, als Ausdruck von Ich-Werten und Überich-Zwängen etc. interpretiert. Mir erscheint es daher zweckmäßig, den Terminus »Besetzung« auf die Funktion der Affekte als Indikatoren der jeweils dominanten Motivationssysteme zu beziehen – wobei ich, wie gesagt, davon ausgehe, daß Besetzungen ursprünglich »fast« reine Affektbesetzungen waren, der Affekt aber schließlich mehr den Charakter einer Signalfunktion annimmt, die die quantitative Intensität eines Motivationssystems anzeigt (andere würden sagen: die Intensität eines Triebes anzeigt – wobei aber der Zusammenhang der Triebe mit verinnerlichten Objektbeziehungen und höheren kognitiven Funktionen unberücksichtigt bliebe).

Man könnte also sagen, daß die »Besetzungen« anfangs »Affektbesetzungen« sind und als solche eine entscheidende Rolle bei der Ausformung der Triebe im Sinne intrapsychischer Triebsysteme spielen. Allmählich aber werden die »Besetzungen« zu »Triebbesetzungen«, die in Verbindung mit dem momentanen Affektzustand die jeweilige Art und Intensität des Motivationssystems, das in der betreffenden Situation gerade dominiert, kennzeichnen. Affekte sind diejenigen Elemente psychischen Erlebens, die am engsten an die biologischen Quellen des Psychischen gebunden bleiben. Die biologisch determinierte Intensität der Affekte geht in immer komplexere intrapsychische Motivationssysteme ein; es gibt jedoch – außer unter extremen Umständen – keine direkte mechanische Verbindung zwischen biologischem Druck und psychischem Ausdruck.

Könnte man daher den Narzißmus in letzter Instanz als Trieb – nämlich als Ausdruck des Gleichgewichts zwischen Libido und Aggression, die das Selbst besetzen – begreifen, so bliebe er dennoch abhängig von der Entwicklung der Affektdispositionen der libidinösen und der aggressiven Reihe, die ihrerseits mit der Entwicklung verinnerlichter Objektbeziehungen und ihrer strukturellen Ausformung in den Instanzen Ich, Es und Über-Ich verknüpft sind. Diesem Konzept liegt die strukturelle und klinische Analyse des normalen und pathologischen Narzißmus zugrunde, die in den ersten drei Abschnitten dieses Kapitels dargestellt wurde.

Eine andere Frage, die einer umfassenden Analyse der Schicksale der Triebe, Affekte und verinnerlichten Objektbeziehungen bedarf, betrifft den primären und sekundären Narzißmus. Ich habe dieses Problem bereits in früheren Arbeiten (Kernberg 1971, 1973) behandelt und will hier meine Auffassung kurz wiedergeben. Wie ich zu Anfang des Kapitels schon angedeutet habe, besteht eine enge Verbindung zwischen der Besetzung des Selbst und der der Objekte. Die Arbeiten von Jacobson (1964), Mahler (1968) und van der Waals (1965) ebenso wie meine eigenen früheren Studien halten unser gegenwärtiges Verständnis fest, daß Selbst- und Objektrepräsentanzen aus einer primären undifferenzierten Selbst-Objekt-Repräsentanz hervorgehen, aus der sich narzißtische und Objektbesetzungen gleichzeitig entwickeln. Im Gegensatz zu der traditionellen psychoanalytischen Auffassung, derzufolge die Libido zuerst in narzißtische Besetzungen eingeht und erst später auch Objekte libidinös besetzt werden, und im Gegensatz auch zu Kohuts Vorstellung, daß narzißtische und Objektbesetzungen einen gemeinsamen Ausgangspunkt haben und dann sich unabhängig voneinander entfalten und daß bei narzißtischen Persönlichkeiten die Aggression großenteils Sekundärfolge narzißtischer Verletzungen ist, vertrete ich die Ansicht, daß die Entwicklung des normalen und des pathologischen Narzißmus stets die Beziehungen des Selbst zu seinen inneren (Objektrepräsentanzen) und äußeren Objekten und immer auch Triebkonflikte sowohl libidinöser wie aggressiver Art mit einbegreift. Von allgemeiner Bedeutung ist, daß das Konzept des »primären Narzißmus« nicht länger mehr gerechtfertigt erscheint, da in metapsychologischer Betrachtung »primärer Narzißmus« und »primäre Objektbesetzung« praktisch in eins zusammenfallen. Die libidinöse Besetzung einer primären »nur guten« Selbst-Objekt-Repräsentanz, die aggressive Besetzung einer primären »nur bösen« Selbst-Objekt-Repräsentanz und die weiteren Entwicklungsschicksale und wechselseitigen Beziehungen dieser beiden primären Strukturen gehen der libidinösen Besetzung eines differenzierten Selbst um einiges voraus.

Es gibt noch eine andere Anwendung des Terminus »Narzißmus«, die langsam ungebräuchlich zu werden scheint. Ich meine den Begriff »narzißtische Neurosen«, der auf die funktionellen Psychosen, insbesondere die Schizophrenie und verwandte Syndrome, angewendet wird. Die psychoanalytische Erforschung psychotischer Zustände im Laufe der letzten dreißig Jahre hat auch hier primitive pathologische verinnerlichte Objektbeziehungen aufgezeigt, die in der Übertragung aktiviert werden. Die Fähigkeit solcher Patienten, starke psychotische – im Gegensatz zu neurotischen – Übertragungen auszubilden, hat den Terminus »narzißtische Neurosen« (mit der Implikation, diese Patienten könnten keine Übertragung entwickeln) außer Kraft gesetzt.

Abschließend ist zu sagen, daß, wie unsere Darlegungen gezeigt haben, das Studium des Narzißmus nicht von der Erforschung der Schicksale von Libido und Aggression und von der Untersuchung der Schicksale der verinnerlichten Objektbeziehungen abgetrennt werden kann. Klinisch ausgedrückt heißt das, daß wir, wann immer wir von »narzißtischen Konflikten« sprechen, damit auch die normalen oder pathologischen Beziehungen zwischen dem Selbst und den anderen intrapsychischen Strukturen und den Umweltfaktoren meinen, die – wie im ersten Teil dieses Kapitels dargelegt – die libidinöse (und aggressive) Besetzung des Selbst beeinflussen. Wenn wir die verschiedenen Manifestationen des normalen und des pathologischen Narzißmus auf einem integrierten Spektrum anordnen, sollte es möglich sein, spezifischer zu bestimmen, mit welchem Typus und/oder Schweregrad von narzißtischer Pathologie wir es im Einzelfall zu tun haben. Desgleichen könnte der Terminus »narzißtische Widerstände« an Bedeutung und Prägnanz gewinnen, wenn man ihn auf ein Spektrum von Abwehrvorgängen bezieht, die das Selbstwertgefühl und die Integrität des Selbst in der Übertragung schützen – ein Spektrum, das von den unspezifischen narzißtischen Funktionen pathologischer Charakterzüge generell (jede Charakterabwehr hat ja unter anderem die Funktion, das Selbstwertgefühl zu schützen) bis hin zu den spezifischen Abwehrformen narzißtischer Persönlichkeiten reicht.

Da unser klinisches und theoretisches Verständnis stetig wächst, werden schließlich manche verwirrenden terminologischen Probleme und Diskrepanzen zwischen metapsychologischen Formulierungen und klinischen Beobachtungen gelöst werden können, so daß ein genauerer, schärfer umrissener und klinisch relevanter Gebrauch des Terminus »Narzißmus« möglich wird.

1. Kapitel
Erstveröffentlichung unter dem Titel »Borderline Personality Organization« im *Journal of the American Psychoanalytic Association* 1967, 15: 641 bis 685. Als Vortrag gehalten anläßlich der Herbsttagung der American Psychoanalytic Association im Dezember 1966 in New York. Hervorgegangen aus der Arbeit am Psychotherapie-Forschungsprojekt der Menninger-Stiftung in Topeka, Kansas, USA, das vom Foundations's Fund for Research in Psychiatry und von der Ford Foundation, später vom National Institute of Mental Health (Public Health Research Grant MH 8308) unterstützt wurde.

2. Kapitel
Erstveröffentlichung unter dem Titel »Notes on Countertransference« im *Journal of the American Psychoanalytic Association* 1965, 13: 38–56. Als Vortrag gehalten anläßlich der Herbsttagung der American Psychoanalytic Association im Dezember 1963 in New York. Enstanden an der Menninger Foundation, Topeka, Kansas, USA.

3. Kapitel
Erstveröffentlichung unter dem Titel »The Treatment of Patients with Borderline Personality Organization« im *International Journal of Psycho-Analysis* 1968, 49: 600–619. Als Vortrag gehalten beim 54. Jahrestreffen der American Psychoanalytic Association im Mai 1967 in Detroit. Hervorgegangen aus der Arbeit am Psychotherapie-Forschungsprojekt der Menninger-Stiftung (vgl. o. die Angaben zum 1. Kapitel).

4. Kapitel
Erstveröffentlichung unter dem Titel »Prognostic Considerations Regarding Borderline Personality Organization« im *Journal of the American Psychoanalytic Association* 1971, 19: 595–635. Als Vortrag gehalten beim 57. Jahrestreffen der American Psychoanalytic Association im Mai 1970 in San Francisco. Hervorgegangen aus der Arbeit am Psychotherapie-Forschungsprojekt der Menninger-Stiftung (vgl. o. die Angaben zum 1. Kapitel).

5. Kapitel
Hier erstmals veröffentlicht.

6. Kapitel

Dieser Artikel erscheint ebenfalls in *Parameters in Psychoanalytic Psychotherapy,* hrsg. v. G. D. Goldman und D. S. Millman, Springfield, Illinois (Charles C. Thomas), im Druck.

7. Kapitel

Als Vortrag gehalten beim »Symposium on Emptiness« im März 1974 in New York.

8. Kapitel

Erstveröffentlichung unter dem Titel »Factors in the Psychoanalytic Treatment of Narcissistic Personalities« im *Journal of the American Psychoanalytic Association* 1970, 18: 51–85. Als Vortrag gehalten beim 55. Jahrestreffen der American Psychoanalytic Association im Mai 1968 in Boston. Hervorgegangen aus der Arbeit am Psychotherapie-Forschungsprojekt der Menninger-Stiftung (vgl. o. die Angaben zum 1. Kapitel).

9. Kapitel

Erstveröffentlichung im *International Journal of Psycho-Analysis* 1974, 55: 215–240. Eine kürzere Fassung wurde als Vortrag gehalten beim 28. Internationalen Psychoanalytischen Kongreß im Juli 1973 in Paris. Diese wesentlich kürzere Fassung erschien deutsch in *Psyche* 1975, 29: 890–905. [Die vorliegende Übersetzung des Kapitels greift stellenweise auf die in der *Psyche* erschienene Übersetzung von Ute Auhagen zurück].

10. Kapitel

Hier in diesem Band erstmals (in Englisch) veröffentlicht. Eine etwas kürzere Fassung wurde als Vortrag am 14. 1. 1975 an der Universität Frankfurt am Main gehalten und erschien in deutscher Übersetzung von Jeanette Friedeberg in dem von Peter Kutter herausgegebenen Band *Psychoanalyse im Wandel,* Frankfurt (edition suhrkamp Bd. 881) 1977. [Die vorliegende Übersetzung des Kapitels greift stellenweise auf diese ausgezeichnete Übersetzung von Jeanette Friedeberg zurück].

Abraham, K. (1919): Über eine besondere Form des neurotischen Widerstandes gegen die psychoanalytische Methodik. *Internat. Zeitschr. f. Psychoanalyse* 5: 17–180. Auch in: *Psychoanalytische Studien* Bd. II (hrsg. v. J. Cremerius), Frankfurt (S. Fischer) 1971, S. 254–261

Adler, G. (1973): Hospital Treatment of Borderline Patients. *American Journal of Psychiatry* 130: 32–35

Andersen, H. C. (1959): Die Nachtigall. In: *Sämtliche Märchen*. München (Winkler)

Bellak, L. und Hurvich, M. (1969): A Systematic Study of Ego Functions. *Journal of Nervous and Mental Disease* 148: 569–585

Benedek, T. (1954): Countertransference in the Training Analyst. *Bulletin of the Menninger Clinic* 18: 12–16

Bergeret, J. (1970): Les États Limites. *Revue Française de Psychanalyse* 34: 605–633

– (1972): *Abrégé de Psychologie Pathologique*. Paris (Masson & Cie.)

Bibring, E. (1952): Das Problem der Depression. *Psyche* 6: 81–101

– (1954): Psychoanalysis and the Dynamic Psychotherapies. *J. Am. Psa. Ass.* 2: 745–770

Bion, W. R. (1957): Differentiation of the Psychotic from the Non-psychotic Personalities. *Int. J. PsA.* 38: 266–275

– (1967): *Second Thoughts*: Selected Papers on Psychoanalysis. London (Heinemann), S. 86–109

Boyer, L. B. (1971): Die psychoanalytische Technik der Behandlung von Schizophrenien und Charakterstörungen. Originalartikel im *Int. J. PsA.* 52: 67–85. Deutsch in: *Die psychoanalytische Behandlung Schizophrener*, hrsg. v. Dieter Eicke, München (Kindler) 1976, S. 143–178

– und Giovacchini, P. (1967): *Psychoanalytic Treatment of Characterological and Schizophrenic Disorders*. New York (J. Aronson). Deutsche Teilübersetzung unter dem Titel *Die psychoanalytische Behandlung Schizophrener*, hrsg. v. D. Eicke, München (Kindler) 1976

Burstein, E., Coyne, L., Kernberg, O. und Voth, H. (1969): The Quantitative Study of the Psychotherapy Research Project. In: »Psychotherapy and Psychoanalysis: Final report of the Menninger Foundation's Psychotherapy Research Project«, von O. Kernberg, E. Burstein, L. Coyne, A. Appelbaum, L. Horwitz und H. Voth. *Bulletin of the Menninger Clinic*, 1972, 36: 1–85

Bychowski, G. (1953): The problem of latent psychosis. *J. Am. Psa. Ass.* 1: 484–503

Cary, G. (1972): The Borderline Condition: A Structural-Dynamic Viewpoint. *The Psa. Review* 59: 33–54

Chessick, R. (1971): Use of the Couch in the Psychotherapy of Borderline Patients. *Archives of General Psychiatry* 25: 306–313

Cohen, M. B. (1952): Countertransference and Anxiety. *Psychiatry* 15, 231–243

Collum, J. (1972): Identity Diffusion and the Borderline Maneuver. *Comprehensive Psychiatry* 1: 179–184

Cooperman, M. (1970): Defeating Processes in Psychotherapy. Kurzreferat darüber in: Transactions of the Topeka Psychoanalytic Society, *Bulletin of the Menninger Clinic* 34: 36–38

Deutsch, H. (1934): Über einen Typus der Pseudoaffektivität. *Intern. Zeitschr. f. PsA.* 20: 323–335. Geringfügig erweiterte englische Fassung in: *Psychoanalytic Quarterly* 1942, 11: 301–321

– (1944): Psychology of Women. Deutsch: Psychologie der Frau, Bern (Huber) 1948

Duvocelle, A. (1971): L'État Limite ou Borderline Personality Organization. Thèse pour le doctorat en médecine, Lille

Easser, B. R. und Lesser, S. R. (1965): Hysterical Personality: A Re-evaluation. *Psychoanalytic Quarterly* 34: 390–405

Eissler, K. R. (1953): The Effect of the Structure of the Ego on Psychoanalytic Technique. *J. Am. Psa. Ass.* 1: 104–143

Ekstein, R. und Wallerstein, J. (1956): Observations on the Psychotherapy of Borderline and Psychotic Children. *The Psychoanalytic Study of the Child* 11: 303–311

Erikson, E. H. (1956): Das Problem der Identität. In: Erikson: *Identität und Lebenszyklus*, Frankfurt (Suhrkamp) 1966, S. 123–212

– (1959): Wachstum und Krisen der gesunden Persönlichkeit. In: Erikson: *Identität und Lebenszyklus*, Frankfurt (Suhrkamp) 1966, S. 55–122

Fairbairn, W. R. D. (1940): Schizoid Factors in the Personality. In: Fairbairn: *An Object-Relations Theory of the Personality*, New York (Basic Books) 1952, S. 3–27

– (1944): Endopsychic Structure Considered in Terms of Object-Relationships. In: *An Object-Relations Theory of the Personality*, New York (Basic Books) 1952, S. 82–136

– (1951): A Synopsis of the Development of the Author's Views Regarding the Structure of the Personality. In: *An Object-Relations Theory of the Personality*, New York (Basic Books) 1952, S. 162–179

Fenichel, O. (1945): Typologie. In: *Psychoanalytische Neurosenlehre* Bd. III, S. 108–111. Olten und Freiburg/Br. (Walter) 1977

Fliess, R. (1942): The Metapsychology of the Analyst. *Psychoanalytic Quarterly* 11: 211–227

– (1953): Countertransference and Counteridentification. *J. Am. Psa. Ass.* 1: 268–284

Frank, D. J. et al. (1952): Two Behavior Patterns in Therapeutic Groups and Their Apparent Motivation. *Human Relations* 5: 289–317

– (1959): The Dynamics of the Psychotherapeutic Relationship. *Psychiatry* 22: 17–39

Freud, A. (1936): *Das Ich und die Abwehrmechanismen.* München (Kindler) 1975

Freud, S. (1910): Die zukünftigen Chancen der psychoanalytischen Therapie. *G. W.* Bd. 8, S. 103–115. *Studienausgabe Ergänzungsband*, S. 121 bis 132

– (1912): Ratschläge für den Arzt bei der psychoanalytischen Behandlung. *G. W.* Bd. 8, S. 375–387. *Studienausgabe Ergänzungsband*, S. 169–180

– (1914): Zur Einführung des Narzißmus. *G. W.* Bd. 10, S. 137–170. *Studienausgabe* Bd. 3, S. 37–68

– (1923): Das Ich und das Es. *G. W.* Bd. 13, S. 239–289. *Studienausgabe* Bd. 3, S. 283–330

– (1925): Die Verneinung. *G. W.* Bd. 14, S. 11–15. *Studienausgabe* Bd. 3, S. 373–377

– (1927): Fetischismus. *G. W.* Bd. 14, S. 311–317. *Studienausgabe* Bd. 3, S. 381–388

– (1931): Über libidinöse Typen. *G. W.* Bd. 14, S. 507–513. *Studienausgabe* Bd. 5, S. 267–272

– (1937): Die endliche und die unendliche Analyse. *G. W.* Bd. 16, S. 59 bis 99. *Studienausgabe Ergänzungsband*, S. 357–392

– (1938): Die Ichspaltung im Abwehrvorgang. *G. W.* Bd. 17, S. 59–62. *Studienausgabe* Bd. 3, S. 391–394

– (1963): *Sigmund Freud – Oskar Pfister: Briefe 1909–1939.* Frankfurt (S. Fischer)

Fromm-Reichmann, F. (1950): Intensive Psychotherapie. Stuttgart (Hippokrates)

– (1952): Some Aspects of Psychoanalytic Psychotherapy with Schizophrenics. In: *Psychotherapy with Schizophrenics*, hrsg. v. E. B. Brody und F. C. Redlich, New York (Internat. Univ. Press), S. 89–111

– (1958): Basic Problems in the Psychotherapy of Schizophrenia. *Psychiatry* 21: 1–6

Frosch, J. (1964): The Psychotic Character: Clinical Psychiatric Consideration. *Psychiatric Quarterly* 8: 81–96

– (1970): Psychoanalytic Considerations of the Psychotic Character. *J. Am. Psa. Ass.* 18: 24–50

- (1971): Technique in Regard to Some Specific Ego Defects in the Treatment of Borderline Patients. *Psychoanalytic Quarterly* 45: 216–220

Geleerd, E. R. (1958): Borderline-Zustände in der Kindheit und Adoleszenz. Deutsch in *Psyche* 1966, 20: 821–836

Gill, M. M. (1951): Ego Psychology and Psychotherapy. *Psychoanalytic Quarterly* 20: 62–71
- (1954): Psychoanalysis and Exploratory Psychotherapy. *J. Am. Psa. Ass.* 2: 771–797

Giovacchini, P. L. (1972) (Herausgeber): *Tactics and Techniques in Psychoanalytic Therapy.* New York (J. Aronson)

Gitelson, M. (1952): The Emotional Position of the Analyst in the Psychoanalytic Situation. *Int. J. PsA.* 33: 1–10
- (1958) On Ego Distortion. *Int. J. PsA.* 39: 245–257. Deutsch: Analyse einer neurotischen Ich-Deformierung. *Psyche* 1959, 13: 85–107

Glover, E. (1955 a): *The Technique of Psycho-Analysis.* New York (Internat. Univ. Press)
- (1955 b): The Analyst's Case-List (2). In: *The Technique of Psycho-Analysis,* New York (Internat. Univ. Press), S. 185–258

Greenson, R. R. (1954): The Struggle Against Identification. *J. Am. Psa. Ass.* 2: 200–217
- (1958): On Screen Defenses, Screen Hunger, and Screen Identity. *J. Am. Psa. Ass.* 6: 242–262
- (1967): *Technik und Praxis der Psychoanalyse.* Stuttgart (Klett) 1973
- (1970): The Unique Patient-Therapist Relationship in Borderline Patients. Vortrag beim Jahrestreffen der American Psychiatric Association (unveröffentlicht)

Grinker, R. sen., Werble, B., Drye, R. (1968): *The Borderline Syndrome.* New York (Basic Books)

Guntrip, H. (1968): *Schizoid Phenomena, Object Relations, and the Self.* New York (Internat. Univ. Press), S. 275–309

Hartmann, H. (1950): Bemerkungen zur psychoanalytischen Theorie des Ichs. In: H. Hartmann: Ich-Psychologie. Stuttgart (Klett) 1972, S. 119 bis 144
- (1953): Ein Beitrag zur Metapsychologie der Schizophrenie. In: H. Hartmann: Ich-Psychologie, Stuttgart (Klett) 1972, S. 181–204
-, Kris, E., und Loewenstein, R. M. (1946): Comments on the Formation of Psychic Structure. In: *The Psychoanalytic Study of the Child* 2: 11 bis 38
- und Loewenstein, R. M. (1962): Notes on the Superego. In: *The Psychoanalytic Study of the Child* 17: 42–81

Heimann, P. (1950): On Counter-Transference. *Int. J. PsA.* 31: 81–84

– (1955 a): A Combination of Defence Mechanisms in Paranoid States. In: *New Directions in Psycho-Analysis,* hrsg. v. M. Klein, P. Heimann und R. E. Money-Kyrle. London (Tavistock Publications), S. 240–265

– (1955 b): A Contribution to the Re-evaluation of the Oedipus Complex: The Early Stages. In: *New Directions in Psycho-Analysis,* hrsg. v. M. Klein, P. Heimann und R. E. Money-Kyrle. London (Tavistock), S. 23–38

– (1960): Countertransference. *Brit. J. Med. Psychol.* 33: 9–27. Deutsche Übersetzung: Bemerkungen zur Gegenübertragung, *Psyche* 1964, 18: 483–493

Hoch, P. H., und Polatin, P. (1949): Pseudoneurotic Forms of Schizophrenia. *Psychiatric Quarterly* 23: 248–276

– und Cattell, J. P. (1959): The Diagnosis of Pseudoneurotic Schizophrenia. *Psychiatric Quarterly* 33: 17–43

Holzman, P. S., und Ekstein, R. (1959): Repetition-Functions of Transitory Regressive Thinking. *Psychoanalytic Quarterly* 28: 228–235

Hurvich, M. (1970): Zum Begriff der Realitätsprüfung. *Psyche* 1972, 26: 853–880

Jacobson, E. (1953): Zur Metapsychologie zyklothymer Depressionen. In: *Depression,* Frankfurt (Suhrkamp) 1977, Kap. 9, S. 287–303

– (1954 a): Contribution to the Metapsychology of Psychotic Identifications. *J. Am. Psa. Ass.* 2: 239–262

– (1954 b): Psychotische Identifizierungen. In: E. Jacobson: *Depression,* Frankfurt (Suhrkamp) 1977, Kap. 10, S. 304–329

– (1957): Verleugnung und Verdrängung. In: E. Jacobson: *Depression* Frankfurt (Suhrkamp) 1977, Kap. 4, S. 140–178

– (1964): Das Selbst und die Welt der Objekte. Frankfurt (Suhrkamp) 1973

Jones, E. (1913): Der Gottmensch-Komplex. *Intern. Zeitschr. f. PsA.* 1: 313–329

Keniston, K. (1968): *Young Radicals.* New York (Harcourt, Brace & World, Inc)

– (1970): Student Activism, Moral Development and Morality. *Amer. J. Orthopsychiatry* 40: 577–592

Kernberg, O. (1960): Manejo de la Contra-Transferencia en la Escuela Analitica de Washington. Vortrag vor der Chilenischen Psychoanalytischen Gesellschaft (unveröffentlicht)

– (1966): Structural Derivatives of Object Relationships. *Int. J. PsA.* 47: 236–253

- (1970): A Psychoanalytic Classification of Character Pathology. *J. Am. Psa. Ass.* 18: 800–822. Auch in: Kernberg: *Object Relations Theory and Clinical Psychoanalysis*, New York (J. Aronson) 1976, S. 139–160
- (1971): New Developments in Psychoanalytic Object Relations Theory. Parts I and III: Normal and Pathological Development. In: Kernberg: *Object Relations Theory and Clinical Psychoanalysis*, New York (J. Aronson) 1976, S. 55–83
- (1972): Early Ego Integration and Object Relations. *Annuals of the New Academy of Science* 193: 233–247
- (1973): New Developments in Psychoanalytic Object Relations Theory. Part. II: Instincts, Affects, and Object Relations. In: *Object Relations Theory and Clinical Psychoanalysis*, New York (J. Aronson) 1976, S. 85–107
-, Burstein, E., Coyne, L., Appelbaum, A., Horwitz, L. und Voth, H. (1972): Psychotherapy and Psychoanalysis: Final Report of the Menninger Foundation's Psychotherapy Research Project. *Bulletin of the Menninger Clinic* 36: 1–275

Kernberg, P. (1971): The Course of the Analysis of a Narcissistic Personality with Hysterical and Compulsive Features. *J. Am. Psa. Ass.* 19: 451–471

Khan, M. M. R. (1960): Clinical Aspects of the Schizoid Personality: Affects and Technique. *Int. J. PsA.* 41: 430–437. Auch in: Khan: *The Privacy of the Self*, New York (Intern. Univ. Press) 1974, S. 13–26
- (1964): Ego Distortion, Cumulative Trauma, and the Role of Reconstruction in the Analytic Situation. *Int. J. PsA.* 45: 272–279. Auch in: Khan: *The Privacy of the Self*, New York (Intern. Univ. Press) 1974, S. 59–68
- (1969): On Symbiotic Omnipotence. In: J. A. Lindon (Hrsg.): *The Psychoanalytic Forum*, New York (J. Aronson). Auch in: Khan: *The Privacy of the Self*, New York (Intern. Univ. Press) 1974, S. 82–92

Klein, M. (1934): Zur Psychogenese der manisch-depressiven Zustände. In: M. Klein: *Das Seelenleben des Kleinkindes*, Stuttgart (Klett) 1962, S. 44 bis 71
- (1940): Trauer und ihre Beziehungen zu manisch-depressiven Zuständen. In: M. Klein: *Das Seelenleben des Kleinkindes*, Stuttgart (Klett) 1962, S. 72–100
- (1945): The Oedipus Complex in the Light of Early Anxieties: General Theoretical Summary. In: M. Klein: *Contributions to Psycho-Analysis 1921–1945*, London (Hogarth Press) 1948, S. 377–390
- (1946): Bemerkungen über einige schizoide Mechanismen. In: M. Klein: *Das Seelenleben des Kleinkindes*, Stuttgart (Klett) 1962, S. 101–126
- (1952): On the Origins of Transference. *Int. J. PsA.* 33: 433–438

- (1955): On Identification. In: M. Klein, P. Heimann und R. E. Money-Kyrle (Hrsg.): *New Directions in Psycho-Analysis*, London (Tavistock Publications), S. 309-345

Knight, R. P. (1953 a): Borderline States. In: *Psychoanalytic Psychiatry and Psychology*, hrsg. v. R. P. Knight und C. R. Friedman, New York (Intern. Univ. Press) 1954, S. 97-109

- (1953 b): Management and Psychotherapy of the Borderline Schizophrenic Patient. In: *Psychoanalytic Psychiatry and Psychology*, hrsg. v. R. P. Knight und C. R. Friedman, New York (Intern. Univ. Press) 1954, S. 110-122

Kohut, H. (1966): Formen und Umformungen des Narzißmus. *Psyche* 1966, 20: 561-587

- (1968): Die psychoanalytische Behandlung narzißtischer Persönlichkeitsstörungen. *Psyche* 1969, 23: 321-348

- (1971): Narzißmus – Eine Theorie der psychoanalytischen Behandlung narzißtischer Persönlichkeitsstörungen. Frankfurt (Suhrkamp) 1973

- (1972): Überlegungen zum Narzißmus und zur narzißtischen Wut. *Psyche* 1973, 27: 513-554

Laughlin, H. P. (1956): *The Neuroses in Clinical Practice*, Philadelphia (Saunders), S. 394-406

Lidz, R. W. und Lidz, T. (1952): Therapeutic Considerations Arising from the Intense Symbiotic Needs of Schizophrenic Patients. In: E. B. Brody und F. C. Redlich (Hrsg.): *Psychotherapy with Schizophrenics*, New York (Intern. Univ. Press), S. 168-178

Little, M. (1951): Countertransference and the Patient's Response to It. *Int. J. PsA.* 32: 32-40

- (1958): On Delusional Transference (Transference Psychosis). *Int. J. PsA.* 39: 134-138

- (1960 a): Countertransference. *Brit. J. Med. Psychol.* 33: 29-31

- (1960 b): On Basic Unity. *Int. J. PsA.* 41: 377-384; 637

Luborsky, L. (1962): The Patient's Personality and Psychotherapeutic Change. In: H. H. Strupp und L. Luborsky (Hrsg.): *Research in Psychotherapy, Vol. II.* Washington, D. C. (Amer. Psychol. Assn.), S. 115 bis 133

MacAlpine, I. (1950): The Development of the Transference. *Psychoanalytic Quarterly* 19: 501-539

Mahler, M. S. (1968): *Symbiose und Individuation.* Bd. I: Psychosen im frühen Kindesalter. Stuttgart (Klett) 1972

- (1971): Die Bedeutung des Loslösungs- und Individuationsprozesses für die Beurteilung von Borderline-Phänomenen. *Psyche* 1975, 29: 1078 bis 1095

Main, T. F. (1957): The Ailment. *Brit. J. Med. Psychol.* 30: 129–145

Masterson, J. (1967): *The Psychiatric Dilemma of Adolescence.* Boston (Little, Brown), S. 119–134

– (1972): *Treatment of the Borderline Adolescent: A Developmental Approach.* New York (Wiley-Interscience)

Menninger, K. A., und Holzman, P. S. (1958): *Theorie der psychoanalytischen Technik.* Stuttgart/Bad Cannstatt (Frommann-Holzboog) 1977

– (1959): Hope. *Amer. J. Psychiat.* 116: 481–491

–, Mayman, M., und Pruyser, P. (1963): *Das Leben als Balance.* München (Piper) 1968

Meza, C. (1970): *El Colerico (Borderline).* Editorial Joaquin Mortiz, Mexico

Money-Kyrle, R. E. (1956): Normal Countertransference and Some of its Deviations. *Int. J. PsA.* 37: 360–366

Orr, D. W. (1954): Transference and Countertransference: A Historical Survey. *J. Am. Psa. Ass.* 2: 621–670

Paz, C. (1969): Reflexiones Tecnicas Sobre El Proceso Analitico En Los Psicoticos Fronterizos. *Revista de Psicoanalisis* 26: 571–630

Racker, H. (1953): A Contribution to the Problem of Countertransference. *Int. J. PsA.* 34: 313–324

– (1957): The Meanings and Uses of Countertransference. *Psychoanalytic Quarterly* 26: 303–357

Rangell, I. (1955): Panel Report: The Borderline Case. *J. Am. Psa. Ass.* 3: 285–298

Rapaport, D. (1957): Cognitive Structures. In: *Contemporary Approaches to Cognition.* Cambridge (Harvard Univ. Press), S. 157–200

– und Gill, M. M. (1959): The Points of View and Assumptions of Metapsychology. *Int. J. PsA.* 40: 153–162

–, Gill, M. M., und Schafer, R. (1945/46): *Diagnostic Psychological Testing,* 2 Bde., Chicago (Year Book Publishers). Bd. I, S. 16–28; Bd. II, S. 24 bis 31 und 329–366

Reich, A. (1951): On Countertransference. *Int. J. PsA.* 32: 25–31

– (1953): Narzißtische Objektwahl bei Frauen. *Psyche* 1973, 27: 928–948

– (1960 a): Bemerkungen zum Problem der Gegenübertragung. In: *Jahrbuch der Psychoanalyse* Bd. I, Köln/Opladen (Westdeutscher Verlag), 1960, S. 183–195

– (1960 b): Pathological Forms of Self-Esteem Regulation. *The Psychoanalytic Study of the Child* 15: 215–232

Reich, W. (1933): Charakteranalyse. Wien (Selbstverlag). Neuere Ausgabe: Frankfurt (S. Fischer) 1973

Reider, N. (1957): Transference Psychosis. *Journal of the Hillside Hospital* 6: 131–149

Riviere, J. (1936): A Contribution to the Analysis of the Negative Therapeutic Reaction. *Int. J. PsA.* 17: 304–320

Robbins, L. L. (1956): Panel Report: The Borderline Case. *J. Am. Psa. Ass.* 4: 550–562

– und Wallerstein, R. S. (1959): The Research Strategy and Tactics of the Psychotherapy Research Project of the Menninger Foundation and the Problem of Controls. In: E. A. Rubinstein und M. B. Parloff (Hrsg.): *Research in Psychotherapy*, Washington, D. C. (Amer. Psychol. Assn.), S. 27–43

Robins, L. N. (1966): *Deviant Children Grown Up*. Baltimore (Williams & Wilkins), S. 287–309

Romm, M. (1957): Transient Psychotic Episodes during Psychoanalysis. *J. Am. Psa. Ass.* 5: 325–341

Rosenfeld, H. (1949): Remarks on the Relation of Male Homosexuality to Paranoia, Paranoid Anxiety and Narcissism. *Int. J. PsA.* 30: 36–47

– (1952): Transference-Phenomena and Transference-Analysis in an Acute Catatonic Schizophrenic Patient. *Int. J. PsA.* 33: 457–464

– (1955): Notes on the Psychoanalysis of the Super-ego Conflict in an Acute Schizophrenic Patient. In: Azima & Glueck jr. (Hrsg.): *Psychotherapy of Schizophrenia and Manic-Depressive States,* Washington (Amer. Psychiat. Assn.)

– (1958): Contribution to the Discussion on »Variations in Classical Technique«. *Int. J. PsA.* 39: 238–239

– (1963): Bemerkungen zur Theorie und Praxis der psychoanalytischen Schizophreniebehandlung. In: Benedetti, G. und Müller, C. (Herausg.): 2. Internationales Symposium über die Psychotherapie der Schizophrenie, Zürich 1959. Basel/New York (Karger) 1960, S. 195–211

– (1964): On the Psychopathology of Narcissism: A Clinical Approach. *Int. J. PsA.* 45: 332–337

– (1970): Negative Therapeutic Reaction. Kurzreferat in den »Transactions of the Topeka Psychoanalytic Society«. *Bulletin of the Menninger Clinic* 34: 189–192

Sachs, H. (1947): Observations of a Training Analyst. *Psychoanalytic Quarterly* 16: 157–168

Sandler, J. und Rosenblatt, B. (1962): The Concept of the Representational World. *The Psychoanalytic Study of the Child* 17: 128–145

Savage, C. (1961): Countertransference in the Therapy of Schizophrenics. *Psychiatry* 24: 53–60

Schafer, R. (1960): The Loving and the Beloved Superego in Freud's Structural Theory. *The Psychoanalytic Study of the Child* 15: 163–188

Schlesinger, H. (1966): In Defense of Denial. Unveröffentlicher Vortrag vor der Topeka Psychoanalytic Society im Juni 1966

Schmideberg, M. (1947): The Treatment of Psychopaths and Borderline Patients. *American Journal of Psychotherapy* 1: 45–70

Segal, H. (1964): *Melanie Klein*. München (Kindler) 1974

Sharpe, E. F. (1931): Anxiety, Outbreak and Resolution. In: E. F. Sharpe: *Collected Papers on Psycho-Analysis*. London (Hogarth) 1950, S. 67 bis 80

Spitz, R. A. (1956): Countertransference: Comments on its Varying Role in the Analytic Situation. *J. Am. Psa. Ass.* 4: 256–265

Sterba, R. (1934): Das Schicksal des Ichs im therapeutischen Verfahren. *Intern. Zeitschr. f. Psychoanalyse* 20: 66–73

Stern, A. (1938): Psychoanalytic Investigation of and Therapy in the Borderline Group of Neuroses. *Psychoanalytic Quarterly* 7: 467–489

– (1945): Psychoanalytic Therapy in the Borderline Neuroses. *Psychoanalytic Quarterly* 14: 190–190

Stone, L. (1951): Psychoanalysis and Brief Psychotherapy. *Psychoanalytic Quarterly* 20: 215–236

– (1954): The Widening Scope of Indications for Psychoanalysis. *J. Am. Psa. Ass.* 2: 567–594

Strachey, J. (1934): Die Grundlagen der therapeutischen Wirkung der Psychoanalyse. *Intern. Zeitschr. f. Psychoanalyse* 1935, 21: 486–516

Sullivan, H. S. (1953 a): *Conceptions of Modern Psychiatry*. New York (Norton)

– (1953 b): *The Interpersonal Theory of Psychiatry*. New York (Norton)

Tartakoff, H. H. (1966): The Normal Personality in Our Culture and the Nobel Prize Complex. In: R. M. Loewenstein, L. M. Newman, M. Schur & A. J. Solnit (Hrsg.): *Psychoanalysis – A General Psychology*. New York (Intern. Univ. Press), S. 222–252

Thompson, C. M. (1952): Countertransference. *Samiksa* 6: 205–211

Ticho, E. (1966): Selection of Patients for Psychoanalysis or Psychotherapy. Vortrag beim 20. Jahrestreffen der Schüler der Menninger School of Psychiatry in Topeka, Kansas, USA (unveröffentlicht)

– (1970): Differences Between Psychoanalysis and Psychotherapy. *Bulletin of the Menninger Clinic* 34: 128–138

– (1972 a): The Development of Superego Autonomy. *Psychoanalytic Review* 59: 218–233

– (1972 b): The Effects of the Psychoanalyst's Personality on the Treatment. In: J. A. Lindon (Hrsg.): *Psychoanalytic Forum* Vol. IV, S. 137 bis 151. New York (Int. Univ. Press)

Tower, L. E. (1956): Countertransference. *J. Am. Psa. Ass.* 4: 224–255

Van der Waals, H. G. (1965): Problems of Narcissism. *Bulletin of the Menninger Clinic* 29: 293–311

Waelder, R. (1958): Über neurotische Ich-Deformierungen. *Psyche* 1959, 13: 81–84. Zusammen mit anderen Beiträgen zur Panel-Diskussion in: *Int. J. PsA.* 39: 243–275

Wallerstein, R. S. (1967): Reconstruction and Mastery in the Transference Psychosis. *J. Am. Psa. Ass.* 15: 551–583

–, Luborsky, L., Robbins, L. L., & Sargent, H. D. (1956): The Psychotherapy Research Project of the Menninger Foundation: Rationale, Method and Sample Use: First Report. *Bulletin of the Menninger Clinic* 20: 221 bis 278

– und Robbins, L. L. (1956): The Psychotherapy Research Project of the Menninger Foundation (Part IV: Concepts). *Bulletin of the Menninger Clinic* 20: 239–262

Weigert, E. (1952): Contribution to the Problem of Terminating Psychoanalyses. *Psychoanalytic Quarterly* 21: 465–480

Weisfogel, J., Dickes, R., & Simons, R. (1969): Diagnostic Concepts Concerning Patients Demonstrating Both Psychotic and Neurotic Symptoms. *The Psychiatric Quarterly* 43: 85–122

Werble, B. (1970): Second Follow-Up-Study of Borderline Patients. *Archives of General Psychiatry* 23: 3–7

Will, O. A. (1959): Human Relatedness and the Schizophrenic Reaction. *Psychiatry* 22: 205–223

Winnicott, D. W. (1949): Haß in der Gegenübertragung. In: Winnicott: Von der Kinderheilkunde zur Psychoanalyse. München (Kindler) 1976, S. 75–88

– (1955): Die depressive Position in der normalen emotionalen Entwicklung. In: Winnicott: Von der Kinderheilkunde zur Psychoanalyse. München (Kindler) 1976, S. 270–292

– (1960): Gegenübertragung. In: Winnicott: Reifungsprozesse und fördernde Umwelt. München (Kindler) 1974, S. 207–216

– (1963): Die Entwicklung der Fähigkeit der Besorgnis. In: Winnicott. Reifungsprozesse und fördernde Umwelt. München (Kindler) 1974, S. 93–105

Wolberg, A. (1973): *The Borderline Patient.* New York (Intercontinental Medical Book Corporation)

Zetzel, E. R. (1956): Current Concepts of Transference. *Int. J. PsA.* 37: 369–376

– (1966): The Analytic Situation. In: Litman (Hrsg.): *Psychoanalysis in the Americas.* New York (Intern. Univ. Press) 1966, S. 86–106

- (1971): A Developmental Approach to the Borderline Patient. *American Journal of Psychiatry* 127: 867–871
Zilboorg, G. (1941): Das Problem der ambulatorischen Schizophrenien. *Psyche* 1956, 11: 55–66
- (1957): Further Observations on Ambulatory Schizophrenia. *American Journal of Orthopsychiatry* 27: 677–682

Vorbemerkung des Übersetzers: Das Sachregister wurde nicht aus der amerikanischen Ausgabe übernommen, sondern zur besseren Benutzbarkeit von
mir neu angefertigt. Die beiden umfangreichsten Stichworte »Borderline-
Persönlichkeitsstörungen« und »Narzißtische Persönlichkeitsstörungen« habe
ich so aufgegliedert, daß die Konzeption des Autors und die Zusammenhänge zwischen den einzelnen Teilkonzepten darin klar überschaubar sind;
dabei wurde z. T. der logischen vor der alphabetischen Ordnung der Vorzug
gegeben.

Abkürzungen im Register:
BPS = Borderline-Persönlichkeitsstörungen oder Borderline-Persönlichkeits-
  struktur (borderline personality organization),
NPS = Narzißtische Persönlichkeitsstörungen

bizarres Denken, Fühlen und Verhalten bei Psychosen 160, 161, 208, 210

Borderline-Persönlichkeitsstörungen (BPS)

- Pathologie des Selbst und der verinnerlichten Objektbeziehungen (*siehe unten Punkt 4 b*)
- Abwehrmechanismen (*siehe unten Punkt 4 c*)

b) Pathologie des Selbst und der verinnerlichten Objektbeziehungen (Repräsentanzenwelt, Affekte)

23 f., 36, 40 f., 44–62, 97 f., 101 f., 189–194; *im einzelnen:*
- Persistenz früher konflikthafter verinnerlichter Objektbeziehungen in dissoziierten Identifikationssystemen (Ichzuständen) 21, 23 f., 45 f., 48 f., 55, 97 f., 119, 189, 192 f., 359
- Mangelnde Entwicklung reiferer (depersonifizierter/abstrahierter/integrierter) Strukturderivate verinnerlichter Objektbeziehungen im Ich und Über-Ich 39, 55–59, 61 f., 98, 100, 147, 162, 163–170, 192, 196 f.
- Ich-Integration, mangelhafte *siehe oben Punkt 4 a*
- Überich-Integration, mangelhafte *siehe unten Punkt 4 d*
- Alternieren gegensätzlicher Charakterzüge/Ichzustände/Identifikationssysteme 33, 46, 49 f., 52 f., 54 f., 97 f., 119 (Fallbeispiel), 147 f., 164, 168, 189, 193 f., 225–228, 303, 305
- Spaltung (zwischen gegensätzlichen – z. B. »guten« und »bösen/schlechten« – Teil-Selbst- und -Objektimagines) *siehe unten Punkt 4 c*
- Selbstkonzept, mangelhaft integriertes (*siehe dort*); Identitätsdiffusion (*siehe dort*)
- Objektrepräsentanzen, mangelhaft integrierte (*siehe dort*); mangelnde Objektkonstanz (*siehe dort*)
- Affektdispositionen des Ichs: Primitivität, Aggressivierung und mangelhafte Differenzierung der Affekte 49–52, 54 f., 56–60, 81, 115 f., 142, 167, 171; emotionale Labilität und »Überengagement« 31 f., 167, 171; Unfähigkeit zu Schuldgefühlen/Depression/Trauer/Mitgefühl 34, 36, 38 f., 51, 56–59, 113, 142, 159, 165–167, 205, 234; Unfähigkeit zu vertrauensvoller Abhängigkeit 113, 216, 239; Vermeidung tieferer emotionaler Beziehungen, Flachheit, Affektleere 36, 59, 91, 103, 112, 119, 141 f., 171 f., 179, 209, 241, 247; schizoide Zersplitterung/Fragmentierung/Verflüchtigung von Affekten 208, 236 f., 247, 249; Empathiestörung (*s. dort*); Qualität der manifesten emotionalen Beziehungen 24, 31–36, 140, 142, 159, 171–173, 181, 190, 194
- Selbst-Objekt-Differenzierung labil in Bereichen von projektiver Identifizierung; Neigung zu regressiver Selbst-Objekt-Wiederverschmelzung/Auflösung der Ichgrenzen / Übertragungspsychose 41, 44, 46–48, 52, 56, 61 f., 76 f., 104–106, 109, 143, 151, 184 f., 189–191, 203 f., 207, 209, 224, 254, 265, 275, 317, 370

c) Abwehrmechanismen (gegen die Reaktivierung bedrohlicher primitiver verinnerlichter Objektbeziehungen mit Affektdispositionen von Verlassenheit, Sehnsucht, Wut, Haß, Neid, paranoider und depressiver Angst)

Charakterstörungen
- auf Borderline-Niveau *siehe* »Als ob«-Persönlichkeit; antisoziale Persönlichkeit; depressiv-masochistische Persönlichkeiten auf Borderline-Niveau; hypomanische (hyperthyme) Persönlichkeit; hysterischer Charakter auf Bordeline-Niveau; Impulsneurosen, Suchten, Perversion; »inadäquate« Persönlichkeit; infantile Persönlichkeit; narzißtische Persönlichkeiten (NPS) auf Borderline-Niveau; paranoide Persönlichkeit; schizoide Persönlichkeit; triebhafter/chaotischer/agierender Charakter; Zwangscharakter auf Borderline-Niveau
- Charakter-Identifizierung mit grandios-narzißtischen Überich-/Ichideal-Anteilen *siehe* NPS, Größen-Selbst
- Charakter-Identifizierung, masochistische, als Unterwerfung unter ein strenges sadistisches Über-Ich (bei depressiven, depressiv-masochistischen und hysterischen Persönlichkeiten) 34, 37–39, 102, 128, 144–146, 149, 150, 172 f., 246 f.
- Charakter-Identifizierung mit sadistischen Überich-Anteilen 144–147, 198; *s. a.* Überich-Störung bei antisozialer Persönlichkeit
- Charakter-Identifizierung mit selbstdestruktiven Überich-Anteilen (»Selbstdestruktivität als Ich-Ideal«) 144, 148–153, 198
- Charakterstörungen von höherem / mittlerem / niederem Strukturniveau 30–40, 182
- Charakterstörungen / Charakterzüge, ich-synton vs. ich-dyston 134 f., 144, 152 f.
- widersprüchliche Charakterzüge auf Grund konträrer Charakter-Identifizierungen 147 f., 152, 189, 193; *s. a.* Alternieren widersprüchlicher Charakterzüge / Ichzustände / Identifikationssysteme

Dankbarkeit 297, 298, 314, 364
Defekte – Akzeptieren psychischer Defekte 204 f.
Delinquenz *siehe* antisoziale Persönlichkeit; antisoziales Verhalten
Denkprozesse *siehe* Primärprozeßdenken; Sekundärprozeßdenken
Denkstörungen, formale, *siehe* Primärprozeßdenken
Depression (*siehe auch* Unfähigkeit/Fähigkeit zu Schuldgefühlen / Depression / Trauer / Mitgefühl)

denken 294 f., 305, 350, 376; starke Regressionsneigung 264, 295; Tendenzen zum Übertragungsagieren insbesondere von narzißtischer Wut (*siehe dort*) und zur Ausbildung einer Übertragungspsychose 305

b) Pathologie des Selbst und der verinnerlichten Objektbeziehungen (Repräsentanzenwelt, Affekte)

Auf der Ebene der narzißtischen Persönlichkeitsorganisation:

- Pathologisches Größen-Selbst 197, 250, 253, 256, 303 f., 308, 313, 315, 316–324, 326, 327, 329, 341, 368 f., 372 f., 376, 381
- entstanden durch Verschmelzung des Selbstkonzepts mit dem Ich-Ideal bzw. des Real-Selbst mit Idealselbst- und Idealobjektimagines 58, 60 f., 126, 197, 265–267, 269–271, 277, 303 f., 315, 319, 322, 376 (*s. a.* Allmachts-/Omnipotenz-/Größenphantasien; narzißtische Idealisierung; Identifizierung mit idealisierten Objekten)
- pathologische Entartung/Verkümmerung der verinnerlichten Objektbeziehungen 266–273, 315, 322–324, 376
- entwertete schattenhafte Objektrepräsentanzen 266, 267 f., 322, 376
- idealisierte Objektrepräsentanzen (»Idole«) 268
- mangelhafte Entwicklung verläßlicher guter innerer Objekte 262, 311, 356 f.; *s. a. unter* Abhängigkeit – Unfähigkeit zu vertrauensvoller Abhängigkeit
- idealisiertes Selbstkonzept (*siehe oben:* Größen-Selbst: *s. a.* Allmachts-/Omnipotenz-/Größenphantasien
- inakzeptable entwertete Selbstanteile 197, 269, 322, 376; *s. a.* Minderwertigkeitsgefühle
- normale objektbezogene Selbstanteile 329 f.
- mangelhaft integriertes (d. h. gespaltenes) Selbstkonzept (z. B. Größenphantasien neben Minderwertigkeitsgefühlen) 197, 263, 303, 323, 375 f.
- »Selbst-zu-Selbst«-Beziehung, pathologisch-narzißtische 368 f., 372, 373 f.
- Affektdispositionen des Ichs: Flache, rasch aufflackernde und rasch wieder abflauende Affekte 35, 131, 263; Qualität der manifesten emotionalen Beziehungen 35 f., 131, 172 f., 250, 261–263, 267–273, 302, 374, 377; Empathiestörung 35, 131, 250 f., 262 f., 302, 331, 360, 374 f.; Unfähigkeit zu (bzw. Vermeidung von) vertrauensvoller Abhängigkeit 36, 262, 266, 271, 280, 282, 289, 312, 313 f., 323, 327, 330; Unfähigkeit zu (bzw. Vermeidung von) Schuldgefühlen/Depression/Trauer/Mitgefühl 167, 263, 272 f., 280, 285, 286–288 (Fallbeispiel), 291 f., 295, 296–300 (mit Fallbeispiel), 313, 334, 350, 356; Vermeidung tieferer emotionaler Beziehungen, Flachheit, Affektleere 35, 131, 250–252, 262 f., 297, 377 (*s. a.* narzißtischer Rückzug)

Auf der Ebene der zugrundeliegenden Borderline-Persönlichkeitsorganisation:

- Primitive verinnerlichte Objektbeziehungen 36, 172, 250, 252, 262, 267–